Einaudi. Stile l

Per il racconto *Neve sporca*

© 2008 by Giancarlo De Cataldo

Published by arrangement with Agenzia Letteraria Roberto Santachiara

Per il racconto *Niente di personale*

© 2008 by Carlo Lucarelli

Published by arrangement with Agenzia Letteraria Roberto Santachiara

Per il racconto *Momodou*

© 2008 by Wu Ming

Published by arrangement with Agenzia Letteraria Roberto Santachiara

© 2008 Giulio Einaudi editore s.p.a., Torino

www.einaudi.it

ISBN 978-88-06-19002-6

Massimo Carlotto, Gianrico Carofiglio,
Sandrone Dazieri, Giancarlo De Cataldo,
Diego De Silva, Giorgio Faletti,
Marcello Fois, Carlo Lucarelli,
Loriano Macchiavelli, Giampaolo Simi,
Wu Ming

Crimini italiani

A cura di Giancarlo De Cataldo

Einaudi

Nota del curatore

Quando cominci a mettere insieme i materiali per un'antologia sui «crimini italiani» non puoi sapere come andrà a finire. E può accadere di scoprire, lungo il cammino, che alcuni luoghi comuni che davi per scontati sono semplicemente falsi.

C'è chi dice, per esempio, che sia impossibile dipingere l'Italia. Perché non ci sono piú i pittori di una volta, secondo alcuni. E secondo altri, perché la modella, lungi dall'ispirare, respinge. Non è vero. Tutto dipende dal punto di vista. L'Italia è sotto i nostri occhi. Non fa nulla per nascondersi. Si offre giorno dopo giorno, impudicamente, alla nostra percezione. Basta saperla guardare. Ma non bisogna commettere l'errore di fermarsi alla superficie. Bisogna andare oltre la maschera seducente del paese delle bellezze artistiche, delle grandi firme, dei geniali improvvisatori. Bisogna strappargliela con la forza, questa maschera, alla nostra Italia. Allora, solo allora, si potrà davvero capire se è il pittore ad aver perso la mano, o la modella a rivelarsi prodotto ingannevole di un'abile cosmesi. E non c'è che un modo per arrivare alla nuda verità: addentrarsi nel suo lato oscuro, affrontare a viso aperto i suoi crimini.

E c'è chi dice, altro esempio, che l'Italia non è mai stata, e mai sarà, un paese unito. Siamo troppo divisi, noi italiani. Una storia intessuta di lacerazioni, conflitti, incomprensioni ci ha allontanati gli uni dagli altri senza nemmeno darci il tempo di conoscerci a fondo. Bene. L'esplorazione del lato oscuro smentisce anche questo assioma consolidato. Se c'è una forza che appare in grado, oggi piú che mai, di realizzare quel sogno unitario che fu di Cavour, Mazzini, Garibaldi e che ha attraversato tutti gli ultimi centocinquant'anni della nostra Storia, quella forza è il crimine. L'unità criminale d'Italia, per la verità, è un dato di fatto. Alcuni elementi ricorrenti già oggi accomunano i valligiani che sciamano sui ghiacciai dell'estremo Nord e i boss e *peones* del «sistema» criminale meridionale, i miti cittadini dell'operosa provincia e gli affannati *businessmen* delle metropoli, chi vive nei paesi sperduti dell'entroterra e chi affolla i ghetti ai margini delle grandi città. Li abbiamo definiti elementi, ma faremmo meglio a chiamarli «miti».

Il mito della scorciatoia, della strada piú corta per l'arricchimento individuale. Con quel che ne segue in termini di disprezzo del lavoro. Non è necessario essere iscritti all'albo dei professionisti del crimine per praticare il crimine. Il crimine italiano appare sempre piú un affare di gente comune. Non c'è lavoro legale che non possa essere sostituito da un suo surrogato illegale: quale altro movente, se non l'avidità, potrebbe spingere un prestigioso luminare della chirurgia a mettersi al servizio di un sanguinario latitante? E prostituzione e impiego d'ufficio non sono forse attività intercambiabili?

Il mito del crimine che paga: non è forse sotto gli occhi di tutti la forsennata débâcle della giustizia? Comprensibile, allora, che la sfiducia totale nelle istituzioni si faccia strada, e che irreprensibili cittadini e qualche poliziotto stanco di veder calpestata la legalità dagli sberleffi degli «intoccabili» si improvvisino giustizieri, finalmente in pace con la propria coscienza e in fondo tollerati, se non incoraggiati, da quella collettiva.

E il mito della cocaina, naturalmente. La droga che non ti allontana dalla società, che, al contrario, ti rende scattante, efficiente, gaio e *multitasking* come si addice a una persona di successo. La cocaina, che ricorre ossessivamente in tutte queste storie di crimini italiani: la cocaina, paradossale Nostra Signora della Neve che tutto illumina e tutto rende possibile...

Gli scrittori non si limitano a osservare, registrare, riportare. Gli scrittori prendono apertamente partito. Il giudizio è unanime: la modella-Italia è un emblema della bellezza corrotta. Un male oscuro l'ha ormai profondamente contagiata. È un contagio irredimibile? Qualcuno ne è convinto, e si ritrae, come inorridito, di fronte allo spettacolo della devastazione, prende le distanze dal reale, si rifugia nel delirio, in una vita immaginaria, la sola che sembra poter consentire un riscatto immaginario.

Qualcun altro cerca di dare un nome a questo male oscuro. E definisce questo grumo di livore e di violenza ammantato di innocente strafottenza «crisi della giustizia», se non «crisi della democrazia».

E c'è infine chi coltiva un esilissimo filo di speranza. Che non può certo venire dalle istituzioni, ma, semmai, dal nemico apparente (l'emarginato, il disadattato, il new global), oppure da qualche infiltrato sfuggito all'occhiuta lente dei sorveglianti: il carabiniere onesto, il giudice idealista, spaesato e cocciuto Don Chisciotte alle prese con potenti, ricchissimi e tecnologici mulini a vento.

A tutto concedere, il riscatto di qualche italiano, non certo dell'Italia.

Sí, l'Italia è un «paese noir». Eppure, nel momento stesso in cui ne dànno atto, gli autori di questa antologia scelgono consapevolmente di dissolvere i tratti caratteristici del genere in una feconda contaminazione che si può definire in un solo modo: scrittura, scrittura allo stato puro. Scrittura che non tollera di essere ingabbiata e si lancia senza paura verso territori ancora tutti da esplorare. Scrittura che non disdegna gli scenari epici, il dramma, l'umorismo, la brutalità della violenza e la leggerezza della fuga.

Scrittura di scrittori italiani: ugualmente disperati e orgogliosi di esserlo.

GDC

Crimini italiani

Giancarlo De Cataldo

Neve sporca

I.

– Vammi a controllare la 319, – aveva ordinato il direttore a Fabrizio, – la cameriera al piano dice che il vassoio
della colazione è ancora fuori della porta. Intatto.
– Chi è la cameriera al piano?
– Iovanka, quella bulgara.
– Quella non distingue un vassoio da un pitale.
– Può essere, ma tu va' lo stesso a controllare. Fammi questo piacere, Fabri, magari non è niente, magari ieri sera quello c'è andato giú duro con le *grolle*, ma è sempre meglio stare con gli occhi aperti…
– Passo prima dalla lavanderia, va bene? – aveva risposto Fabrizio, mostrando il pesante sacco con le lenzuola del
quarto e del quinto piano.
– Sarei piú tranquillo se ci andassi subito. Quando…
– Ok, capo!
Un rapido dietrofront, e Fabrizio era schizzato fuori dal-
l'ufficio del direttore con un sorriso furbo che si andava di-
pingendo sulle labbra sfuggenti. Sapeva che la prontezza nel-
l'eseguire l'ordine sarebbe stata apprezzata da quel merluz-
zo bollito del capo. Ma la verità era che non aveva nessuna
voglia di sorbirsi l'inevitabile seguito: «Quando si ha sulle
spalle la responsabilità di un grande albergo…» Grande, forse, lo era stato, il *Metropole*. Al tempo in cui vi alloggiava-
no duchi e regnanti, e i milanesi che calavano a frotte per
trascorrere il fine settimana nella raffinata «Courma» lo

prendevano d'assalto. Fabrizio sapeva queste cose perché aveva dato una mano a mettere su il sito dell'hotel. Acqua passata. Sull'insegna campeggiavano tuttora le quattro stelle, ma... ma se fosse stato messo alle strette, persino il direttore avrebbe dovuto ammettere che di tanto antico splendore non restavano che un mucchio di arredi e la sottile, invasiva, inestirpabile polvere delle cose vecchie. Attraversò il salone, dribblando gruppetti di commercialisti o qualcosa di simile – c'era un congresso, o roba del genere, molti uomini dall'aria rapace vestiti di scuro e poche donne dal portamento arrogante in tailleur, avvolte da nubi di fumo di sigaretta – e tirandosi dietro il sacco si fermò in attesa davanti all'ascensore di servizio. Come al solito, era in manutenzione. Sbuffando, Fabrizio si avviò verso le scale.

2.

– Ma sta' attento, cazzo!
Tornesi fece appena in tempo a scansarsi. Il cameriere con un sacco di biancheria sporca, immerso in chissà quali pensieri, gli era quasi franato addosso. E, quel che è peggio, non solo non si era fermato per scusarsi, ma aveva tirato dritto per la sua strada. Come se lui, Tornesi, fosse stato un fantasma.
Marenghi, intento a sfogliare un dépliant che magnificava una qualche escursione sul Plateau Rosa, non si era accorto di niente.
– Hai visto che gente? – sibilò Tornesi, cercando di attirare l'attenzione del socio.
Marenghi si strinse nelle spalle. – Il personale, qui, è quasi tutto dell'Est. Gente ruvida. Courmayeur non è piú quella di una volta.

– Me ne strafotto di Courmayeur! È quasi mezzogiorno e quell'idiota ancora non si è fatto vedere.

– Lo sai come sono questi sudamericani. Se la prendono calma, però è gente precisa…

– E tu che cazzo ne sai, eh? Ci hai mai fatto affari, eh?

– Dicevo per dire. Cerca di darti una regolata, i colleghi cominciano a guardarti strano.

Marenghi indicò qualcuno alle sue spalle. Tornesi inquadrò una bionda slavata. Beveva qualcosa di colorato da un grosso bicchiere e sembrava seguire con interesse la sceneggiata.

– Quella vuole rimorchiare, è chiaro. Comunque, io me ne strafotto dei colleghi. E poi questo posto non mi piace. Questa storia non mi piace.

Marenghi lo fulminò con un'occhiataccia. – Non piace neanche a me, ma non è colpa mia se ti sei giocato lo studio a poker e don Saro ha promesso di strapparti le unghie a una a una per farci una collana per la figlia.

– Guarda che don Saro ha bisogno anche delle tue unghie, per quella collana. Chi è che ha fatto quei movimenti del cazzo con le fatture del cemento, eh? Chi?

– Ma come facevo a sapere che quella maledetta cava era abusiva e che la guardia di finanza ci stava dietro da mesi, eh? Don Saro avrebbe dovuto dirmelo, non credi?

– Mi sono rotto di litigare. Vado a farmi una botta.

– Un'altra? Vacci piano con quella roba.

– Tranquillo. Domani smetto.

Marenghi lo vide entrare con passo incerto nella toilette. Tornesi stava diventando un problema. Ogni giorno che passava il cervello gli andava un po' piú in fumo. Colpa della roba, certo, ma sino a un certo punto. Mica era scritto che si dovesse per forza finire in paranoia. Il mondo è pieno di gente che tira senza sbarellare. Quando sbarelli, vuol dire che c'è qualcosa che non va dentro di te. La roba è solo un amplificatore. Appena risolta la grana con don Saro, si sarebbe occupato di Tornesi. In quell'istante, si sentí sfiorare una spalla.

– Aperitivo?

La bionda, vista da vicino, non era niente male. Un po' passata, ma tutto sommato passabile. E con un bel sorriso che metteva in mostra denti regolari. Marenghi lo ricambiò e si aggiustò il nodo della cravatta.

– Di solito non bevo, signora… ma un'eccezione, di tanto in tanto…

Bene. Visto che doveva aspettare, tanto valeva ingannare l'attesa in modo piacevole.

3.

Mentre arrancava lungo le scale, Fabrizio non si stancava di pensare a quanto il *Metropole* fosse antiquato. Alberghi di nuova concezione sorgevano dappertutto nelle valli. Luoghi che offrivano ai clienti il massimo, in tutti i sensi. Ci si doveva spremere la fantasia. Individuare il target giusto e procedere a un restyling ispirato ai piú moderni criteri dell'imprenditorialità. Fabrizio era pieno di idee sul futuro del *Metropole*. Fabrizio sapeva che si trattava delle idee giuste. Ne aveva persino parlato con il direttore.

«Belle idee, ragazzo mio. Ma secondo te i soldi chi dovrebbe metterceli?»

«Be', le banche, credo…»

«Ah, sí? Chiediglieli pure, allora, e poi fammi sapere».

Ma in banca non gli avevano nemmeno lasciato aprire bocca. Questione di garanzie, gli avevano spiegato. Puoi avere le idee piú rivoluzionarie di questo mondo, ma senza una valida garanzia non troverai un cane disposto a finanziarti. Questa era la verità. Aveva ventinove anni ed era uno sfigato. Sarebbe morto in quell'albergo, sempre se non lo avessero prima inserito in qualche lista di «personale in esubero». E con Manuela sarebbe finita prima ancora di cominciare.

Il terzo piano era deserto. Del resto, era quasi mezzogiorno. Le pulizie dovevano essere già terminate. Il carrello con scope e biancheria di ricambio stazionava davanti alla 319. In effetti, il vassoio era ancora accanto alla porta. Fabrizio bussò dapprima timidamente, poi piú forte. Nessuna risposta. I casi erano due. O la stanza era deserta – forse l'ospite aveva dormito fuori dall'albergo o in qualche altra stanza? – o la slava ci aveva visto giusto ed era successo qualcosa. Con un sospiro, Fabrizio estrasse la scheda elettronica passe-partout e la strisciò sul lettore ottico. La lucetta da rossa virò a verde. Fabrizio girò la maniglia ed entrò chiamando a gran voce: – Signore? Signore? – Posò il sacco nel vano ingresso, accostandolo alla porta, che rimase cosí socchiusa.

La scheda elettronica era inserita, ma le luci erano spente. Il lucore di una giornata di foschia penetrava dalle tende semiaccostate. Si respirava odore di chiuso, di polvere, e di qualcos'altro che, sulle prime, Fabrizio non riuscí a identificare. Sotto il piumone s'intravedeva una sagoma.

– Signore?

Fabrizio si accostò al letto. Una zaffata di quell'odore di prima lo colpí, costringendolo ad arretrare di qualche passo. Odore di morte. Ecco che cos'era. L'uomo aveva gli occhi spalancati. Se ne stava curiosamente contorto, ripiegato sul lato sinistro del corpo, un braccio proteso verso il comodino, in direzione dell'apparecchio telefonico. Forse si era sentito male e aveva cercato, invano, di chiamare aiuto. Forse. Vincendo la repulsione, tornò ad avvicinarsi al cadavere. La giacca del pigiama era aperta sul petto, spuntavano radi peli bian-

chicci. C'era anche qualcos'altro. Una specie di biglietto arrotolato. Una lettera, forse? E se fosse stato ancora vivo? Si
poteva ancora soccorrerlo? Avrebbe dovuto tastargli il polso, o mettergli uno specchietto davanti alla bocca. Ma il solo pensiero di toccare il corpo, lo faceva inorridire, e sentiva
già un conato acido risalire lungo l'esofago. Non c'era che
una cosa da fare. Dare l'allarme. Aveva già perso troppo tempo. Mosse un passo in direzione del telefono, e urtò qualcosa col piede. Era una borsa di tela azzurra, con il logo di una
compagnia aerea. Dalla bocca dischiusa spuntavano dei pacchetti. Incuriosito, sollevò la borsa. La trovò singolarmente
pesante. Dentro doveva esserci almeno una ventina di pacchetti. Li osservò con attenzione. Erano sigillati con una chiusura del tipo sacchetti antigelo. Ricordavano le confezioni di
sale grosso da un chilo che si potevano trovare in qualunque
supermercato. Ma non c'era etichetta. E, a ben vedere, il sale grosso non aveva quella sfumatura appena accennata di colore rosa... Sali da bagno, allora? Ma chi si porta appresso
una montagna di sali da bagno? Un mercante? E che ci faceva un mercante di sali da bagno al *Metropole* nel pieno di
un congresso di commercialisti? Fabrizio si guardò intorno,
perplesso. Sul comodino, accanto al telefono, c'era un foglio
di carta stagnola spiegata. Sulla stagnola, alcuni grani di quel
sale rosato. Sale. Stagnola. Fabrizio si riteneva una specie di
genio incompreso, ma in realtà non lo si poteva definire certo un'aquila. Tuttavia, la verità cominciava a farsi lentamente strada nella sua mente. Con un gesto deciso, trattenendo
il fiato, si piegò sul cadavere e afferrò il biglietto che giaceva sul petto del morto. Non era un biglietto, ma una banconota da cinquanta euro. Ora tutto era chiaro. Quello non era
sale. Era cocaina. L'uomo doveva essersene sparata un bel
po', prima di partire per il viaggio senza ritorno.

Cocaina.

Ce n'erano almeno venti chili. Quanto potevano valere venti chili di cocaina sul mercato? Una volta un cameriere romeno gliene aveva fatto assaggiare un tiro. Era rimasto sveglio tutta la notte, con il cuore in tumulto e pensieri ossessivi che gli rodevano il cervello. Il romeno diceva di averla pagata quaranta euro al grammo. Erano passati due anni da allora. Il prezzo della cocaina doveva essere aumentato, tutto aumenta, in Italia. Venti chili. Ventimila grammi a... diciamo cinquanta euro al grammo? Fabrizio non era un'aquila, d'accordo. Ma una cosa gli fu ben chiara, in quel preciso istante.

La vita gli stava offrendo la sua grande occasione.

E non se la sarebbe lasciata sfuggire. A nessun costo.

Si precipitò all'ingresso, si affacciò con cautela sul corridoio. Deserto. Il carrello delle pulizie era ancora al suo posto. Chiuse la porta. Trascinò il sacco della biancheria sporca accanto al letto e ci mise dentro la borsa con i pacchi di droga, dopo averla richiusa.

Infine telefonò al direttore.

4.

Quando uscí dal bagno, rinfrancato dalla «botta», Tornesi si accorse subito della scomparsa di Marenghi. Impossibile non notarla, d'altronde. La hall era deserta. I camerieri liberavano i tavoli dai bicchieri sporchi. Una coppia di commercialisti ritardatari si avviava sottobraccio al ristorante. Ora di pranzo. Imbottito di roba, Tornesi non aveva affatto fame. Entrò ugualmente, sperando di ricongiungersi al socio, ma di Marenghi nessuna traccia. Uscí dalla sala e si attaccò al cellulare. Rispose la segreteria telefonica. Si sentí in-

vadere da un'ondata di furia. Dieci a uno che Marenghi si
era portato la bionda in camera. Quella sua passione per la
passera l'avrebbe rovinato, un giorno o l'altro. Marenghi era
un incosciente. Con quello che avevano in ballo, con il sudamericano che poteva spuntare da un momento all'altro… Marenghi gli aveva proprio rotto i maroni. Per il momento erano legati a filo doppio, e sta bene. Ma prima o poi le cose con
don Saro si sarebbero appianate, e allora… allora sarebbe
scoccata l'ora X… e non si può mica stare insieme tutta la
vita! Se ne andò al bar e ordinò un Martini cocktail. La prima sorsata amplificò l'effetto ascendente della coca. La paranoia si sostituí al rancore. Il cuore prese a battergli forte.
Ma perché il sudamericano tardava tanto? Se qualcosa fosse andato storto, don Saro non avrebbe esitato un istante a
porre in atto le sue minacce. Quella è gente che non scherza. Maledetto il momento in cui si era messo in affari con
Marenghi. Marenghi che si scopava la bionda mentre lui rischiava di finire squartato vivo. O immerso in un blocco di
cemento armato. Buttò giú altre due sorsate del cocktail.
L'appuntamento con il sudamericano… com'è che si faceva
chiamare? Ah, sí, Silvano… dottor Silvano… L'appuntamento con Silvano era per le undici nella hall. Due ore di ritardo. Forse aveva perso il volo? E se lo avessero beccato al-
l'aeroporto? Se avesse… com'è che si dice… se avesse «cantato»? Da un istante all'altro la porta girevole del *Metropole*
si sarebbe messa a vorticare all'impazzata, vomitando un battaglione di carabinieri armati sino ai denti… eccolo, è lui,
avrebbe gridato una voce, il narcommercialista, prendetelo…
Sarebbe stata la rovina… Ha qualcosa da dichiarare, signore? Poteva sempre vendersi Marenghi, dire che era lui il capo, che era stato coinvolto suo malgrado…

All'improvviso, un tizio elegantemente vestito sbucò da

una porticina accanto al bancone, si accostò all'addetto alla reception e gli sussurrò qualcosa all'orecchio. L'uomo impallidí e si attaccò al telefono. Il tizio elegante aggirò il bancone e si avviò verso gli ascensori. Paranoia o no, era chiaro che stava succedendo qualcosa. Tornesi finí il suo Martini ormai caldo, e cercò di alzarsi dallo sgabello. Ma la testa gli girava, e finí per ordinarne un secondo, mentre la paranoia lentamente svaniva e lasciava il posto a una sorta di stupefatta beatitudine. Un Martini dopo l'altro, seguí tutti gli eventi di quel primo pomeriggio in un crescendo delirante, simile allo spettatore di una farsa o al protagonista di un incubo visionario. Il tipo elegante – il direttore – tornò nella hall, in compagnia del cameriere distratto sempre accompagnato dal sacco della biancheria sporca. Sembrava persino aumentato di peso, a giudicare dalla fatica che quello faceva nel trascinarlo. Tornesi si chiese se dentro non ci fosse un cadavere. Magari quello di Silvano. Scacciò il pensiero con un altro giro d'alcol. Il cameriere sparí e poi ricomparve, questa volta senza il sacco. Dalla porta girevole del *Metropole* entrarono non i carabinieri assetati di sangue, del suo sangue, ma due medici della Croce rossa e una coppia di barellieri che, incuranti dei divieti, fumavano sigarette puzzolenti. Una piccola folla si radunò al centro della hall. I barellieri salirono con la lettiga ripiegata e discesero con un corpo coperto da un lenzuolo. Il barman, nel servirgli il sesto o settimo Martini, lo mise rapidamente al corrente dell'accaduto. E quando, a metà pomeriggio, Marenghi fece la sua comparsa, con le occhiaie sbattute e l'andatura caracollante del macho appagato, Tornesi gli si aggrappò alla giacca e, squassato da una risata irrefrenabile, gli disse: – Non ci crederai, ma quel coglione di Silvano s'è fatto prendere un infarto. E adesso don Saro ci farà a pezzettini!

5.

Ragazze belle come lei se ne vedevano solo in certi film americani. Il tipo biondo, dal volto angelico, con grandi occhi azzurri sognanti nei quali gli uomini provano l'istintivo desiderio di perdersi. Sí, era proprio una vera bellezza, la piccola Manuela. Il guaio è che, per quanto ne avesse usato e abusato a piene mani, tutta quella bellezza rischiava di risolversi in uno spreco inaudito. A venticinque anni, se si guardava intorno, non poteva certo dire di avere realizzato granché. Una relazione con il figlio di un industrialotto di Varese, troncata bruscamente da lui senza nessun apparente motivo quando già si cominciava a parlare di matrimonio: doveva di sicuro esserci stato lo zampino della famiglia, considerazioni sulla rispettabilità e via dicendo. Poi c'erano stati un certo Giulio, romano, aspirante regista cinematografico, anche lui alquanto benestante – che ci poteva fare se i ragazzi ricchi la attiravano piú di quelli spiantati? Una ci nasce, cosí! – Bernardo, architetto rampante di Firenze, e un altro lombardo, di Brescia, erede di una dinastia di fabbricanti di tondini di ferro, svanito come neve al sole della prima ereditiera incontrata al party natalizio di Maria Azzurra Vattelappesca. Il fatto è che la bellezza passa presto, maledizione, e di concreto non le restava niente in mano. Quanto tempo ancora aveva a disposizione per *realizzare* il sogno di una vita? E di che sogno, poi, si trattava? Niente di trascendentale, a pensarci bene. Un marito che l'appoggiasse e le spianasse la strada. Una carriera nel mondo dello spettacolo... aveva una bella voce, glielo dicevano tutti. Già. Tutti quelli che volevano portarsela a letto. Alla fine di un lungo giro, comunque, e non senza aver dovuto pagare qualche extra in natura, era riuscita a strappare un'audizione al *Bluesky* di Corsico. L'ennesima fregatura. Il jazz-club che le avevano magnificato si era rivelato un incrocio fra una bettola e uno strip-bar. L'impresario, tale Carmelo Mandarà, un calabrese dai modi bruschi, le aveva offerto un contratto di tre mesi *sulla parola*.

– Bene. Quando si comincia? Che repertorio fate, qui?

– Repertorio? Forse non mi sono spiegato, tesoro. Tutto quello che puoi fare per me è portare le birre ai tavoli con le tue belle tettine di fuori. Se poi trovi un cliente particolarmente carino, di sopra abbiamo un paio di stanze disponibili. Noi tratteniamo il trenta per cento, il resto è tuo.

Di bene in meglio. Anche puttana, adesso. Decisamente, la sua vita stava andando a rotoli. Manuela stava per sparare una rispostaccia all'orrido calabro, quando Mandarà era schizzato via dal bancone e si era precipitato nelle braccia di uno strano tipo. Pareva un orso. Un grosso orso biondo, comunque un uomo gigantesco. Occupava da solo l'intero spazio dell'ingresso del locale. Vestiva in modo semplice, se non sommario, con una giacchetta frusta e calzoni larghi. Nella sua stretta forte, Mandarà, cosí mingherlino e minuto, era sembrato scomparire. I due si erano diretti a un tavolino, ignorandola. Manuela detestava essere scaricata. Dopotutto, non aveva ancora ufficialmente declinato l'offerta. E, al punto in cui era arrivata, un lavoro valeva l'altro. Si avvicinò al tavolino, prese una sedia e, senza essere stata invitata, si uní ai due.

– Sto parlando con il mio amico, se non ti dispiace.

Manuela ignorò il calabrese. Quel gigante biondo la incuriosiva. Sentimento che doveva essere reciproco, perché si accorse subito che l'uomo la fissava, meglio, scrutava con un'intensità che la costrinse a sfuggirne lo sguardo. Sugli sguardi degli uomini Manuela avrebbe potuto scriverci un trattato. Sguardi rapaci, avidi, vogliosi, calcolatori. Ma in quell'uomo c'era qualcosa di diverso. Qualcosa come un dolore trattenuto, il rimpianto di una stagione felice che non potrà mai ritornare, un'emozione troppo bruciante per poter essere espressa. Suo malgrado, Manuela rabbrividí. Quello sguardo le scavava dentro. Cercava di leggere nella sua anima. Chi era quell'uomo? Che voleva da lei? All'improvviso, lui le si rivolse nel dialetto della sua valle. Manuela gli rispose. L'uomo le chiese perché si trovava in quel locale.

– Potrei farti la stessa domanda, – ribatté lei, con orgoglio.

– Io l'ho chiesto per primo, e ho il doppio dei tuoi anni. Mi devi rispetto.

– Cerco un lavoro.

– Fai la puttana?

– Ma come ti permetti?

– Allora vattene subito, prima che sia troppo tardi.

Il calabrese, che aveva seguito il dialogo senza capire una parola, si grattò la zucca e sorrise.

– Vi conoscevate già?

Il gigante biondo posò una delle sue grosse zampe sulla spalla di Mandarà.

– Ho sentito dire che siete al completo. Mandala via, intesi?

– Ma veramente...

– Conto su di te, Carmelo.

Poi, torreggiante e misterioso, cosí com'era comparso, si alzò e se ne andò. Nell'aria viziata del locale era rimasta la tenue scia di un odore fresco, pulito. L'odore della montagna di Manuela. L'odore di quand'era bambina.

Mandarà lo vide imboccare l'uscita, scosse la testa, sospirò.

– Ma chi si crede di essere quello? – lo provocò Manuela.

– Mi dispiace, – disse Mandarà, – siamo al completo.

– Prendi ordini da lui? È una specie di boss?

Il calabrese estrasse dalla tasca una bustina di coca.

– Ne vuoi?

– Di quella merda? Manco per sogno! Allora? Chi è questo tizio?

– Patrice? Un amico. Piú che un amico. Diciamo che gli devo la vita. Quindi, dal momento che mi ha chiesto solo un piccolo favore, e io non posso negarglielo… per te qui non c'è posto, ragazzina.

– Ma chi è questo Patrice? Uno sbirro? Un bandito?

– Fai troppe domande. Se sei cosí curiosa, potresti chiedere direttamente a lui. Sta dalle tue parti, a Morgen, Morgan, un posto cosí…

– Morgueau…

– Ecco, sí, brava. Morgueau. E adesso, per piacere, levati dalle palle, tesoro!

Era già notte quando raggiunse Courmayeur. Lungo la strada si era dovuta fermare a una stazione di servizio dove, fra un sorriso e l'altro, era riuscita a convincere un inserviente ad allungarle delle catene nuove. L'ultimo tratto era stato uno strazio. La vecchia Panda aveva minacciato piú volte di tirare le cuoia. Comunque ce l'aveva fatta. Sotto casa, intirizzito dal freddo, l'attendeva Fabrizio, il cameriere del *Metropole*. Nella sua personalissima classifica degli esseri viventi, praticamente una piattola.

– Stasera non è cosa, Fabri. Ho avuto una giornata pesantissima.

Il ragazzo le aveva mostrato con orgoglio un borsone con il logo di una compagnia aerea.

– Qua dentro c'è qualcosa che potrebbe cambiarti la vita, Manuela!

– Ah, sí? E che cosa? Un milione di euro? Perché, sai, giusto quelli…

– Fuochino…

– E va bene. Di che si tratta?

– Te lo dico solo se prometti solennemente di sposarmi!

– Te l'ho detto. Non è aria. Ne riparliamo domani, va bene?

Alla fine la curiosità la ebbe vinta sulla stanchezza. Cinque minuti dopo, sul microscopico tavolo del monolocale di Manuela, Fabrizio rovesciò i venti pacchetti di cocaina.

«Sta' a vedere che la piattola ne ha fatta una giusta», si disse Manuela, mentre un certo progetto prendeva forma nella sua mente. Poi, siccome il cameriere la fissava con l'aria adorante e umida del bravo cane che attende la giusta ricompensa, accusò un fortissimo mal di testa e, per indorare la pillola al poveraccio, gli disse che avrebbe potuto fermarsi per la notte. Sulla poltroncina, beninteso.

6.

Il destino, nient'altro che il destino. Patrice non aveva nessun motivo per continuare a frequentare Mandarà. Quell'uomo, e tutto ciò che rappresentava, apparteneva a un passato definitivamente seppellito. Il destino, nient'altro che il destino. Era passato al *Bluesky* dopo aver consegnato, come faceva ogni mese da due anni, i cinquecento euro a madre Donata. Servivano a pagare, almeno in parte, la costosa retta della figlia adolescente dell'ispettore Nocera. L'uomo che aveva ucciso quindici anni prima. Il *Bluesky* era di strada. Tutto qui. La strada del destino. Mandarà era irrecuperabile. Marcio sino al midollo. Si era ripromesso che quella sarebbe stata l'ultima visita. Non poteva immaginare che si sarebbe imbattuto nella ragazza.

C'era un'antica leggenda, nelle valli. La leggenda della Fata di Pontboset. Era una fanciulla di rara bellezza che, ogni domenica, sedeva sulla riva sinistra del torrente Oyace e pettinava i suoi lunghi capelli biondi. Capelli che lambivano le onde. Nessun occhio umano doveva vederla. Se un uomo si fosse avvicinato, la fata si sarebbe trasformata subito in una serpe guizzante. La raccontava tutte le sere a Chantal, e la bambina si addormentava ripetendo immancabilmente la sua domanda: ma poi, papà, la serpe ritorna fata? Ma certo, piccolo amore mio, certo che la serpe ritorna fata. Ma non è cosí che va la vita. Avrebbe dovuto informarne la piccola, prima che lo scoprisse da sola. C'era un'altra leggenda, nelle valli. Raccontava di un cacciatore che, sorpresa una serpe sulla riva di un fiume, le schiacciava la testa. Da quel momento il fiume diventava secco, e l'ombra perenne della tormenta allontanava per sempre il sole dalla valle maledetta. Perché il cacciatore aveva ucciso la fata sorprendendola nella sua veste di serpe, e a un simile danno non si poteva rimediare. Chantal non era vissuta abbastanza a lungo da scoprire questa terribile verità: che ci sono cacciatori che rispettano le serpi e cacciatori che le uccidono. È il destino a decidere che genere di cacciatore sei. Quanto a lui, stava nel mezzo. Era stato capace di uccidere sia la fata che la serpe, nella sua vita precedente. Bravo, Patrice. E comunque, una fata è una fata, e una serpe è una serpe.

Patrice buttò giú il suo quarto bicchiere di latte e fece segno a Eddy che voleva pagare la consumazione. Eddy, che gestiva lo chalet ai margini di Morgueau, l'unico posto del paese che frequentava regolarmente, l'unico dove non si faceva silenzio quando lui ci metteva piede, diceva che, del bevitore che era stato un tempo, gli erano rimaste la dedizione maniacale e quello sguardo perso che sembra ridurre il mondo intero alle dimensioni di un fondo di bicchiere. Era rimasto l'ubriacone di sempre, in altre parole. Solo la bevanda era diversa. Pagò, uscí con un cenno di saluto. Nessuno degli altri avventori, quattro vecchietti sdentati che giocavano a briscola in perfetto silenzio, lo degnò di attenzione. La valle non lo accettava piú come uno di casa, ma non lo respingeva nemmeno. Non lo invitavano alle «veglie», ma non protestavano se faceva la sua comparsa alla «sfida delle regine», quando da tutta la regione frotte di locali e di turisti convergevano in Aosta per assistere alla lotta fra le piú belle mucche del mondo. C'era persino chi scommetteva con lui. A volte, gli avevano sorriso. La valle aveva preso atto della sua presenza e la tollerava.

C'erano tre chilometri di sentiero fra il margine del paese e la baita che s'era costruito quando era uscito con la condizionale. Patrice li percorreva a piedi. L'aria, intorno, profumava di gelo. C'era la luna piena, ma la bonaccia non era destinata a durare a lungo. Prima della fine della settimana sarebbe stata la neve, forse la tormenta. Ne avrebbero tratto giovamento i ghiacciai d'alta quota, che la follia degli uomini stava rapidamente massacrando. La neve, intorno a lui, era sporca. Sporca come la sua anima senza pace. Qualcuno chiamava Patrice «l'uomo dei lupi», perché una volta l'avevano sorpreso a dare del cibo a una lupa solitaria. Ma che doveva fare? Quella bestia ne aveva bisogno per nutrire i cuccioli che portava in grembo. Di tanto in tanto si mostrava sul limitare della foresta che circondava la baita. Non si avvicinava mai a meno di dieci, quindici metri. Dentro di sé, Patrice amava credere che nella lupa sopravvivesse lo spirito di Chantal. Che fosse stata concessa una qualche forma di vita, a quella sua povera bambina. Ma forse si sbagliava. Forse ciò che rimaneva dello spirito di Chantal era trasmigrato nella ragazza di Corsico. Stessi occhi, stessi capelli di Chantal. Ma una Chantal guasta, una Chantal corrotta, si disse, scuotendo la testa. Che avrebbe potuto fare per lei, oltre che vietare a quel bastardo di Mandarà di farne una delle ragazze della sua scuderia? Tanto, avrebbe finito per battere da qualche altra parte. Gli uomini sporcavano la neve, perché non avrebbero dovuto imbrattare anche le città? In ogni caso, non l'avrebbe piú rivista. Per l'indomani era attesa una comitiva di turisti toscani. Avrebbe mostrato loro la valle, spiegato segreti e leggende. C'era da litigare immancabilmente con giovinastri che cercavano di strappare qualche stella alpina, ma di solito bastava il suo aspetto imponente a ricondurli alla ragione. Con un po' di fortuna, avrebbe potuto beccare un cervo al pascolo o uno stambecco che si abbeverava. In tal caso, la mancia sarebbe aumentata considerevolmente. Ma anche un branco di capre selvatiche, a volte, eccitava i turisti e li induceva a mettere mano al portafogli, soddisfatti del loro quarto d'ora di natura.

Era giunto alla baita, ormai. Vide qualcosa di nero guizzare, percepí l'odore inconfondibile della bestia, infine udí, distinto nel silenzio della notte, il sordo brontolio della lupa.

– Sei qui? Aspetta, ti dò un pezzo di carne... lo metto al solito posto... dammi solo un minuto, va bene?

7.

Il maggiore Mancuso della Direzione investigativa antimafia deteneva, da due anni consecutivi, il record assoluto di sequestri di cocaina sul territorio nazionale. Ma se i superiori, che non mancavano di lodare la sua indiscussa abilità di mastino antidroga, avessero conosciuto i suoi reconditi pensieri, c'era da giurare che l'avrebbero dimissionato su due piedi. Per sua fortuna, nessuno ne era al corrente.

La lotta alla droga è una follia.

Spendiamo un mucchio di soldi dei contribuenti in sofi-
sticate operazioni e servizi d'intercettazione e alla fine riusciamo a colpire, nel migliore dei casi, l'uno-due per cento
del patrimonio dei narcotrafficanti.

La coca è una realtà accettata a livello universale.

La società è, nel suo complesso, apertamente cocainofila.

La coca fa tendenza.

Converrebbe legalizzarne il consumo.

Cosí si colpirebbero davvero i mafiosi in ciò che piú a loro sta a cuore: i *piccioli*. I soldi.

Pensieri segreti e inconfessabili, appunto.

Intanto, c'era il lavoro. C'era la routine. Quando gli avevano passato l'appunto sull'infartuato di Courmayeur, Mancuso aveva subito sentito puzza di bruciato. Il sedicente dottore Enrico Silvano, passaporto italiano numero xyz, risultato appartenente a una partita di documenti rubata in
Prato il eccetera eccetera – sia lode alla pignoleria e alla memoria di un vecchio maresciallo che aveva ricordato un ana-
logo numero di passaporto in un'operazione di anni prima!
– era risultato, in realtà, essere niente di meno che Enrique
da Silva Serrano, un *soldato* del cartello di Calí schedato come narcotrafficante in contatto con i calabresi di Buccinasco.

– Buccinasco uguale don Saro Calamita, – aveva spiegato Mancuso al pacifico maresciallo Champorieux, coman-
dante in sottordine della stazione di Courmayeur, il quale
s'era visto piombare il segaligno superiore nel bel mezzo di
uno spuntino a base di fontina e vino rosso.

– Buccinasco? Calí? Don Saro… come ha detto, scusi,
signor maggiore?

– Vedo che questi nomi non le dicono niente, maresciallo. Pazienza. Cercherò di spiegarle la situazione…

Mancuso parlava a raffica, senza pause, e non ammetteva repliche. Non è credibile che uno del calibro di Da Silva Serrano vada a schiattare a Courmayeur come un qualunque turista in cerca di emozioni forti. La sua presenza in Val d'Aosta dev'essere legata a un affare di droga. Probabilmente una consegna.

– Ma non abbiamo trovato niente, signor maggiore! Solo quei pochi grammi che lui...

– I casi sono due: o non avete cercato bene, e la coca è ancora in albergo, oppure...

– Oppure?

– Oppure Da Silva Serrano faceva affari coi calabresi. Ergo, in albergo c'era qualcuno incaricato di ricevere la roba. Costui ha preso la droga, prima o dopo la morte del disgraziato noi non possiamo saperlo, e ve l'ha portata via sotto il naso!

– Ma chi? In albergo c'erano solo commercialisti, sa, per via del congresso...

– E voi controllate i commercialisti!

– I commercialisti? Ma...

– È un ordine, maresciallo. Io mi occuperò della perquisizione.

8.

Marenghi e Tornesi se ne stettero quattro giorni a bagnomaria, passando da un villaggio all'altro, da una cittadina all'altra, con una puntatina di una mezz'ora scarsa al Casinò di Saint-Vincent: il tempo di perdere gli ultimi spiccioli e ritrovarsi sulla strada piú depressi che mai. Lacerati da un serrato dibattito interno incentrato sul tema del «che fare»: fuggire all'estero, o gettarsi ai piedi di don Saro? Fu una chiamata sul portatile di Marenghi a sciogliere il dilemma.

– Era la segretaria. Lo studio è bruciato.

– Maledetto il momento che t'ho incontrato! Te l'avevo detto, io: dovevamo andarci subito! Adesso è troppo tardi...

– Non è mai troppo tardi, idiota!

Si presentarono dunque spontaneamente a don Saro. Speravano, con l'atteggiamento umile e sottomesso, di convincere il boss della loro buona fede. Speravano in un rinvio dell'esecuzione. Speravano in un po' di clemenza e di tempo. Speravano di non finire appesi ai ganci come i quarti di bue che facevano bella mostra di sé nella cella frigorifera dove don Saro li aveva fatti rinchiudere appena i due sciagurati avevano messo piede nella macelleria di Buccinasco che fungeva da attività di copertura.

– Moriremo assiderati! – piagnucolava Tornesi. Erano là dentro da nemmeno dieci minuti e già i morsi del gelo si facevano sentire.

– È stata un'idea tua, testa di cazzo!

– E tu? Tu che volevi andartene alle Maldive? E con quali soldi, eh?

– Potevamo vendere quel tuo stramaledetto Suv!

– È ipotecato, che non lo sai? Sei stato tu a scrivere gli atti!

– Comunque, non ci ammazzerà. Non prima di aver saputo che fine ha fatto la coca!

– E allora perché ci tiene qua dentro? Io sto per morire congelato!

Ma non sarebbe morto nessuno. Non quella mattina, almeno. Neanche due minuti dopo, tre ragazzi li tirarono fuori dalla cella e li depositarono ai piedi di don Saro, che si stava pulendo le unghie con una lunga limetta.

– Allora, dottori belli, vi siete rinfrescati le idee?

Don Saro rise. I ragazzi risero. Tornesi e Marenghi si unirono alla risata sforzandosi di superare, in intensità, quella dei ragazzi. Don Saro si fece improvvisamente serio.

– C'erano venti chili di roba là dentro. Dove sono finiti?

– Noi non l'abbiamo presa, don Saro, – fiatarono all'unisono i due commercialisti, – ve lo giuriamo sulla testa dei nostri figli.

– Voi non tenete figli, teste di cefali! Comunque, lo so che non l'avete presa voi la roba. Siete troppo coglioni. Però la domanda resta: dove sono finiti i miei venti chili?

– Ve la troviamo noi, don Saro! – urlò Marenghi, che cominciava a intravedere una via d'uscita.

– Questo è poco ma sicuro, figlio mio, – concesse, paterno, don Saro. I ragazzi annuirono.

– Torniamo a Courmayeur e gliela facciamo sputare, a quel figlio di puttana che ha osato farvi questo!

Don Saro annuí, con un gesto magnanimo.

– Avete sette giorni di tempo a partire da oggi. Poi... lo sapete quello che vi aspetta.

– Non vi deluderemo, – proclamò Marenghi. E si avviò verso l'uscita.

Tornesi non si era mosso.

– Don Saro, scusate tanto... non è che... sapete, io tengo questo problema... proprio non riesco a farne a meno... e poi è una cosa che mi fa lavorare meglio... un paio di grammi, cosí per... da mettere in conto quando vi portiamo la partita grossa, eh, s'intende...

Marenghi chiuse gli occhi, disperato. E ti pareva! Questo colossale idiota! Questo Napoleone dei mentecatti! Ma possibile che non si rendesse conto...

Ma riaprí gli occhi quando udí echeggiare la grassa risata di don Saro.

– Ma certo, figlio mio, serviti pure! Che vuoi? Filetto?

Lombata? Tengo una tagliata argentina che è la fine del mondo. Questa è la migliore macelleria di Milano, non te lo scordare.

Piú tardi, a bordo del famoso Suv, mentre Marenghi non la finiva di insultarlo e di maledire il momento in cui si era associato a un simile deficiente, Tornesi ebbe l'illuminazione. Era da qualche minuto che ci girava intorno, che sforzava la mente in cerca del particolare rivelatore, e quando finalmente lo ebbe afferrato, fu tentato di giocarsi la partita da solo. Poteva fermarsi con la scusa della pipí in un'area di servizio. Mollare quel rompiscatole del socio. Recuperare la droga. Don Saro gliene sarebbe stato grato. Avrebbe rimesso il debito, il suo debito, beninteso, e forse lo avrebbe anche ricompensato con un po' di roba di quella buona... Ma si convinse che agire in due sarebbe stato piú conveniente, e decise di rimandare a momenti migliori il regolamento dei conti.

– Il cameriere, – disse, con un sospiro, – quello col sacco della biancheria. È stato lui.

– Ma di che stai parlando?

– Ora ti spiego...

9.

Carmelo Mandarà fece il suo ingresso al *Bluesky* a metà pomeriggio. Khaled, il barman algerino che occultava sotto vistosi foulard la profonda cicatrice che gli deturpava la gola, lo intercettò con lo sguardo e, prima ancora di rivolgergli una qualche forma di saluto, indicò il tavolo al bordo della pedana. Carmelo ruotò il capo di una trentina di gradi e vide la ragazza. Quella, come diavolo si chiamava, quella che Patrice aveva dichiarato «intoccabile».

– Per due ore sono qui, – disse Khaled, mettendosi a lucidare un calice appena sciacquato.

– Non mi piace.

– Non sbirro, ma come si dice… *locos*, – puntualizzò Khaled, memore dei suoi tre anni di carcere duro a Valencia, portandosi l'indice alla tempia, – lei *loca*, l'uomo coglione.

– Versami un rum, per favore.

Non ci voleva, non ci voleva. Quella tipa portava solo guai. Carmelo Mandarà non aveva nessuna intenzione di mettersi in urto con Patrice. Quell'uomo poteva diventare pericoloso, molto pericoloso. Carmelo ricordava ancora come aveva ridotto i quattro pugliesi che lo avevano messo all'angolo nelle docce dello *speciale* di Novara. Uno solo contro quattro bastardi armati di coltello. Uno solo, a mani nude. Buttò giú d'un fiato il liquore e si avviò al tavolo cercando di inalberare un'espressione truce. Era stata una notte pesante, alla bisca del Giapponese, in quell'infame sottoscala di Lambrate. Troppo rum, troppa roba e troppa sfiga, soprattutto. Aveva seriamente rischiato di rimetterci il locale, e se non fosse stato per l'ultima mano di *telesina* si sarebbe ritrovato a implorare a don Saro un qualche misero lavoretto. Perciò per quel giorno ne aveva abbastanza di guai.

– Ti avevo detto di non farti piú vedere da queste parti.

Il ragazzo, faccia da topo, gel sui capelli, un odore inconfondibile da perdente che emanava dalla giacchetta da quattro soldi, si agitò tutto e, nel tentativo di abbozzare qualcosa di simile a un sorriso sicuro, rivelò una fila di denti giallastri e irregolari. Coglione, Khaled ci aveva visto giusto. La ragazza si era messa grandi lenti a specchio da vamp. Non era male. Un tipo fine, in ogni caso. Intoccabile, però, ricorda, Carmelo.

– Allora? Su, prendetevi qualcosa da bere, offre la casa, e poi… aria!

– Tirala fuori, – ordinò la ragazza, senza scomporsi.

Faccia-da-topo armeggiò nelle tasche della giacchetta, ne estrasse un pacchetto di sigarette tutto ammaccato e lo porse, con mano tremante, a Mandarà.

Il calabrese sollevò il pacchetto con due dita e lo lasciò cadere sul tavolo con aria disgustata.

– Non fumo.

– Aprilo, – ordinò la ragazza.

– Ma senti questa! Bella, adesso tu e questa faccia da sorcio alzate il culo e…

– Vuoi fare un po' di soldi? – lo interruppe la ragazza. Prese il pacchetto e ne rovesciò il contenuto sul tavolo. Il sale si ammucchiò in una piramide seducente. Mandarà si poteva a buon diritto considerare un esperto del ramo e riconobbe subito la «boliviana» di alto livello.

– Puoi assaggiarla, – concesse la ragazza, che aveva colto il suo sguardo voglioso.

– Khaled, – ordinò Mandarà, – chiudi la porta e poi vieni qui.

L'algerino eseguí e li raggiunse al tavolo. Carmelo preparò quattro piste. La ragazza e Faccia-da-topo fecero segno di no. Carmelo si strinse nelle spalle e lui e l'arabo si spararono due piste ciascuno.

– Allora? – incalzò la ragazza.

– Niente male, – concesse Mandarà.

La ragazza si alzò di scatto. Faccia-da-topo si accodò dopo un istante di esitazione.

– Ce ne sono venti chili. Li vendiamo in blocco a venticinquemila al chilo. Non c'è trattativa. Prendere o lasciare. Quando hai deciso, chiamami a questo numero.

La ragazza lanciò sul tavolo un bigliettino con un numero di cellulare e si avviò all'uscita, tirandosi dietro il compa-

gno. Giunta all'altezza del bancone, si voltò e sorrise, bef-
farda.

– Il pacchetto puoi tenertelo. Offre la casa.

– Che ne pensi? – chiese Khaled, mentre Mandarà pre-
parava altre due piste.

– Roba eccezionale. Boliviana rosa. Avrà un titolo almeno dell'ottantacinque-novanta per cento… nelle mani giuste
venti chili possono raddoppiare, se non di piú…

– E tu ce l'hai mezzo milione di euro?

– Magari! Vieni, andiamo da don Saro. E speriamo che
sia di buon umore.

Intanto, la vecchia Panda arrancava sulla Milano-Torino.

– Sei stata forte, Manuela! Cavoli, sembrava la scena di
un film.

Manuela si isolò mentalmente. L'ultima cosa di cui sentiva la necessità, in quel momento, erano le chiacchiere di
Fabrizio. Ci aveva messo quattro giorni a convincerlo del
suo piano. Fosse dipeso da lui, si sarebbe messo a vendere
la roba all'angolo della strada. Un vero deficiente. Lo aveva rispedito al lavoro a calci, per non destare sospetti. Era
stato interrogato dal maresciallo dei carabinieri, un bonac-
cione. Tutto era filato liscio. Si era saputo che il morto della 319 era un narcotrafficante internazionale. L'affare scot-
tava. Bisognava concludere in fretta. E poi andarsene, per
sempre. Da un'altra parte. Non aveva nessuna intenzione
di portarsi dietro Fabrizio. Non gli avrebbe tirato il pacco,
certo, ma che se ne andasse pure per la sua strada. Senza
di lei.

Con Mandarà era stata forte, era stata dura, era stata convincente. Ma dentro di sé provava vaghezza, stordimento.
La notte aveva sognato l'uomo di Morgueau. La cullava come una bambina, le raccontava una fiaba… nessuno le aveva mai raccontato fiabe, nessuno l'aveva mai cullata come

una bambina… al risveglio, si era scoperta a chiedersi se non ci fosse un senso, dietro quel sogno. Fra le braccia dell'orso biondo si era sentita protetta. E pulita come l'odore della neve fresca. Aveva scritto il suo nome su un foglietto: Patrice di Morgueau. Una specie di stupido esorcismo.

10.

Tornesi e Marenghi avevano preso due stanze al *Metropole*. Decisione che aveva comportato il consueto, aspro dibattito. Marenghi diceva che avrebbero destato sospetto. Tornesi ripeteva che nessuno avrebbe potuto sospettare di due onesti commercialisti. Marenghi aveva ribattuto che non esistono persone al disopra di ogni sospetto. Tornesi lo aveva convinto spiegandogli che, se avessero preso una stanza in qualche altro albergo e avessero cominciato a gironzolare nella hall del *Metropole*, allora sí che la loro presenza sarebbe stata sospetta. Il direttore li aveva riconosciuti. Avevano motivato il loro ritorno con una settimana di vacanza, e la scelta dell'albergo con la piacevolezza del soggiorno precedente.

– A parte quel piccolo incidente, – aveva sorriso Marenghi, – quello del morto.

– Ah, non me lo dica, dottore. Sembrava una persona cosí perbene… per quel poco che si era visto in giro, eh… e invece… un trafficante di droga. Signore! D'altronde, quando si ha, come ho io, la responsabilità di un grande albergo…

Fra una chiacchiera e l'altra del verboso direttore erano venuti a sapere che la vita del *Metropole* aveva ripreso il suo corso ordinario, e non c'erano state defezioni nel personale. Quindi, il cameriere con il sacco della biancheria era ancora al suo posto.

– E secondo te, uno che ha appena messo le mani su venti chili di roba se ne resta tranquillo a fare il suo lavoro? – era insorto Marenghi.

– È proprio quello che fa, invece, se ha un minimo di sale in zucca.

Tornesi scomparve in cerca di informazioni, e fece ritorno dopo un paio d'ore.

– Ho parlato con una cameriera, una polacca...

– E ti pareva...

– Il nostro uomo si chiama Fabrizio, sta in città ma oggi è a riposo.

– E allora, che si fa?

– Si aspetta che riprenda servizio.

– E poi?

– E poi decidiamo sul momento, va bene?

Marenghi non poté fare a meno di notare che, da quando aveva dovuto smettere di sniffare, causa forza maggiore, il socio stava rapidamente riprendendo quota. Si trovò a rimettere in discussione il già deciso scioglimento della ditta. Forse, dopotutto, si sarebbe ancora potuto percorrere un pezzo di strada insieme. Tornesi, invece, non aveva cambiato opinione. Nel frattempo, Marenghi gli era anche diventato antipatico. La sua idea era di concedersi, ad affare concluso, una piccola *ricaduta*. Diciamo una chilata di roba. La colpa, ovviamente, sarebbe stata attribuita al cameriere. Che se la vedesse lui con don Saro. Con quel chilo, Tornesi contava di rimettersi in pista. Una piccola parte l'avrebbe trattenuta per il consumo personale. Il resto l'avrebbe venduto. Col ricavato avrebbe comperato una barca e si sarebbe messo a girare per il mondo. E bye-bye, Marenghi.

– Faccio io il primo turno, – si offrí Marenghi.

Tornesi annuí.

Avevano deciso di presidiare la hall a turni di tre ore ciascuno.

Tornesi annuí ma ammoní il socio: niente bionde slavate, niente alzate di testa. Osservare e, se succede qualcosa, riferire.

II.

Don Saro fece assaggiare la roba a Ciccio Mezzanotte, il nipote di un cugino di Rosarno, che confermò in pieno la valutazione di Mandarà: purezza elevatissima, titolo intorno al novanta per cento.

– Parlami di questa *figghiola*, Carmelino.

– Sembra una puttanella, ma fa trattativa seria.

Quando poi Mandarà gli disse che la tipa veniva da Courmayeur, nella mente di don Saro risuonò un primo campanello d'allarme.

– Ma quanta ne porta di roba?

– Mi disse venti chili.

Il campanello divenne un concerto di campane. Don Saro fece cenno a Mandarà di tacere, si prese la testa fra le mani e cercò di dare ordine al suo ragionamento.

Courmayeur. Droga sparita. Purezza eccezionale. Boliviana rosa. Courmayeur. Droga sparita. Droga rimessa sul mercato improvvisamente da soggetto improbabile. Era la sua roba, senza dubbio. Quella che gli avevano mandato i colombiani di Calí. Ma se le cose stavano cosí, i casi erano due. O quel grandissimo cornuto figlio di una vacca del maggiore Mancuso aveva organizzato un'operazione raffinatissima per incastrarlo, e la ragazza era una sua emissaria, un'agente sotto copertura, o la zoccoletta si era trovata per caso

nelle mani il tesoro e stava cercando di arricchirsi alle sue
spalle. Nell'uno o nell'altro caso, la mano andava giocata. Ma
con intelligenza. Il concetto che dell'intelligenza aveva don
Saro si esprimeva attraverso modi di dire leggendari in tutto l'hinterland. Solo i morti non parlano. Perché perdere tempo a chiedere gentilmente un favore quando con un calcio
'nta li cugghiuna puoi ottenerlo in pochi secondi? Se sospetti di qualcuno, appendilo al gancio prima dell'istruttoria. Male che vada, avrà pagato per qualcosa che, comunque, deve
aver fatto. Se c'è da correre un rischio, meglio delegarlo che
affrontarlo in prima persona. Regole minime ed essenziali, a
ben vedere. Regole che gli avevano consentito, a cinquantacinque anni suonati, di diventare il temuto ras di Buccinasco. E allora, poiché chi lascia la vecchia per la nuova *sapi
chiddu ca lassa e nun sapi chiddu ca trova*, non c'era ragione
per discostarsi da quelle regole.
  – Senti che devi fare, Carmelino...

12.

Quando si trovò faccia a faccia con il cameriere Fabrizio,
Tornesi lo riconobbe subito e non poté fare a meno di tra-
salire. Si erano praticamente scontrati sulla soglia della stanza che Tornesi occupava al quinto piano del *Metropole*. Tornesi ne usciva per fare colazione, il cameriere – sembrava un
vizio! – teneva sulla spalla un sacco della biancheria. Vuoto, questa volta. Tornesi ebbe la tentazione di afferrarlo e
trascinarselo in camera, tempestarlo di pugni e fargli sputare il rospo. Ma si trattenne. Era poco più che un ragazzo,
mingherlino e insignificante, ma... e se fosse stato armato?
Se avesse gridato aiuto? Il cameriere si scusò con un mezzo

sorriso. Tornesi alzò una mano in segno di pace e si precipitò a svegliare Marenghi. Qualche minuto dopo, a colazione, si ripropose l'angoscioso interrogativo. Che fare?

– Cioè... hai pensato, – azzardò Marenghi, – a come faremo a farci dare la roba? Voglio dire... gli saltiamo addosso, lo meniamo, e poi dove, quando...

– Sta' un po' zitto, maledizione, ci sto pensando...

– Magari la roba è ancora qui in albergo...

– Non dire fesserie. L'ha portata in un luogo sicuro, e
adesso starà cercando di venderla...

– E se l'ha già venduta?

– Non è possibile. Se l'avesse venduta, allora sí che avrebbe mollato il lavoro.

– Giusto. Giusto!

Tornesi si versò una tazza di caffè americano. Man mano che la possessione della coca svaniva, i sensi si acutizza-
vano e il cervello riprendeva a funzionare a un ritmo india-
volato. Il dubbio si stava facendo pericolosamente strada
nella sua mente. Stava giocando su un'ipotesi fondata sul
nulla. Il cameriere porta un sacco pesante e scopre il corpo.
Il cameriere ricompare con il sacco ancora piú pesante, lo si
vedeva da come lo trascinava, facendo una fatica inaudita.
Questo aveva creduto di vedere. Su questo si basava il suo
assunto. Ma quando aveva visto, era strafatto. E se si fosse
sbagliato?

– Torniamo nella hall? – suggerí Marenghi.

– D'accordo, – sospirò Tornesi.

Le ore passavano, lente, inesorabili. Il cameriere andava
e veniva. Tutto aveva un'aria maledettamente normale. L'ansia cresceva. Marenghi sotto stress era una pena aggiuntiva
che si faceva di minuto in minuto insopportabile. Le sue con-
tinue domande lo avevano logorato al punto che Tornesi de-

cise di prendersi una boccata d'aria. Si annunciava il tramonto. Si era levato un vento gelido. Tornesi rimpianse di non avere un cappotto di pelliccia, e magari un colbacco. Aveva sentito il direttore dire a un turista tedesco che era prevista tormenta, e che tutte le escursioni dell'indomani erano sospese. Ci mancava pure che rimanessero bloccati a Courmayeur! Fece due volte il giro del piazzale antistante l'ingresso dell'hotel. Il Suv era parcheggiato sotto una tettoia per ripararlo dalla neve, che aveva cominciato a fioccare, dapprima rada, poi sempre piú fitta. Avrebbe dovuto mettere le catene, in caso di inseguimento non potevano farne a meno. Decise di montarle subito. Un po' di esercizio fisico avrebbe sciolto la tensione. Aprí il bagagliaio, prese le catene, armeggiò con le chiusure. L'operazione richiese una buona mezz'ora, ma alla fine tutto era a posto. D'improvviso, gli venne in mente che non avevano un'arma. Be', e se anche l'avessero avuta? Nessuno dei due era un tiratore né un malavitoso. Dilettanti. Non erano che due stupidi dilettanti. Che cosa li aveva spinti sino a quel punto? E c'era una possibilità di tornare indietro? Tornesi rimpianse l'estasi della coca. Non si faceva tutte quelle domande, un tempo. Già. Ma era proprio per colpa di quella superficialità che stava rischiando la pelle. Il suo sguardo cadde sul bloster giallo che serrava il volante. Saputo usare poteva fare la sua parte... Lo sganciò, lo ficcò nella vecchia busta di un negozio di via Montenapoleone, tornò in albergo.

– Hai fatto spese? – gli chiese Marenghi, pallido e spettrale davanti al suo quarto whisky.

– Sí, a Milano, – rispose, sarcastico, e gli mostrò il bloster.

– Che ci facciamo con quello?

– Tu lo blocchi e io lo colpisco. Poi lui ci dice dove sta la roba e la facciamo finita con questa storia. Stai sicuro che non andrà a denunciarci.

In quel momento, sulla soglia comparve la ragazza. Bionda, alta, di una bellezza davvero impressionante.

– Guarda! – sussurrò Marenghi.

– Non è il momento, animale!

– No, guarda il cameriere!

Il cameriere, in abiti borghesi, si stava avviando rapido verso la ragazza. I due si fermarono qualche secondo a parlottare, poi lei, con un gesto deciso, lo prese sottobraccio. Uscirono a passo svelto.

– Andiamo, – ordinò Tornesi.

13.

Mandarà, alla guida di una Bmw pulita, arrivò a Courmayeur al tramonto. Lungo la strada si era dovuto fermare per montare le catene. Il tempo peggiorava decisamente. Purché non chiudessero le strade! L'idea era di tornare a Milano appena sbrigata la faccenda. Non aveva senso trattenersi a Courmayeur. Non con due morti, o forse piú, sulle spalle. Don Saro era stato categorico. Doveva sbarazzarsi della pistola, una Beretta rubata anni addietro a uno sbirro, e procedere subito con la consegna. Non era il primo omicidio che gli ordinavano di commettere, e non sarebbe stato l'ultimo. Uccidere non gli procurava nessuna particolare emozione, anche se un po' di roba contribuiva pur sempre a mantenere un'accettabile lucidità e a evitare errori. Don Saro non sopportava gli errori. E non tollerava di essere contraddetto. Per questo Mandarà non aveva battuto ciglio quando il boss gli aveva ordinato di eliminare la ragazza e tutti quelli che si trovavano con lei. «Compresi i due commercialisti, ammesso che siano ancora in circolazione». Don Saro non era un tipo facile. Come avrebbe reagito se avesse intercesso per lei? Gli avrebbe dovuto spiegare che aveva un debito di sangue con Patrice, che Patrice proteggeva la ragazza, e che le regole dell'onore imponevano che fosse risparmiata. O, comunque, che non fosse lui, Carmelo Mandarà, il debitore, a indossare la tunica del carnefice. Ma se una cosa aveva imparato in quindici anni al servizio delle cosche, era che l'onore è una balla buona per la letteratura. Non esisteva nessun onore. Solo il profitto aveva un senso, nel suo mondo. Dunque, addio ragazza. E quanto a Patrice, sperava solo che non venisse mai a sapere della cosa.

Al telefono, quando le aveva detto che l'affare si poteva concludere, Carmelo aveva cercato di convincere la ragazza a effettuare lo scambio a Milano. Ma lei era stata irremovibile. O a Courmayeur o niente. Carmelo aveva dovuto cedere. La ragazza gli aveva dettato un indirizzo. Mandarà aveva scaricato una mappa da Internet e non ebbe difficoltà a trovare la via. Un idiota con un Suv stava cercando di infilarsi in uno spazio vuoto. Carmelo gli soffiò con destrezza il posto e uscí dall'abitacolo incurante delle strombazzanti proteste.

– Ma hai visto quello? Ma che... – era insorto Marenghi, quando il dritto con la Bmw gli aveva fregato il parcheggio.

– E tu chiudilo, il bastardo. A lui penseremo dopo.

Prima di scendere, Tornesi raccattò la busta con il bloster. Poi, preceduto da Marenghi, infilò il portone per il quale, pochi istanti prima, erano entrati il cameriere e la ragazza.

14.

Le informazioni dei carabinieri prima o poi arrivano sempre. Puntuali e dettagliate. Il guaio è che, molto spesso, arrivano piuttosto poi che prima. In questo caso, pensava il maggiore Mancuso, compulsando le schede dei commercialisti ammonticchiate sulla sua scrivania, cinque giorni potevano essere un'eternità. Lo scambio poteva già essersi concluso, e la cocaina essere finita chissà dove. Comunque, qualcosa si poteva ancora fare. I soggetti erano di sicuro quei due, Tornesi e Marenghi. Coperti di debiti sino al collo. Coinvolti in una storia di fatture false con società riconducibili, guarda caso, a don Saro il calabrese. Qualcuno aveva avuto la bella pensata di devastare il loro studio di Lambrate, appena tre giorni dopo l'infarto del colombiano. Se però, come aveva pensato in un primo momento, i commercialisti erano uomini di don Saro, la devastazione dello studio introduceva una variante di non poco conto. Chi se l'era presa con loro dopo la consegna? Don Saro? E perché? A meno che la consegna non fosse saltata. Forse don Saro non aveva avuto la sua roba e aveva pensato che a fregarlo fossero stati i milanesi. Ma era improbabile, allo stesso tempo, che due commercialisti, anche se in odore di malavita, tentassero di imbrogliare l'astuto e crudele boss. Quindi, doveva esserci sotto dell'altro. La prima cosa da fare era mettere le mani su quei due. Il maggiore Mancuso dettò gli ordini a un giovane sottufficiale, poi chiamò il maresciallo Champorieux.

– Commercialisti? Cosí aveva ragione lei, maggiore... ma, scusi se glielo dico, continua a sembrarmi incredibile.

– Lei dice? Una volta, a Fiumicino, abbiamo preso un vescovo ortodosso. Nella sua valigetta c'erano quindici chili di eroina purissima. Abbiamo dovuto spedire i cani in clinica, per quant'erano eccitati... e lei si stupisce per due commercialisti, maresciallo?

«Magari Mancuso avrà ragione, – pensò il maresciallo mentre addentava una forchettata di tagliolini al tartufo, – ma quant'è antipatico!»

15.

C'erano tre piani nella palazzina. Tornesi aveva proposto di partire dall'alto. Senza degnarlo di risposta, Marenghi aveva preso a scampanellare con furia al pianoterra. Ad aprire era stata una vecchia megera con i bigodini. Tornesi aveva bruscamente scansato il socio e, in tono gentile, le aveva chiesto della ragazza. Lei lo aveva fissato come se non capisse l'italiano, poi aveva scosso la testa e con l'indice aveva fatto segno «di sopra». Stavano per bussare all'appartamento del secondo piano quando avevano sentito l'urlo, poi il botto. Veniva dall'ultimo piano. Ci si erano precipitati. Marenghi aveva abbattuto la porta con una spallata. Tornesi lo seguiva brandendo il bloster. Piú che una netta visione dell'insieme, Tornesi ebbe appena il tempo di percepire veloci frammenti. C'era un tizio al centro della piccola stanza, armato di pistola. Il cameriere era riverso sul pavimento, e si agitava, scosso da un tremito malsano. La ragazza aveva la bocca spalancata, come se non riuscisse a gridare. Portava a tracolla un borsone con il logo di una compagnia aerea.

– Cazzo! – esclamò Marenghi.

L'uomo con la pistola si voltò di scatto e sparò. Marenghi si avvitò su se stesso e cadde, con un gemito soffocato. Tornesi agí d'istinto. Alzò il bloster, si avventò contro l'uomo prima che avesse tempo di esplodere un altro colpo e calò l'attrezzo sul braccio che impugnava l'arma. L'uomo urlò di dolore. L'arma cadde per terra. Tornesi l'allontanò con un calcio. Seguí un istante di tragicomica sospensione, poi sia lui che l'uomo cercarono di scagliarsi sulla pistola. Con la coda dell'occhio, Tornesi colse un movimento alle sue spalle. Un istante dopo si sentí il *clic* dell'interruttore e l'appartamento piombò nel buio.

– Quella troia! – esclamò l'uomo.

Tornesi sentí qualcosa strisciargli al fianco, sollevò ancora il bloster e sferrò un altro colpo. Nuovo urlo. Il movimento sembrava essersi acquietato. Tornesi si sollevò, e a tentoni rintracciò l'interruttore. L'uomo si reggeva il braccio destro, mugolando di dolore. La mano era diventata un'appendice gonfia e bluastra. Il cameriere aveva smesso di agitarsi. Anche Marenghi era andato. Né della ragazza né della borsa di tela c'era traccia. Tornesi individuò la pistola, andò a raccoglierla con tutta calma e la puntò contro l'uomo.

– Che vuoi fare?

– Quello che hai appena fatto al mio socio.

– Cosí non ritroverai piú la ragazza.

– Me ne strafotto. Ne ho le palle piene di questa storia.

– Don Saro potrebbe non essere d'accordo.

– A questo penserò dopo.

– Aspetta, Cristo santo! – implorò Mandarà. – Forse c'è ancora una via d'uscita. Io so dov'è la ragazza.

Tornesi ci pensò su un attimo e abbassò la pistola.

– Potrebbe essere una soluzione, – concesse, pacato.

16.

Il maggiore Mancuso piombò sul luogo del delitto nel cuore della notte. Quando il maresciallo Champorieux gli chie-

se come avesse fatto a raggiungere Courmayeur in piena tormenta, Mancuso rispose, laconico: – In elicottero.

– Ma non potrà ripartire… almeno non sino a domani…

– E chi vuole ripartire? La vita è proprio strana, maresciallo. Cercavo i miei polli a Milano, e quelli pensano bene
di farsi impallinare quassú sulla montagna. Mi racconti un
po' come stanno le cose…

Il quadro della situazione fu chiarito in pochi istanti. In
effetti, nessuna delle due ipotesi che Mancuso aveva formulato in seguito alla morte di Da Silva Serrano si era rivelata
giusta. L'evento imponderabile aveva dato luogo a una terza alternativa. Doveva ricordarsi di inserire un capitolo con
questo titolo nella prossima edizione del manuale investiga-
tivo a uso interno. *La terza alternativa.*

– Capisce? Uno stupido cameriere che mette le mani su
una grossa partita di coca e cerca di «svoltare»…

– Sí, ma io mi chiedo: questa roba, dov'è adesso?

– Be', si possono formulare varie ipotesi. Di sicuro qua,
insieme a loro, c'era qualcun altro…

– I vicini hanno parlato di tre uomini e di una ragazza.

– Questa ragazza? – domandò Mancuso, indicando la fotografia di Manuela incorniciata sulla mensoletta accanto al-
l'apparecchio telefonico.

– Può darsi. Per me è una faccia assolutamente sconosciuta. Se è lei, dovrebbe trattarsi di una certa Manuela Perroz. L'appartamento è accatastato a suo nome. Ma altro non
so…

Mancuso, che stava scuotendo un'agendina, ne vide sci-
volare fuori un biglietto scritto a mano.

– Maresciallo, le dicono niente i nomi «Patrice» e «Morgueau»?

– Ah, be', sí, qualcosa… dunque, Morgueau è un paesino che sorge ai confini della valle omonima. Noi la chiamia-

mo l'ultima valle, perché subito dopo il Picco des Aigles c'è
la Francia... un posto incantevole, molto tranquillo...

– E questo Patrice?

– Dovrebbe essere un sorvegliato speciale... sí, se è lui...
Patrice Moreillon. Prima era un bravo ragazzo, magari un
po' rozzo. Poi glien'è capitata una dopo l'altra. Prima la moglie muore in un incidente, poi la figlia prende una malattia
incurabile... ha cominciato a bere, sa come vanno queste cose, signor maggiore, e per farla breve... Si è fatto dodici anni per omicidio a scopo di rapina... ma adesso riga dritto,
eh! Pare che ogni mese vada a versare un po' di soldi alla vedova della vittima. Lei pensa che...

– Io penso che i delinquenti non cambiano, maresciallo.
Vorrei farci due chiacchiere, con questo suo interessante soggetto...

– Credo che dovremo aspettare almeno sino a domani, signor maggiore.

– Domani è tardi.

– Uhm, a Morgueau non abbiamo nessuno, e con questa
tormenta...

– Bene. Ci andiamo subito, allora.

– Ma non capisce, signor maggiore? Finché il tempo non
si rimette al bello non è praticamente possibile...

– Lei mi sembra una brava persona, maresciallo, ma ha
un vizio intollerabile in un carabiniere: discute gli ordini!

Per quanti sforzi facesse, per quanti servizi scomodasse,
alla fine, dopo due ore di vani tentativi, piegato da una mi-
cidiale combinazione di tecnologia e avversità naturali, persino il maggiore Mancuso dovette arrendersi. Non c'era modo, nessun modo, di raggiungere Morgueau. Tutte le vie d'accesso, vuoi in cielo vuoi in terra, erano bloccate. Cosí, ai due
carabinieri non restò che attendere, per mettersi in marcia,
l'alba e la schiarita. In compenso, il maggiore Mancuso poté

apprezzare alcune qualità del suo sottoposto, nonché la proverbiale ospitalità valdostana. Di quell'ultima *grolla*, l'ottava per la precisione, che aveva fatto seguito a un onorevole prosciutto di cervo, per esempio, avrebbe conservato a lungo un lieto, decisamente alcolico, ricordo.

17.

Manuela li aveva visti andar via, il calabrese che aveva sparato a sangue freddo a Fabrizio e quel tipo curioso, con l'aria di un commercialista milanese. Un braccio del calabrese pendeva inerte. L'uomo sembrava sofferente. Erano saliti a bordo di un Suv nero e avevano preso la via della montagna. Acquattata nella sua vecchia Panda, aveva assistito all'arrivo dei carabinieri, allertati di sicuro dai vicini. La borsa con la coca, posata sul sedile del passeggero, pareva irradiare una luce maligna. Patrice. A Morgueau. Lui avrebbe saputo tirarla fuori dai guai. Lui le avrebbe dato una mano. Mise in moto e riuscí a spingersi a fatica sino alla periferia dell'abitato. Da lí in avanti avrebbe dovuto proseguire a piedi. La neve cadeva a turbini incontrollabili. Le strade erano deserte. Deserte perché impraticabili. Non aveva la minima idea di dove Patrice abitasse, se in paese o fuori. E non c'era un'anima viva a cui domandare. Eppure, sentiva che l'avrebbe trovato. Che tutto sarebbe finito per il meglio. Che la sua vita non era destinata a spegnersi in quella notte di tormenta.

Il paese terminava all'improvviso. Davanti a lei si aprivano due sentieri. Dovrei fare a testa o croce, si disse, e il pensiero le strappò una risatina nervosa. Optò per quello di destra. Il vento mugghiava tutt'intorno. Dopo pochi passi si accorse che c'era una pista battuta, e la imboccò. Avanzava alla

cieca, sorretta dalla paura, dalla stanchezza, o forse solo dal
niente che sino a quel momento era stata la sua vita. La pista andava lentamente scomparendo sotto l'accumulo della
neve. Rami smossi dal vento le sferzavano il viso. Manuela
cominciò a tremare. Il buio si faceva sempre piú fitto. A un
certo punto – non avrebbe saputo dire quanto tempo era passato, né se fosse andata avanti o se stesse vanamente girando in tondo – risuonò, chiaro e distinto, un ululato. Forse è
un lupo, pensò Manuela. Da queste parti capita di avvistar-
ne. Un lupo infreddolito e affamato come me. Ma un lupo è
molto, molto piú forte di me. Ai lupi non piace la cocaina,
si scoprí a pensare. Non saprebbero che farsene. Né della cocaina né dei soldi che ci si possono fare. Manuela sentí di
provare una profonda invidia per i lupi. La testa prese a girarle forte. Ora, ai brividi di freddo si alternavano vampate
di calore. Presto non avrò piú la forza di andare avanti. Mi
rannicchierò in qualche anfratto e mi lascerò seppellire dalla neve. Dicono che la neve dia una morte molto dolce. O arriverà prima il lupo? Urlò, con quanto fiato aveva in corpo,
il nome del gigante che doveva salvarla. Patrice, urlò, Patrice, aiutami. Il verso del lupo risuonò ancora, piú vicino, bef-
farda risposta alla sua invocazione. Il piede urtò contro una
radice, Manuela perse l'equilibrio e cadde, a faccia in giú,
nella neve. Prima di perdere i sensi, riuscí a voltarsi su un
fianco.

– Hai sentito? Dico, hai sentito?
– Cosa?
– Dev'essere un grosso cane… o un lupo… Ci sono lupi
da queste parti?
– Ma che ne so io! Io sono di Milano, come te. E poi non
sento niente. Il braccio mi fa male da impazzire. Fermiamo-
ci, ti prego!

– Fossi matto! Avanti, cammina, animale, o ti sparo, qui e adesso.

– Fai pure. Io non ce la faccio piú.

Tornesi roteò la torcia che si era portato dietro e inquadrò il calabrese. L'uomo non aveva un bell'aspetto. Il braccio si faceva nero a vista d'occhio. Sicuramente, con quel colpo di bloster gliel'aveva fratturato. Mandarà – cosí aveva detto di chiamarsi, Carmelo Mandarà – si reggeva a stento in piedi. Doveva essere subentrata un'infezione, o qualcosa di simile. Piú il tempo passava, piú quel sicario da due soldi diventava un peso morto. Con un sospiro, Tornesi si fermò. Un minuto poteva pure concederglielo. Il calabrese gli serviva vivo. Vivo e lucido. Senza di lui non avrebbe mai trovato la casa del tizio dove la ragazza era andata a nascondersi. Ammesso che Mandarà non gli avesse mentito per salvarsi la pelle.

«Ti giuro! Quando sono entrato nella stanza, quei due stavano litigando! Lei gli diceva che non si sarebbero mai sposati, e che appena concluso l'affare lei sarebbe andata dal suo amico di Morgueau…»

«E tu come lo conosci questo amico di Morgueau?»

«Sono stato io a presentarglielo, figurati!»

Dunque, il calabrese doveva vivere, almeno sino a che non gli avesse fatto ritrovare la roba. E forse anche dopo. Tornesi non coltivava una particolare inclinazione verso l'omicidio. Il suo punto di vista sull'intera faccenda era nuovamente cambiato dopo la morte del socio. Ora non desiderava che di tirarsene fuori. Avrebbe restituito la roba a don Saro e poi… via. Verso un altro mondo. Verso un'altra vita. Ma intanto, si doveva trovare la ragazza. Il Suv era diventato inservibile alla periferia di quel buco sperduto nel fondo dell'ultima valle, Morgueau. Mandarà aveva giurato anche di saper individuare la baracca del suo amico. Ma era da almeno due ore che vagavano nella tormenta. E la torcia minacciava di esaurirsi da un momento all'altro.

– Su, muoviti, hai riposato abbastanza.

Mandarà, che s'era lasciato andare su un mucchio di neve, si tirò su con un gemito straziante, per poi ricadere come un corpo morto. Tornesi si chinò su di lui, improvvisamente preoccupato. Forse, dopotutto, il calabrese stava davvero molto male.

– Avanti, dài, non venirmi meno proprio adesso. Cinque minuti fa dicevi che quasi c'eravamo... e andiamo!

Carmelo Mandarà aveva perso le forze. Respirava ancora, ma non ce la faceva a sollevarsi. Allora, era proprio stato sconfitto, pensò rabbioso Tornesi. Allora, quello era l'epilogo. Senza il bastardo non avrebbe mai trovato la ragazza. E senza la ragazza...

Aveva quasi deciso di tornare indietro, di mollare tutto, quando percepí, netto, il grido. O, per meglio dire, il richiamo. Voce femminile, senza dubbio. E cosí vicina da poterla quasi toccare! Tornesi puntò la torcia nella direzione da cui gli era parso provenisse il grido. Colse un movimento nel fogliame e si slanciò. L'ululato del lupo lo raggiunse nel momento in cui sbucava in una sorta di piccola radura. La ragazza era ai piedi di un albero. Pareva dormisse, piegata su un fianco. La borsa era a pochi passi da lei. Ma c'era anche qualcun altro. Un grosso lupo. Chissà perché, pensò Tornesi mentre armava la pistola e si avvicinava per prendere la mira, piuttosto che una belva che sta per mangiarsi il mio tesoro sembra un cane che le stia montando la guardia...

All'ululato della lupa, che l'aveva raggiunto sul limitare di un addormentamento inquieto, Patrice non aveva fatto caso. Quell'animale si stava facendo invadente. Gli aveva dato del cibo non piú di due ore prima, perciò che se ne andasse pure per la sua strada. Faceva troppo freddo per abbandonare il sacco a pelo nel quale aveva preso l'abitudine di dormire dopo la scarcerazione. Ma il grido gli fece abbandonare ogni prudenza. Era un grido umano, quello. Veniva dallo spiazzo dietro la baita, non poteva esserci dubbio. E quella voce... quella voce aveva i capelli biondi e gli occhi azzurri e disperati della sua Chantal... Patrice si liberò del sacco a pelo, afferrò un grosso coltello e si precipitò fuori.

Mandarà si materializzò alle spalle di Tornesi nel preciso istante in cui il commercialista aveva inquadrato la bestia. Con le ultime forze, il calabrese gli si scagliò contro. Colto di sorpresa, Tornesi esplose un colpo che si perse in alto, nella notte nera. Il lupo lasciò partire un ringhio sordo e arretrò di qualche passo. Mandarà gli stava addosso, ansimante, e cercava di colpirlo con deboli pugni. Tornesi se lo scrollò di dosso con uno spintone. Il calabrese fu sbattuto contro un tronco, e lí giacque, immobile. Tornesi si rialzò. Per fortuna, non aveva perso l'arma. Recuperò la torcia, che era caduta a pochi passi di distanza, ma quando il cono di luce si posò sul luogo dove, appena poco prima, aveva scorto la ragazza, lei non c'era piú. Era sulle spalle di un colosso biondo che si stava avviando a grandi falcate in direzione del fondo della foresta. Con una bestemmia, Tornesi si avventò verso il margine della radura. Il lupo ringhiò, sbarrandogli la strada. Ma chi era quella bestia? Il demonio? Il santo protettore della ragazza? Be', ma lui aveva ancora la pistola, lui... esplose un colpo, d'istinto. Sentí subito una fitta atroce al ginocchio e si abbatté sulla neve. Il lupo si era accucciato a pochi metri di distanza, e lo fissava con gli oc-

chi accesi di bagliori rossi. Si era sparato al ginocchio! Si era
messo fuori gioco da solo! La neve aveva smesso di cadere.
Il cielo si stava squarciando in una stellata di inverosimile
bellezza. Tornesi aveva voglia di piangere. Era finito. Tutto finito. In quel momento, alle sue spalle risuonò una risata. Era Mandarà. Ma quante vite aveva quel maledetto? Poi
Tornesi cominciò a tremare, e una grande, dolcissima stanchezza lo invase.

18.

Di quella notte, Manuela avrebbe conservato per sempre
il ricordo. Come di un sogno gentile, emozionante, un sogno
che non vuol saperne di abbandonarti al risveglio, che ti ha
seminato dentro qualcosa che non potrà mai essere cancellato. Frammenti, ricordava, visioni. Le braccia forti che la sor-
reggevano. Il dondolio del passo che la portava lontano dal
pericolo. L'odore muschiato del giubbotto dell'uomo, con
quel sentore di pulito, di neve, che in fondo al cuore aveva
desiderato di poter aspirare ancora, l'odore che l'aveva guidata verso di lui, alla fine della lunga strada, come per un miracolo. E il giaciglio di paglia nella grotta illuminata da una
vampa che scaldava e inteneriva, la voce roca e profonda di
Patrice che le raccontava quelle storie magiche di ninfe che
fanno spuntare fiori e funghi con una canzone fatata, le storie che tutti i bambini hanno il diritto di sentirsi raccontare,
in tutte le parti del mondo. E la tisana di erbe aromatiche
che le aveva fatto montare un'ebbrezza gaia, la sua risata, poi
il sonno, e il contatto di una mano, una grande mano pelosa,
fra i suoi capelli, il calore delle coperte, e poi...
  – Hai mai visto uno stambecco?

Manuela mise la mano in quella di Patrice e si lasciò sollevare. Le girava un po' la testa, ma era ancora tutta intera.
Intera e sognante. Avevano trascorso la notte in una grotta
naturale, c'erano ancora i resti del bivacco. Patrice la con-
dusse su un costone di roccia. Davanti a lei si apriva lo spettacolo delle montagne baciate dal sole. Lo stambecco si sta-
gliava immobile sulla punta di un picco innevato. Sembrava
fiutare l'aria limpida e frizzante del primo mattino, o, forse,
giocava solo a sfidare il cielo. Poi qualcosa lo mise in allarme, e l'animale scomparve con rapidi balzi irregolari dietro
il picco.

– Mi fa un po' male la testa, Patrice.

– Hai avuto la febbre. Passerà presto.

Patrice si tolse dalla spalla la sacca con la cocaina e la gettò
ai suoi piedi.

– Che vuoi farne?

Manuela sorrise.

– Decidi tu.

– Sono un mucchio di soldi, a quanto pare.

– Ti interessano? – sussurrò lei, vagamente delusa.

Patrice rise. Sollevò uno dei sacchetti, lo soppesò, annuí,
poi estrasse dalla tasca del giaccone il coltello, squarciò il cellophane e agitò l'involucro. I cristalli di coca restarono per
un istante sospesi nell'aria, poi un refolo di vento li catturò
e se li portò via. Patrice si girò a guardarla. Manuela afferrò
un altro sacchetto e glielo porse. Ripeterono l'operazione finché tutta la droga non fu portata via dal vento. Patrice rimise nella borsa ciò che restava dei sacchetti.

– Alla fine di quel sentiero c'è la Francia, – le disse, indicando verso nord, – sono appena due chilometri. Non ti fer-
merà nessuno, non è una pista frequentata. Stattene per un
po' tranquilla. Poi, se ti va, potrai tornare.

– E tu? Mi aspetterai?

– Può darsi.

Poi le voltò le spalle e, sacca a tracolla, si avviò.

Manuela, con un sospiro, prese la direzione della Francia.

Epilogo

Per il calabrese, un malacarne della cosca di don Saro, non c'era piú niente da fare. Il gelo e il braccio spappolato se l'erano portato via e amen. Uno di meno, pensò freddo il maggiore Mancuso.

Il commercialista, invece, se la sarebbe cavata. Fra l'altro, aveva aperto le cateratte appena vista spuntare la prima divisa. La storia che aveva raccontato era davvero molto interessante, specie perché, in un modo o nell'altro, gli avrebbe finalmente consentito di stringere una bella corda intorno ai lordi polsi dell'inafferrabile don Saro. Certo, era una storia che in qualche punto faceva acqua. Prima di presentare il rapporto al magistrato sarebbe stata necessaria una bella tara. Chi avrebbe creduto a un pentito che andava raccontando di un lupo che faceva la guardia a una ragazza svenuta? La missione nel suo complesso, d'altronde, aveva fruttato eccellenti risultati. Anche se la cocaina ormai era persa, svanita chissà dove con quella, come accidenti si chiamava, Manuela Perroz, nella rete restavano pesci di considerevole caratura.

L'unica incognita riguardava, semmai, quel pregiudicato, Patrice come-si-chiama. Qual era il suo ruolo nella vicenda? Perché la ragazza si era rivolta a lui? Da sbirro puro, Mancuso era incline a pensare il peggio di un delinquente. Ma era anche un uomo sufficientemente sportivo da concedergli comunque una chance.

Mancuso era lí ad attenderlo, alla baita, quando Patrice

fece la sua comparsa, a metà mattina. Visto da vicino, faceva davvero un certo effetto. Una specie di Depardieu con qualche anno e qualche chilo di meno, e una decina di centimetri in piú. E un che di ironico e persino di gentile nello sguardo che non mancò di sconcertare il maggiore. L'uomo e il carabiniere si fissarono, poi l'uomo si tolse la sacca che portava a tracolla – una borsa di tela con il logo di una compagnia aerea – e gliela consegnò.

– Questa è roba sua.

Mancuso fece scorrere la cerniera e lanciò un'occhiata all'interno. Vide brandelli di cellophane, e qualche grano sparso di coca sul fondo. Scrutò l'uomo con sguardo interrogativo. Patrice si portò una mano alla bocca e soffiò nel palmo.

– Vuol farmi credere che la cocaina è volata via?

– *Mais oui*. È proprio cosí che è andata.

– E la ragazza?

– Non c'era nessuna ragazza.

E in quel momento, fissando i suoi occhi negli occhi celesti e ironici del colosso, il maggiore Mancuso sentí che, per qualche misteriosa e a lui del tutto incomprensibile ragione, gli credeva.

Massimo Carlotto

Little Dream

Quando l'ispettore Giulio Campagna uscí dalla stazione della metropolitana di Porta Genova si guardò attorno con discrezione. Era certo di non essere stato seguito. Non era soltanto l'intuito a suggerirglielo, ma quindici anni di servizio nella squadra mobile. Di solito era lui a pedinare la gente, ma quella volta i ruoli potevano essersi invertiti. Per evitare guai e una figura di merda, era stato particolarmente attento ed era già entrato e uscito dalla metro due volte e aveva già cambiato tre taxi. Ora toccava al quarto. L'ultimo.

– *Little Dream*, via Rosmini, – disse all'autista.

Il tizio, un cinquantenne che tifava Inter e non faceva nulla per nasconderlo, abbassò il volume della radio. Il ritornello di un motivetto alla moda sfumò delicatamente.

– Da Mahinda e Margherita, – commentò, mettendo in moto. – Si mangia bene.

I loro occhi si incontrarono per un attimo nello specchietto retrovisore. Campagna non aveva voglia di parlare e rivolse lo sguardo alla strada. Anche il tassista sapeva fare il suo mestiere, capí il messaggio e rialzò il volume della radio. Avrebbe chiacchierato con il cliente successivo.

Campagna si voltò per l'ultima volta e si convinse che nessuno lo stava seguendo. In quella calda domenica d'agosto, all'ora di pranzo, Milano era praticamente deserta, e pensò che anche gli agenti del Mossad israeliano avrebbero avuto parecchi problemi per non farsi notare. Ancora non sapeva

chi poteva avere interesse a conoscere i suoi movimenti. Sapeva solo che se Vincenzo «Vince» Scaldaferro gli aveva
chiesto di fare attenzione, significava che la faccenda scot-
tava sul serio. Vince non esagerava mai. Lo aveva conosciuto alla mobile di Padova, avevano lavorato insieme per sei
anni e poi lui aveva dato le dimissioni ed era entrato nella
«sicurezza» di un grande gruppo bancario, dove aveva fatto carriera. Non si erano sforzati molto per convincerlo. Scaldaferro era uno sbirro coscienzioso ma non aveva il carattere giusto per scalare i vertici nell'amministrazione, e la differenza di stipendio era troppo grande per non prendere in
considerazione l'offerta. A Campagna, invece, proposte di
quel tipo non erano mai arrivate. La sua fama di sbirro indi-
sciplinato e scontroso e il disinteresse per i soldi erano noti
a tutti, e da tempo aveva già concluso la sua carriera in polizia. Ma l'ispettore non si era mai lamentato. A lui piaceva
quel mestiere. Non avrebbe saputo che altro fare nella vita.
Per andare a Milano a incontrare Vince Scaldaferro aveva
telefonato a Veronesi, il dirigente, e gli aveva annunciato di
avere mal di pancia. Nel linguaggio cifrato che avevano costruito negli anni, significava che Campagna doveva muoversi in totale autonomia.

Veronesi come al solito si era incazzato: – Bravo! – aveva urlato nella cornetta. – Ti fai venire il mal di pancia proprio ad agosto, quando sono sotto organico…

L'ispettore aveva riattaccato ghignando. Veronesi era fatto così. Da quando si alzava la mattina non faceva altro che
urlare. Ma era un grande sbirro, e al grado di vicequestore
c'era arrivato senza spintarelle.

Il taxi imboccò via Rosmini e la trovò sbarrata da un camion che stava scaricando merci.

– Cinesi. Solo loro lavorano la domenica, a quest'ora,
sotto il sole, – commentò l'autista in tono piatto. – Le con-

viene scendere qui, mancano poche decine di metri al ristorante.

L'ispettore pagò e attese che il taxi si allontanasse a marcia indietro. Passò accanto ai cinesi che scaricavano scatoloni di pelletteria. Lungo tutta la via erano disseminati negozi che esponevano borse di ogni foggia e dimensione in vetrine polverose.

Al numero 3 spiccava l'insegna del ristorante *Little Dream*,
con i colori sgargianti dello Sri Lanka. Campagna diede un'ultima occhiata in giro e infilò la porta. A differenza del resto
della città, il locale era pieno di gente. Il profumo di pietan-
ze speziate gli risvegliò l'appetito che fino ad allora era rimasto sepolto da caffè e sigarette.

– Mi dispiace, ma non ci sono tavoli liberi, – si scusò la
proprietaria.

– Ci dovrebbe essere una prenotazione a nome Tersilli,
– ribatté l'ispettore citando il cognome di comodo che Scaldaferro gli aveva indicato quando avevano fissato l'appuntamento. Vince era romano, Sordi era sempre stato il suo attore preferito, e si era divertito a usare il nome del personaggio di un suo film famoso.

La donna sorrise. – Il signor Tersilli l'aspetta nella sala
del Carrom, – disse indicando una scala che portava al se-
minterrato.

La sala era interamente occupata da cingalesi che man-
giavano e chiacchieravano allegri. I due uomini che sedeva-
no al tavolo del Carrom si disputavano la partita concentra-
ti e in silenzio, ma quando lo striker, la pedina battente, col-
piva le altre, lo schiocco secco copriva il brusio. Nessuno
badava all'italiano seduto a un tavolino d'angolo, che sor-
seggiava una birra con una smorfia di tensione stampata sul
volto. Al poliziotto non sfuggí il dettaglio che sedeva con le
spalle al muro. Era evidente che si sentiva insicuro.

– Ciao, Vince.

L'ex poliziotto si alzò e abbracciò Campagna. – Grazie
di essere venuto.

– Ti dovevo un favore, – ricordò l'ispettore, passando la
mano con tocco leggero sulla pistola che l'altro portava infilata in una fondina ascellare.

– Sembra un secolo fa, invece sono passati solo pochi anni, – commentò Vince, e poi aggiunse: – Ti vedo bene, sei
sempre lo stesso…

Campagna alzò la mano per interromperlo. – Risparmia-
mi le stronzate, «dottor Tersilli». Non sono lo stesso e nemmeno tu. Sei ingrassato e addosso, solo di vestiti, hai tre sti-
pendi da ispettore.

L'altro fece un sorriso tirato. – Hai ragione, niente stronzate.

– Bene. Ora mangiamo. Ho fame.

– Ho già ordinato. Tanto tu di cucina cingalese non capisci un cazzo.

In quel momento si materializzò la proprietaria con un
vassoio grande e pesante. – Non si preoccupi, le piacerà, –
disse appoggiando un piatto di fronte a Campagna. – Questi sono satay, spiedini di pollo e gamberi con contorno di riso giallo e verdure al vapore. E poi, per finire, il suo amico
ha ordinato il wattalappan, un budino con miele di palma e
noci.

Campagna ringraziò e affondò la forchetta nel riso. – Allora? – incalzò l'altro con la bocca piena.

– Non sono in veste ufficiale.

– Questo l'avevo capito.

– Se i «miei» vengono a sapere che ti ho parlato, non rischio solo il licenziamento…

Campagna soppesò attentamente le parole. – In che raz-
za di guaio ti sei cacciato?

– Nulla che non possa gestire e controllare, ma voglio che sia chiaro che mai e poi mai sarò disposto a rendere testimonianza su quanto sto per raccontarti.

– E allora io sono libero di decidere se la storia mi interessa abbastanza da occuparmene.

– Ovvio. Ma per come ti conosco, credo che non riuscirai a fare finta di nulla.

– Non ci contare…

Vince sorrise. L'ex collega non era cambiato. – Avrai letto di certo sui giornali che qualche mese fa il nostro grande capo è stato colpito da un ictus…

Campagna ricordava perfettamente e annuí continuando a riempirsi lo stomaco. Il grande capo era il sessantenne bergamasco Francesco Presutti, presidente del gruppo bancario, e la notizia era ancora «fresca», ben presente sui media nazionali che ne seguivano con attenzione il lento recupero psicofisico. Voci piuttosto accreditate suggerivano che nel gruppo fosse scoppiata una vera e propria guerra per la successione. Un sacco di gente pensava che Presutti fosse finito.

– La storia del malore è un po' diversa da quanto hanno raccontato i giornali.

– Quanto «diversa»?

Vince bevve una lunga sorsata di birra prima di rispondere. – Quando si è sentito male non si trovava a casa, a letto con la moglie, ma qui a Milano, in un hotel, in compagnia di una bella fanciulla, strafatto di coca e Viagra.

– Un cocktail pericoloso alla sua età, – commentò l'ispettore.

– Quando ha avuto l'ictus, la ragazza ha avvertito l'autista che lo aspettava di sotto, e anziché chiamare un'ambulanza, per evitare lo scandalo, lo ha portato a casa a Bergamo e ci ha pensato la moglie a farlo ricoverare.

– Quanto meno un paio d'ore di ritardo che hanno

senz'altro aggravato il quadro clinico, – rifletté ad alta voce Campagna. Poi aggiunse: – Non capisco però tutta questa segretezza per 'sta minchiata. Ormai è una moda nazionale per politici e pezzi grossi portarsi le troie in hotel per festini a base di neve e pilloline azzurre...

– Non è una troia, – ringhiò l'ex collega.

– Calmo, Vince, non ti scaldare, – lo ammoní Campagna. – Quando esce dalla mia bocca non è un termine offensivo, lo sai bene.

– Scusami. Il fatto è che sono preoccupato per lei. È scomparsa da tre settimane.

– Avrà cambiato aria.

– No. Qualcuno l'ha portata via –. Vince tirò fuori dalla tasca una fotografia e puntò l'indice sul volto di una giovane in bikini, che sorrideva nel bel mezzo di un gruppetto di ragazze che indossavano lo stesso identico due pezzi e sfoggiavano un sorriso altrettanto identico. Campagna osservò meglio: si trattava di un concorso di bellezza di tre anni prima.

L'ispettore si soffermò a osservare il volto da ragazzina. Troppo presto per finire in guai cosí grossi. – È arrivato il momento che mi racconti tutto. Dall'inizio.

La ragazza si chiamava Federica Actis, in arte Julia Perez, si spacciava per sudamericana per via della pelle olivastra ereditata dalla madre calabrese. Bella, con un sacco di curve al posto giusto e l'ambizione di diventare qualcuno nel mondo della televisione. Era il tipo di ragazza che piaceva al presidente Presutti, se le portava a letto per un anno e, oltre a mantenerle, le aiutava a fare carriera. Giusto qualche provino e qualche apparizione in terza, quarta fila negli spettacoli della domenica, per vedere se avevano talento. Era Scaldaferro, su diretto incarico del grande capo, che si occupava di trovarle battendo con discrezione le miriadi di agen-

zie che gestivano fanciulle a caccia di successo e mariti calciatori. Sceglieva le candidate, svolgeva accurate indagini sul
loro passato, le contattava e organizzava un incontro «casuale». Poi una cena, e se la ragazza ci stava, passava agli incontri. E procurava pure la cocaina e il Viagra, che miglioravano
le prestazioni del presidente. Solo che, nel caso di Federica, il buon vecchio Vince aveva perso la testa e aveva
iniziato a portarsela a letto pure lui, sperando che il capo si
stancasse presto di quel bel giocattolo. Dopo il fattaccio l'a-
veva portata in un posto sicuro a Verona, in attesa che le acque si calmassero, dove nessun giornalista avrebbe mai potuto trovarla nel caso avesse fiutato la pista giusta. Ma un
giorno era scomparsa. Nell'appartamento non era rimasta
una minima traccia della sua presenza. Sembrava fosse passata un'impresa di pulizie.

– Professionisti, – commentò Campagna. – Hai idea di
chi siano e del motivo per cui hanno fatto sparire la ragazza? E soprattutto, come hanno fatto a scoprire il suo rifugio
se lo conoscevi solo tu?

– No. È evidente che mi hanno seguito, controllato, ma
forse hanno commesso un errore, – ribatté l'ex collega. –
Hanno disconnesso il cellulare di Federica con un'ora di ritardo. L'ultima traccia è stata individuata all'altezza di Padova, la zona era quella dell'autostrada. Era su una macchina che procedeva in direzione di Venezia.

– E queste informazioni come le hai avute?

Vince spazzò l'aria con un gesto della mano. – Non fin-
gere di essere ingenuo, – sbottò. – Ormai certe strutture private sono diventate vere e proprie forze di polizia.

– Che agiscono al di fuori di ogni regola, – aggiunse l'i-
spettore stizzito. – E ora vorresti che ti aiutassi a trovare la
ragazza senza informare i miei superiori e la magistratura.
Spiegami perché dovrei farlo.

Scaldaferro allargò le braccia: – Non lo so. Ma non so a chi altro rivolgermi, e poi l'ultima traccia di Federica è a Padova, la tua zona.

– Quanto meno hai avuto il buon senso di non offrirmi dei soldi, – bofonchiò il poliziotto. – In realtà il tuo vero problema è che non puoi rendere pubblica la vicenda, altrimenti finiresti in galera con una bella sfilza di reati. E andrebbero a puttane carriera e matrimonio.

– Non si tratta solo di questo, – disse in tono piú calmo. – La verità è che non so cosa sta succedendo e non mi fido di nessuno. In questo ambiente il gioco non era mai stato cosí pesante. Un conto erano le intercettazioni illegali, lo spionaggio industriale, i ricatti... ma adesso fanno sparire la gente...

Campagna si alzò di scatto. – Ma ti rendi conto di che cazzo mi stai raccontando? – sbottò. – Alle tue condizioni questo «gioco» non mi interessa.

Scaldaferro gli afferrò il polso. – Aiutami, ti prego.

– Fottiti, – ribatté l'ispettore divincolandosi.

Il mattino seguente Campagna entrò nell'ufficio di Veronesi e si accomodò sulla poltroncina di fronte alla scrivania senza essere invitato.

– Allora, ti è passato il mal di pancia? – domandò ironico il vicequestore. – Possiamo avere l'onore di riaverti tra noi?

L'ispettore non rispose. Si limitò a fissare il superiore con un sorriso ambiguo, fastidioso. E non c'era modo migliore per fargli perdere la pazienza.

Veronesi sbatté la mano sul tavolo. – E adesso che cazzo c'è? Guarda che non è giornata per le minchiate...

– Sono tormentato da uno scrupolo di coscienza, – annunciò solenne Campagna.

– Tu? Ma non farmi ridere...

– Non te lo posso raccontare perché sei un pezzo grosso qui dentro, e questa è una di quelle storie che è meglio non sapere perché, casomai uno volesse metterci il naso, ha buone possibilità di fottersi la carriera...

Veronesi si mise comodo sulla poltrona. L'ispettore era riuscito a catturare la sua attenzione. – E poi, – aggiunse, – ho promesso a un ex collega, che mi ha informato di un certo reato commesso da sconosciuti, di non metterlo in mezzo, però il reato è grave e forse, anzi sicuramente, una persona è in pericolo...

Il vicequestore afferrò la cornetta del telefono: – Sorini, non ci sono per nessuno. Poi puntò l'indice contro Campagna. – Parla! – ordinò.

Campagna impiegò meno di due minuti a raccontare la vera storia dell'ictus di Presutti e la scomparsa di Federica Actis, senza fare il minimo accenno a Vince Scaldaferro e al suo ruolo nella vicenda.

Veronesi si passò la mano sul volto. Lo faceva spesso quando rifletteva. – Se è vera... questa è una storia troppo grossa per due funzionari di provincia come noi, – disse piano e in tono cauto. – Alta finanza, politica... appena ci muoviamo ci fanno a pezzi, lo sai come funzionano certe cose.

– Lasciamo perdere, allora? – lo stuzzicò l'ispettore.

– No, non lasciamo perdere perché dobbiamo scoprire cosa è successo alla ragazza, ma dobbiamo agire con cautela e al di fuori dei canali ufficiali, e allo stesso tempo nel rispetto delle regole. Capisci quello che voglio dire, no?

Campagna scosse la testa. Si stava divertendo.

Veronesi lo mandò a quel paese con un gesto della mano e da un cassetto chiuso a chiave prese un cellulare e digitò un numero. – Ti offro un caffè, – disse al suo interlocutore senza prendersi la briga di salutare. Poi si alzò, si infilò la giac-

ca di lino e fece segno all'ispettore di seguirlo. Passando davanti al sovrintendente Sorini che scattò in piedi in attesa di disposizioni, il vicequestore allargò le braccia sconsolato.
– Ho mal di pancia e me ne vado a casa, – disse, poi aggiunse ad alta voce perché lo sentissero tutti: – Anche l'ispettore ha mal di pancia. C'è un'epidemia oggi alla mobile…

Campagna e Veronesi sbarcarono dal vaporetto vicino al ponte di Rialto invaso da turisti chiassosi e accaldati, passarono spediti a fianco della statua del Goldoni e si infilarono in un sottoportico che congiungeva la piazzetta con due calli strette e ombrose, raggiungendo in pochi minuti una zona di Venezia ritenuta poco interessante dalle guide. Entrarono in un bar frequentato perlopiú da persone anziane che giocavano a carte.
Un signore distinto, con barba candida e occhiali con montatura anni Quaranta, ripiegò con cura il giornale che stava leggendo e invitò i due poliziotti a sedersi. Strinse la mano a Veronesi e poi all'ispettore. – Lo so chi sei, – sussurrò. – Ti conosco di fama.
– La conosco anch'io, dottor Quarrata, – ribatté Campagna sorridendo.
Il giudice si rivolse al vicequestore: – Che ti serve questa volta?
– Una copertura per il mio ispettore, – spiegò Veronesi. – Dobbiamo indagare su un probabile sequestro di persona che potrebbe condurre a certi giri altolocati…
– Quanto altolocati? – chiese il magistrato.
– Francesco Presutti e il suo gruppo finanziario.
Quarrata giocherellò con la fede, facendola scorrere lungo il dito ossuto. – Tengo tutti i miei sudati risparmi nella sua banca, – scherzò. Poi il sorriso sfumò in un'espressione seria e risoluta. – D'accordo. L'ispettore avrà la sua coper-

tura, ma verrà affiancato nell'indagine da un funzionario di mia fiducia.

Campagna si irrigidí. – Preferisco lavorare da solo.

– Me lo hanno detto, – disse il giudice. – Ma il boccone è troppo grosso e se è possibile vorrei dargli un bel morso anch'io. È arrivato il momento di chiudere l'epoca dell'impunità per certi ambienti. Hanno sempre operato al limite della legalità, ma ora stanno esagerando.

L'ispettore stava per ribattere ma Veronesi fu piú veloce. – In due lavoreranno meglio, – disse. – Quando possono iniziare le indagini?

– Domani mattina. L'ispettore sarà temporaneamente distaccato presso la procura di Venezia per affiancarmi in un'indagine sulle truffe in campo assicurativo, – rispose Quarrata, porgendogli la mano. Il colloquio era terminato.

Appena usciti dal locale, Campagna sfogò il disappunto. – Se mi lasciavi parlare l'avrei convinto. Chissà con chi cazzo dovrò smazzarmi questa indagine…

Veronesi sapeva che il vero problema di Campagna era che non riusciva piú a lavorare con i colleghi da quando la sovrintendente Amelia Di Natale era morta tra le sue braccia, colpita dalla raffica di un kalashnikov impugnato da un mafioso croato. Si era convinto che, in qualche modo, fosse stata colpa sua e da allora aveva fatto in modo di rischiare da solo. Il dirigente lo aveva lasciato fare ripromettendosi di trovare il momento giusto di affrontare il discorso. E quello certamente non lo era.

– Non lo conosci, – ribatté Veronesi. – Aveva già deciso quando ha sentito il nome di Presutti.

– L'epidemia di mal di pancia è finita? – chiese l'ispettore mentre pagava il pedaggio al casello di Padova est.

– Per me sí. E mi accompagni in ufficio, – rispose il diri-

gente. – Tu invece vai dritto a casa e vai a dare la bella notizia a tua moglie che da domani sei in missione e ti sei fot-
tuto le vacanze.

– Oh, cazzo, – si lagnò Campagna. – Gaia mi ammazzerà...

– E farà bene, – rincarò la dose Veronesi. – Cosí impari
a farti venire certi scrupoli ad agosto.

L'ispettore guardò il suo capo entrare nel portone della
questura, poi prese a malincuore il cellulare. – Ciao, amore,
sto tornando a casa. Magari potremmo uscire, insomma, organizzare qualcosa...

La moglie rimase in silenzio per un attimo e poi sospirò.
– Conosco questo tono, e poi quando mai riesci a terminare
prima il turno? Cosa devi dirmi?

– Forse è il caso che ne parliamo stasera a casa, – tagliò
corto Campagna, pentito di essersi avventurato in quella telefonata.

Quando il sovrintendente Sorini lo vide entrare in ufficio, sgranò gli occhi per la sorpresa. – Tu sei in malattia, Campagna! Ti ho già sostituito.

– Infatti non sono qui. Sono a casa col mal di pancia, –
disse serio, dirigendosi verso l'archivio. Avrebbe trascorso
il resto del turno cercando di ricostruire la vita di Federica
Actis nella speranza di trovare qualche indizio utile.

Tre ore davanti al computer e al telefono con vari colleghi. Nulla di utile. La ventiquattrenne Federica Actis era nata a Torino, figlia unica, diploma da ragioniera, nessun precedente. Si era trasferita a Milano tre anni prima e da otto
mesi viveva in un'elegante palazzina del centro dove risie-
devano perlopiú modelle e aspiranti stelline dello spettacolo. Sia i genitori che il titolare dell'agenzia che la rappresentava avevano segnalato la scomparsa alle forze dell'ordine.

Quando tornò a casa trovò Ilaria, la figlia dodicenne in

cucina che arricchiva tre pizze surgelate aggiungendo funghi sott'olio, carciofini e prosciutto.

– No, la pizza no! – si lamentò l'ispettore baciando la figlia sulla guancia.

La bambina sorrise. – Lo sai che ti tocca quando fai arrabbiare la mamma.

Gaia era in bagno, intenta a infilare indumenti nel cestello della lavatrice. L'ispettore si appoggiò allo stipite della porta e incrociò le braccia. – Non posso partire con voi, da domani sono in missione. Magari vi raggiungo.

La moglie chiuse lo sportello con un gesto secco. – Non voglio fare i soliti discorsi da moglie di poliziotto, – disse in tono stanco. – Ma questa volta ho bisogno di farmene una ragione. Ho aspettato questa vacanza per un anno intero e non certo per trascorrerla da sola con Ilaria.

Campagna dalla tasca posteriore dei jeans tirò fuori un foglio piegato in quattro e glielo porse. Lei lo aprí con un gesto nervoso e si trovò di fronte il volto di Federica Actis.

– Morta?

– Scomparsa…

Gaia annuí e ripiegò il foglio con rispettosa delicatezza.

Il mattino seguente l'ispettore salí in macchina per andare al lavoro. Erano le 8,30 del mattino e il caldo si faceva già sentire. Campagna rinunciò all'aria condizionata, sapeva bene che avrebbe iniziato a rinfrescare l'abitacolo a poche decine di metri dalla questura e si limitò ad abbassare tutti e quattro i finestrini. Al primo semaforo venne affiancato da un'utilitaria. Campagna girò la testa per abitudine. Per uno sbirro con tanti nemici era salutare dare un'occhiata a chi gli stava intorno. La storia del crimine in Italia insegnava che un sacco di gente disattenta si era fatta impallinare ai semafori. La donna al volante doveva avere fra i trentacinque e i quarant'anni. Capelli biondi lisci lunghi fino al collo e modellati da un taglio elegante, da parrucchiere costoso, i tratti del viso erano delicati, e delicati e intonati al tailleur color avorio erano la collana e gli orecchini di perle. La tizia agitò una mano per richiamare l'attenzione del poliziotto, che si girò a guardarla per la seconda volta.

– Mi manda Quarrata, – disse a voce alta per coprire il rumore dei motori e del traffico. E gli indicò l'entrata del parcheggio di un ipermercato.

Campagna arrivò per primo e scese mentre la donna parcheggiava la sua macchina color carta da zucchero senza un granello di polvere. Con le braccia incrociate e un'espressione perplessa, la osservò mentre si avvicinava sorridendo e con la mano tesa. Sandali col tacco alto, gonna appena sopra il ginocchio, un'aria troppo signorile per essere uno sbirro da indagine non autorizzata. Sembrava si fosse agghindata per andare a prendere il tè con le amiche al caffè *Pedrocchi*.

– Serenella Zanetti, – si presentò. Voce roca da fumatrice e stretta di mano decisa. Occhi nocciola ben piantati nei suoi. Campagna era sempre più perplesso.

– Ispettore Giulio Campagna.

– Abbiamo lo stesso grado, possiamo subito darci del tu.

Campagna ghignò: – Nemmeno tu hai fatto una grande carriera.

La donna rise, piegando leggermente la testa all'indietro. – Abbiamo qualcosa in comune.

– Perché Quarrata ti ha scelto per questa indagine? – chiese l'ispettore in tono piatto.

– Perché sono brava e sono la sua donna, – rispose in tono deciso.

– Allora hai diritto a un trattamento speciale, – sbuffò Campagna infastidito.

La donna sorrise conciliante. – No. Ha solo bisogno di un elemento fidato in grado di capire se questa indagine può sviluppare alcuni filoni investigativi a cui è interessato da tempo.

– Non sai ancora nulla del caso ma sai già cosa cercare, – ironizzò Campagna.

– Già. Il nome Presutti e il suo ambiente per il giudice è già qualcosa di concreto. Corrono voci da un po' di tempo...

– Ma lo chiami sempre giudice?

La collega sorrise. – Non sempre...

Campagna raccontò quello che sapeva, ovviamente omettendo nome e ruolo di Scaldaferro.

– Nata a Torino, vive a Milano ma l'ultima traccia proveniente dal suo cellulare indicherebbe che è passata per Padova lungo l'autostrada, sempre se telefonino e proprietaria erano insieme, – ragionò ad alta voce la collega.

Giulio annuí.

– Insomma non abbiamo un cazzo in mano, – commentò. Dalla borsa prese un pacchetto di sigarette e lo porse a Campagna.

– Ho smesso.

– Non sarai uno di quelli che hanno fumato per vent'anni e poi diventano isterici se qualcuno si accende una sigaretta...

– Tranquilla, non mi dà fastidio.

Zanetti avvicinò la fiamma alla sigaretta. – Non ti chiedo come sai della localizzazione del cellulare, perché se non me lo hai detto avrai i tuoi motivi, – disse tranquillo. – Ma non sono scema, e ti dico chiaro e tondo che è il tipo di informazione che certi ambienti delle sicurezze private si procurano senza averne l'autorità.

Campagna, ammirato, fece il gesto di togliersi il cappello e decise di fidarsi, raccontandole di Vince Scaldaferro.

– Ti ringrazio della fiducia, Giulio, – disse l'ispettrice. – Mi avevano detto che hai passato un bel po' di guai dopo l'uccisione di due informatori e della tua collega d'indagine, e avrei giurato che non mi avresti messa al corrente.

L'ispettore fece spallucce e rimase in silenzio perché fosse chiaro che di quella storia non voleva piú parlare.

Serenella comprese che l'argomento era chiuso per sempre. – Qual è la prima mossa?

– Credo che l'unica possibile sia andare a Milano e cercare di scoprire se qualcuno ha visto portare via la ragazza.

Mentre Campagna guidava, la collega fece una lunga serie di telefonate e lui rimase favorevolmente colpito dalla sua abilità nel chiedere le cose giuste alle persone giuste. Quando parcheggiarono di fronte all'elegante palazzina di largo La Foppa, notarono subito la telecamera che controllava l'ingresso.

Al portinaio bastò un'occhiata per capire che Campagna era uno sbirro. Sulla donna nutriva seri dubbi. – Come posso esservi utile? – chiese all'ispettore.

– Actis Federica, – rispose mostrando il distintivo.

L'uomo alzò gli occhi al cielo. – Non so nulla, – sbuffò. – Me lo hanno già chiesto i vostri colleghi e quell'altro tizio.

Serenella sbirciò nel gabbiotto e guardò il monitor che trasmetteva l'immagine dell'entrata. – Si vede bene, – commentò.

– Ma è in funzione solo quando sono in servizio, – si giustificò l'uomo.

– Ci accompagni nell'appartamento, – ordinò l'ispettore.

– Appartamento… è un bivano, – precisò l'uomo. – Tanto, per quello che stava a casa quella lí…

Vince Scaldaferro non aveva esagerato. Della presenza di Federica Actis era stata cancellata ogni traccia. Il lavoro era stato meticoloso e non erano stati trascurati dettagli come lo spazzolino da denti e il sacchetto dell'immondizia.

Campagna fece segno alla poliziotta di seguirlo nel bagno per evitare che il portiere ascoltasse quanto aveva da dirle.
– Almeno due persone per portarla via e altre due per le pulizie di Pasqua. Non ha senso tutto questo spiegamento di forze per una ragazzina che si faceva scopare dal gran capo un paio di volte alla settimana.
– Già. Però tutto fa pensare che sia andata così, – ribatté la poliziotta. – Secondo te il portiere sa qualcosa?
– La palazzina, attraverso i soliti giri, è di proprietà del gruppo Presutti, e lui è un dipendente. Non credo che abbia voglia di ritrovarsi sulla strada. Anche se sa qualcosa, non parlerà.
– Voglio provare lo stesso. Che dici?
– Accomodati.
Serenella Zanetti lo tartassò di domande per una ventina di minuti, ma il tizio tenne duro. In fondo non era difficile reggere quell'interrogatorio. Era sufficiente ripetere di non sapere nulla.
– Ci ho provato, – sospirò l'ispettrice.
– Se è accaduto di notte è possibile che non si sia accorto di nulla, – disse Campagna. – D'altronde qui ci abitano quasi esclusivamente ragazze mantenute da uomini facoltosi e sposati. Credo che la discrezione notturna faccia parte del regolamento condominiale.
Serenella guardò l'orologio. – Mangiamo un boccone e facciamo il punto della situazione, – propose. – Se non ci viene in mente qualche idea geniale siamo nei guai, non abbiamo nessuna pista utile.
– Conosco un posto dove si mangia bene. È il ristorante dove ho incontrato Vince Scaldaferro.
La proprietaria riconobbe subito Campagna. – Mi fa piacere che sia tornato, – lo accolse sorridendo. – Vuol dire che le piace la nostra cucina.

Serenella ordinò a colpo sicuro e consigliò anche il collega. – Sono andata in Sri Lanka in vacanza col giudice, – spiegò. – Una delle poche che ci siamo concessi in questi anni –. Poi riprese in mano il menu e lesse a voce bassa il nome del ristorante: – *Little Dream...* piccolo sogno... anche Federica aveva il suo piccolo sogno.

– Ne parli al passato, – notò Campagna. – Pensi che sia morta?

Serenella scosse la testa. – No, spero di no... anche se non si può scartare l'idea, – si affrettò a precisare. – In realtà mi riferivo al sogno che aveva prima di incontrare gente come Scaldaferro e Presutti. Poi ha dovuto svegliarsi di colpo.

– Vince non era cosí quando indossava la divisa, – tentò di giustificarlo.

– Ma adesso è un bel pezzo di merda.

Quando Campagna rientrò a casa, Gaia e Ilaria erano già partite per il mare. Sul tavolo della cucina trovò un foglio con le ultime raccomandazioni della moglie, scritte con il tratto chiaro e preciso da architetto. Dalle persiane abbassate filtravano lame di sole che riuscivano a rischiarare a malapena le stanze. Campagna si distese sul divano del salotto e si addormentò pensando che Serenella aveva ragione a proposito di Scaldaferro. Era cambiato. O forse era sempre stato un bastardo e lui non se n'era mai accorto.

Fu svegliato dalla suoneria del cellulare qualche ora piú tardi. La stanza era immersa nel buio. L'unica debole fonte di luce era il display del telefonino. Era Serenella.

– Hanno ritrovato il cadavere di una ragazza nel bacino di San Giorgio a Trieste, – annunciò. – Non l'hanno ancora identificata, ma età, statura e peso corrispondono. E visto che l'ultima traccia riporta all'autostrada per Venezia... Trieste è in quella direzione.

– Abbiamo bisogno di un contatto sul posto... non possiamo presentarci cosí... – ragionò l'ispettore.

– Ci ha già pensato il giudice.

Campagna sorrise. Serenella era sveglia e capace. – Il tempo di una doccia e di preparare una borsa e arrivo.

– Fai con calma. Sono sotto casa tua. Se mi fai salire preparo il caffè.

Il contatto attendeva i due poliziotti nell'atrio dell'istituto di medicina legale. Si alzò non appena li vide entrare. Era un cinquantenne dai folti capelli grigi tagliati a spazzola, non molto alto ma ben piazzato. Aveva il volto segnato da una ragnatela di rughe, e un naso sottile e leggermente adunco. Dava l'impressione di essere uno sbirro di quelli tosti, uno che doveva aver fatto cantare piú di un pregiudicato durante gli interrogatori.

– Commissario Marzio Natoli, – si presentò.

Campagna si rese conto che Serenella lo incontrava per la prima volta. Doveva trattarsi di una vecchia conoscenza del giudice.

– Il cadavere è stato avvistato da una coppia di turisti mentre galleggiava a una cinquantina di metri dal molo Audace, – iniziò a raccontare in tono sbrigativo mentre li accompagnava nella sala settoria. – Indossava slip, reggiseno, un paio di pantaloni di cotone marca Prada e una camicetta bianca priva di etichetta. Al piede destro aveva una scarpa tipo ballerina, il sinistro ne era sprovvisto. Le tasche dei pantaloni erano vuote e non sono stati rinvenuti gioielli.

Il cadavere era disteso su un lettino e coperto da un lenzuolo. Natoli scoprí il volto con un gesto veloce. Campagna e Zanetti si guardarono. Era Federica Actis. Campagna la scoprí completamente per osservare il corpo.

– È lei, anche se sembra molto piú magra.

Serenella indicò alcune smagliature sotto il seno e sui fianchi. – È dimagrita parecchio negli ultimi tempi.

In quel momento si spalancò la porta ed entrò l'anatomopatologo seguito da un assistente. – Buongiorno, Natoli, – disse gioviale. – Allora, avete identificato la ragazza?

– Sí, professor Giacchello, – rispose il commissario. – Ci hanno pensato i miei colleghi arrivati da Padova, gli ispettori Zanetti e Campagna, ma per ora la notizia è ufficiosa e le chiediamo la gentilezza di…

Giacchello alzò le spalle. – Ho capito. L'importante è che possa procedere con l'autopsia.

– Dall'esame esterno è emerso qualcosa di significativo? – chiese Serenella.

– Se si fida della mia trentennale esperienza, – disse il medico legale. – Le posso anticipare che propendo per il suicidio. La ragazza si è buttata in mare. Il cadavere non presenta ferite o lesioni, è evidente invece lo stato di denutrizione, ma questo è dovuto probabilmente alla «dieta» da tossicodipendente.

– Dalle indagini non risultava che fosse drogata, – obiettò Campagna.

– Magari ha iniziato da poco, – disse il professore. – Comunque, nell'incavo delle braccia i segni delle punture sono numerosi.

– Quando potrà dirci qualcosa di piú preciso? – chiese ancora la poliziotta.

– Domattina. Vi aspetto a mezzogiorno nel mio studio.

Campagna fu contento di uscire all'aperto. La morgue gli faceva sempre una certa impressione. E non era l'unico. Serenella accese subito una sigaretta e la fumò con avidità, e Natoli si lamentò del caldo e della giacca. – Ma sono cosí abituato a portarla che, senza, mi sento nudo, – spiegò riprendendo fiato.

– Come dobbiamo comportarci con gli altri colleghi? – domandò l'ispettore.

– Il titolare dell'inchiesta sono io, potete muovervi come volete perché non coinvolgerò altro personale.

– Siamo stati fortunati, allora, – intervenne Serenella. – La persona giusta al posto giusto...

Natoli scosse la testa. – Veramente mi trovavo in vacanza e sono tornato di corsa per chiedere al collega di turno di potermi occupare personalmente delle indagini.

– Mi dispiace, non sapevo, – si scusò la Zanetti.

– Non si preoccupi. Devo molto a quella persona... ecco, ci siamo capiti... – bofonchiò, consegnando ai due poliziotti un biglietto da visita con il numero di cellulare.

L'indomani il professor Giacchello arrivò con un quarto d'ora di ritardo. Natoli, Zanetti e Campagna lo attendevano seduti di fronte alla sua scrivania.

– Scusate, ma sono stato in laboratorio fino a ora, volevo seguire gli esami tossicologici, – disse trafelato agitando una cartella. – Prima di iniziare la relazione posso sapere perché la cercavate?

– Abbiamo ragione di credere che sia stata sequestrata circa un mese fa, – rispose Campagna.

– Allora la faccenda è strana sul serio, – commentò il professore.

– Non si è trattato di suicidio? – chiese Zanetti.

– La ragazza si è ammazzata, ne sono convinto, perché quando è caduta in mare era viva e cosciente, – precisò subito il medico legale. – Però non era tossicodipendente nel senso comune del termine, nel sangue non abbiamo rinvenuto nemmeno la piú piccola traccia di stupefacenti, ma abbiamo trovato dosi elevate di farmaci: litio, ciproeptadina, antidepressivi triciclici, tetraidrocannabinoidi e anche fluoxetina.

– Sono tanti i tossici che si fanno di farmaci, basta avere il giro giusto, – osservò Campagna.

– No, ispettore, – ribatté deciso Giacchello. – La ragazza da sola non sarebbe stata in grado di gestirsi un tale cocktail. Sarebbe morta il secondo giorno.

– E allora? – lo incalzò Natoli.

– Sospetto che sia stato un medico a scegliere i farmaci e a decidere le dosi.

– Pensa che possa essere stata indotta al suicidio? – chiese Campagna.

Giacchello allargò le braccia. – Per analisi piú complete sull'effetto combinato delle sostanze dovrete aspettare un altro mese, ma so che parlare di tempo con voi è impossibile, – disse. – Se però volete continuare a fidarvi della mia esperienza, posso rispondere subito che sí, è possibile. Questi farmaci curano disturbi ossessivi compulsivi, disturbi alimentari o attacchi di panico, ma possono anche indurre al suicidio. Dipende dalle condizioni psicologiche del soggetto e dallo stato di manipolazione e controllo cui è sottoposto...

I tre si alzarono e si avviarono verso la porta. – Non illudetevi di ottenere la prova certa dell'induzione al suicidio solo attraverso le risultanze medico-legali, – aggiunse il professore. – Avrete bisogno di qualcosa di piú solido.

– Al momento abbiamo bisogno di tutto, professore, – ribatté sconsolato Campagna. – Anche un pizzico di fortuna non guasterebbe.

– Dobbiamo parlare, ma non potete farvi vedere in questura, – disse Natoli. – Trieste è piena di ristoranti. Possiamo andare a mangiare un boccone.

– Scusate, ma non ho fame, – intervenne Serenella. – Possiamo andare al nostro hotel, c'è una bella terrazza sul mare...

Campagna batté la mano sulla spalla del superiore. – Vuol dire che ci faremo portare un panino dal bar.

Serenella teneva una sigaretta tra le labbra e in mano l'accendino, ma non si decideva ad accenderla. Scrutava il mare con un'espressione indecifrabile. I due colleghi, invece, stavano sbocconcellando toast e bevendo birra in silenzio. Campagna avrebbe avuto delle cose da dire, ma toccava a Natoli parlare. Era il piú alto in grado.

– Io non so nulla di questa storia, – attaccò serio, pulendosi la bocca con un tovagliolino di carta. – Ma se c'è di mezzo il «giudice» e voi ufficialmente non vi trovate qui, significa che c'è qualcosa di grosso dietro.

– Commissario, se vuole la mettiamo al corrente, – chiarí l'ispettore.

– Perlomeno lo stretto necessario.

Campagna come al solito fu rapido e chiarissimo, pur omettendo nome e ruolo della fonte che aveva segnalato la scomparsa della ragazza. Il commissario non fece domande. Aveva compreso perfettamente il suo ruolo e i rischi per la sua carriera in quella vicenda cosí delicata. – Non ha senso... – fu il suo unico commento.

– Già, non ha senso, – gli fece eco Campagna. – Hanno usato uomini e mezzi di una qualche «struttura» per mettere in atto un piano davvero complicato, e solo per eliminare una ragazza che era a letto con Presutti quando ha avuto l'ictus, strafatto di coca e Viagra.

– Avevano ben altri mezzi per farla stare zitta, – aggiunse la poliziotta. – Qui c'è qualcos'altro sotto, e diciamocelo francamente: non siamo nelle condizioni migliori per affrontare un'indagine di questo livello.

Campagna allargò le braccia. – Un passo alla volta e vediamo dove arriviamo.

– L'ispettore ha ragione, – intervenne Natoli. – Possiamo supporre che la ragazza sia stata tenuta in questa zona, e sappiamo che dobbiamo cercare un medico corrotto. Magari qualcuno dei miei informatori scopre qualcosa...

– Non dimentichiamo la stampa, – aggiunse Serenella. – Il suicidio di una ragazza scomparsa da quasi un mese, bella e con agganci nel mondo dello spettacolo, farà notizia. Potrebbe diventare il tormentone dell'estate.

Natoli annuí. – Oggi stesso convocherò i genitori per il riconoscimento ufficiale e domani mattina i giornalisti per la conferenza stampa.

– Ci vorranno due o tre giorni per sapere qualcosa dai confidenti, – ragionò Campagna a voce alta.

– Piú o meno, il tempo di mettere in giro la voce, – rispose il commissario alzandosi. – Scusate se non vi faccio compagnia per il caffè, ma devo correre in questura.

– I confidenti non ci porteranno da nessuna parte, – commentò poco dopo la poliziotta. – Questa non è una faccenda da malavitosi.

Campagna annuí serio. Era giunto alle stesse conclusioni, certo che la vicenda fosse stata gestita da gente che faceva lo stesso mestiere di Scaldaferro. – Che dici, lo avvertiamo?

Serenella arricciò le labbra mentre rifletteva. – Ne era innamorato? – domandò.

– Federica aveva ventiquattro anni e lui quarantotto, – borbottò Campagna. – Parlare d'amore mi pare esagerato. Secondo me si era messo in testa di provare il brivido di farsi la donna del capo e alla fine si è fatto prendere la mano.

– Se ha perso la testa, forse la notizia della morte della ragazza lo convincerà a uscire allo scoperto.

– Non ci contare. Ha troppo da perdere, ma sono curioso di sentire la sua reazione, – ribatté l'ispettore digitando sul cellulare un numero che, secondo Vince, era assolutamente «sicuro».

– Allora? – chiese l'ex collega senza salutare e senza preoccuparsi di celare il tono ansioso della voce.

– Si è suicidata, – rispose diretto l'ispettore.

Vince rimase in silenzio, il tempo di digerire la notizia.
– Cazzate, – sussurrò con un filo di voce. – L'hanno uccisa.

– Tutti gli elementi portano al suicidio.

– Dove è successo?

– A Trieste.

Vince Scaldaferro smise di respirare, e interruppe la chiamata.

– Come l'ha presa? – chiese Serenella.

– Non bene. Deve digerire la notizia.

– Pensi che si farà vedere da queste parti?

– Ne dubito, – mentí Campagna, perché in realtà aveva
avuto la netta sensazione che la rivelazione che Federica fosse morta a Trieste avesse fatto fiutare a Vince una pista precisa. Ma non conosceva abbastanza bene Serenella Zanetti
per raccontarle che gli era sembrato di vedere l'ex collega
con il respiro mozzato mentre uno squarcio di verità irrom-
peva nella sua mente come un lampo di luce. Una cosa del
genere la racconti allo sbirro con cui hai rischiato la pelle e
con cui hai trascorso le notti chiuso in una macchina piena
di fumo aspettando un latitante da catturare. Ma di Serenella sapeva solo che era la donna del giudice e che era abile nel
fare le domande e sveglia nel cogliere le sfumature. Ma non
era abbastanza.

Campagna guardò l'orologio. – Fino alla conferenza stampa non succederà nulla, – disse. – Non ha senso rimanere qui
ad annoiarci. Tu potresti tornartene dal tuo giudice…

– E tu fare una bella sorpresa a tua moglie e a tua figlia
al mare, – lo anticipò. – D'accordo. Mi sembra un'ottima
idea.

– A domani, allora, – la salutò sorridendo.

Mentre Serenella lasciava l'hotel, l'ispettore si chiuse in camera, prese dal comodino il telecomando per regolare l'aria condizionata e si distese sul letto senza prendersi il disturbo di sfilare le scarpe. Rimase a fissare il soffitto in attesa, lasciando che il cervello lavorasse a ruota libera sul caso. Poi, quando arrivò il momento, si alzò e uscí dall'albergo. Quando arrivò al casello dell'autostrada fece inversione e si mise a controllare dallo specchietto laterale le macchine in uscita. Se Vince Scaldaferro non fosse arrivato, avrebbe sprecato un'ottima occasione per rivedere Gaia e Ilaria, le donne della sua vita, ma sapeva che anche quella volta il fiuto non l'avrebbe tradito. Un bravo sbirro è uno che sa giudicare la gente per indovinarne le mosse, e lui aveva il vantaggio di conoscere Vince Scaldaferro da molto tempo.

L'ex collega arrivò prima del previsto a bordo di una grossa berlina grigio scuro. Non era il suo genere. Doveva aver preso in prestito una macchina aziendale. Il volto illuminato a sprazzi dai tagli di luce dei lampioni gialli era una maschera impassibile, almeno cosí era sembrato a Campagna, che ingranò la marcia e iniziò il pedinamento. Vince costeggiò la stazione e poi si diresse verso il centro. Una decina di minuti piú tardi, l'ispettore masticò un'imprecazione tra i denti. – Mi sta prendendo per il culo.

Si piazzò dietro la berlina e accese gli abbaglianti. Scaldaferro mise la freccia e accostò.

Campagna si avvicinò sorridendo. Quando Vince abbassò il finestrino, uscí una folata di aria fredda che puzzava di fumo e sudore.

– Mi stai portando a spasso come un coglione? – chiese l'ispettore cercando di mascherare l'irritazione.

Borse sotto gli occhi iniettati di sangue e pupille dilatate. Il volto di Vince era quello di un uomo strafatto di coca al limite del crollo nervoso. – Fammi un favore, sparisci.

– Non posso, Vince, – ribatté Campagna. – Dimmi quello che non so e ti aiuterò a uscire da questo merdaio senza troppi danni.

L'ex collega scosse la testa. – Non capisci, Giulio, non capisci.

– No, non capisco, ma in questa storia mi ci hai ficcato tu.

Scaldaferro aprí di scatto la portiera e scese dall'auto piantando la canna di una pistola in pancia all'ispettore.

– Che fai? Vuoi spararmi? – gridò Campagna.

– No, – rispose Vince. – Ma se mi vieni dietro o mi fai braccare dalle volanti in servizio, io sparo.

– Noi siamo i buoni in questa storia, – gli ricordò il poliziotto.

– Una ragione di piú per non far rischiare la pelle ai colleghi, – sibilò Vince. – Questa è la notte dei cattivi.

L'ispettore gli voltò le spalle e si avviò verso la sua auto. – Fottiti, Vince, – ringhiò. – Non si puntano le pistole contro gli amici.

– Non mi hai lasciato scelta... – tentò di giustificarsi Scaldaferro.

Campagna partí sgommando e la ruota della macchina sfiorò il piede di Scaldaferro, il quale rimise la pistola nella fondina ascellare e accese l'ennesima sigaretta.

L'ispettore si diresse al molo Audace, dove era stato visto galleggiare il corpo di Federica. Aveva bisogno di riflettere. Sapeva bene che il suo dovere era quello di avvertire Natoli della presenza di Scaldaferro a Trieste. Sapeva anche che Vince era fuori di testa e che era arrivato a Trieste per regolare i conti con chi gli aveva portato via Federica. Ma era rimasto nauseato dal suo comportamento minaccioso, e aveva deciso di fottersene e di ritornare a fare lo sbirro dalla mattina seguente. Risalí in macchina e corse a Jesolo. Durante il tragitto sintonizzò la radio sulla frequenza di una radio locale che trasmetteva musica a richiesta. Telefonò e chiese di dedicare a un certo Vince una vecchia canzone di Bob Dylan, *Tombstone Blues*.

Quando si infilò sotto le lenzuola, Gaia lo accolse avvinghiandosi al suo corpo. Lo aveva sentito entrare e lo aveva osservato mentre si spogliava al buio. Non gli chiese niente. Per nulla al mondo avrebbe rovinato quel momento.

L'indomani mattina Campagna vide spalancarsi la porta della doccia mentre si stava insaponando. Gaia gli porse il cellulare: – Commissario Natoli, – annunciò. – Dice che è urgente.

«Vince Scaldaferro, – pensò l'ispettore. – Deve aver combinato qualche casino».

Prese il telefonino delicatamente con due dita e lo portò all'orecchio coperto di bollicine. – Buongiorno, – salutò in tono cauto.

Due ore piú tardi, di fronte a una bella villa con giardino all'inglese curato, accerchiata da volanti della polizia e da un secondo anello di giornalisti e curiosi, il commissario Natoli guardava torvo Campagna e Zanetti mentre scendevano dall'auto.

– Alla buonora, – li accolse stizzito. – Dove cazzo vi eravate cacciati?

Serenella tentò di farfugliare qualche scusa, ma il commissario la zittí con un gesto della mano. C'era qualcosa di piú importante in ballo. – Lí dentro c'è un tizio barricato con due ostaggi e ha chiesto di parlare con l'ispettore Campagna, – spiegò indicando la villa. – Per fortuna che la vostra presenza doveva essere discreta. Risolviamo questa rogna e poi penseremo alle balle da raccontare ai miei capi.

– Chi sono gli ostaggi? – chiese la poliziotta.

– Mario Zantedeschi e Simonetta Bartolini. Marito e moglie. Lui psichiatra e lei direttrice di una nota clinica della provincia.

– E il sequestratore chi è? – chiese ancora la poliziotta.

Natoli fissò Campagna negli occhi: – Ancora non lo sappiamo. Lei ha qualche idea?

L'ispettore scosse la testa e Natoli finse di credergli. – Stamattina alle sei ha cercato di introdursi nella villa forzando una portafinestra, – continuò a spiegare. – È scattato un allarme silenzioso collegato con un'agenzia di vigilantes, quelli si sono precipitati e l'uomo li ha accolti sparando in aria. Poi siamo arrivati noi.

– Siamo certi che si tratti di un solo soggetto? – chiese Serenella.

Natoli era uno sbirro all'antica, e i termini come «soggetto» lo facevano andare fuori dai gangheri. – Sí, là dentro c'è solo un testa di cazzo armato e vuole parlare con l'ispettore altrimenti non si arrende.

Campagna si guardò attorno: – Come mai non ci sono tutti i pezzi grossi? Il questore, il magistrato…

– Li ho tenuti lontani per darvi tempo di prendere in mano la situazione, ma saranno qui a momenti. È questione di minuti.

L'ispettore prese il cellulare dalla tasca della giacca: – Qual è il numero della villa?

– Sono l'ispettore Campagna.

– Lo so chi sei, – rispose Vince con voce rauca. Sigarette e tensione, e la coca doveva essere finita da un pezzo.

– Cosa vuoi? – ringhiò il poliziotto.

– Che vieni dentro. Solo e disarmato come succede nei film.

– Arrivo.

Campagna si tolse la giacca, slacciò la fondina e consegnò

pistola e cellulare alla collega. Poi senza dire una parola si avviò verso il portoncino d'ingresso con le mani alzate. Giusto per fare un po' di scena.

Il commissario si voltò verso Serenella Zanetti. – Sa cosa le dico? Che questa storia non mi piace per niente.

– Campagna sa quello che fa, – ribatté la poliziotta.

– Lo spero. Ha notato che il suo collega non ha chiesto nulla, nemmeno il nome al sequestratore? Non lo trova strano?

Sí, anche lei lo aveva trovato strano, ma non aveva intenzione di parlarne con il commissario. Almeno in quel momento. Per fortuna squillò il cellulare. Era il giudice. E un secondo dopo iniziò a squillare anche quello di Campagna. Era Giorgio Veronesi.

Campagna entrò nella villa con le mani alzate e chiuse la porta dietro di sé con un calcio.

Vince gli fece segno con la pistola di seguirlo in salotto. Grande, ben arredato, con un bel camino circolare proprio nel mezzo. L'unica nota stonata era il cadavere di un uomo in pigiama, disteso vicino a un tavolino di noce su cui spiccava un telefono bianco. Era stato colpito al torace da almeno due proiettili.

– Cazzo hai fatto, Vince, – sbottò Campagna in dialetto padovano come gli capitava regolarmente nelle situazioni di grande tensione. – Hai ucciso anche la donna? – domandò abbassando le braccia.

Vince scosse la testa e sempre con la pistola indicò una porta bassa e massiccia. – La troia si è barricata in cantina e non sono riuscito a stanarla, – spiegò. – Altrimenti a quest'ora sarebbe finito tutto.

– Che c'entrano con Federica Actis?

Con un calcio rabbioso Scaldaferro colpí una pantofola

del morto, che volò fino alla parete opposta. – Lui era uno strizzacervelli e la sua «signora» dirige una clinica per ricchi fuori di testa, sei sbirro da abbastanza tempo per essere capace di fare due piú due.

Campagna annuí. – D'accordo, Vince, – disse in tono stanco. – Ora mi dài la pistola e racconti tutto al magistrato. Se collabori sono capaci anche di abbonarti il morto.

Scaldaferro scoppiò in una risata isterica. – No, Giulio. Non sono in grado di affrontare la situazione, e comunque perderei la partita. Loro sono troppo forti e metterei la mia famiglia in pericolo.

– C'è sempre il programma di protezione per i parenti stretti.

– Funziona solo con i mafiosi. Con loro no.

– Loro chi? – gridò Campagna esasperato.

– Gente che non puoi nemmeno sfiorare.

– E allora che cazzo vuoi da me?

– Che mi giuri che la fai pagare a quella troia rinchiusa in cantina. Che trovi le prove e la sbatti in galera.

– È l'ultima ruota del carro, – cercò di farlo ragionare l'ispettore.

– Come noi due, – sghignazzò Scaldaferro amaro. – E comunque è una bestia, te ne renderai conto. Federica non doveva morire.

Campagna allargò le braccia in segno di resa. – D'accordo. Sei pazzo, dici minchiate, ma ti prometto che mi occuperò di quella donna, basta che mi dài quella pistola del cazzo prima che intervengano i Nocs.

– Me lo giuri, allora?

– Sí, te lo giuro.

Vince Scaldaferro allungò il braccio destro, ma invece di consegnare la pistola al poliziotto la impugnò in modo tale che la canna fosse puntata verso il suo petto e fosse il pollice e non l'indice appoggiato al grilletto.

– Cazzo fai, Vince? – chiese angosciato Campagna.

– Mi tolgo dalle palle, – rispose.

– E la tua famiglia? A loro non pensi?

– È proprio per loro che lo faccio, – disse tra le lacrime. – E anche per me stesso. L'idea di aver ammazzato quel pezzo di merda mi fa impazzire. Mi sembra impossibile.

Campagna all'improvviso capí le intenzioni di Scaldaferro. – Se vuoi spararti perché non appoggi la canna sulla tempia o te la infili in bocca come fanno tutti quelli che una mattina d'agosto decidono di farla finita?

Vince ghignò: – Ci sei arrivato, vero? Il proiettile mi colpirà da una distanza di una sessantina di centimetri e tutti penseranno che sei stato tu. Ti faranno un sacco di domande sui nostri rapporti, sospetteranno che tu sappia molto di piú di quello che hai raccontato, ma se sei l'eroe del momento ti lasceranno in pace.

– Ne faccio volentieri a meno.

Campagna calcolò che con un colpo ben assestato sul polso di Vince avrebbe potuto far cadere la pistola o quantomeno spostare il suo braccio. Tentò di distrarlo dando un'occhiata alle finestre alle sue spalle, ma il trucco era vecchio quanto il mondo e, nel preciso momento in cui sferrò il colpo col taglio della mano, Vince aveva già tirato il grilletto.

Il proiettile nove millimetri penetrò fra le costole scovando il cuore in una frazione di secondo. Scaldaferro era già morto quando il suo corpo finí disteso sul parquet.

Campagna raccolse la pistola. – Hai vinto tu, Vince, – sbuffò sconsolato.

Alle sue spalle sentí un rumore di legno spaccato e il passo concitato dei colleghi che invadevano la casa. Quando aveva udito lo sparo Natoli aveva deciso di ordinare l'irruzione.

Campagna si voltò e si ritrovò di fronte Serenella, che stringeva la Beretta d'ordinanza e indossava un giubbotto antiproiettile blu che si intonava alla perfezione con l'elegante tailleur color ghiaccio. Le consegnò la pistola di Scaldaferro e si avviò verso la porta. Aveva bisogno d'aria. Appena uscí fu sommerso di domande gridate dai giornalisti che tentavano di superare lo sbarramento degli agenti. Le ignorò, ma si lasciò fotografare e riprendere. Vince aveva ragione: se voleva pararsi il culo doveva recitare la parte dell'eroe fino in fondo.

Venti minuti piú tardi Campagna era nell'ufficio del questore, circondato da inquirenti e da un magistrato che lo tempestavano di domande perché, come aveva giustamente sottolineato un colonnello dei carabinieri: – È evidente che l'ispettore è reticente, ci sta rifilando un sacco di stronzate.

A un certo punto, quando Campagna era sul punto di esplodere e di chiudere definitivamente la carriera mandando a quel paese tutti i pezzi grossi di Trieste, si spalancò la porta e apparvero Quarrata e Veronesi.

Tutti si zittirono. – Buongiorno, – salutò il giudice con voce squillante. – Se non vi dispiace vorrei conferire con l'ispettore Campagna che, temporaneamente, è stato distaccato presso il mio ufficio.

Quarrata sorrise conciliante prima di continuare. – Cinque minuti e l'ispettore sarà nuovamente a vostra disposizione.

Il questore scattò in piedi, indicando la propria poltrona. – Prego, eccellenza, si accomodi, noi andiamo a prendere un caffè.

Un attimo prima che Veronesi chiudesse la porta dell'ufficio, sgattaiolò dentro Serenella Zanetti che restituí pistola e cellulare a Campagna.

– Siete arrivati appena in tempo, – sbuffò sollevato l'ispettore. – Non sapevo piú cosa dire.

– Già. È stata una fortuna, – commentò Quarrata in tono piatto. – Ma ora passiamo ai fatti. Dobbiamo aggiustare la faccenda in modo tale che accontenti tutti e sia dignitosa per la giustizia.

Campagna rivolse un'occhiata interrogativa a Veronesi, che gli rispose con un cenno solenne del capo che stava a significare: tutta la verità, nient'altro che la verità.

Quando terminò di raccontare nella stanza calò un silenzio pesante come un macigno. Ci pensò Veronesi a romperlo. – Le tue cazzate sono costate due vite, – sbottò furioso. – Se avessi avvertito Natoli della presenza di Scaldaferro qui a Trieste...

Il giudice lo interruppe con un gesto della mano: – Smettila, Giorgio. Non è il momento, – disse. Poi si rivolse a Campagna: – Il vicequestore e io penseremo a sistemare le cose, ma spero lei si renda conto che l'indagine è definitivamente compromessa. Si scordi il giuramento fatto a quel delinquente di Scaldaferro.

– Che significa? – domandò l'ispettore. – La Bartolini se la caverà?

Il giudice si alzò. – Temo proprio di sí. Ed è tutta colpa sua.

L'indomani mattina la conferenza stampa fu un vero capolavoro di diplomazia. Al tavolo coperto dai microfoni non mancava nessuno. C'era pure Campagna, ingessato in un vestito blu, con tanto di cravatta. Ai giornalisti che gremivano la stanza venne raccontato che Vincenzo Scaldaferro, ex poliziotto e responsabile della sicurezza del gruppo Presutti, da anni era paziente del compianto dottor Zantedeschi, noto psichiatra di Lugano che si era trasferito a Trieste una decina di anni prima. A scatenare la follia omicida dell'ex poliziotto, affetto da turbe psichiche che lo rendevano pericoloso per sé e per gli altri, era stata la decisione di Zantedeschi di rendere nota ai suoi datori di lavoro l'inconciliabilità della patologia con gli incarichi professionali. Scaldaferro aveva fatto irruzione nella villa uccidendo il medico e cercando anche di assassinare la moglie dello sfortunato professionista, che miracolosamente era scampata alla morte barricandosi nella cantina della villa. Successivamente Scaldaferro aveva richiesto la presenza di un suo ex collega in servizio alla squadra mobile di Padova, l'ispettore Giulio Campagna, che aveva potuto raggiungere Trieste in breve tempo, trovandosi fortunosamente in vacanza a Jesolo. Con encomiabile sprezzo del pericolo, il poliziotto era entrato nella casa ma di fronte all'ennesima crisi di follia di Scaldaferro era stato costretto a tentare di disarmarlo. Purtroppo durante la colluttazione era partito un colpo che aveva «attinto» lo Scaldaferro al cuore.

Nell'attimo in cui il questore terminò la sua relazione, si sollevò una selva di mani di giornalisti pronti per le domande di rito, ma il colonnello dei carabinieri, che il giorno prima si lamentava convinto che l'ispettore raccontasse un sacco di minchiate, si alzò e con un vocione abituato a dare ordini annunciò: – Abbiamo risolto il caso di Federica Actis, la giovane promessa dello spettacolo scomparsa da alcune settimane.

Nella stanza calò il silenzio e le mani si abbassarono di colpo. Il caso Zantedeschi-Scaldaferro era già passato in secondo piano. L'ufficiale, un vero genio della comunicazione, propinò alla stampa un polpettone melenso costruito su misura per le pagine agostane dei giornali. L'indomani sotto gli ombrelloni non si sarebbe parlato d'altro.

Campagna riuscí a defilarsi prima del termine della conferenza stampa. Nel parcheggio della questura, mentre stava salendo in auto, fu raggiunto da Veronesi. – Vengo con te, – annunciò. – Mi devi accompagnare a Venezia dove ho lasciato la macchina.

– Devi proprio? – domandò Campagna astioso. – Sei capace di rompermi i coglioni durante tutto il viaggio, e poi sto andando a Jesolo.

Il dirigente alzò subito la voce: – Invece mi porti a Venezia, e ti assicuro che farei volentieri a meno della tua compagnia ma sono arrivato qui per pararti il culo, e sottolineo per pararti il culo, con la macchina del giudice; e lui è ripartito ieri sera.

I due riuscirono a mantenere un rigoroso silenzio fino al garage di piazzale Roma, a Venezia, dove era parcheggiata l'auto di Veronesi. Appena sceso il dirigente cacciò la testa nel finestrino: – Mi hanno detto che a Trieste non ti devi piú far vedere, hai capito?

L'ispettore annuí.

– E da «Roma» hanno ribadito il concetto.

– Insomma, Presutti e soci hanno insabbiato tutto, – commentò amaro Campagna.

– I suoi soci e le loro influenti amicizie politiche. Presutti è ancora fuori gioco.

– Vuoi sapere cosa penso davvero di questa storia?

– No. Ma credo che me lo dirai ugualmente.

– Che ho fatto bene a non avvertire i colleghi della presenza di Scaldaferro quella notte a Trieste. Nessuno dei nostri ci ha rimesso la pelle, e Zantedeschi aveva drogato e spinto al suicidio una povera ragazza.

– Non ne hai le prove, – sbottò Veronesi. – Di tutta questa storia sappiamo solo quello che ci ha raccontato Scaldaferro.

– Ti scordi i risultati dell'autopsia.

– Che sia stato un medico a drogarla e a indurla al suicidio è solo una supposizione.

Campagna perse la pazienza: – Ma sul serio la pensi cosí?

– Cosí dobbiamo pensarla. È diverso, Giulio, è diverso.

Tre mesi dopo.

Era un novembre strano. Notti gelate e giornate tutto sommato accettabili, soleggiate, e la nebbia non si era ancora fatta vedere. Campagna, dopo il fallimento dell'indagine sul sequestro di Federica Actis, si era chiuso ancora di piú in se stesso. Anche il rapporto con Veronesi non era piú come prima, e l'ispettore aveva chiesto espressamente di poter seguire casi senza importanza, di quelli che non dànno lustro alla carriera e di cui nessuno vuole mai occuparsi. Era stato accontentato, e da un paio di mesi cercava di pizzicare una banda di moldavi che clonava bancomat e carte di credito. Ormai era a buon punto. Aveva ricostruito la struttura della banda e le tecniche che usava. Gli rimaneva solo da localizzare la base, un appartamento nella periferia ovest di Padova, secondo quanto gli aveva confidato una prostituta romena finita in manette per aver narcotizzato e derubato un cliente.

Campagna era abbastanza tranquillo, anche se non riusciva a togliersi di mente l'attimo in cui Vince Scaldaferro si sparava. Quell'immagine lo perseguitava, ma aveva catalogato l'intera vicenda alla voce «fallimenti», e in qualche modo se n'era fatto una ragione.

Quel giorno era uscito di casa pensando di passare in questura, giusto per farsi vedere, e poi trascorrere il resto della mattinata a cercare il covo dei truffatori, e fu davvero sorpreso di trovarsi di fronte Marzio Natoli.

– Buongiorno, Campagna, – lo salutò senza cordialità. – Avrei bisogno di parlarle.

– Deve trattarsi di qualcosa di serio se è venuto di persona, – commentò l'ispettore. – Non ha nemmeno annunciato la sua visita con una telefonata.

– Il fatto è che io non sono qui, e noi non ci siamo mai visti, – chiarí Natoli tirando fuori una busta dalla tasca interna del giaccone. – È arrivata a una giornalista di Trieste qualche tempo dopo il fattaccio nella villa. Si chiama Paola Marcon ed è una vecchia amica.

Campagna rimuginò per un attimo sul termine «fattaccio» e il modo in cui il commissario l'aveva pronunciato. Natoli non gli avrebbe mai perdonato di non essere stato avvertito che Scaldaferro girava per la «sua» città armato e pericoloso, ma era uno sbirro intelligente e capace, e sapeva mettere da parte i rancori personali.

L'ispettore rigirò la busta tra le mani. Notò la grafia femminile che aveva vergato nome e indirizzo della destinataria sul retro. – Devo sapere altro?

– No. È tutto scritto in quella lettera.

– E poi?

Natoli allargò le braccia. – Dovrà fare una scelta, ispettore, – rispose, prima di salutarlo con un cenno del capo e risalire in macchina.

Campagna raggiunse la sua auto e la lettera finí nel portaoggetti. E lí rimase per altri due giorni. Lavorò al caso dei moldavi e visse la sua vita di padre e marito con apparente normalità, ma in realtà non faceva altro che pensare a quando avrebbe trovato la forza di leggerla. Natoli non gliel'avrebbe portata se non avesse contenuto informazioni importanti, ma lui non aveva piú voglia di ficcarsi nei casini, di recitare la parte dello sbirro perennemente controcorrente, in conflitto con il resto del mondo.

Fu durante un appostamento di fronte a un condominio

dove era stato segnalato l'andirivieni sospetto di un gruppo
di «slavi» che allungò la mano e aprí il portaoggetti.

Gentile dottoressa Marcon,
    mi chiamo Cristina Casulich, ho ventinove anni e sono anores-
sica. Da troppi anni, purtroppo. Ho tentato piú volte di curarmi ri-
coverandomi presso cliniche e centri specializzati, ma senza grandi
risultati. Sono rassegnata all'idea che non riuscirò a sconfiggere la
malattia, ma non è questo il motivo per cui ho deciso di scriverle.
    Sono stata una paziente del dottor Mario Zantedeschi, ricovera-
ta presso la clinica *Santa Chiara* di San Dorligo della Valle di cui è direttrice la vedova, la signora Simonetta Bartolini. Sia lo psichiatra
sia la moglie, dopo la vicenda che li ha visti coinvolti, sono stati di-
pinti dalla stampa e dalla televisione come due persone perbene. Io
li ho conosciuti e le devo confessare che mi dispiace che quell'uomo
non abbia ucciso anche Simonetta Bartolini.
    Lo so che ora mi prenderà per la solita pazza che scrive ai gior-
nali, ma lei, grazie alla sua professione, ha i mezzi per verificare quanto le sto per rivelare. La clinica è un luogo in cui vengono ricovera-
te perlopiú ragazze anoressiche e bulimiche; dovrebbero essere cu-
rate, invece l'unico obiettivo è quello di tenerle legate alla struttura
per scucire alle famiglie i soldi della retta. Zantedeschi ci riempiva
di farmaci, e quando qualcuna di noi si ribellava interveniva la Bartolini, che ci chiudeva in una stanza ed era capace di insultarci per
ore, e poi alle nostre famiglie consigliava l'interdizione come unico
mezzo per «salvarci».
    Potrei scriverle anche di storie di abusi sessuali e di pazienti che
abbandonate dalle famiglie sono finite a fare le sguattere in cucina,
ma mi rendo conto che piú elementi aggiungo piú rischio di non essere creduta. Posso solo dirle che io, grazie al mio ex fidanzato, sono riuscita a uscire da quell'inferno e a ritornare a casa. Lei si è occupata spesso di anoressia nella sua rubrica, e non si è mai permessa
di definirla un disturbo alimentare come fanno molti in modo super-
ficiale ma una vera e propria sofferenza dell'inconscio, e per questo
la scongiuro di indagare sulla clinica. Quel posto va chiuso e le ragazze trasferite in altre strutture.
    Per dimostrarle che sono stata realmente ricoverata alla clinica
Santa Chiara, le allego la fotocopia di una lettera in cui il dottor Zan-

tedeschi ribadiva ai miei genitori la necessità di un mio ritorno nella struttura perché non ero affatto guarita.

La ringrazio per l'attenzione.

Distinti saluti…

Campagna lesse con attenzione l'allegato. Nonostante si trattasse di una fotocopia, non aveva nessun dubbio sulla sua veridicità. Poi prese il cellulare e compose il numero di telefono indicato nella carta intestata della clinica. Si spacciò per un padre disperato per le condizioni della figlia affetta da anoressia nervosa, chiese informazioni e, alla fine, quanto costava la retta.

La segretaria fu alquanto ambigua nella risposta, ma fece capire che non era a buon mercato. Campagna rimase in silenzio e la donna aggiunse: – Venga a visitare la nostra clinica e si renderà conto che sono soldi ben spesi. Le vite dei nostri figli non hanno prezzo.

L'ispettore pensò a sua figlia Ilaria e all'appetito con cui divorava i piatti di pasta al pomodoro quando tornava da scuola. «Pastasciuttara come suo padre», scherzava sempre Gaia, la moglie. Provò a immaginarla magrissima, malata, e l'idea gli risultò insopportabile. Fino a quel momento non aveva mai riflettuto sull'anoressia, e gli sembrò qualcosa di misterioso e orrendo.

– Certo, lei ha perfettamente ragione, – disse. – Ma il mio stipendio non è granché.

– Ma noi riceviamo anche contributi e donazioni che possono garantire l'ospitalità e le cure per casi particolarmente gravi.

La telefonata si concluse quando la segretaria chiese di fissare un appuntamento con la direttrice della clinica, la dottoressa Simonetta Bartolini.

Il poliziotto, senza pensarci due volte, cercò nella rubrica un numero che non componeva da mesi.

– Ciao, Serenella, sono Giulio Campagna.

– Non posso nascondere che sono sorpresa di sentirti, – disse la collega. – E immagino non si tratti di una telefonata di cortesia.

– Ho ricevuto delle informazioni in via assolutamente confidenziale e vorrei parlarne con te.

– Il caso è chiuso, Giulio.

– Lo so. Ma mi piacerebbe metterti al corrente delle novità.

– Con Veronesi hai già parlato?

– No. E non intendo farlo, almeno per il momento.

– Chi è la fonte? Non sarà mica uno del giro di Vince Scaldaferro?

– Commissario Marzio Natoli della questura di Trieste, – scandí l'ispettore per dare peso alla risposta. – Te lo ricordi?

– Perfettamente. Natoli non è tipo da sparare cazzate, – ragionò ad alta voce. – Dove e quando ci incontriamo?

Campagna trascorse ancora un paio d'ore a spiare il parcheggio e il portone del condominio. Anche se era distratto da altri pensieri, notò tre tizi che scendevano da un'utilitaria e si avviavano verso l'entrata. L'istinto e l'esperienza gli suggerirono di inquadrarli nella categoria «sospetti». Violando la procedura che gli avrebbe fatto perdere un sacco di tempo, scese dall'auto, li raggiunse mentre aprivano il portone, si qualificò esibendo il tesserino e aprí il giubbotto per mostrare il calcio della pistola.

– Non abbiamo fatto niente, – farfugliò il piú anziano, un tizio magro sui quarantacinque anni e coi baffi, che indossava un cappotto con il collo di pelliccia.

– Siete quelli dei bancomat, – azzardò l'ispettore. – Ora vi porto dentro.

Un altro, piú giovane, sbuffò e iniziò a parlare concitato in una lingua che Campagna reputò essere moldavo. Per tutta risposta l'altro, che fino a quel momento era stato zitto, gli tirò un ceffone e un secondo dopo erano a terra avvinghiati, che se le suonavano di santa ragione.

Il poliziotto estrasse la pistola e la puntò contro il tizio coi baffi. – Falli smettere, – ordinò. – Oggi non sono dell'umore giusto per certe cazzate.

Il pomeriggio seguente Campagna bussò alla porta dell'ufficio dell'ispettore Zanetti, al secondo piano della questura di Venezia. La scrivania era in perfetto ordine, in sintonia con lo stile di quella poliziotta molto diversa dalle sue colleghe ma non per questo meno efficiente. Giulio si chiese come fosse considerata dalle altre donne che lavoravano con lei, e non ebbe dubbi che la giudicassero una snob. E se poi era nota la sua relazione con il giudice, i pettegolezzi e le malignità dovevano abbondare. Campagna allungò la mano ma lei si alzò, fece il giro della scrivania e gli stampò un bacio sulla guancia.

– Mi fa piacere vederti, – disse sincera.

L'ispettore sorrise. Le consegnò la busta con la lettera di Cristina Cosulich e la fotocopia di quella di Zantedeschi ai suoi genitori. Serenella lesse con attenzione, poi appoggiò i fogli sul tavolo.

– C'è altro?

Campagna la mise al corrente della sua telefonata alla segreteria della clinica.

Serenella tirò fuori dalla borsa le sigarette, poi andò alla finestra e l'aprí, sporgendosi leggermente dal davanzale per accendere. – Ti ricordi i bei tempi quando si poteva fumare negli uffici di polizia? Guarda adesso cosa mi tocca fare.

Giulio, come al solito, non aveva voglia di chiacchierare
e si limitò ad annuire.

Lei schiacciò il mozzicone sulla cornice di mattoni che
bordava la finestra e lo gettò nel cestino della carta straccia.
– Vuoi indagare sulla clinica per fottere la Bartolini, lasciando fuori Federica Actis e Vincenzo Scaldaferro, vero?

– Non esattamente...

– Spiegati meglio.

– Se l'indagine dimostra che quanto Cristina Cosulich ha
scritto alla giornalista è vero, possiamo far chiudere la clinica e inguaiare seriamente la direttrice con il risultato di sal-
vare altre povere ragazze...

Serenella gli fece segno di continuare.

– Ma, magari, per limitare i danni e il tempo di residenza nelle patrie galere, alla dottoressa Bartolini potrebbe venire l'impellente desiderio di confidarsi con noi.

– Non lo farebbe mai... Aggraverebbe solo la sua situazione.

– Rimane sempre la pista delle donazioni alla clinica. Magari salta fuori il nome di qualche banca...

– Magari, magari... Non ti illudere di far rientrare dalla
finestra quel caso chiuso e sigillato da dichiarazioni ufficiali riportate dall'intera stampa nazionale, – tagliò corto la collega.

Campagna alzò le mani in segno di resa. – D'accordo.
Scusami se ti ho fatto perdere tempo.

– Non riesci proprio a scordartela questa storia, eh?

– Qualcuno ha ordinato che una povera ragazza venisse
rapita e internata clandestinamente in una clinica, dove è stata drogata e spinta al suicidio, – sibilò furioso. – E questo
qualcuno non pagherà mai per quello che ha fatto. Lo trovo
insopportabile.

Serenella afferrò il pacchetto di sigarette e l'accendino ma si scordò di aprire la finestra. – Tu sei un bravo poliziotto, ma ti sei sempre occupato di delinquenti di strada e di criminalità organizzata, – puntualizzò con veemenza. – Ma io, lavorando con il giudice, ho imparato che i delinquenti che stanno in alto non li fai condannare con inchieste di questo tipo. Ci vuole ben altro e quasi mai ci riesci. Altrimenti vivremmo in un paese migliore.

Il poliziotto si indispettí. – Sembra che tu stia parlando con un pivello.

– No. Ma questo è un altro mondo, – disse in tono tranquillo. – Prova a pensare a quante inchieste sono state strombazzate dai giornali per poi finire in una bolla di sapone.

Campagna sospirò. – Sto andando a parlare con Cristina Cosulich.

– E perché? – domandò stupita la collega. – La sua testimonianza non ti servirà a nulla. Nessuno crederà mai alle sue parole, e davvero tu te la senti di correre il rischio che qualche avvocato le dia il colpo di grazia strapazzandola in un'aula di tribunale?

Il volto di Giulio si induri. – È vero, – sbottò con durezza. – Tu non credi che io sia un pivello, ma un coglione sí.

Serenella lo fissò. Poi sorrise: – Hai un piano in testa, vero?

– Diciamo che è solo un'idea, – farfugliò. – Immaginavo che non mi avresti appoggiato.

– Allora ti sei pensato un piano alternativo –. La poliziotta afferrò borsa e cappotto. – Ti accompagno, – annunciò. – La presenza di una donna ti aiuterà nell'approccio con quella ragazza.

L'incontro con Cristina fu straziante. I due poliziotti si ritrovarono di fronte a un essere umano spezzato dal rifiuto del cibo e alla loro inadeguatezza, soprattutto umana, nel rapportarsi con un male cosí oscuro. Cristina era commossa che la sua denuncia fosse stata ascoltata, e per dimostrare la sua riconoscenza afferrò tra le piccole mani ossute quella di Serenella e la baciò. Lei l'abbracciò e la tenne stretta per tutto il tempo in cui parlarono. Seduti su un divano, i due genitori rimasero sempre in silenzio con un'espressione di rassegnata disperazione scolpita sui volti. Solo alla fine, accompagnandoli alla porta, il padre sussurrò: – Grazie di essere venuti. Temeva di non essere stata creduta. Tutti pensano che sia pazza...

Campagna gli strinse un braccio. – Cristina è una ragazza coraggiosa. Ce la farà.

L'uomo annuí senza convinzione. Erano anni che sentiva ripetere quelle parole.

– Ho mal di pancia, – annunciò Campagna al cellulare.

– L'ultima volta che ti è venuto hai combinato un casino, – rammentò Veronesi.

– Vedrò di stare piú attento.

– E quanto durerà questo mal di pancia?

– Una settimana, dieci giorni...

– Cosa? – strillò il vicequestore nella cornetta, e per l'ispettore arrivò il momento di troncare la comunicazione.

Con Gaia fu piú semplice. – Devo chiudere i conti con la storia di Vince Scaldaferro, – disse la sera stessa mentre la moglie si struccava davanti allo specchio in bagno.

– Finalmente, – ribatté la moglie.

Si fissarono per un attimo attraverso lo specchio e non fu necessario aggiungere altro.

San Dorligo della Valle era un ameno paesino di seimila abitanti nell'estrema zona orientale della provincia di Trieste, a un passo dal confine. In sloveno, lingua parlata dalla maggioranza degli abitanti, il nome era Dolina.

A Serenella erano bastati due giorni per sapere tutto quello che si poteva scoprire senza agitare troppo le acque. Anche sulla clinica. La maggior parte delle donazioni veniva da una fondazione legata al gruppo bancario di Presutti. Del dottor Zantedeschi e della moglie Simonetta Bartolini aveva scoperto che si erano conosciuti mentre lavoravano in una clinica nei pressi di Zurigo ed erano arrivati in paese con capitali sufficienti per aprire la *Santa Chiara*. Una volta al mese si recavano in Svizzera, dove continuavano a coltivare rapporti professionali e certamente un bel conto in banca.

– Della clinica di Zurigo sono riuscita a sapere solo il nome, – sbuffò seccata Serenella. – Dai miei contatti non sono arrivate altre informazioni.

– Per gli svizzeri la discrezione è una faccenda molto seria, – commentò Giulio passando per la terza volta in un'ora di fronte al portone della *Santa Chiara*, una grande villa immersa in un parco appena fuori il centro abitato. Tra muri di cinta e alberi d'alto fusto, non c'era modo di sbirciare all'interno senza correre il rischio di essere visti.

Campagna accelerò. – Qui stiamo solo perdendo tempo.

Natoli non sembrò sorpreso quando vide i due colleghi entrare nel suo ufficio. – Immaginavo che vi sareste fatti vivi, – disse, indicando le sedie di fronte alla sua scrivania. – Ma voglio subito mettere in chiaro che non posso fare nulla per voi. Ho avuto precise disposizioni in merito.

– Il caso è chiuso, lo sappiamo bene, commissario, – si affrettò a chiarire Serenella Zanetti.

Natoli era a disagio e si sentí in dovere di spiegare la sua situazione. – La dottoressa Bartolini ha mosso tutte le sue conoscenze perché «nulla» potesse in qualche modo turbare l'attività della clinica, e il messaggio è stato recepito alla perfezione.

– Da lei vogliamo solo un piccolo favore, – intervenne Giulio.

– E quale? – domandò Natoli, sospettoso.

– Mettere in giro una chiacchiera e assicurarsi che arrivi alle persone giuste, proprio quelle che a loro volta si affretteranno a riferirla a Simonetta Bartolini.

– Questo lo posso fare.

Il commissario tenne fede all'impegno, e quattro giorni dopo la moglie di un magistrato che condivideva con Simonetta Bartolini l'appartenenza a una certa associazione e la frequentazione di certi salotti, telefonò sinceramente allarmata all'amica e la chiacchiera giunse a destinazione.

Serenella si tolse le cuffie collegate alle apparecchiature con cui da giorni intercettavano tutte le utenze telefoniche di cui poteva disporre la dottoressa, che occupavano buona parte del tavolo del salotto di una casa a picco sul mare, presa in affitto per l'occasione. L'autorizzazione l'avevano ottenuta solo grazie all'intercessione del giudice Quarrata, che si era dovuto rivolgere alla Direzione distrettuale antimafia di Trapani. Un giro complicato di favori tra galantuomini, giusto per fare le cose in regola.

– Messaggio consegnato, – annunciò trionfante la poliziotta.

Campagna chiuse il giornale e si affrettò a infilare le sue cuffie. – Allora vediamo adesso che succede.

Sette minuti piú tardi partí una chiamata dal cellulare di Simonetta Bartolini, diretta a un'altra utenza mobile. Rispose una donna.

«Loredana, per fortuna ti ho trovata subito», attaccò la dottoressa in tono lamentoso e preoccupato.

«Cos'è successo?»

«Stanno indagando sulla clinica, – rispose. – Non so come, ma hanno scoperto che quella tizia è stata qui…»

«Ho capito, – tagliò corto l'altra. – Dammi il tempo di fare qualche telefonata».

Campagna era raggiante. Il piano stava funzionando alla perfezione. – Sarei curioso di sapere chi sta chiamando adesso questa Loredana.

– Non ne ho idea. Ma posso dirti chi è?

– Conoscevi già il numero?

– No. Ma non ho dubbi che si tratti di donna Loredana Massarini, la moglie di Presutti, – rispose accendendo l'ennesima sigaretta. – Mi sa che ci stiamo ficcando in un altro casino.

Sei ore dopo.

«Cos'hai saputo?» chiese subito la dottoressa.

«L'esistenza dell'inchiesta non è stata confermata. Si tratta di una voce, nulla di piú, ma arriva da certi ambienti del Sud che mi è impossibile avvicinare».

«Cosa devo fare?»

«Quella è gente pericolosa. Ti conviene tornartene in Svizzera per un po', e fa' in modo che non trovino nulla».

«Ma come faccio ad abbandonare la clinica?»

«Non essere stupida, Simonetta, e prepara le valigie», rispose stizzita donna Loredana.

Giulio e Serenella si tolsero le cuffie e corsero fuori, verso la macchina. Non c'era tempo da perdere. La dottoressa stava a due passi dal confine e rischiavano di perderla.

Invece Simonetta Bartolini se la prese comoda. La sua costosa Mercedes uscí dal portone della clinica a tarda notte.

– Finalmente, – sbuffò Serenella. – Mi stavo congelando.

La dottoressa riuscí a percorrere un centinaio di metri prima che la macchina dei poliziotti le tagliasse la strada.

Campagna spalancò la portiera della Mercedes. – Scendi! – ordinò cacciandole sotto il naso il tesserino.

La donna si aggrappò al volante. – Perché dovrei farlo? Cosa sta succedendo?

L'ispettore l'afferrò per il collo della pelliccia e la fece scendere di forza, obbligandola a salire sulla loro auto. Nel frattempo Serenella perquisiva velocemente la Mercedes, appropriandosi della borsetta, di due valigette piene di documenti e di un computer portatile. Trasferito il bottino, parcheggiò la berlina che fino a quel momento era rimasta in mezzo alla strada e raggiunse gli altri.

Simonetta Bartolini non aveva smesso un attimo di protestare e di chiedere conto di quanto stava accadendo, ma quando Campagna mise in moto e partí sgommando si ammutolí di colpo.

– Dove mi state portando? – chiese rivolta a Serenella.

– Al confine, – rispose la poliziotta. – Ordini di donna Loredana.

La Bartolini si rilassò. – Allora non siete veri poliziotti, siete della sicurezza del gruppo, – pensò a voce alta. – E comunque che bisogno c'era di trattarmi cosí? Vi avrei seguito con la macchina, anche perché mi stavo dirigendo proprio lí.

– L'auto e il suo contenuto rimangono dove sono, – annunciò Serenella.

– E perché?

– Donna Loredana non vuole correre il rischio che materiale compromettente vada troppo in giro per l'Europa. Piú strada fa, piú corre il rischio di finire in mani sbagliate.

– Ma la cartella clinica di quella persona è stata distrutta come mi è stato chiesto.

– Ne sei proprio sicura? – chiese Campagna in tono minaccioso. – Guarda che adesso controlliamo.

– Ne è rimasta una copia nel computer, ma contavo di distruggerla, – balbettò impaurita.

– O usarla per ricattare donna Loredana, – malignò Serenella.

– Forse è il caso di non andare al confine ma di infilarci nel bosco, – gridò il poliziotto. – E scavare una bella buca.

La donna ormai terrorizzata iniziò a piagnucolare, e Campagna svoltò nella prima stradina sterrata. – Che faccio, proseguo o racconti tutto quello che ancora non sappiamo?

– Non c'è nulla da sapere, – gridò esasperata. – L'ho già spiegato. È stata tutta colpa di quel coglione di mio marito, che non si era mai ritrovato tra le mani una ragazza cosí bella, – iniziò a raccontare. – Il suo standard, come diceva lui, erano anoressiche senza tette e senza culo. L'ha violentata e ha permesso che lo facessero anche due infermieri. Ma quella era sana e sveglia, e ci avrebbe denunciati. È stato necessario eliminarla.

– Avevamo capito che si era suicidata, – intervenne Campagna.

Simonetta Bartolini era un fiume in piena. – Certo, – sghignazzò isterica. – Una sera è salita su un gommone ed è andata a fare un giretto…

Giulio ingranò la retromarcia e tornò sulla provinciale. Al confine, i due poliziotti si qualificarono con i colleghi e con i finanzieri e parcheggiarono l'auto a pochi metri dal posto di guardia della polizia slovena.

– Qual era il piano iniziale? – domandò Campagna. – Perché Federica Actis è stata rapita e portata alla clinica?

– Come perché? – chiese a sua volta Simonetta Bartolini. E solo in quel momento realizzò di essere caduta in una trappola ben architettata. – Che stupida sono stata... Come ho fatto a non capire...

– Non è nostra intenzione arrestarla. Altrimenti lo avremmo già fatto, – spiegò Serenella. – Vogliamo solo sapere la verità.

– D'accordo. Basta che poi mi lasciate andare, – sospirò la dottoressa. – Era la seconda volta che mio marito e io facevamo un favore a Loredana, d'altronde era la fondazione del gruppo a finanziarci, – disse. – La prima volta si era trattato della figlia di una cameriera, ma quella era anoressica sul serio. Fu quel pazzo di Scaldaferro a portarla da noi.

– E poi è arrivata Federica, – la incitò a continuare l'ispettore.

– Doveva sparire per un po' dalla circolazione e lei non ne voleva sapere. Loredana era preoccupata: temeva lo scandalo e di perdere potere nel gruppo, perché se ancora non lo sapete, posso anticiparvi che presto sarà lei il nuovo presidente.

– E chi ha portato Federica alla clinica?

– Quattro uomini con un grosso fuoristrada scuro.

Serenella frugò nella borsetta della dottoressa e le consegnò portafoglio e documenti. – Non le serve altro per raggiungere la Svizzera.

La donna aprí la portiera, ma Campagna si girò di scatto e le afferrò un polso. – Di' alla tua amica Loredana che abbiamo registrato ogni tua parola e che il mio nome è Giulio Campagna.

– Questa è la parte del piano che mi piace di meno. Un rischio inutile, – borbottò Serenella mentre osservavano Simonetta Bartolini allontanarsi a passi veloci, voltandosi ogni tanto indietro per timore che i due poliziotti cambiassero idea e l'arrestassero.

L'ispettore Giulio Campagna aveva pensato infinite volte a come avrebbe reagito donna Loredana Massarini alla sua sfida, ma mai si sarebbe aspettato di tornare a casa e di trovarla seduta in salotto, intenta a conversare amabilmente con Gaia. Accadde una decina di giorni dopo la trappola tesa alla dottoressa. Giulio parcheggiò la macchina sotto casa come ogni sera e notò una berlina di lusso piazzata volutamente sotto un lampione con due ceffi a bordo che lo fissavano. Il poliziotto infilò d'istinto la mano nel giubbotto e sfiorò il calcio della pistola, ma poi cambiò idea. Non si trattava di un agguato, ma di un avvertimento. Pensò che la prossima volta si sarebbe qualificato e avrebbe chiesto loro i documenti, giusto per far capire che certi giochetti con lui non funzionavano. Entrò nell'appartamento con quel pensiero e rimase di sasso quando Gaia lo chiamò per avvertirlo che aveva una visita.

Donna Loredana era una bella donna sui cinquantacinque anni. Una di quelle che i settimanali femminili definiscono di gran classe. Il problema era che nonostante tutti gli sforzi non riusciva a non somigliare alla regina cattiva delle fiabe.

– Sono lieta di fare la sua conoscenza, ispettore Campagna.

– Quanto lieta? – la provocò il poliziotto lasciandosi cadere su una poltrona.

La signora ignorò le sue parole e si rivolse alla moglie.

– Ho bisogno di parlare con suo marito. Da sola, se non le dispiace.

Gaia scivolò fuori dalla stanza senza dire una parola.

– So tutto di lei, ma ancora non sono riuscito a inquadrarla, – disse donna Loredana. – Non ho ancora capito se adesso devo farle il quadretto della situazione per spiegarle quanto posso essere generosa o pericolosa nemica a seconda del suo comportamento.

– Si risparmi le cazzate, – tagliò corto Giulio. – Io ho tre piccole richieste, e se esaudite, le prove di cui sono in possesso rimarranno sepolte. A meno che lei non tenti di passare alle maniere forti con me, la mia famiglia e i miei amici.

– E con il giudice e la sua amante poliziotta come la mettiamo?

– Quarrata non sa che farsene perché si tratta di prove assunte illegalmente e lui ci tiene alla forma, – spiegò. – Mentre i suoi nemici, cara signora, se ne ricevessero copia e magari contemporaneamente la stampa…

La signora, con un gesto molle e annoiato, alzò la mano per interromperlo. – Sentiamo se queste richieste, come le chiama lei, sono davvero un buon affare.

Campagna alzò il pollice destro. – Risarcimento alla famiglia di Federica Actis e Vincenzo Scaldaferro –. Poi fu il turno dell'indice. – La sua fondazione rileva la clinica *Santa Chiara* e la trasforma in un reale luogo di cura –. Infine toccò al medio. – C'è una ragazza anoressica che si chiama Cristina Cosulich, stuprata piú volte dal dottor Zantedeschi. Voglio che venga curata dai migliori specialisti europei.

Donna Loredana sgranò gli occhi. – Tutto qui? Per lei non vuole nulla?

– Sí, che se ne vada da casa mia.

Gianrico Carofiglio

La doppia vita di Natalia Blum

Cominciò tutto in una libreria, e direi che era naturale, come una metafora ben riuscita.

Di mestiere faccio il redattore in una casa editrice importante. Per la precisione faccio l'editor. Una parola dai significati sfuggenti, se non siete addetti ai lavori. Be', forse un po' sfuggenti anche se *siete* addetti ai lavori.

Comunque fare l'editor significa leggere i libri prima della pubblicazione, scoprirne i difetti, parlarne con gli autori, suggerire modifiche.

Significa contattare gli scrittori promettenti delle piccole case editrici, offrire loro soldi e ipotesi di gloria, e comprarceli. Quelli delle piccole case editrici, come potrete immaginare, non ci amano molto, per questo.

Significa cercare nuovi autori che valga la pena pubblicare. È il sogno di ogni editor, anche di quelli senza piú troppe illusioni come me: scoprire almeno una volta nella vita un vero scrittore. Uno che abbia qualcosa di veramente nuovo da dire, e sia capace di dirlo con le parole giuste.

Nei ritagli di tempo ho scritto anch'io un libro, che si intitola *Come scrivere un romanzo e farselo pubblicare*. L'aspetto interessante della questione è che io non ho mai scritto un romanzo, ma nessuno sembra curarsene, e cosí, da quando ho pubblicato questa specie di manuale, mi capita di essere invitato a presentarlo qua e là, in librerie e circoli.

Non credo, francamente, che mi invitino per la grande

qualità dell'opera; mi invitano perché faccio l'editor in una grande càsa editrice. Gli aspiranti scrittori vengono ad ascoltarmi e a comprare il libro perché vogliono conoscermi, rifilarmi un manoscritto e trovare cosí una scorciatoia per la gloria letteraria.

Quella sera a Bari c'era piú o meno il solito pubblico di aspiranti scrittori.

È una categoria variegata, quella degli aspiranti scrittori. Ci sono i normali, i depressi, gli ingenui, gli esaltati. I pazzi. L'appartenenza alla categoria può essere facilmente stabilita al momento degli interventi e delle domande. Il pazzo, per esempio, comincia sempre informandoti di avere già scritto una decina di romanzi e di non essere riuscito a pubblicarli solo perché il mondo dell'editoria è un sistema mafioso; prosegue spiegandoti che tu sei solo un ingranaggio di quel sistema; conclude sfidandoti a smentirlo con la pubblicazione del suo romanzo dal titolo – faccio per dire – *L'amante della mangusta*, che lui ti ha inviato ormai un anno fa in casa editrice, non ricevendo alcuna risposta.

Tu sorridi con espressione cortese e un po' demente, assicuri che farai ricerche per ritrovare il manoscritto di *L'amante della mangusta* e che ne affiderai subito la lettura a un tuo collaboratore. Poi passi la parola al prossimo, pregando che il tutto finisca presto e chiedendoti perché continui a fare di questi incontri.

Quella sera non c'erano pazzi, o se c'erano avevano deciso di non manifestarsi. In realtà c'era poca gente, molti posti a sedere erano liberi e nessuno dei presenti era particolarmente degno di essere notato, nel bene e nel male. A parte una bella ragazza bionda seduta da sola in una delle ultime file.

Recitai il copione consueto che ogni volta, piú o meno, ruota attorno a due questioni: se sia possibile insegnare (e dunque imparare) a scrivere; e come riuscire a farsi pubblicare.

Terminata la mia lezioncina, come al solito, seguirono le domande. Anche quelle sono piú o meno sempre le stesse: quanto nella scrittura c'è di creatività e quanto di duro lavoro; se si debba parlare di quello che si conosce o si debba esplorare l'ignoto; da cosa si parte per costruire personaggi credibili; qual è il segreto per scrivere dialoghi che funzionano. Cose del genere.

Terminato l'incontro, mi aspettavo che qualcuno – come succede quasi sempre – venisse a chiedermi se poteva parlarmi qualche minuto, e a mollarmi un manoscritto.

Quella sera non venne nessuno. La sala si svuotò rapidamente, e anche la ragazza bionda scomparve senza che neppure mi accorgessi di quando se n'era andata.

Cosí rimasi a chiacchierare ancora una decina di minuti con la direttrice della libreria, dissi che purtroppo non potevo fermarmi a cena perché avevo un volo da prendere, e me ne andai con una sensazione strisciante di disagio.

Uscendo dalla libreria pensai che per una città come Bari faceva davvero freddo, ma almeno aveva smesso di piovere. Mentre articolavo questi pensieri profondi mi sentii toccare un braccio.

– Scusi, posso parlarle un minuto?

La ragazza dell'ultima fila.

– Prego, dica pure.

– Sono sicura che quello che sto per dirle lo avrà già sentito un milione di volte. E sono sicura che ha già capito quello che sto per dirle. Se la sto importunando me lo dica e me ne vado subito –. Lo disse tutto d'un fiato, come una cosa preparata, per cui temeva di poter essere interrotta.

– Ma non mi sta importunando affatto, scherza? Dica pure.

Sentii un'enfasi e un'accelerazione nella mia risposta che
mi fecero innervosire: la mia tipica reazione quando mi trovo di fronte a una persona bella. La ragazza tirò un respiro
lungo e buttò fuori l'aria, come se avesse superato la parte
piú difficile della faccenda.

– Grazie, lei è davvero molto gentile. Ovviamente ho un
manoscritto, questo lo avrà già capito.

– Fa freddo qui fuori. Che dice se andiamo a sederci da
qualche parte, prendiamo un caffè e ne parliamo con calma?

– Oh, mi piacerebbe molto, ma sto scappando. Sono già
in ritardo.

Mi sentii a disagio, come uno che ha fatto una piccola vol-
garità, una cosa grossolana, un tentativo un po' squallido di
sfruttare la situazione. Diventai rosso e provai un assurdo
senso di gratitudine quando lei continuò a parlare, velocemente come prima, senza dare segno di averci fatto caso.

– È la prima parte del mio romanzo. Metà, piú o meno,
e non lo so come andrà a finire. È come se tante cose giras-
sero attorno a questa storia, nella mia testa e nella mia vita.
E non so quali abbiano esattamente a che fare con la fine
della storia. È come se la fine della storia dovesse accader-
mi, per poter essere raccontata. Non so come spiegarmi. Comunque sono centocinquanta cartelle di duemila battute cia-
scuna. Ci tengo a dirle, e giuro che non è un trucco per guadagnarmi la sua simpatia, che sono riuscita a cominciare solo
dopo aver letto il suo libro e, nei limiti delle mie capacità,
cerco di seguire i suoi suggerimenti.

Ebbi un moto di banale orgoglio, e subito dopo mi ricor-
dai che io stesso non credevo a quasi nulla di quello che avevo scritto. Non fu una sensazione piacevole.

– Sul frontespizio ci sono tutti i miei dati. Glielo lascio,
allora?

Lo presi, quasi sfilandoglielo dalle mani.

– Certo, me lo dia pure. Lo leggerò volentieri.

– Wow! Grazie. Mi ha cambiato la serata, e anche la settimana. E insomma... grazie. Adesso, come le ho detto, devo proprio scappare, sono già in ritardo.

Esitò un istante, mi diede un bacio sulla guancia e poi effettivamente scappò via.

Presi posto in aereo, poi tirai fuori dalla borsa il manoscritto.

La doppia vita di Natalia Blum. Titolo pretenzioso, mi dissi per un riflesso condizionato. E chi credeva di essere, la nipote di Joyce?

In realtà non suonava male, dovetti ammettere con me stesso dopo qualche istante. Mi infastidii per questa ammissione, per il riflesso condizionato e insomma per tutto. Non mi sentivo a mio agio.

Lessi i dati personali sotto il titolo, sulla prima pagina del manoscritto. Telefono, posta elettronica e ovviamente nome e indirizzo.

Natalia B. (stesso nome della protagonista del romanzo, di regola una cattiva idea, pensai; in quel caso però sembrava quasi una necessità) abitava in un quartiere di Bari chiamato Torre a Mare. Strano nome. Per uno come me, nato e cresciuto nelle periferie del Nord, anche vagamente esotico.

Magari potevo dare un'occhiata alle prime frasi. Naturalmente, come capita quasi sempre, le avrei trovate illeggibili, e allora avrei potuto buttare via quella roba con la coscienza a posto.

Ok, giusto qualche rigo.

Da tre anni faccio la puttana. Sono laureata in giurisprudenza e mio padre pensa che studi per diventare magistrato. È quello che aveva deciso per me dal momento in cui mi ha iscritta al liceo.

Io invece di giorno faccio la puttana e di notte scrivo.

Cazzo, mi dissi. Voglio dire che proprio pronunciai la parola. Non a voce alta, ma il signore seduto vicino a me di certo mi sentí ed ebbi l'impressione che mi guardasse male.

Cazzo.

Cominciai a leggere che l'aereo non era ancora decollato. Quando atterrammo ero a metà; lessi in taxi, lessi arrivato a casa, e all'una di notte avevo finito. La prima cosa articolata che pensai fu che volevo leggere il resto. E avevo fretta, volevo leggerlo subito.

Leggo i libri per mestiere e in questo senso sono come le puttane: faccio per soldi una cosa che, di regola, gli altri fanno per piacere. Ma anche alle puttane, a volte, accade di farlo per piacere e non per soldi.

La storia scritta da Natalia B. aveva ritmo e personaggi che balzavano rabbiosamente fuori dalle pagine. Era piena di musica – il tema del romanzo era il *Canone di Pachelbel*, che la protagonista ascoltava sempre, dopo aver ricevuto l'ultimo cliente e subito prima di mettersi a scrivere – di libri, di rabbia, di nostalgia. La nostalgia piú struggente, quella per le cose non accadute.

Siccome a quel punto non avevo sonno e non potevo mettermi a dormire, decisi di scrivere la scheda del romanzo. Insomma, del mezzo romanzo. La scrissi a penna, perché a casa non ho mai avuto un computer. Eccola.

NOTA PER IL DIRETTORE EDITORIALE

La doppia vita di Natalia Blum si muove, con costruzione complessa e ambiziosa, su differenti piani narrativi e stilistici. La trama principale è narrata in prima persona con la protagonista che racconta la sua doppia vita. Di giorno prostituta per scelta di ribellione contro un destino sociale e familiare in apparenza già segnato; di sera aspirante narratrice alle prese con un romanzo di formazione.

Vi è poi un diverso piano narrativo (caratterizzato dall'uso della terza persona e da un registro stilistico del tutto differente) che attribuisce un connotato di forte suspense all'intera storia e che consente di collocarla, seppure in termini del tutto peculiari, nel genere noir.

Protagonista, spietato ma a suo modo affascinante, di questa vicenda è un ginecologo che conosce prostitute per via del suo lavoro (esse sono sue pazienti) e le uccide nel suo studio dopo aver praticato loro l'anestesia. Il singolare pregio di questa parte della narrazione sta nel senso di pericolo imminente che essa riesce a insinuare nel lettore.

Ci sono molte cose che lasciano sorpresi in questo libro.

In primo luogo la qualità della scrittura, anzi, *delle* scritture, che nel loro mutevole atteggiarsi fanno pensare per un verso ad Alice Munro e per un altro verso a Patricia Highsmith.

La capacità di passare con sorprendente disinvoltura da un registro stilistico a un altro, lasciando però intatta la sensazione, quasi misteriosa, di un'identità di mano.

La capacità di raccontare con la stessa maestria le ansie e i fremiti di una ragazza che vede nella scrittura il suo destino, scabrosi temi sessuali, la paurosa normalità di una mente criminale.

La capacità di intrecciare vicende diversissime. In questo soprattutto vi è l'elemento di novità di *La doppia vita di Natalia Blum*. Una contaminazione armonica e sorprendentemente naturale di generi (il romanzo di formazione, la narrazione autobiografica, la letteratura sulla letteratura, il thriller) fusi con efficacia in un'opera nuova e originale.

Da pubblicare assolutamente.

Quella notte feci fatica ad addormentarmi, tormentato dai sogni angosciosi che a volte si materializzano al confine fra veglia e sonno.

La mattina dopo andai in ufficio e portai con me il manoscritto. Avevo un bel po' di lavoro da sbrigare, e invece rilessi *La doppia vita di Natalia Blum* dall'inizio alla fine.

Pensai che dovevo scriverle, immediatamente. Poi mi dissi che forse era meglio aspettare un po'. Sarebbe stato davvero fuori dalle regole, appena il giorno dopo aver ricevuto il manoscritto. Che diamine, sono il famoso editor Marco

Blasetti. Ho un sacco di cose da fare, non posso mica aver letto subito il manoscritto di una sconosciuta. E soprattutto non sono uno che ha bisogno di sapere come va a finire una storia.

Aspettare. Devi aspettare. Scrivile fra una decina di giorni, non di meno. Tanto per rendere chiare le gerarchie.

Date queste premesse, le scrissi un'e-mail nel pomeriggio. Non fu una cosa facile. La scrissi e riscrissi almeno dieci volte per trovare quello che mi sembrava il tono giusto.

> Gentile Natalia,
> nei ritagli di tempo ho dato un'occhiata al suo manoscritto. Mi sembra ci sia del materiale interessante, su cui ovviamente, al momento opportuno, si dovrà lavorare. Naturalmente per una valutazione esauriente della possibilità di giungere a una pubblicazione è necessario che io legga tutto il romanzo. Ha già provveduto alla stesura della seconda parte dell'opera? In caso affermativo le suggerirei di mandarmela per consentirmi di completare la valutazione.
> Cordialmente,
>
> Marco Blasetti

Ho riletto quell'e-mail prendendo appunti per raccontare questa storia. Ovviamente fa vomitare. Come capita, mi ero nascosto dietro l'immondo gergo burocratico per non esibire lo stupore, l'ammirazione e soprattutto l'impazienza di leggere il seguito della storia.

Natalia mi rispose il giorno dopo.

> Wow. Grazie, Marco (posso chiamarla Marco?), per aver letto così presto il mio lavoro. Non avrei mai creduto che potesse succedere.
> Sto scrivendo il seguito. Essendo una dilettante non ho un vero metodo e quindi butto giù la storia come viene. Solo dopo la riscrivo in modo spero leggibile. Cerco di seguire i suoi consigli (quelli del libro, voglio dire) ma non sempre ci riesco. Insomma ho tutto il romanzo, escluso il finale, ma la parte leggibile è quella che le ho dato;

fra qualche giorno però credo di avere pronto un nuovo capitolo. Che dice, glielo mando? Magari in allegato alla posta elettronica?

Se le secca non c'è problema, spedisco per posta la stampa.

Graziegraziegrazie.

Quel *graziegraziegrazie* mi commosse. Un'emozione da adolescente, mi dissi, scrollando metaforicamente le spalle e cercando di darmi un tono.

E, sempre cercando di darmi un tono, risposi al messaggio. Con quello che mi parve un rilassato sussiego, dissi che non c'era bisogno che spedisse la stampa del capitolo. Poteva tranquillamente mandarmi un'e-mail. Non appena avessi avuto un minuto libero (giuro che scrissi questa idiozia) avrei stampato e letto il capitolo.

Con simpatia, chiudeva pateticamente la mia risposta.

Una settimana dopo arrivarono due nuovi capitoli, accompagnati da un'e-mail brevissima. Saluti e poco piú.

Nel secondo di questi capitoli Natalia Blum andava da un medico per una visita di controllo. E il lettore (cioè io), nel momento in cui questo personaggio appariva nella storia e nella vita della protagonista, si rendeva conto con un brivido di averlo già conosciuto.

Nello stesso romanzo.

Nella storia parallela raccontata in terza persona.

Risposi all'e-mail subito dopo aver letto i due capitoli. Cioè un'ora dopo aver aperto l'allegato.

Risposi in preda a un'inquietudine tanto assurda quanto inevitabile. Destino ridicolo, mi dissi, per uno che aveva passato la vita a manipolare i racconti altrui. Per uno che avrebbe dovuto conoscere l'ingranaggio delle storie e le macchinazioni sottili che servono a ingannare il docile lettore. Ave-

vo un bel pensare queste cose, ma non riuscivo a sbarazzarmi dell'impressione paurosa che fra il romanzo e la vita di
Natalia B. ci fosse una connessione diversa e piú tremenda
di quella che abitualmente esiste fra la scrittura e la vita personale dello scrittore.

Non riuscivo a sbarazzarmi dell'impressione che la protagonista e l'autrice del romanzo fossero entrambe in pericolo mortale.

> Cara Natalia,
>   ho ricevuto e letto con molto piacere i due nuovi capitoli del suo
> bel romanzo. Le confermo il giudizio positivo che già avevo espres-
> so nella mia precedente e-mail.
>   Mi farebbe piacere scambiare due parole a voce sulla narrazione,
> sui suoi sviluppi e, sin d'ora, sulla possibilità di proporle un contrat-
> to per la pubblicazione della sua opera.
>   Resto in attesa di una sua risposta.
>   Con i saluti piú cordiali,
>
>   Marco

Dopo aver schiacciato il tasto dell'invio mi sentii meglio.
Come se avessi trovato la formula per scacciare l'inquietudine che mi aveva assalito e, dalla fascinazione insidiosa della storia, fossi ritornato alla prosa rassicurante della vita quo-
tidiana. Natalia mi avrebbe risposto subito, ne ero certo. Le
avevo scritto che volevo proporle un contratto di pubblicazione prima ancora che il suo romanzo fosse terminato. In
sostanza: il sogno proibito di tutti gli aspiranti scrittori.

Mi avrebbe risposto subito, avremmo discusso degli svi-
luppi del romanzo, lei avrebbe continuato a scrivere sotto la
mia sorveglianza, la creatura straordinaria e pericolosa che
si muoveva dietro le quinte della sua scrittura sarebbe stata
addomesticata. E, considerata la qualità del romanzo, avrei
fatto anche un altro dei miei colpi editoriali.

Quella sera andai a una festa. Una ragazza con un grande seno e una vaga rassomiglianza con Senta Berger giovane mi si appiccicò chiedendomi come si fa a diventare scrittori, perché lei aveva un sacco di storie da raccontare e – testualmente – un grande potenziale interiore. Mentre diceva queste cose mi guardava con espressione carica di significati.

Che strano, mi dissi. Non mi passa nemmeno per la testa l'idea di invitarla a proseguire la serata da me. Avrei dovuto preoccuparmi e invece ne ebbi una specie di euforia, simile a quella provata tanti anni prima quando mi innamoravo. Da ragazzino.

Dormii e feci sogni contraddittori. Euforia, mista a un senso spiacevole di imminenza. La mattina dopo, appena arrivato in ufficio, accesi il computer e controllai la posta. Di regola Natalia avrebbe già dovuto rispondermi. Trovai una decina di inutili e-mail, ma non la sua.

Perché un'aspirante scrittrice non risponde subito a un editor che le prospetta la pubblicazione del suo primo romanzo? Mi facevo questa domanda e non riuscivo a trovare nessuna risposta plausibile.

Così tornai a pensare con inquietudine a quell'ultimo capitolo. A Natalia Blum che entrava nello studio del medico e a quello che poteva succedere dopo.

Per tutto il giorno controllai ossessivamente la mia casella di posta, e i due giorni successivi andarono allo stesso modo fino a quando, cercando una soluzione, mi dissi che forse la mia e-mail non era mai arrivata. Così decisi di inviarla di nuovo, con due parole e una piccola bugia di accompagnamento. Questa idea mi tranquillizzò di nuovo, un poco.

Cara Natalia,
    qualche giorno fa le avevo inviato un'e-mail. Abbiamo avuto dei problemi con il server, e molte delle e-mail inviate dal nostro ufficio

ci risulta non siano arrivate ai destinatari. Credo sia successo anche
con lei, e quindi a questa mia allego la precedente. Aspetto sue notizie.

Molto cordialmente,

                                                             Marco

P. S. Forse potremmo lasciar perdere il lei, che dice?

Chissà se c'è ancora qualcuno che si beve la storia del «temo che il mio precedente messaggio non sia arrivato per problemi del server/problemi del computer/problemi del telefonino; per questo motivo te lo rimando». Tradotto vuol dire:
non mi hai risposto; non ho abbastanza coraggio per chiederti chiaramente perché non lo hai fatto e peraltro muoio dalla voglia che tu mi risponda. Ti dò un'altra possibilità e ne
usciamo decorosamente tutti e due. Spero.

Comunque mi dissi: avrà avuto qualche problema a rispondere subito. Poi si è sentita in imbarazzo per questa piccola scorrettezza e non sapeva come fare, cosa dire. Con la
mia e-mail la tiro fuori dall'impaccio, semplicemente.

L'indomani non mi rispose, e nemmeno il giorno dopo.

Mentre scivolavo in un'angoscia insensata e incontrolla-
bile, pensai a quando ero bambino e una mia zia – lo dicevano sottovoce, a casa, ma io ascoltavo tutto – era diventata pazza. Forse era una tara di famiglia. Avevo solo aspettato la scusa, l'occasione buona, per diventare pazzo anch'io.

Dopo tre giorni di crescente agitazione, in cui – mi parve – i colleghi avevano cominciato a guardarmi con aria strana, superai la mia patologica timidezza telefonica e provai a
chiamarla. Inutile dire che il terminale era spento, e spento
rimase nonostante i miei tentativi, numerosi e, col passare
delle ore, sempre piú frenetici.

Dopo essermi tormentato ancora per un paio di giorni
mi dissi che dovevo fare qualcosa di concreto. Campo – il

fare qualcosa di concreto – in cui non sono mai stato troppo forte.

In ogni caso, dopo essermi spremuto il cervello, mi feci venire in mente Sicuteri.

Sicuteri era un mio compagno di scuola del liceo, e faceva l'ufficiale della guardia di finanza. Era l'unico appartenente alle forze dell'ordine che conoscessi abbastanza da chiedergli un consiglio e magari un aiuto.

Cosí telefonai al comando dove lavorava, me lo passarono con inattesa rapidità, e quando gli spiegai che avevo un problema di cui volevo parlargli, mi rispose che se era urgente potevo anche raggiungerlo subito in ufficio. Dissi che arrivavo, e dopo qualche minuto ero per strada alla ricerca di un taxi.

Mentre un appuntato bussava alla porta di Sicuteri e mi annunciava, ebbi un istante di panico.

Come si chiamava lui? Enrico o Ernesto? E se adesso sbaglio che figura di merda ci faccio? Sto rincoglionendo, è chiaro, perché… Ah, no. Ernesto si chiamava Tamborra. Rossi, Sicuteri, Tamborra, Travi.

– Ciao, Marco. Saranno almeno dieci anni che non ci vediamo, vero?

– Almeno dieci, sí. Ciao, Enrico –. Non trasalí, mi diede la mano sorridendo in modo naturale e tirai un sospiro di sollievo pensando che non mi ero sbagliato. Seguirono cinque minuti di convenevoli e poi, prima che fosse lui a chiedermi se comparivo dopo una decina d'anni al solo scopo di riepilogare un po' di triti ricordi liceali, gli dissi il motivo della mia visita.

– Allora, diciamo che mi occorre una specie di consulenza…

– In che guaio ti sei ficcato?

– Nessun guaio. Il fatto è che…

Mi resi conto che non avevo idea di come mettere la questione. Dovevo dirgli la verità e passare per quello che ero? Cioè uno squilibrato in preda a un delirio allucinatorio, malattia terminale della cronica patologia – fortunosamente asintomatica, fino a quel momento – che mi aveva portato a occuparmi di scrittori e di storie.

Oppure raccontargli una fesseria che, non essendomi preparato ed essendo lui un professionista, avrebbe scoperto quasi subito, con conseguenze quantomeno imbarazzanti?

Optai per la verità. Con qualche omissione inevitabile.

– Tu sai che lavoro faccio, vero?

– Non saprei dire con precisione in cosa consiste ma, insomma, so che ti occupi di editoria, che lavori per…

– Esatto, e fra l'altro una parte del mio lavoro consiste nella ricerca di nuovi autori che valga la pena di pubblicare.

Sicuteri mi chiese se mi dava fastidio il fumo. Mi dà molto fastidio, ma ovviamente dissi che non mi creava alcun problema. Lui si accese una sigaretta e mi fece cenno di continuare.

– Nelle scorse settimane ho ricevuto un romanzo molto buono. Sai, nella maggior parte dei casi, diciamo nella quasi totalità, ci arrivano delle porcate indescrivibili. Questo invece è molto buono ed è arrivato senza lettera di accompagnamento. C'erano soltanto l'indirizzo di posta elettronica, il numero di telefono e l'indirizzo dell'autrice.

Mi fermai qualche istante per guardare in faccia Sicuteri; per vedere come reagiva alla mia storia. *Quasi* vera. Lui mi guardava educatamente, aspettando che arrivassi al dunque. Ripresi a raccontare.

– Insomma, le ho risposto, le ho detto che il suo romanzo ci interessava, che la pregavo di inviarmi il resto.

– E lei?

– Ha detto che era contenta, anzi, ha detto che era entusiasta. Che è la reazione naturale di un aspirante scrittore a una notizia del genere che provenga da una casa editrice come la mia. E ha detto che mi avrebbe mandato il resto man mano che l'avesse scritto.

– E poi cosa è successo?

Per un istante fui tentato di dirgli tutta la verità. Cioè fui tentato di raccontargli quello che mi era passato per la testa nel leggere il manoscritto, e quello che mi passava per la testa in quel momento. Cioè il vero motivo per cui ero lí. Fui tentato di dirgli che temevo fosse successo qualcosa di brutto a Natalia B. Poi mi resi conto che avrei dovuto spiegare troppe cose, e in particolare che sospettavo di omicidio il personaggio di un romanzo. Cosí pensai che era meglio lasciar perdere.

– È successo che mi ha mandato due capitoli, e io le ho scritto dicendo che aspettavo il seguito e che comunque potevamo già discutere di un contratto di pubblicazione. Tieni conto che non è una cosa che succeda tanto spesso. Diciamo che non succede quasi mai.

Sicuteri spense la sigaretta e si aggiustò nella poltrona.

– A questa e-mail non ha risposto. Il che è del tutto assurdo. Le ho scritto che volevo proporle un contratto. Lei è un'autrice mai pubblicata, cioè una non-autrice. E il romanzo non è finito, cioè è un non-romanzo. E noi siamo… insomma, anche degli autori ucciderebbero pur di avere una proposta contrattuale da noi. E questa nemmeno risponde per dire: ah, fantastico, parliamone, roba del genere. Una cosa inaudita.

– Be', chissà, magari non ha scritto niente. Magari ha avuto… come si chiama? Ah, sí, ha avuto il blocco dello scrittore. Magari l'hai sdoccata con la tua e-mail e quella si è bloccata.

Era un'ipotesi plausibile, mi dissi sorpreso. Com'era possibile che non ci avessi nemmeno pensato?

– Certo, ci avevo pensato, – mentii. – È un'ipotesi improbabile, però. Non che abbia avuto il blocco, questo effettivamente è possibile. È improbabile che non si sia fatta viva, anche solo per mantenere un contatto. E poi io le ho scritto di nuovo, per chiederle come procedeva il lavoro; le ho scritto piú volte e non ho mai avuto risposta. Ho anche provato a chiamarla, ma il telefono è sempre staccato.

– Magari ha avuto un'offerta da un altro editore, l'ha accettata o vuole accettarla, e allora è in imbarazzo con te.

Nemmeno a questa possibilità avevo pensato. Tutta quella storia mi stava rincoglionendo?

Risposi mentendo di nuovo, in imbarazzo con me stesso.

– Appunto. È proprio quello che temo. Per questo ho bisogno di trovarla prima che il libro se lo prenda qualcun altro. Ammesso che la cosa non sia già accaduta.

Lui mi guardò per qualche secondo senza dire niente. Annuí, si accese un'altra sigaretta. Uno dei pochi che fumavano ancora, pensai. Ma non è vietato negli uffici pubblici? Poi mi guardò di nuovo, con espressione interrogativa. La domanda inespressa era: perché raccontavo a lui tutta quella storia? Volevo che scatenasse la polizia tributaria alla ricerca della scrittrice scomparsa Natalia B., o cosa?

– Sei l'unico a cui ho pensato di poter chiedere un consiglio. Non ho idea di come si possa ritrovare una persona.

– Be', di regola dovresti rivolgerti a un investigatore privato. Ma prima ancora la domanda è: questa persona vuole essere ritrovata? Se non ti risponde, vuol dire che non vuole, e dunque…

– E se le fosse successo qualcosa? – Parlai quasi senza accorgermene. Dopo la cautela che avevo usato, alla prima obiezione avevo sparato fuori la vera ragione del mio interesse. Lui però non se ne accorse. Lo prese come un modo di insistere.

– Se le fosse successo qualcosa direi che non sarebbero affari tuoi. Se le fosse successo qualcosa sarebbe la sua famiglia, mamma, papà, marito, a doversene occupare. E poi perché dovrebbe esserle successo qualcosa?

– Perché c'è in giro un medico assassino, non lo capisci?

Dovetti dominarmi per non dirla, quella frase. Tirai un lungo respiro, come di uno che cerca di capire la situazione. Annuii. Rimasi in silenzio ancora qualche secondo.

– Forse hai ragione, – dissi. – In ogni caso, se volessi provare a trovarla, cosa mi suggeriresti?

Si strinse nelle spalle.

– Se continua a non risponderti vai sul posto... hai detto che ti ha lasciato anche il suo indirizzo, vero? E prova a bussare a casa.

– Se tu dovessi cercare quella persona e a casa non la trovassi, cosa faresti?

– Se avessi un motivo legittimo farei un controllo anagrafico. Poi mi procurerei un provvedimento del magistrato e acquisirei i tabulati del cellulare, per verificare i contatti, per controllare se il telefono è ancora attivo.

– E questi tabulati si possono vedere solo con il provvedimento del magistrato? Non esiste un altro modo?

– Non esiste un altro modo legale, a meno che tu non sia il titolare dell'utenza –. Prese di nuovo il pacchetto delle sigarette, poi ci ripensò. – Premesso che questa conversazione non è mai avvenuta, se io fossi al tuo posto e avessi davvero bisogno di vedere quei tabulati, andrei da un investigatore privato. Alcuni di loro, commettendo una serie di reati dei quali tu, nel caso, saresti concorrente morale, sono in grado di procurarsi quello che vogliono. Pagando bene, ovviamente.

Era quasi tutto, ma l'ultima domanda non sapevo proprio come farla. Ci eravamo già stretti la mano, l'avevo ringraziato per il suo tempo, eravamo davanti alla porta. Cercai di darmi un tono casuale.

– Ah, scusa. Giusto un'ultima cosa. Una curiosità, io non seguo molto la cronaca nera. Ti risulta che da qualche parte, al Sud magari, negli ultimi tempi ci siano stati omicidi di prostitute? Voglio dire, omicidi per i quali gli investigatori pensano a un serial killer?

Lui mi guardò con aria davvero perplessa, ora. Forse pensò che mi ero bevuto il cervello. E magari aveva anche ragione. Mi rispose con un tono leggermente diverso, circospetto, quello che si utilizza con i soggetti un po' disturbati dai quali non si vuole avere nessun ulteriore problema.

– Non saprei aiutarti. Faccio il finanziere, non ci occupiamo di questo genere di reati. Per via del mio lavoro posso saperne esattamente quanto te.

Dicendo cosí allungò la mano e aprí la porta, per non correre il rischio che quella conversazione continuasse ancora. Gli aveva fatto piacere rivedermi, una volta o l'altra dovevamo ritrovarci, magari con qualcuno dei compagni di classe. Sicuro, dovevamo, grazie di tutto e a presto.

A prestissimo, sicuro.

Sono completamente fuori di testa. Era la frase che mi ripetevo a intervalli regolari dopo aver chiesto e ottenuto da un direttore editoriale alquanto sorpreso una settimana di ferie per imprecisate ragioni di famiglia.

Sono completamente fuori di testa, mi dissi ancora mentre chiamavo l'agenzia di viaggi per comprare un biglietto – oggi stesso, sí, grazie, va bene anche l'ultimo volo, faccia sola andata, non so ancora quando rientro – per Bari; mentre prenotavo l'albergo; mentre facevo il bagaglio; mentre prendevo il taxi per l'aeroporto. Mi calmai solo in volo. Arrivai in albergo che era quasi mezzanotte. Andai a mangiare una pizza e mi resi conto con stupore che le strade erano piene di gente, anche se era un mercoledí. Tornai in albergo, dove crollai in un sonno profondo e incomprensibile per me che in albergo, se non mi riempio di ansiolitici, non dormo mai.

La mattina dopo, prima di mettermi in movimento, feci un ultimo tentativo con il cellulare. Magari quella mi rispondeva, mi diceva, che ne so, che era stata all'estero e aveva lasciato a casa il telefono. Io facevo il disinvolto, dicevo che stavo chiamando da Bari perché c'ero venuto per lavoro. Le andava di fare due chiacchiere sulle prospettive del suo romanzo? Ah, ma non doveva scusarsi se non aveva risposto alle mie e-mail, era stato un periodo particolare, mi rendevo conto, non c'era problema.

Me la raccontai cosí bene quella conversazione immaginaria che componendo il numero ero pressoché certo che il telefono avrebbe squillato, che lei mi avrebbe risposto e che in un attimo il mio delirio si sarebbe dissolto.

Il telefono non squillò e mezz'ora dopo ero su un taxi che mi portava in questa località chiamata Torre a Mare, a qualche chilometro dal centro della città, dove – se non mi aveva dato un indirizzo falso – Natalia abitava.

O *aveva* abitato.

Il tassista non conosceva l'indirizzo che gli indicai, e questo non mi dispiacque. Mi sarei fatto lasciare da qualche parte – era un piccolo quartiere, un ex villaggio di pescatori, mi avevano detto, e quindi sarei potuto arrivare dappertutto a piedi – e avrei avuto il tempo di prepararmi psicologicamente all'incontro.

– Allora, dottore, che facciamo, proviamo a chiedere a qualcuno dov'è questo indirizzo?

– No, grazie, va bene qui. Scendo, mi prendo un caffè, chiedo informazioni e ci arrivo a piedi. Tanto questo quartiere non è grande, vero?

Non era grande, confermò il tassista salutandomi davanti a un molo pieno di barche di pescatori e di piccole imbarcazioni da diporto.

Era una giornata invernale. Il cielo era coperto, c'era vento e faceva abbastanza freddo per quelle parti. Voglio dire, noi che abitiamo al Nord pensiamo che al Sud ci sia quasi sempre il sole e che la gente faccia il bagno da marzo a novembre. Quella era una mattina di fine novembre e, ovviamente, nessuno faceva il bagno.

A Torre a Mare, esclusa una piazzetta e un paio di stradine con negozi che, non so bene per quale motivo, mi ricordarono certi paesini della provincia portoghese, si respirava l'aria triste delle località di mare fuori stagione. Poca gente in giro per le strade, ville chiaramente disabitate, ristoranti e chioschi sbarrati.

Entrai in un bar, presi un caffè e chiesi alla signorina che stava alla cassa se sapesse indicarmi il centro residenziale *Caribe*. Sapeva indicarmelo, anche se mi guardò con quella che mi parve un'ombra di sospetto quando le feci la domanda. Comunque venne fuori che non era cosí vicino come mi ero immaginato, e di conseguenza Torre a Mare non era cosí piccola come mi aveva detto il tassista.

Ci misi una ventina di minuti. Il centro residenziale *Caribe* aveva di certo conosciuto tempi migliori. Già dal grande cancello di ingresso ai viali dissestati si percepivano l'abbandono, la tristezza, il tempo passato senza dignità e finito nella polvere e nella ruggine.

Sulle colonne ai lati del cancello c'erano i citofoni. Molti dei pulsanti non avevano niente nella targhetta a lato; alcuni avevano numeri; alcuni nomi stranieri, asiatici e dell'Europa orientale; alcuni avevano scritte in caratteri antiquati, che mi parvero patetiche. Famiglia Grandolfo, era una di queste. Mi fece pensare a quando, forse negli anni Sessanta, il signor Grandolfo doveva aver orgogliosamente comprato un bilocale nel complesso *Caribe*, vivendo quel momento come una fase della sua emancipazione sociale. Emancipazione che non c'era mai stata se a quarant'anni di distanza – e ammesso che fosse ancora vivo – andava a fare le vacanze estive in un posto cosí terribilmente triste.

Mi dissi che stavo divagando. Come al solito, peraltro.

Lessi accuratamente tutti i nomi, ma quello di Natalia B. non c'era.

Mi stavo domandando come avrei potuto procedere – citofonare a qualche signore con nome filippino, o magari proprio alla famiglia Grandolfo, e chiedere di aprirmi il cancello perché cercavo una scrittrice che probabilmente faceva anche la puttana? – quando mi resi conto che di lato alla pulsantiera del citofono, seminascosto da qualche rampicante sconosciuto e selvaggio, c'era un cancello per il passaggio pedonale. Aperto.

Ebbi solo un attimo di dubbio (se qualcuno mi vede entrare che dico?), poi aprii il cancello con decisione ed entrai. Cercavo via delle Acacie, ma non era un'impresa facile, in totale assenza di segnaletica e di esseri umani per le strade.

Camminai per una decina di minuti, percorrendo vie dai nomi di piante e fiori, sulle quali si affacciavano giardini e cortili desolati. Finalmente incontrai due esseri viventi: un vecchio signore con un vecchissimo cane. Nessuno dei due sembrava socievole.

– Buongiorno, signore, posso chiederle un'informazione?

Quello – l'uomo, non il cane – emise una specie di grugnito.

– Sto cercando via delle Acacie, ma davvero non riesco a orientarmi. Me la saprebbe indicare, per piacere?

Eccesso di spiegazioni, tipico di chi non si sente a proprio agio. Il vecchio mi guardò per qualche secondo, e quando già temevo che mi chiedesse chi ero, cosa ci facevo lí dentro e magari minacciasse di chiamare i carabinieri, rispose con una voce greve di accento e arrochita da milioni di sigarette, ettolitri di birra a buon mercato, secoli di una vita simile al posto in cui eravamo.

Dovevo tornare indietro, disse, perché via delle Acacie era vicina all'uscita.

Anche se era troppo presto, aggiunse con il tono dell'uomo di mondo che parla al neofita un po' stupido. Troppo presto per cosa, era?

Non cercavo le puttane?, disse con un'espressione leggermente dubbiosa, come se si stesse chiedendo chi fossi allora, se non un cliente dai bioritmi un po' alterati.

Ci pensai un attimo e poi non gli risposi. Feci solo un cenno col capo come a dire che no, non cercavo le puttane, e comunque non erano cazzi suoi. Poi mi voltai e andai verso via delle Acacie.

La palazzina, se possibile, aveva un'aria ancora piú malandata del resto del complesso.

Al pianterreno, su un balcone con la ringhiera da cui si era scrostato anche l'antiruggine, c'era della biancheria stesa ad asciugare. Sul citofono della palazzina c'erano numeri e solo un nome impronunciabile, quasi tutto di consonanti.

Nessuno passava per strada. Nessuno si affacciava ai balconi. C'era un senso di quiete e desolazione che assurdamente aveva un che di piacevole.

Dopo essere stato lí per una decina di minuti, sperando che qualcosa accadesse e mi togliesse dall'imbarazzo di decidere cosa fare, provai a suonare ai citofoni. Non rispose nessuno, ma dopo un minuto o due una signora dalla pelle nerissima e dall'età indecifrabile si affacciò al balcone della biancheria.

Amrita.

In *La doppia vita di Natalia Blum* c'era un personaggio secondario, una mauriziana di nome Amrita, amica della protagonista. La sua descrizione corrispondeva perfettamente alla donna che mi guardava sospettosa dal balcone, e fui sul punto di chiederle se si chiamava davvero cosí. Cosa volevo? Cercavo una ragazza che credevo abitasse in quella palazzina. Una delle puttane? Nel quartiere evidentemente non amavano i sinonimi o i giri di parole. Non lo sapevo se faceva la puttana, la cercavo perché – pensai in fretta a qualcosa di credibile e che mi consentisse di continuare a fare domande – dovevo consegnarle un atto del Comune.

– Tante ragazze abitano qui. Vanno, vengono, alcune qui solo fanno puttane e abitano da magnacci. Io lavora, non vede quasi mai. Meglio cosí, perché loro quasi tutte stronze. Puttane, – concluse, tanto per evitare equivoci sul suo punto di vista sull'argomento.

– La ragazza che sto cercando è bionda, piuttosto alta, credo si chiami Natalia…

Amrita, o come si chiamava, cambiò espressione.

– Natalia… lei non stronza. Io non crede che lei è puttana. Lei gentile, parla con me, vuole sapere mie cose. Mia amica.

Certo che vuole sapere *tue cose*, la tua amica Natalia. Le servono per il libro. Gli scrittori sono tutti uguali.

– Può dirmi, per piacere, quando posso trovarla?

– Non vedo da molti giorni.

– Non viene qui da molti giorni?

– Sí.

– Ma ha traslocato?

Quella mi guardò con la faccia di chi non capisce. Il verbo traslocare non doveva essere compreso nel suo vocabolario.

– Sa se ha cambiato casa, se è andata a vivere da un'altra parte?

– Non viene piú qui.

– Voglio dire: ha portato via le sue cose, non so… mobili, libri, vestiti?

– Io non ha visto. Lei non viene piú.

– Ma ha un'idea di dove potrebbe essere andata? Ha un numero di telefono, un altro indirizzo?

– Io non ha niente –. Nel suo tono si avvertivano adesso una venatura di sospetto e una di impazienza. Si era un po' rilassata quando avevo fatto il nome di Natalia, ma adesso si chiedeva di nuovo chi fossi davvero, cosa volessi e per quale motivo dovesse rispondermi.

Mi sentii invadere da un'esasperazione sorda e dal desiderio di prendermela con lei, di fargliela pagare, in qualche modo. Per il fatto che non mi dava le risposte che volevo, per il fatto di non parlare bene l'italiano, per il fatto, semplicemente, di essere lí mentre la mia frustrazione cresceva. Dovetti fare uno sforzo per dominarmi e mantenere un tono calmo.

– Sa dirmi in quale appartamento abita Natalia?

– Dietro, piccola casa, piú piccola di mia.

– Ma da quando lei non si vede piú è venuto qualcuno per entrare in casa?

– Io non ha visto nessuno. Casa sempre chiusa, tapparelle chiuse, tutto.

– Non è che per caso lei ha una copia della chiave?

Adesso mi guardò con ostilità aperta.

– Tu carabiniere?

– No, no. Se lei avesse la chiave, – mi fermai un attimo

a pensare ai congiuntivi, al lei che stavo usando e che quella sicuramente non capiva, – … se tu avessi la chiave e potessimo solo dare un'occhiata…

– Io non ha chiave.

– O se magari conosci il proprietario…

– … è meglio che tu va via, perché ora arrivano quelli.

Quelli erano due tizi che si erano avvicinati mentre parlavamo, senza che io me ne accorgessi. Albanesi, pensai guardandoli, qualche istante prima che uno dei due mi apostrofasse.

– Tu chi cazzo sei?

Che si risponde a una domanda del genere, in una situazione come quella? Piú tardi mi venne una serie di brillanti, possibili risposte. In quel momento balbettai solo qualcosa sul fatto che cercavo una ragazza. Quello mi disse che per le ragazze dovevo tornare la sera, e che per il momento me ne dovevo andare. Subito.

– Guardi, io non sto cercando una ragazza per… insomma… non voglio avere un rapporto, – giuro che dissi proprio cosí: non voglio avere un rapporto, – sto cercando una ragazza di nome…

Lo schiaffo arrivò senza che lo vedessi partire. A mano piena, sulla faccia e sull'orecchio. Non prendevo un ceffone cosí dai tempi del liceo, e mi ero scordato quanto fosse umiliante.

– Allora non capisci. Adesso vai via, subito. Se no ti spezziamo tutte le ossa, stronzo.

Rimasi lí qualche secondo, senza sapere né cosa dire né tantomeno cosa fare. Poi feci l'unica cosa sensata in quella situazione. Mi voltai e me ne andai.

L'investigatore privato era un signore sui sessanta. Sembrava uno di quei caratteristi che nei film di serie B fanno parti del tipo *vecchio truffatore* o, appunto, *investigatore privato disonesto*. Era piuttosto grasso, con un riporto imbarazzante e le dita gialle di nicotina.

Era il mio terzo tentativo. I primi due, quando gli avevo detto che mi occorrevano i tabulati di un telefono cellulare, mi avevano messo bruscamente alla porta, dicendo che loro non facevano certe cose. Il signor Bernardi, ispettore di polizia in pensione, era meno incline a sottigliezze legalistiche e tendeva piuttosto a considerare l'aspetto economico della faccenda.

– Vede, caro signore, quello che lei mi chiede non è una cosa facile. Prima di tutto perché – lei lo sa, è vero? – è illegale. I tabulati di regola si possono prendere solo con un provvedimento del magistrato.

– Sí, sí, lo so. Le assicuro che non ho nessuna intenzione illecita, è solo che...

– Ah, ma io sono sicuro che lei ha delle ottime ragioni. Si vede chiaramente che lei è una persona perbene. È per questo che io la voglio aiutare. Ma deve capire che non è una cosa facile e soprattutto non è senza rischi. Per ottenere questi tabulati, ammesso che ci riusciamo, ci serve la collaborazione di qualche funzionario della compagnia telefonica.

– Be', certo, mi rendo conto...

– ... e questa collaborazione, anche se si tratta di amici, non è gratuita. Potrebbe costare parecchio, e questo io devo dirglielo in anticipo, perché non vorrei...

– Quanto?

Quello assunse un'espressione pensosa, accarezzandosi il mento. Poi si accese un'Ms e buttò fuori il fumo con un sospiro.

– Lei mi è simpatico, voglio ridurre le spese al minimo, a costo di rimetterci io.

– E quindi?

– Lei vuole anche l'identificazione delle utenze con cui il numero che le interessa è entrato in contatto?

Ci misi qualche secondo a capire cosa significava. Voleva capire se mi serviva sapere di chi erano i telefoni con cui Natalia aveva comunicato. Certo che mi serviva, risposi.

– Ah… – fece Bernardi, come se avesse ricevuto una brutta notizia. – Questo complica ulteriormente le cose.

– E dunque?

– Guardi, facciamo cinquemila, ma davvero sono quasi certo di andarci a rimettere. Le persone con cui devo parlare di sicuro vorranno di piú. Capisce, loro rischiano il posto di lavoro per una cosa del genere.

– Va bene, – risposi senza nemmeno pensarci. Lo dissi cosí rapidamente che quello, glielo si leggeva in faccia, dovette pensare di aver chiesto troppo poco.

Mi disse che dovevo pagarlo o in contanti o con assegni intestati a me stesso e poi girati. Duemila subito, il resto alla consegna. Aggiunse che per quella cifra poteva darmi i tabulati dell'ultimo mese. Dal modo in cui lo disse capii che sperava gli chiedessi anche quelli precedenti, il che gli avrebbe consentito di chiedermi un sovrapprezzo. Ma a me l'ultimo mese bastava. Avrei visto le ultime chiamate, avrei capito con chi era stata in contatto Natalia e poi sarei andato a parlare con queste persone. Nemmeno per un istante mi passò per la testa l'assurdità del mio piano e di tutta la situazione. Compilai l'assegno e ci salutammo, d'accordo che mi avrebbe telefonato non appena avesse avuto i tabulati.

Quando mi sedetti di nuovo davanti a lui, due giorni dopo, Bernardi teneva una busta gialla fra le mani. Sembrava a disagio.

– Allora, ha quello che le ho chiesto?

Non mi guardò negli occhi. Poggiò la busta sulla scrivania, si accese un'Ms e mi rispose solo dopo aver fatto due o tre tiri.

– Dottor Blasetti, prima di dirle cosa ho trovato, vorrei sapere per quale motivo le servono le informazioni che mi ha chiesto.

– Mi scusi, Bernardi, ma i patti non erano questi. Lei mi ha chiesto una cifra non proprio modica, diciamocelo, io ho detto che andava bene, le ho dato l'acconto e adesso sono pronto a saldare. Lei mi dia quello che le ho chiesto, io le dò i soldi, me ne vado e fine della storia.

Quello non rispose. Fumò nervosamente il resto della sigaretta. La spense, schiacciandola in un posacenere di latta, sospirò e poi tirò fuori un foglio dalla busta gialla.

– Natalia B. si chiamava l'intestataria del numero che lei mi ha chiesto di controllare.

– Che vuol dire: si chiamava?

Bernardi sembrava un caratterista da film di seconda categoria, ma sapeva fare il suo lavoro e probabilmente era anche stato un bravo poliziotto. Si era procurato i tabulati e aveva fatto pure qualcosa di piú. Aveva verificato a chi era intestato il telefono e aveva fatto degli accertamenti anagrafici, per scoprire che Natalia B. era morta, a Bari, da meno di due settimane.

Mi sentii mancare, e mi resi conto, quando parlai, che la voce mi usciva in un filo.

– Oddio, è morta.

– Me l'ero immaginato che non lo sapesse. Istinto di vecchio sbirro, ma me l'ero immaginato.

– Come... come è morta?

– Questo non lo so, negli atti dell'anagrafe non c'è scritto.

– Ma è possibile che sia stata assassinata?

– Assassinata? Non credo proprio, cioè, non lo so, ma ne

avrebbero parlato i giornali. Non che io legga molto i giornali, ma insomma... perché pensa che sia stata uccisa?

– Scusi, ho detto un'idiozia. È che sono... cioè, non me l'aspettavo...

Non trovai altre parole e cosí rimasi in silenzio, in balia di quello che stava succedendo.

– Mi dispiace, – fece quello dopo un poco. – Era una sua amica, o altro?

Non sono fatti tuoi, mi dissi. Come in trance cercai il portafogli, ne tirai fuori l'assegno del saldo che avevo già compilato e glielo allungai attraverso la scrivania.

– Lungo da spiegare. Mi dia questi tabulati.

Prese l'assegno senza guardarlo, senza controllare se era la somma pattuita. Questo dettaglio mi fece sentire in colpa per il mio tono scortese.

– Se glieli dò cosí, senza spiegarle come leggerli, non credo che ci capirà niente.

Aveva ragione, dissi. Doveva scusarmi se ero stato un po' brusco, ma ero turbato. Quello mi rispose che comprendeva, girò attorno alla scrivania con i fogli e mi spiegò come interpretare quelle tabelle. Come capire se una telefonata era in entrata o in uscita dall'utenza esaminata; come controllare la durata e l'ora della comunicazione; come capire in che luogo si trovava l'apparecchio nel momento di ogni chiamata.

Ci volle un po', ma quando andai via portavo con me la conferma dei miei sospetti.

Nei tabulati c'erano alcune telefonate, in entrata e in uscita, con uno studio medico. E c'erano alcune telefonate, in entrata e in uscita, con un apparecchio cellulare intestato allo stesso medico titolare di quello studio.

L'ultima chiamata, il giorno della morte di Natalia, risultava proprio con quel cellulare.

Diventai pazzo. Tornava tutto, tutto si incastrava, tutto aveva senso. Un senso orribile, necessario, inevitabile.

Lasciai l'ufficio di Bernardi dicendomi che dovevo andare dai carabinieri e raccontare ogni cosa.

Durò poco. Che avrei potuto raccontare ai carabinieri? Che avevo scoperto un omicidio attraverso le pagine di un romanzo e procurandomi illegalmente i tabulati di un telefono cellulare? Ero certissimo di essere vicino a una verità orribile, privo di coordinate sui connotati di quella verità.

Fu naturale, allora, pensare che dovevo finire quel lavoro da solo, cosí come l'avevo cominciato. Pensai testualmente cosí, e immagino possiate capire che al momento mi sfuggiva la patetica pomposità delle parole che avevo scelto.

Avrei dovuto trovare quel medico e costringerlo alla confessione. Solo dopo sarei potuto andare dai carabinieri o dalla polizia con un colpevole e una storia plausibile.

Comprai un registratore con un microfono sensibilissimo. Acquistai una pistola giocattolo che era la perfetta imitazione di una calibro 9 semiautomatica. Noleggiai un furgone, localizzai lo studio dell'assassino e il pomeriggio del giorno dopo mi appostai vicino a quell'indirizzo, sull'altro lato della strada.

Per fare quello che dovevo.

È strano come in certi momenti di follia la mente funzioni con straordinaria lucidità ed efficienza.

Per essere certo di individuare il mio uomo, una volta nei pressi dello studio provai a telefonare. Alle prime chiamate nessuno rispose. Poi, verso le quattro, una voce di donna.

– Buonasera, studio medico.

– Buonasera, sono l'avvocato Lorusso, – il nome lo presi al volo dall'insegna di una salumeria lí davanti, – vorrei parlare con il dottore.

– Il dottore non è ancora in studio.

– Sa dirmi quando posso trovarlo?

– Guardi, avvocato, dovrebbe arrivare a momenti. Se ha bisogno di parlargli per qualcosa di urgente può lasciarmi il suo numero.

– No, no, grazie, non è urgente. Magari riprovo piú tardi. Buonasera.

Quando quello arrivò, una ventina di minuti dopo, lo riconobbi subito. Avrei potuto recitare a memoria la descrizione che c'era nel romanzo.

> Un uomo piccolo e magro, dall'aria innocua e uno sguardo dolce dietro gli occhiali da miope. Aveva forse sessant'anni, e solo quando sorrideva un lampo di brutalità indecifrabile balenava nella sua espressione.

Tutto quadrava. L'uomo che arrivò ed entrò nel palazzo dopo avere aperto il portone con le sue chiavi era piccolo e minuto, aveva gli occhiali e, guardandolo dall'altro lato della strada, dimostrava appunto una sessantina d'anni.

Tutto quadrava. C'era solo una piccola differenza rispetto al libro. Il medico del romanzo era un ginecologo, questo – lo diceva la targa vicino al portone – era un neurologo. Un dettaglio, mi dissi mentre aspettavo. Piccole modifiche per la finzione narrativa.

Aspettai lí sotto per piú di cinque ore, tenendo la mano sul calcio della pistola, come fosse stata un'arma vera che dovevo essere pronto a usare in caso di emergenza.

Ogni tanto qualcuno entrava nel palazzo e io mi chiedevo chi fra quelle persone – fra le donne, in particolare – fosse diretto allo studio del mio uomo. Magari fra quelle donne c'era la nuova vittima designata, pensai con un brivido di eccitazione. Mi ero infilato negli ingranaggi di un destino romanzesco e mi accingevo a cambiarne il corso.

Poco prima delle dieci quello uscí. Eravamo quasi in periferia, la strada era deserta, niente bar o ristoranti nelle vicinanze. Le condizioni ideali per fare quello che dovevo. Scesi dal furgone, aprii il portellone posteriore e attraversai la strada.

– Dottore, dottore... – dissi quando gli ero arrivato vicinissimo, alle spalle. Lui si voltò e io gli puntai la pistola in faccia.

– Vieni con me, stronzo.

– Vuole i soldi? – fece quello portando la mano verso la tasca posteriore dei pantaloni. Gli diedi uno schiaffone con la mano libera.

– Vieni con me o ti ammazzo, stronzo –. Guardandomi attorno lo spinsi velocemente verso l'altro marciapiede e poi all'interno del furgone. Entrai anch'io, chiusi il portellone e poi gli diedi un altro schiaffo, perché non gli venissero idee sbagliate. – Se provi a gridare ti ammazzo, hai capito?

– Che cosa vuole da me? Forse ha sbagliato persona.

– Non ho sbagliato niente. Adesso ascoltami bene. Io ti farò delle domande e tu mi risponderai, facendo bene attenzione a non dire cazzate. Prova a dirmi bugie e io ti ammazzo senza pensarci un secondo, chiaro?

Il medico non disse niente. La sua faccia era invasa dalla paura e soprattutto da uno stupore assoluto. Uno stupore che sembrava impossibile da simulare. Fu quello che pensai in quel momento, con un senso di disagio che dovetti ricacciare via a forza, costringendomi ad andare avanti. Cosí, prima di parlare di nuovo, gli puntai la pistola all'altezza del viso e armai il cane con il pollice.

– Adesso voglio che mi racconti esattamente cosa hai fatto a Natalia. Se mi dici una cazzata ti sparo in testa.

– Cosa ho fatto a Natalia?

Le cose non stavano andando come me ero immaginato.

Non è che avessi pensato di ottenere subito una confessione, ma ero certo che subito avrei letto i segni della colpa nei suoi occhi e nelle sue espressioni. Sapevo che ottenere una confessione sarebbe stato difficile, ma non mi aspettavo di trovarmi di fronte a quello stupore cosí totale.

Fu quella espressione che mi fece riprendere contatto con la realtà, credo.

E riprendendo contatto con la realtà fui colto dal panico. Cosí, per darmi coraggio, perché non sapevo cos'altro fare, gli diedi ancora uno schiaffo.

– Cosa le hai fatto, pezzo di merda? – Sentivo l'insicurezza nella mia voce. Probabilmente la sentí anche lui.

– La prego, non faccia sciocchezze. Lei non ha capito bene qual era la malformazione di Natalia. Nessun medico poteva salvarla.

La malformazione?

– Quale malformazione?

Quello rispose parlando in fretta, come per approfittare di un'occasione; per evitare che ritornassi alla pazzia e ricominciassi a picchiarlo.

– Natalia aveva una malformazione vascolare cerebrale. Un difetto congenito grave. L'avevo operata, due anni fa, ma questo non la metteva al sicuro, con quel tipo di patologia. Questo incidente poteva succedere in qualsiasi momento, come poteva anche non succedere mai. Lei lo sapeva di essere in bilico. Nessuno può dire veramente come e perché sia avvenuto. Voglio dire che non sapremo mai la causa finale dell'emorragia. Uno stress, uno spavento, anche una gioia improvvisa.

Una gioia improvvisa. Quelle parole mi fecero pensare, gelandomi il sangue, all'e-mail con cui le avevo proposto la pubblicazione.

– Lei viveva con questa bomba a orologeria dentro di sé.

Lo sapeva. E del resto, – aggiunse come se quella verità l'avesse trafitto, inattesa, – ce l'abbiamo tutti, un congegno a orologeria. Solo il funzionamento è diverso.

Lasciai cadere le braccia che erano diventate pesantissime. Mi stavo svegliando da un sogno. Con le parole del medico la realtà delle cose riprendeva il sopravvento sul mondo fantastico che mi aveva intrappolato fino a quel momento. Non so quale dei due fosse piú brutale e angoscioso.

– Quando ha avuto l'attacco e mi ha telefonato, era per strada. Sono corso lí subito, dopo aver chiamato l'ambulanza, ma quando siamo arrivati era già tardi. Non c'era niente che potessi fare piú.

Rimanemmo in silenzio uno di fronte all'altro, per un tempo indefinito. Poi finalmente ritrovai un filo di voce.

– Io… io… mi scusi. Non so cosa mi ha preso, ero impazzito. Adesso andiamo al pronto soccorso e poi dai carabinieri, lei mi denuncia e io confermo tutto. Non so cosa mi ha preso.

Gli porsi la pistola, in un gesto di resa. Lui la spostò di lato, con cautela.

– Stia attento, può partire un colpo.

– È finta, è un giocattolo.

Spalancò gli occhi e sembrò sul punto di dire qualcosa. Poi si massaggiò il lato del viso su cui l'avevo colpito due volte. Mi guardò scuotendo leggermente il capo e alzando appena le spalle.

– Lasci perdere i carabinieri e vada a casa. Anche a me manca molto, Natalia. La conoscevo da quando era bambina, era una persona straordinaria, in tutti i sensi. Lo so che è una cosa banale, ma per me era come una figlia.

Finí di parlare, mi poggiò la mano su un braccio e me lo strinse, in un gesto di solidarietà che non meritavo. Poi cercò la maniglia del portellone, lo aprí e andò via.

Non so per quanto tempo guidai senza meta per strade sconosciute, con la testa che funzionava come se avessi fumato un'erba particolarmente buona e forte. Non riuscivo a seguire i pensieri. Si formavano, io cercavo di afferrarli, di metterli in parole, e quelli schizzavano via, in posti dove non ero capace di arrivare.

Ricordo che a un certo punto mi sovvenne che avevo una cosa da fare. Accostai il furgone, tirai fuori dalla tasca il registratore che non avevo nemmeno messo in funzione e lo schiacciai sotto il tallone, due, tre, quattro volte. Poi lo buttai in un cassonetto insieme alla pistola e tornai alla guida.

Forse mezz'ora dopo, senza sapere come, arrivai davanti al mare e fu lí – seduto su uno scoglio – che cominciai a riprendere il controllo dei miei pensieri.

Nel mio libro c'è un capitolo dedicato alla costruzione dei personaggi. Mi tornò in mente mentre ero seduto su quello scoglio. Rammentai alcune frasi, inattese come una rivelazione.

> Fra i metodi usati da alcuni scrittori per creare personaggi interessanti, ce n'è uno che prediligo: prendere qualcuno dal mondo reale e farlo agire, nel mondo narrativo, in modo completamente opposto rispetto alla sua vera indole. Allora provate a individuare una persona dai comportamenti moralmente discutibili nella vita reale, portatela nel mondo romanzesco e fatela agire in modo etico o addirittura eroico. O al contrario: prendete una persona buona (qualunque cosa significhi davvero questa definizione) e attribuitele nella vostra storia il ruolo dell'eroe negativo. Questo consente di produrre contaminazioni imprevedibili e dunque personaggi ricchi di sfaccettature.

Alle parole che io stesso avevo scritto si mescolò la voce di Natalia, come mi sembrava di ricordarla in quel nostro breve incontro.

Ci tengo a dirle, e giuro che non è un trucco per guadagnarmi la sua simpatia, che sono riuscita a cominciare a scrivere solo dopo aver letto il suo libro.

Nei limiti delle mie capacità, cerco di seguire i suoi suggerimenti.

Mi parve per un istante di cogliere una verità, o almeno un significato, nelle sue e nelle mie parole insieme.

Mi parve, ma forse era solo una maniera di prendere congedo.

Era il momento di tornare a casa, mi dissi mentre una luce pallida cominciava a mostrare la linea dell'orizzonte, sul mare.

Giorgio Faletti

Per conto terzi

La stazione è il normale scalo ferroviario di una città di provincia.

Binari dietro e binari davanti, fili tesi a fare a strisce il cielo e la ruggine delle traversine a colorare il pavimento fino alla curva che si indovina in fondo. Di fianco, un edificio lungo e basso che per architettura e colore non potrebbe essere altro che una stazione. Il cartello blu appeso propone «Asti» ai viaggiatori sui convogli di passaggio e lo impone a chi si ferma.

Il treno stride di freni e di ferro fino ad arrestarsi e le porte si aprono.

Passeggeri scendono mentre una voce suggerisce coincidenze. Nomi che non fanno sognare, ordinarie vicinanze, semplici ritorni a casa. Fine dell'avventura di un viaggio, che in posti come questo, non è quasi mai tale. Sono eventi giornalieri che offrono come ricompensa la rigida e ineluttabile monotonia della pendola.

Tic, tac, tic, tac...

Un'oscillazione all'andata e un'altra al ritorno, ogni giorno uguale, finché la carica non finisce e rimane solo da constatare se l'ultimo secondo corrisponde a un tic o a un tac. Mentre scende dal treno, l'uomo che ha preso la sua decisione pensa che quella in fondo è anche la sua vita, un treno al mattino e uno alla sera, senza soluzione di continuità, finché sarà troppo stanco per continuare.

O la vita deciderà che lui è troppo stanco per continuare...

In ogni caso, l'uomo che ha preso la sua decisione ha promesso a se stesso che quello sarà un giorno speciale. Il giorno in cui il pianto avrà una giustificazione e il dolore una ricompensa. Il giorno in cui andrà a caccia di un sorriso, non per lui ma per una persona morta.

O per tutte le persone morte.

Se tutto fosse migliore, se tutto fosse giusto, se tutto si avvicinasse anche solo a una parvenza di quella legge che dovrebbe essere uguale per tutti, non ci sarebbe ragione di fare quello che ha scelto di fare.

Se tutto fosse stato diverso...

Quei pensieri sono cosí forti dentro di lui che serra d'istinto le mascelle. Sono cosí chiari e cosí chiara è la sua motivazione che non si stupirebbe di averla stampata sul viso. Si meraviglia che la sua determinazione non sia un colore o una statura o una dimensione tale da farlo risaltare in mezzo alla gente che ha intorno come il personaggio abnorme di un grottesco cartone animato.

Invece il suo volto e la sua espressione e la sua statura sono quelli di sempre, e naviga in mezzo a persone come una barca senza tempeste né bandiera. Nessuno fa caso a lui. Hanno tutti la mente rivolta a qualcosa che hanno trovato o stanno per trovare all'inizio o alla fine del loro breve o lungo o facile o noioso percorso. Per tutti è solo un altro anonimo passeggero che affronta il tempo e lo spazio e si perde nella piazza della stazione.

Appena fuori, si ferma e guarda con gli occhi dell'abitudine una città che ha già visto molte altre volte.

Lí e altrove.

Paesaggio di provincia, panorama da scalo ferroviario: alberi, taxi, autobus, una fontana, dei negozi ai lati. Il refrigerio di una gelateria per i giorni d'estate. Una popolazione spuria che è la somma di quella e di tutte le stazioni del mondo. Anche dall'altra parte di quel percorso giornaliero che da anni è la sua vita c'è una scena come quella. Cambia il nome sul cartello all'arrivo del treno, cambia il teatro, cambiano gli attori, ma non i personaggi.

Serve solo un attimo o poco piú per capire chi è chi, se uno ha desiderio o voglia di farlo.

Scrolla leggermente le spalle e si avvia a piedi, senza fretta, perché non ha scadenze da rispettare ma solo un risultato da ottenere. Mentre attraversa la piazza e ha come unico scopo la città, pensa che il giorno dopo, quando salirà di nuovo su quel treno, si lascerà un orologio fermo alle spalle. Non sa come sarà il suo passo e quali saranno il suo respiro e i suoi pensieri, ma è certo che non saranno piú gli stessi. Si allontana, protetto dal soprabito anonimo che indossa e che non riesce a dare vigore alla sua camminata e a nascondere le spalle leggermente curve.

Nella tasca destra di quel soprabito, l'uomo che ha preso la sua decisione nasconde una pistola.

1.

Il Bradipo aveva due voci.

Una era per tutti, quella con cui parlava al mondo e che chiamava la Voce Buona. Era la voce che ragionava, che salutava e diceva grazie e prego e scusi, ma non era niente altro che una specie di maschera sonora, un paravento dietro al quale nascondersi per tutte le ore che doveva passare fra la gente. E poi ce n'era una riservata a lui soltanto, quella che sentiva dentro e con la quale ragionava e parlava come se provenisse da una parte autonoma del suo cervello. In tutto quel tempo era stato cosí bravo a nasconderla che nessuno sospettava esistesse. Quella era la sua vera voce.

Era la Voce Cattiva.

Quella che adesso si muoveva senza parole sulla sua bocca, mentre guardava le ragazze e si leccava le labbra.

Aveva lasciato la macchina nel parcheggio sul retro dell'albergo e a piedi era uscito dal buio sul viale alberato davanti allo stadio. Aveva piegato a destra e si era lasciato l'hotel alle spalle, accettando come un timbro sulla pelle del giubbotto il riverbero delle luci che proveniva dai saloni. Camminando piano e guardando fisso davanti a sé, aveva attraversato la strada e si era avvicinato alla recinzione solo quando si era trovato dalla parte opposta alla caserma dei vigili del fuoco.

Non stava facendo niente di male ma, con i suoi precedenti, voleva evitare di attirare l'attenzione. La caserma era una posizione immota che avrebbe potuto animarsi da un momento all'altro, e poi c'era sempre qualche vigile annoiato che lanciava uno sguardo di troppo fuori dalla finestra. Era gente addestrata a vedere, oltre che a guardare. E lui non voleva essere né guardato né visto.

Non in quel posto e a quell'ora, almeno.

Aveva attraversato la strada solo quando era arrivato all'altezza di una macchia di oleandri che definiva il confine fra la rete e il muro, dove il viale diventava curva e il muro il cancello dell'ingresso di servizio dello stadio. Si era sistemato in modo che quei cespugli posti nel breve tratto erboso che costeggiava l'asfalto lo proteggessero il piú possibile dagli sguardi di chi si trovasse a passare sulla strada, a piedi o in macchina. Anche se quella non era piú stagione di passeggiate a piedi e a quell'ora della sera le auto tiravano via dritte, lamiera squadrata e ruote tonde che portavano gente verso una casa e verso una cena.

Tirò su il bavero del giubbotto e appoggiò le mani alla griglia rivestita di plastica verde. Con dita a uncino si ancorò alla rete come un parassita al suo ospite. Dall'altra parte c'era il verde luminoso dell'erba di un campo da calcio, scintillante di umidità sotto le luci. Dall'altra parte c'era il mondo che riempiva ogni giorno le sue fantasie. Davanti alla porta piú vicina a lui, le componenti di una squadra di calcio femminile stavano facendo allenamento sotto le luci sparate dei riflettori. Quasi tutte indossavano la tuta, ma qualcuna, nonostante la serata fresca, aveva i calzoni corti e le gambe spiccavano nude e sode sotto il bagliore quasi sfacciato dei tabelloni pieni di fari, su in alto.

Ce n'era una in particolare, piú alta della media delle sue compagne, con un viso dolce e un corpo magro e flessuoso che ricordava molto il fisico di una modella piú che quello di una sportiva. Si era allontanata dal gruppo che stava ascoltando le parole piene di gesti dell'allenatore. Se ne stava a pochi metri di distanza e palleggiava con abilità sorprendente, trasferendo senza difficoltà il pallone dal piede destro al sinistro e al ginocchio e ancora al piede, con un movimento di anche che conferiva a quel gesto tecnico una strana sensualità, un colore di danza sotto la luce bianca.

Era ancora abbronzata nonostante l'estate fosse ormai un ricordo, e il Bradipo pensò che ogni tanto facesse una lampada in qualche centro estetico per mantenere intatto quel colore ambrato. Se l'immaginò uscire dai vestiti ed entrare nuda nella cabina della doccia solare, i seni sodi e le natiche acerbe liberi di essere frugati dalle dita viola dei raggi Uva.

Il Bradipo si passò un'altra volta la lingua sulle labbra. Non ne ebbe nessun sollievo, perché la bocca era piú secca delle labbra. Sentiva il peso di un'erezione gonfiargli i pantaloni. Avrebbe voluto entrare con lei nudo e furtivo nello spazio angusto di quella cabina e parlarle con la Voce Cattiva mentre glielo metteva dentro. L'idea improvvisa che potesse essere vergine gli fece salire una vampata di calore dallo stomaco alle tempie. Sarebbe stato un piacere ancora maggiore prenderla con furia, senza nessun tipo di cura per lei, sapendo che quell'atto ruvido le avrebbe provocato un poco di dolore...

Fatti una sega, disse la Voce Cattiva.

Non qui, rispose a fior di labbra usando la Voce Buona.

Trattenne a stento l'impulso di sbottonarsi i pantaloni, tirare fuori l'uccello e masturbarsi al ritmo dei palleggi della ragazza. La Voce Cattiva non sempre andava seguita. Aveva avuto già troppi guai per colpa sua, e aveva dovuto imparare a tenerla a freno.

Almeno un poco. Almeno in pubblico.

Sul campo la ragazza smise di palleggiare, come riscuotendosi da un suo momento di intimità, dal dialogo esclusivo con un pallone che in quel frangente forse rappresentava piú di quello che era logico rappresentasse. Con un guizzo agile del piede alzò la palla da terra e la strinse fra le mani. Tenendola sottobraccio, girò le spalle alla posizione in cui stava il Bradipo e rientrò verso il gruppo, che non si era accorto della sua assenza.

Mentre si allontanava, il gioco delle sue natiche sotto il tessuto leggero dei pantaloncini bianchi divenne quasi ipnotico agli occhi affascinati del Bradipo.

Ti ha visto e vuole eccitarti, quella puttana, disse la Voce Cattiva, urlante e silenziosa.

Il Bradipo rimase indeciso. Forse quella volta la Voce Cattiva aveva ragione. Forse quella giovane donna aveva la malizia e la provocazione di una donna adulta. Di una delle prostitute con le quali riusciva a scopare ogni tanto, quando aveva i soldi per permettersele.

Nel soddisfacimento delle sue variegate libidini, il Bradipo era afflitto da una serie di problemi: era brutto, senza un centesimo e gli piacevano le donne belle. Il suo viso dagli occhi sporgenti e acquosi, gli incisivi pronunciati e la quasi totale assenza di mento gli avevano guadagnato il soprannome che ormai si portava addosso come un epitaffio. Per tutti, Lucio Bertolino era morto il giorno maledetto in cui, quando stava in prigione, qualcuno aveva detto che somigliava al bradipo di quel cartone animato, *L'era glaciale*.

Era entrato in galera da uomo, ne era uscito come una caricatura.

Questo non gli aveva cambiato la vita, almeno sotto un aspetto formale. Come prima, Lucio o Bradipo che fosse, le uniche donne con cui riusciva ad avere dei rapporti gratuiti lo disgustavano. E lui disgustava quelle che davvero gli piacevano.

Tutto quello che poteva fare per avere del sesso era pagare. Le puttane erano le uniche donne che riuscivano a soddisfare le sue voglie e a realizzare le sue fantasie. Le cercava su Internet, in uno dei tanti siti pieni di foto allusive, natiche e seni nudi offerti alla vista e talvolta visi leggermente sbiaditi per cercare di mascherare lineamenti che, nonostante tutto, si indovinavano lo stesso ed erano per questo ancora piú eccitanti. Erano ragazze giovani, squillo di lusso, e il corrispettivo era sovente inarrivabile per le finanze del Bradipo. Qualche volta, quando le tasche erano vuote, si accontentava di osservare quelle immagini accese sullo schermo e si masturbava lasciando correre la sua immaginazione, creando nella sua testa il film di quello che avrebbe potuto fare con una qualsiasi di loro.

La prossima volta avrebbe scelto una ragazza che somigliasse a quella che fino a poco prima aveva fatto saltare il pallone sui piedi con quel movimento ipnotico, quasi un'allusione sessuale.

Su, giú, su, giú, su, giú...

Si sarebbe procurato i vestiti e le avrebbe chiesto di vestirsi come lei e le avrebbe chiesto di spogliarsi in bagno e di fare la doccia, come fa ogni sportivo dopo l'allenamento. Poi...

Le luci del campo si spensero, spegnendo nello stesso tempo lo schermo mentale sul quale stava proiettando le sue immagini. La donna che si stava spogliando per lui si sciolse e galleggiò in una macchia giallastra davanti agli occhi.

Il Bradipo rimase da solo e al buio, come sempre.

Restò qualche istante ancora aggrappato alla rete, come fosse elettrificata dalla sua eccitazione. Poi si staccò, lasciò la protezione del cespuglio e attraversò la strada per tornare alla macchina. Mentre camminava, pensava a come fare per procurarsi del denaro. Era in bolletta sparata, ma si sarebbe inventato qualcosa. Da sempre si arrangiava e lo avrebbe fatto anche quella volta. Un suo amico gli aveva appena presentato dei tipi che gli avevano assicurato che c'era da fare bene con lo spaccio, che ormai la droga era un articolo universale con un mercato aperto a tutte le categorie sociali.

Fumo, coca, eroina, ecstasy...

Uno sballo garantito per tutte le tasche e per ogni tipo di assuefazione.

Lui era sempre stato fuori da quel giro, non per un codice morale ma perché non aveva mai avuto occasione di entrarci. Si era sempre arrabattato con piccoli furti negli appartamenti, squallide rapine a pensionati usciti dall'ufficio postale, scippi e roba del genere. Poca roba per la quale non era quasi mai stato beccato. Le cose che maggiormente lo avevano segnalato alla polizia erano state delle denunce per molestie da parte di alcune ragazze, denunce che si erano risolte in una bolla di sapone quando lui aveva smesso di perseguitarle.

La sola volta che aveva tentato qualcosa di grosso, era andata come era andata. Forse lui e i suoi amici avevano fatto il passo piú lungo della gamba. Come risultato, si erano trovati dentro con sul groppone piú capi d'imputazione che pulci addosso a un cane.

Eppure tutto sarebbe andato liscio come l'olio, se solo non ci fosse stata quella dannata curva e quella dannata macchina...

Tuttavia, in prigione il Bradipo aveva imparato come va il mondo. Un certo mondo, almeno. Quelli veri, sgamati, gli avevano spiegato come si fanno i soldi. E lui aveva capito che la legge è una rete dalle maglie piuttosto larghe. Secondo la regola, si sarebbe dovuto fare dentro diversi anni. Ma con il patteggiamento, l'indulto e lo sconto di pena per buona condotta se l'era cavata con meno di tre.

E adesso era deciso a fare sul serio.

Per pagarsi tutte le puttane che gli piacevano e tutti i buoni avvocati che servivano, quelli che permettono di entrare in carcere la sera e di uscire il giorno dopo.

Passo dopo passo era di nuovo davanti all'albergo. Dall'interno del salone illuminato arrivavano voci e rumore di stoviglie. Forse una delle tante cene sociali di Rotary, Lions o roba del genere. Gente ricca, con le tasche piene di grana, di quelli che non avevano problemi e che forse non ne avevano mai avuti. Quelli che passavano con le loro macchinone lucide e pulite davanti a Praia, il quartiere malfamato dove abitava lui, lanciavano uno sguardo disgustato o distratto e passavano oltre, diretti alle loro belle case sulle colline o nel centro storico.

Bastardi teste di cazzo, disse la Voce Cattiva.

Lasciò la Voce Cattiva appesa alle finestre a urlare la sua ira. Svoltò l'angolo e la sua mente cancellò quello che stava vedendo e tornò a quello che aveva appena visto. L'eccitazione spazzò via quell'accenno di rabbia. Ora sarebbe rientrato a casa, avrebbe acceso il computer e sarebbe andato a spasso su Internet a cercare una ragazza che somigliasse alla sconosciuta giocatrice di calcio. Quando l'avesse trovata, sapeva che avrebbe recuperato intatta la sua Voce Cattiva per parlare con l'immagine sullo schermo, in attesa di poterle parlare di persona.

Magari le avrebbe anche telefonato, per sentire la sua voce e sapere quanto chiedeva per assecondare le sue fantasie.

Eccitato da quell'idea, affrettò il passo e raggiunse la macchina, che aveva lasciata discosta da tutte le altre, col muso appoggiato a una siepe d'alloro che delimitava il parcheggio. Stava cercando le chiavi nelle tasche del giubbotto quando dall'ombra gli si parò di fianco una figura d'uomo, annunciata dall'ondeggiare di un soprabito. Prima ancora di riuscire a distinguere i suoi lineamenti, realizzò che nella mano sinistra impugnava una pistola.

Il suo tono era basso e senza emozione.

– Buonasera, signor Bertolino.

Istintivamente il Bradipo fece un passo indietro.

– Chi cazz...

– Shhh, – lo zittí l'uomo. – Non fare casino e sali in macchina.

Mentre estraeva le chiavi e apriva la portiera, sempre tenendolo sotto mira, l'uomo passò dall'altra parte dell'auto per sedersi sul sedile del passeggero.

Entrarono in macchina e la luce del cruscotto cadde sul viso dell'uomo con pistola. Il Bradipo aveva un sacco pieno di pessime memorie e ci frugò dentro.

– Ma io ti ho già visto. Tu sei...

L'uomo lo interruppe.

– Non ha importanza chi sono io. Ha importanza chi sei tu.

Il Bradipo non aveva un cervello che gli permettesse di fare troppe cose insieme. Mise da parte tutte le domande che si stava facendo e iniziò ad avere paura.

– Che cosa vuoi?

Si rese conto che dalla sua bocca era uscita una tremante Voce Buona.

L'uomo indicò con la mano libera dalla pistola un punto imprecisato oltre il parabrezza.

– Viaggiare un poco. Metti in moto. E vai piano.

Mentre girava la chiave per l'avviamento, il Bradipo si sentí di colpo la gola secca e non riuscí a trovare nemmeno un'altra parola da dire con una qualunque delle sue voci.

2.

Intanto che si faceva strada fra i cespugli, Carlin Bonomo non poteva fare a meno di sentirsi un poco contrariato. Suo figlio, che parlava come parlano i giovani, avrebbe detto incazzato, e forse sarebbe stata l'espressione piú giusta. Se le cose procedevano in quel modo, sarebbe stata la seconda notte in giro a vuoto per la campagna. La stagione era stata quella che era stata, e la logica della meteorologia che regolava il suo secondo lavoro si stava dimostrando una scienza esatta. Durante l'estate non aveva piovuto, e il sole e il caldo non avevano avuto nessun tipo di antagonista.

Dunque, secondo una prassi consolidata, ottima annata per il vino. E di conseguenza annata di merda per i funghi e i tartufi. Carlin ricordava l'espressione beata che portavano stampata sul viso tutti quelli che avevano appena vendemmiato un'uva capace di diventare nel tempo un grande prodotto. Ricordava come si sfregavano le mani in attesa di mettere le loro etichette su bottiglie che avrebbero raggiunto le tavole di ristoranti in Italia, in America, in Russia, in Giappone.

Quello che lo faceva incazzare era che su quelle tavole, per quell'anno almeno, non ci sarebbero stati i suoi tartufi. Per soddisfazione personale e non per un mero fatto economico, che pure aveva una sua ragione di essere.

Il mestiere di *trifulau*, come chiamano da quelle parti i cercatori di tartufi, era stato nel tempo un sostanzioso complemento al suo lavoro di elettrauto. Per anni era stato in officina a cambiare batterie e sostituire lampadine bruciate e riparare impianti elettrici. Ogni giorno dalle otto del mattino alle sette di sera, in inverno, in primavera, in estate...

Ma in autunno, nella stagione giusta, ogni notte prendeva la macchina e Tabuj, il suo cane, e usciva. Andava nei posti che conosceva solo lui, quelli segreti, esclusivi, quelli che ogni cercatore di tartufi che si rispetti ha sulla sua mappa privata e che frequenta solo con il favore del buio, per evitare di mettere in pratica una bandiera di segnalazione su quello che era in realtà un improprio dominio personale.

Carlin sorrise.

In televisione aveva sentito di un re, non ricordava quale, che diceva che sulle sue terre non tramontava mai il sole. Invece sul suo piccolo regno stagionale il sole non sorgeva mai.

Di colpo il cane che camminava in qualche punto davanti a lui emise un guaito sommesso. Era il segnale. Una specie di codice consolidato nel tempo con cui Tabuj gli segnalava che qualcosa aveva destato il suo interesse. Carlin accese la speranza insieme alla pila e le puntò tutte e due nella direzione da cui era arrivato il verso del cane. Lo vide annusare a terra e accennare con le zampe anteriori il movimento di scavo. Si fermò quasi subito e girò la testa verso di lui, ansioso. Il suo corpo sembrava percorso da una contenuta, elettrica frenesia, mentre Carlin si chinava, lo scostava con garbo e iniziava a scavare con delicatezza nel punto indicato dal cane.

Si rese conto che ancora una volta il fiuto dell'animale non aveva sbagliato. Portò piano piano alla luce un tartufo che, sorretto nel palmo di una mano divenuta nel corso del tempo quasi precisa come una bilancia, gli diede un peso approssimativo di circa mezz'etto.

Non era affatto male.

Con la penuria di quell'anno era un bel pezzo, che alla fine del suo cammino sarebbe arrivato a costare fino a settemila euro al chilo. Avvolse il tartufo in un pezzo della carta che portava sempre con sé e lo mise nella borsa di tela che teneva a tracolla. Tabuj lo guardava fisso, scodinzolando lentamente. Emise un nuovo guaito, questa volta con un significato diverso.

– Va bene, va bene, ho capito.

Mise una mano nella tasca della giacca e la coda del cane accelerò il ritmo. Ebbe un piccolo gesto di impazienza, sollevandosi leggermente sulle zampe posteriori. Ogni volta che Tabuj faceva il suo dovere, Carlin lo premiava con un saporito pezzo di carne cruda. Tirò fuori il boccone e glielo porse, in attesa che lo prendesse delicatamente fra i denti e lo masticasse senza fretta. Lo accarezzò sulla testa. Un cane da tartufi poteva valere una piccola fortuna, e se era bravo come il suo, le dimensioni di quella fortuna aumentavano sensibilmente.

Tuttavia, guadagno a parte, Carlin non si sarebbe mai separato dal suo socio, quel meticcio di mezza taglia che nel tempo gli aveva fatto guadagnare delle discrete somme. Anche in questo caso non c'era solo un fatto economico, di mezzo. Lo aveva addestrato personalmente, con pazienza, giorno dopo giorno, fino a fargli raggiungere il livello attuale.

Erano invecchiati insieme e insieme sarebbero rimasti, anche se di colpo quell'ammasso di pelo avesse perso il suo fiuto e non fosse stato piú in grado di guadagnarsi la pagnotta.

Se era vero che l'uomo non vive di solo pane, era altrettanto vero che non vive di soli tartufi...

Spense la torcia con un sospiro e lasciò che il cane si muovesse di nuovo a suo piacimento. Attese che gli occhi si riabituassero alla luminosità di quella notte da quarto abbondante di luna. Alzò la testa verso il cielo e si impresse nello sguardo quella falce luminosa, una delle tante della sua vita. A forza di quarti e di lune nuove, il tempo era passato quasi senza che lui se ne accorgesse.

Adesso, per usare un'espressione che adoperava di solito, *l'era pú nen in fanciot*, non era piú un ragazzino. Si avvicinava il momento in cui avrebbe lasciato la sua piccola officina al figlio. Era un bravo ragazzo e aveva imparato bene il mestiere. Adesso era quasi ora che camminasse con le sue gambe. Carlin si era costruito una discreta pensione e aveva messo da parte un gruzzolo tale da tutelare lui e la moglie da ogni inconveniente. La casa in cui abitavano era di sua proprietà, e aveva un paio di negozi affittati che garantivano un'ulteriore rendita. L'extra rappresentato dal part-time notturno alla ricerca di quello che chiamavano l'oro bianco, oltre che un passatempo, avrebbe potuto garantirgli ancora molte notti di svago e di guadagno, adesso che sua moglie dormiva sempre meglio e lui dormiva sempre meno.

Imboccò un sentiero e si diresse verso una macchia coperta dalle fronde di un gruppo di alberi. Quando la raggiunse, dovette accendere la pila per individuare il sentiero che intendeva imboccare. Un luccichio sulla destra lo incuriosí. Puntò la torcia in quella direzione e nel fascio di luce apparve, seminascosta tra le frasche, una macchina. La luce si rifletteva sul lunotto posteriore. Carlin si affrettò a spegnere la sua fonte di luce. Era un'utilitaria di colore amaranto piuttosto male in arnese, e la sua presenza in quella zona poteva significare solo una cosa. Di certo non era un altro *trifulau*. Difficilmente un collega avrebbe parcheggiato in quella zona. Si sarebbe comportato come lui. Avrebbe lasciato la sua vettura lontano da lí, in una piazzola sulla strada, per non segnalare la sua presenza. Probabilmente era una coppietta che si era appartata in cerca di un'intimità che solo il buio e i vetri appannati di una macchina fornivano a chi non poteva permettersi il conforto di un motel.

Si allontanò cercando di non far rumore, per una serie di motivi abbastanza validi. Il primo era che non ci teneva a passare per un maniaco. Un suo amico cercatore, in una situazione analoga, si era trovato davanti un marcantonio che lo aveva scambiato per un voyeur e lo aveva gonfiato di botte. Tutte le restanti ragioni passavano decisamente in second'ordine rispetto all'eventualità di rientrare a casa con gli occhi pesti.

In quel momento, in qualche punto alla sua sinistra, Tabuj prese ad abbaiare furiosamente.

Strano.

L'abitudine aveva fatto di lui un cane silenzioso, durante la cerca. Il cane aveva intuito, in un modo che Carlin non sapeva spiegarsi, che era meglio non segnalare la loro presenza. L'unico rumore che si permetteva era quel sommesso e buffo guaito quando sentiva un tartufo oltre lo spessore della terra. E, nel tempo, aveva dimostrato di essere del tutto indifferente agli animali selvatici che talvolta incontravano durante il loro girovagare notturno. L'istinto per la caccia non faceva parte del suo bagaglio di talenti.

Si avviò nella direzione del rumore, imponendo con il pulsante della torcia brevi lampi di luce all'oscurità per evitare di infilare il piede in qualche buca.

– Shhh. Silenzio!

Indirizzò a mezza voce l'ordine verso il punto da cui provenivano i latrati, ma Tabuj continuò imperterrito la sua cagnoleria forsennata. Quando arrivò nel punto dove si trovava il cane, lo vide sotto un albero, che abbaiava girando su se stesso e interrompeva il movimento solo per rizzarsi ogni tanto sulle zampe posteriori, il muso rivolto in su, quasi che quella piccola acrobazia lo aiutasse a meglio rivolgere il suo nervosismo verso qualcosa che stava sopra di lui.

Carlin puntò la torcia in alto e si sentí svenire. Si appoggiò al tronco della pianta vicina a lui mentre sentiva le gambe farsi molli come se dentro non ci fossero piú le ossa. Una boccata di acido gli salí a impastare e impestare la bocca. Fece fatica a ricacciare indietro quello che restava della sua cena e che stava cercando di risalire le pareti dello stomaco.

Davanti a lui, racchiuso fra la luce della luna e quella della torcia che si contendevano gli spazi tra le fronde, appeso per il collo a una corda legata a un grosso ramo, c'era il corpo di un uomo.

3.

Dove fino a poco prima era buio, adesso era un tripudio di luci. La squadra della polizia che era arrivata sul posto aveva montato dei fari che illuminavano la scena a giorno. Il commissario Marco Capuzzo accese una sigaretta. Si limitò a rimanere al margine dell'area e osservare lo spettacolo pieno di calma e frenesia insieme che di solito animava la scena di una morte violenta.

Per il momento era prematuro definirla la scena di un delitto.

Davanti ai suoi occhi gli uomini della scientifica finirono

i rilievi e iniziarono a staccare il corpo dal ramo, rapide ombre inglobate nel controluce violento dei riflettori. Dal suo punto di osservazione il commissario poteva vedere la faccia dell'uomo, che era gonfia e dalla bocca aperta lasciava uscire un accenno di lingua.

Il commissario si rivolse a Lombardo, l'agente che era il suo diretto collaboratore e che gli stava accanto, in piedi, come lui in attesa.

– Chi lo ha trovato?

Lombardo fece un gesto vago con la testa verso un punto alla sua destra.

– Un *trifolao*.

Il commissario sorrise suo malgrado. Nonostante il nome geograficamente indicativo, Lombardo era di origine meridionale, e malgrado gli anni di permanenza al Nord, continuava ad avere un irrisolto conflitto personale con le parole in dialetto piemontese. Non che fosse importante, ma qualche volta, in passato, Lombardo era stato fonte di interpretazioni fonetiche molto divertenti.

– Era in giro con il cane e lo ha trovato qui, in questo modo. Ci ha chiamato subito, con il cellulare. Sembra essere un brav'uomo e per poco non ci restava secco quando si è trovato davanti questo spettacolo. Bussi adesso lo sta interrogando.

Capuzzo indicò il corpo, che era stato deposto su una barella.

– Si sa chi è?

– Non lo abbiamo ancora esaminato. Aspettavamo che la scientifica avesse finito, prima di avvicinarci. Per non contaminare la scena.

Di nuovo Capuzzo sorrise, questa volta con un pizzico di amarezza. Quello era un linguaggio da *Csi*. Troppa televisione per l'agente Lombardo. Tuttavia, il commissario dovette ammettere suo malgrado che talvolta si imparava di piú da una serie di telefilm che alla scuola di polizia.

Spense la sigaretta a metà e infilò il mozzicone nel pacchetto vuoto.

Per non contaminare la scena...

Sospirò.

– Andiamo a vedere chi era questo poveraccio.

Capuzzo indossò un paio di guanti di gomma, e mentre si chinava sul cadavere, ebbe l'impressione di avere già visto il viso di quell'uomo senza vita steso su un piano di tela. La morte ne aveva un poco alterato i lineamenti, ma non tanto da escludere questa sensazione.

Frugò le tasche del giubbotto di pelle e subito dopo proseguí la perquisizione nella tasca interna.

Niente.

– Giratelo su un fianco.

Trovò infine quello che cercava, un portafoglio di pelle scadente che uscí a fatica dalla tasca dei jeans consumati. All'interno c'erano solo un paio di biglietti da dieci euro e una patente sgualcita. Il commissario Capuzzo aprí il documento, mettendolo a favore del faro che aveva alle spalle.

– Lucio Bertolino, – pronunciò a mezza voce, con un accenno di punto interrogativo alla fine della frase.

Quel nome e il viso spiegazzato sulla foto gli dicevano qualcosa. Qualcosa che aveva a che fare col suo lavoro. Non riusciva bene a ricordare, ma se era un pregiudicato non sarebbe stato difficile risalire a chi e perché.

Stava per rialzarsi quando un dettaglio attrasse la sua attenzione. Il colletto della camicia del morto era macchiato di sangue sotto la nuca. Passò una mano fra i capelli e la ritrasse segnata di rosso. Esaminò il cadavere con piú attenzione, e scoprí una lacerazione sul cuoio capelluto, che sembrava provocata da un colpo inferto con un corpo contundente.

Alzò la testa a considerare il ramo a cui era appeso il morto
fino a poco prima. Era abbastanza difficile che quella lacerazione se la fosse procurata da solo. Penzolava troppo lontano dal tronco, e il tratto di corda era troppo breve per ipotizzare che le oscillazioni lo avessero mandato a sbattere contro il fusto.

Capuzzo si rialzò, tolse i guanti e riaccese il mozzicone di
sigaretta che aveva infilato nel pacchetto.

Aspirò una boccata di fumo e rimase un istante sovrap-
pensiero. Se era vero che in ogni poliziotto alberga un istinto animale, il suo in quel momento aveva il naso al vento e
fiutava odore di grane.

Lo riscosse la voce di Lombardo, che era rimasto zitto durante tutto il tempo dell'esame del corpo.

– Parcheggiata un poco piú in là c'è una vecchia Polo.
Probabilmente è la macchina con cui è arrivato fin qui. Non
l'abbiamo ispezionata perché aspettavamo lei.

Il commissario fece un cenno di compiacimento con il
capo. – Molto bene. Andiamo a vedere questa macchina.
Dopo parliamo con quelli della scientifica per vedere quello che hanno trovato. Impronte sul suolo e tutto il resto.

Mentre si avvicinavano alla macchina, Lombardo si per-
mise un parere, forse autorizzato dal silenzio del commissario.

– Certo che è strano che uno parta da Asti per salire fin
qui solo per suicidarsi.

Capuzzo parve riflettere un istante, come fosse indeciso
se compromettersi o meno con un giudizio prematuro.

– Non sono del tutto sicuro che questo poveraccio avesse davvero questa gran voglia di morire…

Lasciò la frase in sospeso a uso e consumo di Lombardo.

L'agente si girò verso di lui, un'espressione perplessa sulla faccia scura. Conosceva il commissario da troppo tempo

per sapere che difficilmente si lasciava andare ad affermazioni azzardate.

– Che cosa intende dire?

Il commissario lo guardò con un sorriso amaro sulle labbra.

– Secondo me, se mi concedi l'espressione, c'era con lui
qualcuno che lo ha suicidato.

4.

Chiuso nel suo ufficio, il commissario Capuzzo stava esa-
minando con il questore Vanni e con Bertone, il responsabile della scientifica, il risultato sommario delle analisi. Era proprio quest'ultimo, un uomo giovane e tarchiato al quale una
calvizie incipiente dava un'aria piú matura, che stava espo-
nendo quanto era emerso dalle loro rilevazioni.

– Da quello che appare dalle prime valutazioni, le impronte al suolo rivelano la presenza di una persona sola. Il terreno era abbastanza morbido, e da un esame sommario sembrano proprio le orme delle scarpe del morto. Partono dalla
macchina e arrivano fino all'albero. Non ci sono impronte
di nessun tipo in senso inverso, a parte quelle lasciate dal cane e dall'uomo che ha trovato il corpo.

– Nessuna traccia di nessun tipo?

– Nemmeno una.

Il questore si lisciò i baffi brizzolati con le dita. Lanciò
uno sguardo non privo d'imbarazzo verso Capuzzo, che se
ne stava appoggiato alla sua scrivania, le braccia incrociate e
un'espressione impassibile stampata sul viso.

Sentendosi osservato, il commissario si girò e andò alla finestra. Rimase in silenzio a osservare il traffico praticamente inesistente sul corso XXV aprile a quell'ora.

Il questore continuò il suo scambio di informazioni con Bertone.

– Dunque lei dice che l'ipotesi del suicidio resta la piú probabile.

Bertone, dal canto suo, non si fece carico di pareri che andavano oltre le sue competenze.

– Io non dico niente. Riporto semplicemente quello che abbiamo rilevato sulla scena del…

Si interruppe un attimo prima di pronunciare la parola «delitto», che di per sé sarebbe stata espressione di un parere preciso.

– Intorno al cadavere, – concluse evasivo.

– E la ferita alla testa?

– Per avere un parere piú preciso, dovete parlare con il medico legale. Di sicuro l'autopsia chiarirà molte cose. Per quanto riguarda noi, lungo il percorso abbiamo trovato a terra i segni di una scivolata e delle tracce di sangue e capelli su un sasso. Probabilmente il morto è caduto e ha picchiato la testa mentre andava verso l'albero al quale si è impiccato.

– Dunque tutto sembrerebbe abbastanza chiaro. L'ipotesi di un suicidio sembra la piú semplice e dunque anche la piú probabile.

Di solito questo concetto, applicato a una morte violenta, non mancava mai di dimostrare una enorme percentuale di attendibilità.

Il commissario si girò, e per la prima volta da che Bertone era entrato nell'ufficio fece sentire la sua voce.

– Avete misurato quanto erano profonde le impronte sul terreno?

Bertone guardò imbarazzato il questore, quasi cercasse il suo sostegno contro un'accusa ingiusta. Poi rivolse uno sguardo con un accenno di sconcerto verso Capuzzo.

– In che senso, scusi?

Era chiaro che non aveva capito dove il commissario intendesse andare a parare e si stava mettendo sulla difensiva. Capuzzo si staccò dalla finestra e si avvicinò a quello che in quel momento era il suo diretto interlocutore.

– Le stavo solo chiedendo quanto erano profonde le impronte delle scarpe del morto sul suolo.

– Be', questo non glielo so dire. Ma non vedo cosa...

Capuzzo lo interruppe con un gesto della mano.

– C'è un motivo per cui le sto chiedendo questo. Se non fosse per quella ferita alla testa, tutto sarebbe abbastanza chiaro. Ma c'è quel dettaglio che non mi lascia tranquillo, nonostante i segni della scivolata, il sasso macchiato di sangue e tutto il resto. Sembra perfino troppo semplice –. Fece una pausa, poi aggiunse, forse solo per se stesso: – Troppo semplice...

Adesso sia il questore che Bertone lo guardavano in silenzio, in attesa di capire che cosa si agitasse nella testa di quell'uomo che stava parlando e muovendosi per la stanza come se loro non fossero piú presenti.

– Facciamo un'ipotesi, fantasiosa quanto volete. Fantasiosa ma non impossibile. Immaginiamo che quel tipo arrivi sul posto in compagnia di qualcuno, che sta ovviamente seduto in macchina sul sedile del passeggero. Oppure sul sedile di dietro, non ha importanza. Non appena si fermano, con un sasso che si è portato dietro, questo ipotetico passeggero tramortisce il Bertolino, e quando lui non è piú in grado di reagire, gli sfila le scarpe e le indossa. Gli lega una corda intorno al collo, si carica il corpo sulle spalle, lo porta fino all'albero e senza problemi ce lo appende. Bertolino era di corporatura piuttosto esile, e per un uomo robusto non sarebbe stata un'impresa impossibile. Poi, camminando al contrario sulle sue impronte, il tipo torna alla macchina e prende due pezzi di cartone o qualcosa di simile. Appoggiandoli a terra,

ha modo di muoversi a suo piacimento senza lasciare impronte. Inscena la storia della scivolata e appoggia a terra il sasso
con cui ha colpito la sua vittima. Con la stessa modalità torna all'albero e rimette addosso al morto le scarpe che gli aveva tolto. Con la stessa modalità si allontana e di lui non resta nessuna traccia.

Capuzzo finalmente rialzò lo sguardo verso il suo pubblico, come se solo in quel momento si fosse ricordato di averne uno. Puntò gli occhi a sorprendere l'espressione attonita
di Bertone.

– Secondo lei tutto questo sarebbe possibile? – disse.

– Be', in teoria, sí. Però...

Il commissario lo interruppe di nuovo. Calmo e senza
traccia di autorità, ma fermo nella sua posizione.

– Bene. Se questo è possibile, le chiedo di controllare se
le impronte lasciate dalle scarpe della vittima corrispondono
in profondità a quelle lasciate da un uomo del suo peso, o se
invece possiamo ipotizzare che siano state lasciate da un uomo che ne portava un altro sulle spalle. È troppo?

Per un attimo il povero Bertone si trovò dipinta in faccia
l'espressione di uno che si ritrova nudo la domenica all'uscita della messa di mezzogiorno. Poi preferí sostituire questa
espressione con quella di leggera condiscendenza di chi sa di
parlare con un pazzo.

– Va bene. Controlleremo.

Senza attendere oltre, il responsabile della scientifica salutò i presenti e lasciò l'ufficio. Sapeva che in quella stanza
qualcuno aveva appena fatto la figura dello scemo. E in ogni
caso non voleva essere lí quando fosse stato chiaro chi.

Non appena la porta si fu chiusa alle sue spalle, rimase
nell'aria quell'attimo di silenzio che precede sempre momenti significativi. Poi il questore Arnaldo Vanni fissò negli occhi il commissario Marco Capuzzo.

– Mentre la ascoltavo, mi è successo di pensare una cosa.

Capuzzo attese in silenzio di sentire il seguito.

– Io sospetto che lei sia una persona inadeguata a ricoprire il ruolo che ricopre.

Ancora Capuzzo rimase in silenzio, semplicemente colorando il suo sguardo con un accento di interesse.

Il questore proseguí dritto per la sua strada.

– Se quello che ha appena ipotizzato corrisponde al vero, non è giusto che lei sia un semplice commissario. Meriterebbe molto di piú. Nel caso in cui fosse una pura fantasia, anche in questo caso il ruolo di commissario le andrebbe stretto...

Arnaldo Vanni, questore di Asti, fece una pausa a effetto. Era un uomo di mondo e sapeva bene come tenere desta l'attenzione dei suoi interlocutori.

– Lei potrebbe avere tutto il riscontro che merita come sceneggiatore.

Capuzzo non ebbe necessità di abbozzare una risposta adeguata. Qualcuno bussò alla porta, e subito dopo la figura di Lombardo fece il suo ingresso nella stanza. Rimase sorpreso dalla presenza del questore. Si fermò di fianco alla porta aperta, interdetto, una cartellina gialla in mano.

– Scusate, io non...

– Non fa niente, Lombardo. Che c'è?

– Ho qui l'estratto di quel Lucio Bertolino. Ha dei precedenti penali.

Capuzzo fece un cenno con la mano all'agente.

– Fammi vedere.

L'agente attraversò la stanza e tese al commissario quello che teneva in mano. Capuzzo aprí la cartellina e scorse brevemente il contenuto. Poi ne estrasse un foglio e lo lesse con particolare attenzione.

– Ecco perché mi sembrava di conoscerlo.

– Cosa intende dire?

Capuzzo sollevò gli occhi sul questore. Lo guardò ma si capiva che con la mente era già da un'altra parte.

– Intendo dire che oltre al fatto delle impronte, c'è un'altra cosa curiosa da notare a proposito di questo Bertolino.

Senza volerlo o no, la sua pausa fu molto piú efficace di quella del questore di poco prima.

– Non riguarda tanto come è morto, ma dove è morto.

5.

Il dottor Mario Savelli fissava dalla finestra del balcone la piccola piazza sotto casa sua. Piazza Medici era di certo uno dei piú begli angoli del centro storico di Asti. Tutte le case erano omogenee come epoca, ristrutturate nel modo giusto per mantenerle tali. Niente era fuori posto. Alla sua destra c'era una torre in mattoni rossi costruita a cavallo fra il XII e il XIV secolo, che conferiva un aspetto importante a tutto l'insieme. C'era stato un tempo in cui si era affacciato a quel balcone in compagnia di sua moglie e di suo figlio, e insieme avevano guardato e amato quel piccolo panorama inscritto fra mura che confinavano in alto con i tetti della città.

Poi sua moglie se l'era portata via il cancro, e suo figlio…

Lasciò la finestra, che metteva in comunicazione il balcone con un salotto che era nello stesso tempo biblioteca e stanza della televisione. Si trasferí nella camera comunicante, un salone molto piú ampio nel quale il protagonista assoluto era un lucido pianoforte Steinway nero a coda. Scostò lo sgabello e si sedette. Attese un attimo prima di aprire il coperchio che racchiudeva i tasti come uno scrigno. A Savelli piaceva quell'immagine. L'avorio e il nero come gemme da cui scaturiva, a capacità e comando, quel grande dono per gli uomini che era la musica.

Quando era giovane aveva fatto parte di una band, un complesso, come li chiamavano allora. Poi aveva abbandonato senza rimpianti la carriera di musicista per quella piú solida di bancario. Sapeva di non avere il talento necessario per superare i confini dell'ambito locale, ma la sua passione, senza frustrazione alcuna, era rimasta. Quando ne aveva avuto la possibilità si era comperato quel pianoforte come omaggio a una carriera mai stata, e suonava per chi aveva voglia di ascoltarlo oppure solo per se stesso.

Proprio come ora.

Fece una scala ascendente, come per verificare l'accordatura. Sistemò lo spartito di *Rapsodia in blu* sul supporto davanti a lui. Aveva appena appoggiato le mani alla tastiera quando sentí squillare il campanello.

Precedette la donna di servizio e andò ad aprire di persona. Ancora uno squillo. Era un suono banale, normale, di tutti i giorni. Ma, quando nel riquadro della porta trovò la figura atletica del commissario Capuzzo, si rese conto subito che quello non sarebbe stato un giorno come tutti gli altri.

– Buongiorno, dottor Savelli.

– Buongiorno, commissario.

C'era fra di loro il silenzio di parole non dette, nascoste in mezzo al clamore di tutte quelle che a suo tempo erano stati costretti a dire.

– Avrei bisogno di parlarle un attimo. Posso entrare?

– Certo.

Savelli si fece di lato. Il commissario entrò e si diede uno sguardo in giro. La casa era come la ricordava, quella in cui era entrato una volta in circostanze molto dolorose. Bella, solida, luminosa. Arredata con il calore che solo l'agiatezza e il buon gusto uniti all'amore potevano realizzare. Si tolse il giaccone e Savelli lo appese all'attaccapanni di fronte all'ingresso. Poi Capuzzo seguí il padrone di casa per il corridoio fino al salotto, dove era stato in momenti che tutti e due avrebbero preferito dimenticare. Il suo ospite si sedette su una poltrona di cuoio di spalle alla finestra. Indicò a Capuzzo quella di fronte a lui.

– Si accomodi pure, prego.

Il commissario si sedette e non ritenne opportuno perdersi in preamboli. Sapeva che tipo di persona aveva di fronte e non li ritenne necessari.

– Lucio Bertolino è morto.

Si trovò suo malgrado a scandire piú del dovuto le parole. E a spiare piú di quanto avesse voluto dimostrare la reazione dell'altro.

Savelli rimase impassibile. Come fosse una notizia vecchia non di ore o di giorni, ma di anni.

– Lo so. L'ho sentito al notiziario.

Fece una pausa, quasi fosse dubbioso se aggiungere o no qualcosa. Poi decise che la risposta alla sua domanda interiore era sí.

– Non posso dire che mi dispiaccia.

Il commissario rimase in silenzio. Anche se il dottore non lo avesse precisato, era certo che lo stato d'animo sarebbe stato quello.

– Come è morto?

– Un cercatore di tartufi lo ha trovato impiccato a un albero.

– Suicidio?

– Sembrerebbe di sí. Non ne siamo del tutto certi.

Capuzzo lasciò a Savelli il tempo di fare le sue considerazioni. Di realizzare a suo gusto e piacere che in entrambi i casi era intervenuta una specie di giustizia, umana o divina che fosse.

– Ha sofferto?

– Non lo so.

– Se non ha sofferto mi dispiace. Se ha sofferto mi dispiace che non abbia sofferto di piú.

Capuzzo lasciò cadere nel nulla quell'epitaffio spietato. Ne aveva sentiti altri, nel corso della sua carriera. Erano voci di persone che nonostante il tempo trascorso mai avrebbero perso una nota di dolore, vittime della memoria oltre che della violenza e delle circostanze.

Cambiò tono e argomento.

– Non ho ritenuto opportuno convocarla in questura, ma questo incontro fra noi due in qualche posto ci doveva essere. Credo che lei mi capisca.

Mario Savelli fece un cenno impercettibile con il capo. Aggiunse parole che non servivano.

– Certo che la capisco.

– Dunque penso che non sia un problema, per lei, dirmi dov'era ieri sera, diciamo dalle nove a mezzanotte.

– Nessun problema, infatti. Vuole un caffè?

Il commissario non prese quella domanda come un diversivo, un momento lasso per allontanare il momento di dare una risposta. Lo prese come il piccolo realizzarsi di un desiderio. Aveva davvero voglia di un caffè.

– Certo.

Una filippina si materializzò sulla porta, come evocata dalla semplice parola «caffè».

– Ghita, ci fa due espressi, per favore?

Come per un tacito accordo, rimasero in silenzio, ognuno immerso nei propri pensieri, fino all'arrivo della cameriera che portava un vassoio con due tazzine. Lo appoggiò davanti a loro e se ne andò, in silenzio, scivolando senza rumore sulle scarpe di stoffa che portava ai piedi.

Quando il commissario sollevò la sua tazzina, il dottor Savelli finalmente rispose.

– La mia giornata di ieri è stata estremamente semplice. Sono arrivato da Torino con il treno nel tardo pomeriggio. Azzarderei verso sera. Dall'ultima volta che ci siamo visti un po' di cose sono cambiate. Adesso dicono che sono diventato un dirigente piuttosto importante del mio istituto e lavoro a Torino.

Capuzzo capí che non c'era vanità in quelle parole. Solo una traccia di amara autoironia, per nascondere il disagio di chi riteneva di aver perso tutto quello per cui valeva la pena di vivere. E si era tuffato nel lavoro per illudersi di avere ancora uno scopo nella vita.

– Non me la sono sentita di trasferirmi. Ho scelto di fare il pendolare. La mia vita, i miei amici, i miei affetti sono tutti qui.

Non disse: «Mia moglie e mio figlio sono sepolti qui», ma il commissario ebbe la netta impressione di riuscire a leggere quelle parole nella mente dell'uomo seduto di fronte a lui. Che continuò tranquillo nel resoconto di quella che tutti e due sapevano benissimo essere l'esposizione di un alibi.

– Sono arrivato a casa e mi sono fatto una doccia, poi ho suonato il pianoforte per una mezz'ora, come faccio tutte le sere.

Savelli indicò con un gesto della mano lo strumento che si intravvedeva dalla porta. Il commissario ricordava di averlo notato già all'epoca della sua visita precedente. La musica doveva essere un'autentica passione per quell'uomo, un tempo forse motivo di aggregazione familiare, adesso rifugio certo dalla solitudine.

– Alle otto e mezzo sono uscito e sono stato dalle nove meno un quarto fino a mezzanotte passata a una riunione del Comitato Palio di san Silvestro. Quando abbiamo finito siamo andati dal *Francese* a mangiare una pizza. Abbiamo tirato tardi perché ci siamo messi ad assaggiare del vino che ci ha proposto, e se devo essere onesto, quando sono arrivato a casa non ero del tutto presente a me stesso. Ma non al punto da non ricordare che non ho ucciso Lucio Bertolino.

Savelli si concesse finalmente il tempo per bere il suo caffè. Pronunciò il suo commento un istante prima di portare la tazzina alle labbra.

– Anche se avrei tanto voluto essere io a farlo.

Capuzzo sapeva che Mario Savelli era un uomo solo. E adesso che, in un modo o nell'altro, giustizia era fatta, forse lo sarebbe stato ancora di piú.

– Commissario, io la capisco. Capisco il motivo per cui è venuto da me, intendo dire. Io avevo un movente piú che valido per appendere quel farabutto a un albero non una, ma cento volte.

Fece una pausa, quel tanto che bastava per lasciar passare le nubi. Probabilmente aveva seguito quel pensiero come un'intenzione molto piú concreta, diverse volte in passato.

Savelli si riscosse e appoggiò la tazzina sul vassoio con un leggero tintinnio di porcellana. Si rilassò contro lo schienale della poltrona. Tornò a fissare negli occhi il poliziotto col quale ora stava parlando come si fa con un amico.

– Vede, dottor Capuzzo, io sono sempre stato un garantista, un convinto assertore del principio che sia meglio un colpevole in libertà piuttosto che un innocente in galera. Adesso però siamo scivolati a poco a poco nel teatro dell'assurdo. Tutti sono talmente preoccupati che nessuno tocchi Caino, da dimenticare una cosa importante.

Un'altra pausa. Fredda come una lapide.

– La giustizia per Abele.

Il commissario si guardò un attimo le mani, prima di rispondere.

– A questo proposito, c'è uno strano dettaglio che forse il notiziario non ha precisato. Non so se sia stato un caso oppure no, però Lucio Bertolino è stato trovato impiccato a poche centinaia di metri dalla curva in cui quattro anni fa è morto suo figlio.

Capuzzo non ne sarebbe mai stato certo del tutto, ma per un attimo ebbe la netta impressione di veder passare negli occhi dell'altro il fugace riflesso di un sorriso.

5.

Il commissario si ritrovò in piazza Medici con un poco di confusione in testa. Che era la confusione che ogni volta affollava i pensieri di un poliziotto impegnato nella rincorsa a un'intuizione sfuggente.

La sera prima, rileggendo il fascicolo dedicato a Lucio Bertolino, era saltata fuori una vecchia storia, quella che lo aveva portato al colloquio appena concluso. Quel discutibile individuo era sempre stato un delinquente di piccolo cabotaggio, una figura piú squallida che criminale. Tutta robetta da condizionale, piccoli furti, segnalazioni per molestie a donne che non ne volevano sapere di lui e delle sue pressanti attenzioni. E a giudicare dal suo aspetto fisico, nessuno avrebbe dato loro torto. Un personaggio, insomma, molto piú adatto a un'attenta osservazione psichiatrica che non alla detenzione in un istituto di pena. Infatti non era mai stato condannato a niente di pesante, fino a che aveva deciso di tentare il grande salto, di fare il suo ingresso dalla porta principale fra i delinquenti veri.

Quasi quattro anni prima, con due complici raffazzonati in un contesto di disperati come lui, aveva tentato una ra-

pina nell'ufficio postale di un paese nelle vicinanze di Asti.
Stavano fuggendo dopo aver arraffato pochi spiccioli, e dopo qualche chilometro, per colpa della velocità, all'ingresso
di una curva l'autista aveva perso il controllo della macchina. E aveva colpito in pieno un'auto che proveniva in senso
opposto.

Il guidatore dell'altra auto era morto sul colpo. Aveva
vent'anni e si chiamava Paolo Savelli. Il figlio dell'uomo con
cui aveva appena finito di parlare.

Quella morte aveva suscitato parecchio scalpore perché il
ragazzo, geniale studente di fisica, era una promessa del mondo della scienza e della cultura non solo nazionale. Bertolino
aveva usufruito del rito abbreviato, e il suo avvocato, grazie
al patteggiamento e all'indulto, era riuscito a fargli scontare
poco meno di tre anni.

Il commissario una volta ancora fu costretto a constatare l'incredibile ironia della vita. C'erano tutte le probabilità
che quel tipo, se fosse stato ancora in galera, adesso sarebbe
stato ancora vivo. Da quello, il suo pensiero tornò all'uomo
che aveva appena lasciato. Non sapeva se Mario Savelli fosse credente o meno. In caso negativo, se anche non era convinto che le vie del Signore sono infinite, di certo stava pensando che a volte riescono a essere infinitamente tortuose.

Accese una sigaretta e si mosse per attraversare la piazza. Lombardo aveva parcheggiato la macchina della polizia
dalla parte opposta, di fronte a un bar all'ombra della torre
che sovrastava la piazza.

Il cellulare in un posto chissà dove del giaccone squillò.
Dopo averlo cercato piú volte nella tasca sbagliata, finalmente riuscí a trovarlo e portarselo all'orecchio.

– Pronto?

Dall'altra parte emerse la voce del responsabile della scientifica. Tutti la chiamavano cosí, anche se la questura di Asti

non aveva attrezzature adeguate per analisi troppo sofistica-
te, per le quali doveva appoggiarsi altrove.

– Commissario Capuzzo?

– Sí.

– Sono Bertone. Abbiamo fatto le valutazioni che ha chiesto e credo che la sua ipotesi sia piú che plausibile.

– In che senso?

– Nel senso che la profondità delle impronte è eccessiva
per un uomo di quel peso. Stiamo verificando ancora i dati
e non posso essere piú preciso di cosí, ma penso che lei abbia visto giusto.

C'era sufficiente imbarazzo in quella voce da essere di
per sé sinonimo di espiazione. Il commissario non ritenne
opportuno infierire.

– Va bene. Mi faccia sapere appena possibile.

Ebbe l'impressione che Bertone stesse ponendo fine a
quella conversazione con un certo sollievo.

– Sarà fatto.

Con un sorriso interiore non privo di soddisfazione, il
commissario Capuzzo rimise il telefono in tasca. Ripensò
alle parole del questore. Visto che a quel punto non era necessario ipotizzare una carriera da sceneggiatore, era curioso di scoprire quello che la vita e gli uomini gli avrebbero
proposto come alternativa.

Se, come sembrava, la sua ipotesi non era campata in aria,
c'era un altro uomo in macchina con Lucio Bertolino, la sera prima. Un uomo forte a sufficienza per portarlo sulle spalle dalla macchina all'albero. Quell'uomo non poteva di certo essere Savelli, che non aveva il fisico per compiere un'impresa di quel genere. Era un uomo piuttosto magro, dall'aria
delicata e la pelle chiara, con dita sottili che davano l'idea di
potersi spezzare da un momento all'altro. Molto piú adatte
a scorrere sulla tastiera di un pianoforte che non a legare una

corda intorno al collo di un uomo. E inoltre non poteva di certo definirsi nel fiore degli anni.

Capuzzo non ce lo vedeva proprio portare a termine una fatica di quel genere.

Certo, poteva aver assoldato un sicario che lo facesse al posto suo. Ma quella era gente del mestiere, professionisti, uomini senza scrupoli e senza finezze. Massimo risultato col minimo sforzo. Arrivavano, un colpo alla testa e via, senza nessuna concessione a una creatività che non possedevano. E poi l'esperienza gli aveva insegnato che quando le persone normali si mescolano con certi individui, si muovono talmente male da lasciare tracce piú evidenti delle scie di un aereo nel cielo. Avrebbero indagato sul conto di Savelli in quella direzione, ma pur senza un valido motivo a suffragare questa ipotesi, Capuzzo era sicuro che non ne sarebbe venuto fuori niente.

Raggiunse Lombardo, che vedendolo avvicinare aveva aperto la portiera e si era seduto al volante. Attese che si fosse accomodato sul sedile di fianco prima di parlare.

– Ho appena parlato con Bussi. Ci sono novità.

– Che tipo di novità?

– Hanno perquisito la casa del Bradipo.

– Di chi?

– Di quel Bertolino. Un amico ci ha detto che in galera lo chiamavano cosí.

Ripensando a quei lineamenti, al mento sfuggente e agli occhi sporgenti, Capuzzo decise che chi gli aveva affibbiato quel soprannome doveva essere uno che quanto a senso dell'umorismo sapeva il fatto suo.

Evidentemente Lombardo era refrattario a quel tipo di considerazioni. Proseguí la sua esposizione dei fatti.

– Hanno trovato dell'hashish e dell'eroina, nascosti in un scatola impermeabile nello sciacquone del cesso.

– Il nostro amico aveva deciso di entrare nel giro grosso.

– Sembrerebbe.

– Bene. E mi sa che per trovare chi lo ha fatto fuori, dobbiamo cercare in quella direzione.

Senza fretta...

Il commissario aggiunse mentalmente questa postilla a proprio uso e consumo.

Mentre la macchina faceva il giro intorno al monumento posto al centro della piazza, intanto che si allacciava la cintura di sicurezza, Capuzzo alzò lo sguardo verso il balcone dell'appartamento di Savelli. Gli parve di vederlo dietro i vetri, in piedi, a osservare l'auto che se ne andava. Poi il riflesso del sole fece della finestra una macchia luminosa, e il commissario si chiese se non fosse stata solo una sua impressione.

Si trovò a pensare che, senza andare a scomodare il Signore, ogni tanto la vita chiude i suoi conti in modo inspiegabile. Nel caso del dottor Mario Savelli e di suo figlio Paolo, morto senza colpa alcuna salvo l'essere nel posto sbagliato al momento sbagliato, quello che era stato fatto era reso.

Abele aveva avuto la sua giustizia.

6.

Mario Savelli osservò dall'alto la macchina della polizia che lasciava la piazza, poi si allontanò dalla finestra. Quell'uomo, il commissario Capuzzo, gli piaceva. Era un poliziotto, ma era anche un essere umano. Lo aveva capito all'epoca del loro primo incontro, quando era arrivato nella sua casa e aveva saputo da lui che suo figlio Paolo era morto. Quella buona impressione gli era stata confermata da quanto era appena avvenuto.

Di certo amava il suo lavoro ma non ne era posseduto. Era un uomo giusto e sensibile. Savelli sapeva bene quanto ce ne fosse bisogno nel momento che quello schifo di mondo stava vivendo.

– Allora io vado, dottore.

La voce di Ghita lo sorprese alle spalle. Si girò e la vide in piedi in mezzo al corridoio, davanti alla porta della cucina. Indossava il cappotto e un foulard, pronta per uscire.

– Certo. Ci vediamo domani.

La donna di servizio gli aveva chiesto il pomeriggio libero per andare a trovare una sua connazionale che era in visita da parenti ad Alessandria, tutti immigrati in Italia dove avevano trovato lavoro e dove stavano cercando di costruirsi una vita.

Glielo aveva concesso senza problemi. Era sabato, e l'idea di essere solo in casa era un pensiero piacevole.

– Le ho lasciato il cibo in frigo. Se decide di cenare a casa basta che lo faccia scaldare. Buonasera, dottore.

Era una donna non piú giovane ma aveva il sorriso timido di una ragazzina. Stava con lui da diversi anni, e Savelli non aveva mai avuto modo di pentirsi di averla assunta. La seguí con lo sguardo mentre raggiungeva la porta in fondo al corridoio, l'apriva e lasciava l'appartamento. Attese il rumore dell'ascensore che raggiungeva il pianerottolo, e solo quando lo sentí ripartire si mosse verso lo studio.

Non c'era nessun motivo per essere sollevato da quell'essere temporaneamente il padrone assoluto della sua casa. Ghita era una presenza invisibile e discreta, e del resto gli sarebbe bastato chiudersi a chiave nel suo studio per avere la privacy di cui sentiva il bisogno.

Tuttavia, quello era un giorno particolare.

Un'insolita circostanza per un avvenimento altrettanto insolito.

Raggiunse la stanza che parecchi anni prima aveva eletto a suo dominio personale, prima che le esigenze di Paolo crescessero al punto da doverlo dividere con lui. Da quel momento era diventato il «loro» studio, qualcosa che li univa oltre l'affetto, la consanguineità e la coabitazione. Un posto in cui trovare l'uno la traccia dell'altro, nel momento in cui uno dei due lo occupava.

Adesso era di nuovo il suo studio personale. Mario Savelli aveva sempre pensato che questo sarebbe successo un giorno, quando suo figlio si fosse sposato o fosse andato fuori casa per costruirsene una sua. Ma quella stanza era tornata di sua esclusiva proprietà nel modo peggiore. E lo aveva pagato con giorni di lacrime e notti con gli occhi spalancati nel buio, in attesa di un sonno che non voleva arrivare.

Si diresse deciso verso un quadro che raffigurava una natura morta, appeso alla parte di fronte alla porta. Lo fece scorrere su dei cardini laterali e rivelò la cassaforte che nascondeva.

Ci avevano riso, all'epoca, con sua moglie. Avevano scherzato per giorni sulla banalità di mascherare la cassaforte con un quadro. Avevano trascorso ore a percorrere diverse alternative, ma nonostante tutto, alla fine, non erano riusciti a trovare una soluzione migliore.

E il quadro era rimasto.

Mentre componeva la combinazione, aveva il viso di Lorenza davanti agli occhi. Il suo viso sorridente di ragazza e il suo viso sfatto di donna ammalata. Quanta pena aveva provato, seguendola giorno dopo giorno durante l'avanzare del tumore che se l'era letteralmente divorata in sei mesi. E quanta invidia aveva provato dopo per lei.

Per lei che aveva avuto la fortuna di andarsene senza dover subire l'onta di sopravvivere a suo figlio…

Aprí lo sportello della cassaforte e ne estrasse una scatola di tela cerata scura. Andò ad appoggiarla sul piano della scrivania e si sedette. Accese la lampada da tavolo, e quando sollevò il coperchio si trovò sotto gli occhi un oggetto avvolto in un panno beige. Lo estrasse, spostò la scatola e depose l'involto sul piano di cuoio davanti a lui.

Lo aprí con delicatezza ed espose alla luce il contenuto. Rimase un attimo a fissare, come se lo vedesse per la prima volta, uno splendido esemplare di Luger, la pistola in dotazione agli ufficiali tedeschi durante la Seconda guerra mondiale.

Era appartenuta a suo padre, il quale non gli aveva mai rivelato come e in che circostanza l'avesse avuta. Gliel'aveva mostrata quando era stato abbastanza grande per capire la sinistra importanza di quell'oggetto. Mario sapeva che non era denunciata, che era una pistola detenuta in modo doppiamente abusivo, in quanto si trattava di un'arma da guerra. Tuttavia era rimasta in casa, un piccolo segreto da dividere fra padre e figlio, unica incursione nell'illegalità di una famiglia dall'onestà adamantina.

Suo padre gli aveva insegnato a smontarla e rimontarla, gli aveva spiegato il modo giusto per oliarla e mantenerla in perfetta efficienza. E in tutti quegli anni aveva continuato a farlo, piú per tradizione che per necessità. E avrebbe insegnato a farlo pure a suo figlio Paolo, se non fosse successo ciò che era successo. Non sapeva quando quella pistola avesse sparato per l'ultima volta. Ma adesso stava per farlo di nuovo, e Mario Savelli era certo che non lo avrebbe tradito.

Cominciò con calma e con destrezza a smontare la Luger. Le mani si muovevano da sole, guidate dai fili dell'esperienza. Ebbe il tempo per ripercorrere, nella memoria, tutta quella strana storia, dall'inizio sino a quella che sarebbe stata la sua prossima fine.

7.

Era iniziata due anni prima.

Era arrivato a Capri per un importante congresso di istituti di credito. Molto fumo negli occhi ma, in definitiva, le solite cose. Seminari di formazione per giovani quadri e dirigenti, relatori importanti su questo o quell'argomento, posizionamento su nuovi e vecchi mercati, indicazione di nuove e vecchie strategie.

E solo l'ultimo giorno una riunione fra dirigenti europei di alto livello, per uno di quegli accordi interbancari estremamente riservati, di quelli che si tengono a porte chiuse, di cui il pubblico non è a conoscenza, ma che determinano il futuro di una parte dell'economia, quella legata all'erogazione e al costo del denaro.

Savelli c'era andato a titolo di promozione, il suo primo vero incarico di prestigio, il suo ingresso ufficiale nel mondo dell'alta finanza. Poi quella Torre di Babele aveva ritrovato il linguaggio comune del cibo e delle bevande, e tutti si erano riuniti per il tradizionale ricevimento di fine lavori, nei saloni di uno dei piú importanti hotel dell'isola. Cinque stelle lusso, centro congressi abbastanza ampio da accogliere tutti, splendida vista sul mare. Ma nessuna stanza era abbastanza lussuosa da far dimenticare che si trattava pur sempre di una camera d'albergo.

E che lui la stava occupando da solo.

Mario Savelli era uscito dal salone e si era avviato all'esterno. Poteva condividere tutto quello che concerneva il lavoro, ma da sempre nutriva una specie di idiosincrasia per l'allegria forzata, per quella che chiamava dentro di sé «la sindrome di Capodanno», la condanna alla festa comandata.

Aveva costeggiato la piscina e si era appoggiato al parapetto che la delimitava, soggiogato dall'eterno spettacolo della luna piena sul mare.

Il rumore di un accendino, la luce della fiamma e il fumo di una sigaretta erano diventati il segnale di una presenza al suo fianco. L'uomo si era appoggiato al parapetto a un paio di metri da lui, la brace della sigaretta rossa che interrompeva a tratti quella argentata della luna.

Rimasero fermi per un poco senza parlare, come soggiogati dal panorama. Poi l'uomo aveva rotto il silenzio con voce quasi sommessa, quasi fosse stato timoroso che un tono troppo alto avesse potuto far svanire quell'incanto.

– Bello, vero?

– Bellissimo.

L'uomo si era avvicinato e aveva teso la mano. Ponendosi quasi di spalle rispetto alla balaustra, il suo viso si era nascosto nell'ombra.

– Piacere di conoscerla. Mi chiamo Alberto Medori.

Savelli aveva teso la mano a sua volta.

– Piacere mio. Io sono…

– Il dottor Mario Savelli, – aveva concluso per lui quell'altro. – So chi è, la conosco bene –. Si era girato di nuovo verso il mare, e il suo profilo era tornato d'argento. – E non solo per le sue doti professionali. Questo è, tutto sommato, un ambiente piccolo. I successi, come gli insuccessi, sono sulla bocca di tutti. E a quanto pare, di questi ultimi lei ne ha avuti ben pochi.

Savelli aveva osservato meglio quell'uomo robusto, piú alto di lui, dai lineamenti leggermente rozzi sottolineati come un tratto di penna dalla luce lunare. Aveva continuato a parlare dandogli la strana impressione che quel discorso se lo fosse preparato a lungo.

– Lei e io abbiamo qualcosa di tragico in comune, dottor Savelli. Qualcosa che in modo ugualmente tragico ci tiene le mani legate. E se lei è d'accordo, possiamo sciogliercele a vicenda. E trovare un poco di pace. Se può dedicarmi qualche minuto, le spiegherò a cosa mi riferisco…

8.

Mario Savelli finí di rimontare la pistola. L'aveva pulita per l'ennesima volta da una polvere inesistente, aveva eliminato l'eccesso di olio, aveva controllato lo scatto dell'otturatore, aveva inserito le cartucce nel caricatore. Poi l'aveva infilato nel calcio e l'aveva sentito entrare nel suo alloggiamento con un rumore secco, metallico. Quella era la voce della pistola, era un modo impersonale e meccanico da parte dell'arma per confermargli: «Sono pronta».

Riavvolse la Luger nel panno, la ripose nella scatola e tornò a richiuderla nella cassaforte.

Quella sera di due anni prima, quando si era seduto con Alberto Medori a un tavolo illuminato e aveva avuto modo di vederlo bene in viso, lo aveva riconosciuto immediatamente. Appena l'anno precedente era apparso diverse volte nei servizi dei vari telegiornali, protagonista suo malgrado di un drammatico fatto di cronaca. Era stato per un certo tempo un viso popolare, piú volte ospite in parecchi talk-show come simbolo di una giustizia che non arrivava a compiersi pienamente. Poi, piano piano, era stato nascosto dai media in quel limbo dove un poco alla volta tutto diventa nulla.

La vicenda che lo aveva portato alla notorietà era tragicamente simile a quella di Savelli.

A Salerno, dove viveva, sua madre e sua figlia di otto anni erano stati falciati e uccisi da un pirata della strada. La storia era di una derisoria, agghiacciante banalità. L'uomo si era messo alla guida della sua auto dopo aver abbondantemente bevuto ed essersi fatto un certo numero di spinelli in compagnia di amici. Aveva investito quelle due persone che camminavano sul ciglio della strada, e preso dal panico era fuggito.

Dopo una breve indagine, era stato individuato e arrestato. Dopodiché, il succedersi degli eventi era stato molto simile a quello che aveva accompagnato il percorso giudiziario di Lucio Bertolino. In sostanza se la sarebbe cavata con poco. Savelli ricordava perfettamente l'espressione sul viso di Medori.

– Ci sono cose che arrivano e passano, perché siamo uomini e riusciamo a dimenticare. Ce ne sono altre che non passano mai. Per lo stesso motivo. Perché siamo uomini e non le vogliamo dimenticare.

Mario Savelli si era accorto in quel momento che anche per lui era la stessa cosa. Nonostante il tempo trascorso, il dolore e la rabbia non erano passati. Il dolore veniva mascherato gettandosi a capofitto nel lavoro. La rabbia era un carburante senza fine che faceva andare avanti tutti i giorni, piú del cibo che si mangiava e dell'acqua che si beveva.

Alberto Medori lo aveva guardato negli occhi mentre pronunciava le parole che li avrebbero legati per sempre.

– Conosco la sua storia, dottor Savelli. So che lei è una persona perbene. E anch'io lo sono. Tuttavia, ci sono casi in cui questo può e deve passare in second'ordine, rispetto all'enormità di due vite sconvolte senza corrispettivo. So che nessun atto di giustizia potrà restituirmi mia madre e mia figlia. Come a lei nulla potrà restituire suo figlio. Ma potrebbe essere un sollievo sapere che tutto si è svolto secondo le regole che dividono gli innocenti dai colpevoli.

Aveva fatto una pausa. Poi aveva continuato col suo leggero accenno di cadenza meridionale. Aveva gli occhi pieni di lacrime.

– E io, se non riesco ad avere giustizia, sono disposto ad accontentarmi della vendetta.

Il silenzio era caduto per un attimo su di loro con lo stesso effetto della luce lunare. Poi avevano parlato tutta la notte e alla fine avevano stretto un patto. Savelli si era stupito della propria disponibilità, come se quell'incontro avesse tolto di colpo una coperta troppo corta rivelando il suo sonno inquieto. Si era stupito della serenità con cui aveva trovato tutto naturale, come poco prima aveva trovato naturale infilare un caricatore pieno di proiettili nel calcio di una vecchia pistola.

Da allora, con Alberto Medori non si erano piú visti o sentiti. Le uniche comunicazioni avvenivano in un modo antico, a mezzo lettere scritte a mano e distrutte subito dopo essere state lette. Niente e-mail, niente cellulari, niente computer: tutte cose che lasciavano tracce evidenti, come le scie delle lumache.

Avevano preparato ogni cosa con attenzione, e quando Savelli aveva saputo della morte di Lucio Bertolino, aveva capito che quell'altro aveva mantenuto la sua promessa, la sua parte dell'impegno. Sapeva che era arrivato ad Asti in treno e che in treno era ripartito senza alloggiare in nessun albergo e senza prendere nessun taxi. Di certo si era spostato utilizzando i mezzi pubblici, un viso anonimo fra tanti altri. Era arrivato ed era ripartito nello stesso modo, lasciando dietro di sé la vendetta dopo aver cercato invano di trovare giustizia.

Esattamente quello che avrebbe fatto lui, una volta arrivato a Salerno.

Delitto per delitto, si disse.

Come aveva insegnato loro Hitchcock e la comune passione per il cinema. Se a volte la realtà diventava un film, questa volta un film sarebbe diventato realtà…

Uscí dallo studio e attraversò la casa invasa dal sole di quell'autunno stranamente caldo. La luminosità era uno dei motivi per cui sua moglie e lui avevano scelto quell'appartamento. Ricordava con una stretta al cuore che Lorenza lo aveva definito, citando Quasimodo, «trafitto da un raggio di sole».

Senza immaginare che sarebbe stato subito sera.

Tornò alla portafinestra, la aprí e uscí sul balcone. Si trovò di nuovo a osservare i movimenti delle auto e della gente sulla piazza. Erano persone che affrontavano le loro vite di tutti i giorni senza immaginare la distrazione con cui il caso le sapeva sconvolgere. Erano ragazzi che un giorno sarebbero cresciuti e diventati uomini, cosa che era stata negata a suo figlio.

Rimase lí a lungo, seguendo questi e altri pensieri.

Poi lasciò il sole del balcone e tornò nell'ombra, come fa ogni uomo quando ha preso la sua decisione.

Sandrone Dazieri

Sesso Sui Sassi

1.

– ... dovevano fare l'ottava stagione, capisci? – dice Raffaele. – Dovevano!

Socchiudo gli occhi. – Che? – Alla quarta media chiara il mondo mi appare a tratti, e quello che vedo non merita lo sforzo. Siamo seduti al solito tavolo di *Paolone Wine Bar*, una birreria in finto legno dietro l'agenzia *Viaggi Torrazzo* dove lavoriamo. Il capo è il signor Armando, un nano con il parrucchino che ci tratta come merde. Il mio passatempo preferito è quello di ucciderlo in sogno, e in due anni sono arrivato a mille versioni differenti. L'ultima l'ho chiamata Esplosione Budellica: servono una pompa da bicicletta e un sacco di forza nelle braccia.

Invece Raf, il mio compare co.co.co. livello verme, è un ciccione triste con la barba dove gli si appiccica sempre qualcosa: briciole, lanugine, capelli, biglietti dell'autobus usati. A quarant'anni suonati vive ancora con sua madre, che gli compra i maglioni al mercato e gli taglia i capelli con la scodella.

– Era perfetta, – sta dicendo. – La settima stagione era assolutamente perfetta. Il finale... Pensa che distruggono la città. Tutta. Fanno tabula rasa. E tu ti chiedi: e adesso dove andranno? C'è l'ultima inquadratura dell'ultima puntata. Senti, senti la finezza... Gli eroi hanno vinto, hanno distrutto il Male. E *Lei*, *Lei*, capisci, finalmente è libera. Può fare quello che vuole della sua vita. Gli amici le chiedono:

che cosa farai adesso? E, tu pensa la genialità, Joss Whedon, il suo Creatore, non la fa rispondere. *Lei* si limita a sorridere. Capisci? Ma non sapremo che cosa farà, perché l'ottava stagione non l'hanno mai girata! Mai. Possiamo solo sognarla... Cioè, hanno fatto un fumetto, ma non è la stessa cosa.

– Raf...

Si asciuga gli occhi umidi di commozione. – Sí?

– Ma stai parlando ancora di *Buffy*?

– Uhm, sí.

– Ti ricordi cosa mi avevi promesso?

Abbassa il capo. – Non dovevo piú nominarla.

– Mai piú. Altrimenti ti avrei ucciso.

– Però qualche volta... qualche volta mi manca.

Sospiro. – Vedo che devo passare alle maniere forti.

– Ti prego, no...

– Troppo tardi. *Scooby Doo*!

– Argh!

– *Grudge*! *Scooby Doo* due! – Sarah Michael Gellar, alias Buffy, era in questi film e recitava di merda. Per Raf sono tutti colpi al cuore. – E lo sai che il tizio che faceva Xander, – infierisco, – si è fatto ricoverare in una clinica per alcolizzati? E che...

La porta si apre e mi ammutolisco, insieme con gli altri maschi del locale. Suppergiú la mia età, ma portati meglio, uno e settanta, capelli neri e lucidi, taglia 42 e terza perfetta di reggiseno, la ragazza che entra merita una guardata. È vestita come una giovane manager, pantaloni e giacchetta nera, scarpe con il tacco da sette. Chiede gentilmente a Paolone se ha un telefono, perché il suo è scarico e ha la macchina in panne parcheggiata a pochi metri. Nel silenzio generale, Paolone le spiega che il telefono l'ha tolto da un pezzo, e lei fa la faccia triste. Io alzo la mano come a scuola.

– Scusa, – dico. La voce mi è uscita un po' tremante.

Lei si volta a guardarmi. Ha gli occhi nocciola. – Sí?

È il momento della figura di merda. – Se vuoi… ecco. Ti presto il mio, – riesco a dire. Poi mi ricordo che non ho piú credito. – Anzi, quello di Raffaele, che è piú nuovo.

Raf rabbrividisce. – È breve, vero? – mormora. Anche se ha gli occhi piantati sulle tette della tipa, non si dimentica di essere pidocchio. Gli tiro un calcio allo stinco. – Ah, ops, – dice. – Va bene, certo.

– Siete molto gentili, – dice lei avvicinandosi di un passetto. Sento il suo profumo che è di quelli dolci. In un telefilm le macchine da presa ruoterebbero vorticosamente attorno a noi prima di inquadrarci dall'alto.

Le allungo il cellulare di Raf. Lei finge di non notare il nastro adesivo che lo tiene insieme. – Grazie.

– Però prima di chiamare il meccanico, – dice la birra che è dentro di me, – magari fammici dare un'occhiata. Io… un po' mi intendo. Giuro che non te la rompo. Cioè, non piú di cosí, eh eh, oh oh –. Patetico? Abbastanza.

Flap flap, battutona di ciglia. – Non ti voglio disturbare.

– Ma figurati. Tanto Raffaele stava andando a casa.

Lui rialza la crapa bovina. – Chi, io?

– Sí, tu.

– Voglio venire anch'io a guardare la macchina della tipa.

– Arianna, – dice lei.

– Ma no che non vuoi, – dico a Raffaele.

– Non voglio?

– No.

Seguo Arianna fino all'auto, ovviamente una Cinquecento. Io la macchina non ce l'ho e non ci ho mai preso molto con i motori, però bluffo. Le faccio aprire il cofano e mi dice bene: c'è la cinghia rotta, l'unico guasto che anch'io posso riconoscere al volo.

– Bisogna cambiarla, – dico. – Ma se chiami il carro attrezzi ti costa un patrimonio e non te la dànno prima di domani. Invece, sai che facciamo? Troviamo qualcosa di provvisorio, cosí puoi spostare la macchina fino a un elettrauto
amico mio, che adesso sarebbe chiuso ma abita sopra l'officina e mi farà un piacere, – altrimenti lo accoppo.

– Qualcosa di provvisorio tipo una cintura?

Le guardo le gambe. Ha i collant color perla. In quel momento penso che potrei sognarli finché muoio. – Una calza
delle tue andrebbe meglio.

Mi guarda dubbiosa. – Sei sicuro, vero?

– Come no, – mento.

Voi ci salireste in auto con uno che ti ha appena fatto togliere le calze in strada e ti guarda con la bava alla bocca?
Lei lo fa. E poi mi offre un aperitivo, non da Paolone grazie
a dio, perché sono stato carino. E poi mangiamo una pizza
al ristorante *Lo stagnino*, sul corso. E poi ci baciamo in macchina, e quando lei riparte con la sua cinghia nuova, io sono
andato. Perso. Cotto. Innamorato.

Sono convinto che mi abbia baciato perché sostanzialmen-
te le ho fatto pena, ma chissenefrega. Vado a casa felice e me
la immagino tutta la notte, e non mi dà neanche fastidio il
camerunense dall'altra parte del muro che suona i tamburi.
I vicini non si possono scegliere quando vivi nell'appartamento che è stato di tua nonna defunta e che ha piú o meno lo
stesso aspetto e gli stessi mobili da sessant'anni.

I miei deliri erotici sono però venati di nostalgia, perché
Arianna non la vedrò mai piú. Tipe cosí le beccano quelli con
la Porsche Cayenne, e poi le trovi fotografate su *Cafonal* di
Dagospia.

Invece il giorno dopo risponde al mio Sms e ci vediamo.

E viene a casa mia e dice che le piace, anche se dal piano di sotto sale un orrendo odore di capra bollita. E scopia-

mo. E ci vediamo ancora e mi racconta di lei. Che è orfa-
na, che fa la brand manager alla Umbertini Profilati Alluminio, sulla strada per Piacenza, appena dopo il ponte sul
Po che segna il confine sud di Cremona. Che è una normale ragazza di provincia, con la testa a posto, solo straordi-
nariamente bella, e che per qualche motivo vuole mettersi
con me, un subnormale ragazzo di provincia di trent'anni
che ha la testa a posto solo perché è l'unico modo che conosce di stare al mondo, e la sua unica botta di vita è stata
un viaggio in Europa con l'Interrail. Un viaggio molto breve, perché si è fermato a Liverpool dove ha passato tutto il
tempo a fumare con una compagnia di italiani fattoni, ed
era italiana anche l'unica ragazza che gliel'ha data, il giorno prima che gli scadesse il biglietto e lui rientrasse a casa,
con l'orrenda sensazione di aver sprecato l'ultima possibilità di avere una vita meno ordinaria di quella dei suoi amici e di tutti quelli che conosce, che quando hanno culo si
sposano e vanno a vivere in una villetta bifamiliare, e quando hanno sfiga si schiantano di notte con l'automobile ubria-
chi marci.

Ma sei davvero sicura di voler stare con me? Proprio con
me?

Sí.

E lo fa. Solo che dopo tre mesi sparisce.

Pufff.

2.

Cioè, funziona cosí. Arianna mi limona per cinque minuti, io a letto, lei inginocchiata su di me, poi sento i suoi tacchi picchiettare sino all'ingresso, oltre alla porta che si chiude, lungo le scale e sul marciapiede sino a sfumare in lonta-

nanza. Prenderà il diretto Cremona-Milano delle sei e trenta del mattino, poi l'Etr per Roma delle otto e trenta, che ha
già prenotato via web. – Ti chiamo, – è l'ultima cosa che mi
dice mentre mi accoccolo ancora sotto le lenzuola.

Arianna viaggia spesso per lavoro, ma rimaniamo sempre
in contatto, messaggini mattina e sera e qualche telefonata
notturna. Il sesso virtuale non è buono come quello di persona, ma ce lo facciamo bastare.

Però 'sto giro le cose vanno diversamente. Durante il
giorno sono troppo incasinato per chiamarla, perché arrivano i pellegrini da Lourdes. È toccato a Raf andarli a prendere gestendo sedie a rotelle e ciechi – ce ne sono piú del solito per via del giubileo lourdesiano – e questo vuol dire che
sono da solo in ufficio a subire il capo. Sudo fino alle otto
di sera e soltanto allora mi accorgo che non ho ricevuto da
lei neanche un messaggino. Gliene mando un paio, lei mi risponde, sempre per Sms, con un «Ti chiamo dopo» senza
baci aggiunti, segno che è molto incasinata. Ma non lo fa, e
quando mi azzardo io a mezzanotte è staccata. Strano. Però
non mi preoccupo.

Non tanto.

Non subito.

L'indomani continua il silenzio e io comincio a sbrocca-
re. Avrà incontrato un altro? Sarà incazzata con me per qualche misterioso motivo?

Provo ad accendere la Tv o la Xbox, ma ogni volta che
c'è un rumore troppo forte mi sembra che il telefono squilli
e non riesco a concentrarmi. Alla fine mi addormento con il
cellulare in mano ed è un brutto risveglio quello della mattina dopo, dove l'unico messaggio sul display è: «Batteria scarica». Chiamo di nuovo ma è ancora staccata. Provo anche
al fisso, hai visto mai che sia tornata col teletrasporto: *nada
de nada*.

È una bella mazzata. Sono talmente depresso che vado a citofonarle a casa alle sei del mattino. Il suo appartamento è in un palazzo che dà su viale Po, molto piú signorile del mio. Tentativo senza esito, mi sento piccolo e inutile mentre striscio al lavoro, e la città non mi è mai sembrata cosí squallida. Aspetto che il signor Armando apra il negozio, seduto davanti alla saracinesca.

– Uhé, ti avevo preso per un barbone, – dice quando mi vede. Poi comincia a strigliarmi come un somaro, ma sono talmente concentrato sui miei guai che non gli dò soddisfazione.

– Non l'ha mai fatto, capisci? – dico a Raf qualche ora dopo. Stiamo facendo pausa nella rosticceria. Costa poco, ma poi ti devi buttare in lavatrice vestito per via della puzza di fritto.

Raf inghiotte la decima crocchetta di patate con aria pensosa. – Vedi, le donne sono cosí, – dice. – All'inizio sono tutte carine e disponibili, poi… lo sai. Diventano fredde e crudeli.

– E tu che cazzo ne sai? – ringhio.

Alza le spalle. – Solo perché sono riservato, non significa che conduca una vita casta.

– Ah ah.

– Comunque, stiamo parlando di te, qui. Sai dove è scesa in albergo?

– No.

– Hai provato a chiedere a qualche amico suo? A un parente?

– Non ne conosco.

– Qualcuno che lavora con lei?

– Mai incontrati.

– Capisco…

Il suo tono non mi piace. – Il tuo tono non mi piace.

– È che… Insomma, non è mica normale.

– Che cosa?

– Che non ti abbia mai presentato nessuno.

– È riservata con le sue cose. Poi stiamo sempre per conto nostro.

– Eh, già… Le finisci quelle crocchette?

Ne ho mangiata solo mezza, ho lo stomaco bloccato. – No, prendi.

– Figo, – dice, e mi strappa di mano la vaschetta. Ciomp ciomp. – Non vorrei metterti la pulce nell'orecchio… ma magari non è stata troppo sincera con te. Magari, sai…

– Che cosa? – grido.

– Magari c'è qualcun altro nella sua vita.

«Lo uccido subito, – penso. – Lo infilo nella friggitrice». Ma resisto e giro sui tacchi. In strada faccio qualcosa che non ho mai voluto fare prima: chiedo al servizio informazioni il numero della Umbertini Profilati. In orario di ufficio Arianna mi ha sempre chiesto di non scocciarla, e quando l'ho fatto ho usato il cellulare.

Chiamo. La centralinista si fa ripetere due volte che cerco «qualcuno che lavora con Arianna Bodini. Lo so che è fuori per lavoro, ma sono il suo fidanzato e bla bla bla», poi mi mette in attesa: *We Are the Champions* versione suoneria.

– C'è ancora? – chiede la tipa dopo tre minuti. Ha una voce strana.

– No, ho messo giú.

– Ok, senta…

Sento. Mi faccio ripetere. Risento.

Dopo sei ore Raf mi trova da Paolone che mi sto bevendo la sesta Bomba del Legionario: un bicchierino di whisky lasciato cadere dentro un boccale di birra. Non sono piú rientrato dopo la pausa.

Raf si pianta davanti al mio tavolo, ondeggiando sui tac-chi.

– Guarda chi c'è. Il mio buon amico, – dico.

– È sposata, vero? – chiede.

– No!

– È in prigione? Una serial killer? Una…

Alzo una mano. – Se dici ancora una parola ti strozzo con la tua lingua.

Raf apre la bocca per dire qualcosa. Poi cambia idea e si siede.

– Ho chiamato al suo ufficio, – dico. – Arianna non lavora piú lí. Da due anni.

– Strano, in effetti…

– Strano? Mi diceva che andava in ufficio la mattina? Erano palle! Mi diceva che viaggiava per lavoro? Erano palle! Mi diceva che…

– Erano palle! – urla Paolone da dietro il banco. Ha sessant'anni e due braccia da scaricatore. – Però abbassa la voce, cuore infranto.

– Un po' di umana comprensione, – dice Raf. – Il mio amico sta soffrendo.

– Anche noi. È tutto il pomeriggio che ci sta facendo una testa cosí, – dice Paolone.

– Ma perché? Perché mi ha fatto questo? – piagnucolo. – A me. Che la amo tanto. Perché? Perché? – Ho il naso nella birra. Quando respiro faccio le bollicine.

– E se fosse una spia? – dice Raf tutto eccitato. – Come quella di *Alias*.

Cerco di afferrarlo, ma le mie dita vagano nel vuoto.

– Non voglio piú sentire nominare un telefilm, va bene? Lei non è una spia. Le spie non esistono.

– Vorrei lasciarti alle tue illusioni, ma per il tuo bene

devo essere duro. Il mondo è pieno di spie. Anche in questo momento ci sono perlomeno due satelliti puntati su di noi.

– Nel bar?

– Ovunque, – risponde vago. Si toglie il cellulare di tasca. – Lo vedi questo? Lo sai che anche quando è spento possono sapere dove sei?

Ho un barlume di speranza. – E posso usarlo per trovare Arianna?

– Se si chiama davvero Arianna.

– Per me sarà sempre Arianna. La mia Arianna... – gemo.

– Comunque no. Non tu, almeno. La Cia, di sicuro.

– E conosci qualcuno della Cia?

– Posso citare un altro telefilm?

– Non provarci.

– Allora no.

Tolgo il bicchiere dal naso e cerco di portarmelo alla bocca. Difficile. – Che cosa faccio?

Raffaele allarga le braccia. – Facile. Te la dimentichi. Prima o poi troverai un'altra fidanzata. Tieni aperta la porta del cuore, vedrai che una donna...

– Questo è Marco Ferradini! Marco Ferradini! – dico cercando ancora di afferrarlo.

– Ammetto.

– Vado alla polizia.

– E cosa gli dici, scusa?

– Che è sparita.

– Veramente non è sparita. Solo non sai dov'è. Cioè, non l'hai mai saputo, pensavi solo di saperlo. E sai cosa ti diranno loro?

– Vagamente.

– Appunto, lascia perdere –. Si piega verso di me e mi sussurra comprensivo. – È meglio aver amato e aver perduto che…

– Ti ammazzo.

– Ok, se non vuoi essere ragionevole… – Allunga una mano verso il mio bicchiere. – La finisci quella birra?

– Certo che la finisco! – Bevo un sorso. Non mi sento meglio. – Devo trovarla.

Raf incrocia le braccia sul petto. Scocciato. – Non puoi.

– Vuoi vedere? – Mi tiro in piedi, ma lo faccio troppo in fretta e la luce si spegne per qualche istante. Quando riappaiono le prime scintille sono tutte a forma di faccia di Raffaele. Sono caduto in terra, lui mi guarda da sopra.

– Ti senti bene?

– Aiutami a rialzarmi.

Lo fa e ne approfitta per prendermi il portafoglio, saldare il conto e comprarsi con i miei soldi un set di sei lattine. Poi mi trascina sino in strada, dove l'aria fresca di ottobre mi sveglia.

– Su, ti accompagno a casa, – dice Raf. – Una bella notte di sonno, e vedrai che domani tutto ti apparirà migliore.

Mi libero dal suo braccio. – Ho un lavoro da fare.

– Ragiona…

Lo spintono e mi metto a correre. Filo nelle vie di Cremona che si stanno svuotando per l'ora di cena, mentre Raf rimane indietro ad ansimare. Mi è tutto chiaro in quel momento. So quello che devo fare e lo farò, cazzo di un cazzo.

E capisco che l'ho fatto davvero quando mi sveglio. Sporco di vomito, con la testa che pulsa per l'alcol. E disteso in un letto che decisamente non è il mio.

3.

È il letto di Arianna. La mia prima sensazione, nel risveglio pasticciato del doposbronza è di estrema felicità. Lei è
tornata, è tutto a posto. Poi realizzo che sono vestito e che
non c'è nessun altro a parte me. La felicità lascia il posto al
terrore, mentre ricordo come ho fatto a entrare.

Dalla finestra. Rompendola. Arianna non mi ha mai dato le chiavi. Scapperei se ne avessi la forza, ma non ce l'ho.
Impiego dieci minuti per alzarmi e raggiungere il bagno, e ci
riesco solo perché il dolore alla vescica batte quello alla testa.
Mentre faccio una delle pisciate piú lunghe della mia vita, ho
un vago ricordo di me che mi arrampico dalla strada e rompo il vetro di Arianna con un pugno.

Bevo un paio di litri di acqua dal rubinetto, frugo nel-
l'armadietto sopra il lavandino dove spero di trovare qualcosa per il dolore. C'è una scatoletta con cinque pastiglie
che inghiotto senza neanche guardare le dosi consigliate. Se
muoio va bene lo stesso. Non mi passa del tutto il male, ma
in mezz'ora riesco almeno ad aprire gli occhi senza che mi
esplodano. Sono le sette del mattino.

Vado a vedere i danni in soggiorno. Ci sono schegge di
vetro e macchie di sangue secco. Il mio sangue: ho un taglio
lungo il dorso della mano destra con una crosta alta mezzo
centimetro. Adesso, da sobrio, ammetto che il colpo di ka-
raté non è stato una buona idea.

Quello di Arianna è un bilocale carino, con i mobili quasi tutti Ikea in legno chiaro e grandi tappeti arabi. È la terza volta che ci entro, e le altre volte la mia permanenza è durata cinque minuti al massimo. Preferiva stare da me, nonostante puzza e rumore, un comportamento che ora mi appare
molto sospetto. Cos'era che non voleva farmi vedere?

Mi faccio un caffè solubile, poi comincio la perquisa, co-piando *Csi*. Non trovo niente di interessante in cucina, solo un sacco di polvere sopra i pensili e di cibo andato a male in frigo. Mi allargo al resto della casa ribaltando cassetti e to-gliendo i cuscini dalle poltrone. Non saltano fuori lettere si-gillate con scritto «Da aprire se mi rapiscono» o passaporti falsi, l'eccitazione iniziale lascia presto il posto alla noia. Tra i documenti trovo bollette, scontrini, gratta e parcheggia, schedine del Superenalotto che non sapevo compilasse e una vecchia radiografia di quando si era rotta la gamba sciando tre anni prima. Niente fatture o cedolini paga. Quale che sia il lavoro attuale di Arianna, non lascia tracce visibili.

Passo all'armadio della camera in cui mi sono svegliato. Il suo profumo aleggia tra la biancheria. Arianna mi ha detto che è un'essenza fatta apposta per lei da un profumiere fio-rentino. Adesso mi chiedo se non sia il regalo di qualcuno che la conosce meglio di me. Che sa chi è davvero.

Sopra l'armadio ci sono un paio di valigie polverose. Mi allungo per prenderle, e quella piú grossa mi casca sulla te-sta e si fracassa sul parquet. Saltano fuori un'infinità di ci-lindri di plastica multicolori che rotolano e rimbalzano in gi-ro. Ne raccolgo uno.

È un cazzo finto.

Sono tutti cazzi finti.

Alcuni lunghi e lisci, altri tozzi e ruvidi. Altri ancora tra-sparenti in finto ghiaccio. Uno rosso è grande quasi quanto un estintore, uno nero ha quattro punte. Uno, bianco e riga-to, deve avere un motorino dentro e comincia a ronzare. Uno ha la forma di Topolino. Uno di Paperino. Mentre mi chie-do perché alla mia ragazza piaccia infilarsi dentro i personag-gi Disney, qualcuno comincia ad armeggiare con la serratu-ra della porta d'ingresso.

4.

Ho fatto la doccia con i vibratori di Arianna, le ho spaccato una finestra, le ho riempito il letto di fango e vomito. Inutile che mi sforzi di inventarmi una scusa, non ce n'è una buona. Mi preparo ad affrontare la mia futura ex fidanzata, quando sento provenire dal pianerottolo la musichetta di *Spider-Pork* e una voce maschile con accento romano comincia a sbraitare nel cellulare. – Sí. Sono a casa sua, – dice. – Mo' vediamo se trovo qualcosa di utile.

La serratura gratta ancora. Il sudore ghiacciato mi scende lungo la schiena: chi cazzo è questo?

– ... devi portare pazienza, amico mio bello. Vedrai che la risolviamo a costo di fare scorrere il sangue, – dice.

Corro in soggiorno e apro la finestra dal vetro rotto. Guardo giú. Da sobrio, l'arrampicata non mi sembra piú tanto agevole. Se manco il balcone di sotto mi raccoglieranno con la paletta. Però l'alternativa è affrontare il Burino.

Ho già la mano sul davanzale quando scorgo una borsa arancione contro il muro dell'ingresso. La conosco, è la Mandarina Duck dove Arianna tiene il portatile. È stata lí ad aspettarmi tutto il giorno.

Senza aver formulato un pensiero preciso, parto a razzo verso il corridoio. Afferro la borsa mentre la porta comincia ad aprirsi. Sulla soglia appare un tipo sulla quarantina, abbronzato, con i capelli lunghi e un giubbotto di pelle. Mi guarda con gli occhi di fuori in quel secondo in cui gli arrivo addosso, buttandogli contro tutto il mio peso lanciato. Io urlo, lui anche mentre perde l'equilibrio e cade sulla schiena. La botta mi ha rintronato, ma non rallento. Aggiro il Burino e proseguo la corsa raggiungendo le scale al termine del pianerottolo. Salto i gradini tre alla volta, volteggio appoggiandomi ai corrimano. All'ultima curva mi vola una scarpa, la raccolgo con un unico gesto, piegandomi mentre imbocco il portone. Urto una vecchia con il cane, un postino in bicicletta che ondeggia pericolosamente sull'orlo della carreggiata.

È giorno fatto, Cremona si è risvegliata alla poca vita che ha. Mi reinfilo la scarpa e continuo a correre, aspettandomi a ogni angolo che il Burino salti fuori per assassinarmi. Ma non accade, e non mi aspetta davanti a casa mia, o lungo le scale che salgo sentendo il corpo che mi fa male in ogni centimetro e il cuore che mi batte talmente veloce da superare il muro del suono. Entro, barrico la porta con una sedia, mi butto sul letto e mi rollo una canna.

Cazzo!

La canna mi fa tossire e mi rilassa. Quando mi sono ripreso un attimo, esamino il bottino. Rovescio la borsa sul letto e ne scivola fuori un librone rilegato del *Signore degli anelli*. Lo guardo con orrore, era quello che faceva peso. Il computer non c'è. Tutta quella fatica, il rischio di morte, per l'anima del cazzo.

Ribalto disperatamente la borsa arancione. Ne cadono fuori una barretta Vitasnella mangiata a metà, una penna Bic, la stampata di un biglietto elettronico del mese prima per un viaggio in treno Cremona-Verona.

Poi una chiavetta Usb scivola dalla tasca laterale e rimbalza due volte sul copriletto. Ho quasi paura a toccarla. Può contenere la risposta a tutto o una playlist di lagnose canzoni brasiliane molto amate da lei. Infilo la chiavetta nella porta del mio Pc. Sullo schermo appare l'icona di un hard-disk virtuale chiamato *Arianna*.

Clicco, è vuoto. Niente file, niente mappe del tesoro.

Mi lascio cadere di nuovo sul letto, con le braccia sotto la nuca. Pensa, idiota, mi dico. Fatti venire una buona idea.

Chiamo Raf sul cellulare. Mi risponde sussurrando. – Ma
sei matto a cercarmi qui?

– Tu ci lavori, io anche. Non mi sembra cosí strano.

– Tu ci lavoravi, veramente.

– Mi ha licenziato?

– Ah, ops. Non lo sapevi ancora.

– Per mezza giornata di assenza? Cosa sono, un servo della gleba?

– Dice che non l'hai avvisato. Giuro che mi sono battuto per te come un leone…

– Ci credo proprio, ma al momento ho altri guai. Tu sei
uno smanettone con i computer, vero? Hai sempre l'ultimo
programma copiato prima ancora che lo vendano.

Voce gelida. – Non mi sembra il caso di parlarne per telefono.

– Giusto, i satelliti.

– E-c-h-e-l-o-n ha un elenco di parole chiave. Se pronun-
ci quella sbagliata, tipo b-o-m-b-a, la tua chiamata viene subito registrata. E finisci sotto sorveglianza.

– Fantastico. Come faresti per recuperare dei dati cancel-
lati da una chiavetta Usb?

– La chiavetta di chi, scusa?

– Mia, ho cancellato per errore.

– Non ti credo. Non stai venendo a lavorare perché stai
cercando A-r-i-a-n…

– Non ci stanno ascoltando, piantala di sillabare.

– Lo dici tu. E scommetto che la chiavetta è sua. E io,
con la roba di… di *tu sai chi*, che probabilmente è una spia,
non ci voglio avere a che fare.

E riattacca, il bastardo. Mi tocca arrangiarmi da solo, scaricando a caso da Internet finché trovo un programmino gra-
tuito adatto. Quando cancelli, in realtà il computer non tira via tutto, si limita a cambiare l'inizio del file, rendendo-

lo impossibile da leggere. Diventa invisibile, per cosí dire, e il processore pensa che sia spazio vuoto. Però è ancora lí, da qualche parte. Il programmino dovrebbe trovarli comunque. Sulle prime non combina molto. Si limita a esaminare la chiavetta, lentamente, molto lentamente.

Al decimo minuto di scansione il programmino sputa fuori un file di testo che si chiama *00001.doc*, un pezzo di qualcosa che ha trovato sulla chiavetta e ha rimesso assieme. Sono solo pochi caratteri di testo secondo la descrizione, però possono essere quelli che mi servono. Un indirizzo, un numero di telefono… Clicco con le dita intrecciate. Il documento si apre. Contiene solo una riga.

Mio marito davanti, di dietro tutti quanti.

Qualcosa vorrà dire, penso, ma che mi venga un colpo se capisco che cosa.

5.

Dopo mezz'ora di lavoro, il programmino ha rintracciato altri pezzi.

A qualcuno piace lungo Al contadin non far sapere che sua moglie fa veder le pere Chi l'ha duro la vince Chi la dà, lo aspetti

Li apro uno dopo l'altro. E contengono tutti la stessa roba. Titoli porno in ordine alfabetico.

Donne senza gonne Fermoposta erotico Fiche d'artificio

Forse la chiavetta non è di Arianna. Forse è caduta di tasca a un segaiolo assatanato, lei l'ha trovata per strada…

Il buco racconta… Il coraggio dell'analità Il fascino discreto della fellatio

Poi il programma sputa un testo un po' differente.

Ricerchiamo nuove figure femminili da inserire in cast film genere hard.

Le candidate dovranno essere di età compresa fra i 21 e i 35 anni, non importa bellezza, ricerchiamo ragazze e signore con caratteristiche fisiche comuni, caratterialmente sicure, esibizioniste e disi-
nibite per ruoli in film a tema su vita notturna italiana.

Se interessate inviate e-mail a: gamma_video@libero.it con età
e breve descrizione fisica, foto recenti e numero di telefono.

Il casting per 15 aspiranti, sarà solo ed esclusivamente su invito.

Guadagno: da un minimo di 1500 euro per 6 ore di ripresa e fino a 3000 sempre per 6 ore in base al ruolo interpretato.

N.B. Come specificato su stipula contrattuale proposta alle figure selezionate, le riprese NON verranno distribuite in Italia.

Offriamo e richiediamo max serietà.

E subito dopo un altro molto simile.

Si terranno incontri per nuove figure femminili da inserire in
cast film hard/soft. Le candidate dovranno essere di età compresa
fra i 25 e i 40 anni, non importa bellezza, ricerchiamo signore e ragazze con caratteristiche comuni per vari episodi film a tema.

Se interessate inviate e-mail a: R.J.video@tiscali.it, con età e breve descrizione, foto recente, recapito telefonico.

Il casting per 6 aspiranti, solo su invito, e solo per maggiorenni,
è previsto a Piacenza, il 5 luglio p.v.

Guadagno: da un minimo di 1500 euro per 6 ore di ripresa e fino a 3000 sempre per 6 ore in base al ruolo interpretato.

N.B. Come specificato su stipula contrattuale proposta alle figure selezionate, le riprese NON verranno distribuite in Italia.

Offriamo e richiediamo max serietà.

Mentre il programma continua a macinare, cerco qualche
titolo su Internet. Sono tutti film con attori non professionisti, che mostrano orgogliosi peli e rotoli di ciccia alla telecamera. Sulla copertina di *Indovina chi viene... a letto*, coperta pudicamente da una stellina bianca tra le gambe, una donna si infila un affare di gomma lungo come un pitone.

Vibratore, valigia... finalmente ci arrivo. Pum, è una martellata in testa che mi stende. Eccolo qui il lavoro segreto di Arianna. Ecco dove va quando viaggia.

È un'attrice porno. Si fa scopare per i soldi.

Prendo a calci i mobili e urlo fino a che nell'appartamento a fianco cominciano a battere sul muro. Mi ci manca poco che vada da loro a scatenare una rissa. Voglio sentire il sapore del sangue, o farmi picchiare sino a perdere conoscenza. Invece mi lascio cadere sul letto a corpo morto, mentre un'altra domanda mi lampeggia in testa: fingeva? Quando faceva l'amore con me, dico. Dopo aver provato i meglio stalloni sul mercato, io che effetto potevo farle?

In quel momento il cellulare suona, ed è Raf in pausa rosticciere. – Hai trovato qualcosa di utile? – chiede.

– No! – gracchio. Mi fa male la gola.

– Ho pensato che magari ci posso provare io con la chiavetta, dopo il lavoro. Guarda che non lo faccio per curiosità, eh? Solo perché sei un amico.

– No, grazie!

– Davvero, non mi costa niente.

– Raf. Fatti i c-a-z-z-i tuoi.

Gli attacco in faccia. Rimango disteso per qualche minuto, un po' piú calmo ora. Bene. Ho scoperto piú di quello che volevo. E adesso? La cosa migliore per me sarebbe metterci una pietra sopra. Dovunque sia, Arianna non sta esattamente vendendo alluminio. Allora lo faccio? Lascio perdere?

No. Devo ritrovarla, anche solo per mandarla a fare in culo. Ne ho bisogno per smettere di essere innamorato di lei. Per tornare a dormire la notte.

Il programmino ha generato altri annunci. I nomi delle produzioni cambiano tutte le volte, ma la sostanza no. Uno degli appuntamenti di casting era a Verona. Controllo la stampata del biglietto elettronico che ho trovato nella borsa: la data è la stessa.

Numeri di telefono non ce ne sono mai negli annunci, e le case di produzione sembrano non esistere sull'elenco. Decido di telefonare a tutti i sex-shop italiani, fingendomi un appassionato in astinenza. I primi tre non sono in grado o non vogliono aiutarmi, il quarto mi fornisce un numero di Roma per gli arretrati di Superblue Video, quello di *Debuttanti orali*. Lo chiamo e mi risponde una voce elettronica con musichetta. «Aeelle Group, – dice. – Premi 1 se sei un privato, 2 sei sei un negoziante, 3 se vuoi finanziare una produzione cinetelevisiva». Fine.

Provo le prime due opzioni, la stessa voce elettronica chiede di lasciare un messaggio. Con il 3, invece, parte un nastro con una voce umana, forse perché un robot è meno convincente quando devi bussare a quattrini. È una donna.

«Produrre un film è un investimento modesto ma che può rendere molto. Anche tu puoi farlo, in modo assolutamente anonimo! Puoi investire sulla produzione di un video di quindici minuti, tipicamente amatoriale o privato, oppure partecipare a operazioni piú complesse e diventare a tutti gli effetti nostro partner. Vuoi sapere come fare?»

Continua a parlare, ma io smetto di ascoltare. Perché l'ho riconosciuta e gli ultimi dubbi che potevo avere si sono dissolti. La voce è quella di Arianna.

6.

Alle due del pomeriggio il programmino ha finito di controllare la chiavetta senza trovare altro. Mi faccio una doccia per calmarmi e perché puzzo, poi ingollo un sandwich preparato con un pezzo di pane vecchio di tre giorni e del salame rancido. Dovrei fare la spesa. Dovrei mettere in ordine la casa. Dovrei mollare il colpo.

Su Google inserisco le parole chiave *hard* e *casting* e trovo di tutto, per tutti i gusti e le dimensioni. A parte i professionisti ambosessi, ci sono un sacco di disperati che si offrono a donne sole, «anche sovrappeso», ma non piú delle ragazze che vendono «servizi in cam per dieci rose» o per «ricariche di cellulari». Prima queste cose le trovavo eccitanti, adesso l'effetto è opposto: è diverso quando è la tua fidanzata a darla via. E poi, quanto vale «una rosa»? Dieci euro? Un euro? Per far vedere che cosa? Da Abbiategrasso a Zurigo, le città strabordano di sesso virtuale a pagamento, in annunci pieni di errori di grammatica e di bugie pietose. Prendimi, per favore. Rispondimi. Scopami. Alla fine, trovo un annuncio utile sul sito Kijiji, specializzato in maialate di provincia. È leggermente diverso dal solito, ma il nome della produzione è tra quelli del mio elenco ormai smisurato.

> Si terranno incontri per nuove figure femminili da inserire in cast film hard/soft ad alto budget che si girerà nei dintorni di Matera. Le candidate dovranno essere di età compresa fra i 25 e i 30 anni, di bella presenza…

La data del casting è quella dell'altro ieri. Concorderebbe con i tempi del viaggio di Arianna. Per andare a Matera non ci sono voli diretti, e la via piú veloce è l'aereo sino a Bari, poi il treno o una macchina. Se non mi ha detto una balla anche su questo, Arianna preferisce volare con la compagnia di bandiera, cosí chiamo un mio collega del servizio clienti dell'Alitalia. Ci siamo sentiti quasi tutti i giorni per due anni, e ho il suo numero diretto.

– Com'è che non sei in agenzia? – mi chiede.

– Come lo sai?

– Il numero. Lo vedo sul display.

– Sto facendo un po' di lavoro da casa. Mi sono storto una caviglia.

– Ah, poverino. Che ti serve, bello?

– Ho un problema con una cliente.

– Tanto per cambiare.

– È partita da Milano su Bari tre giorni fa, ma ha perso il biglietto per il ritorno.

– Gliene stampiamo un altro. Su che volo ha il rientro?

– Non si ricorda.

– E tu controlla in agenzia.

– Non posso. Non è passata da noi. Mi sta chiedendo un favore.

– In che data l'ha acquistato?

– Non si ricorda neanche questo.

Il mio amico zufola tra i denti. – Mi sembra un po' imprecisa la tua cliente. Che non è tanto una cliente.

– Ha un problema di Alzheimer.

– Ma io no. E so quando mi pigliano per il culo.

– Dài, controlla... Arianna Bodini, Bari-Milano, che ci vuole?

– Lo sai che non te lo potrei dire, vero? C'è la legge sulla privacy.

– Dài, non farmi menate. Ti faccio lo sconto quando voli con un'altra compagnia.

– E perché dovrei volare con un'altra compagnia? Ah, già, perché qui forse ci lasciano a casa tutti. Trovato. Arianna Bodini. Andata tre giorni fa, ore dieci da Milano Linate.

– Giusto, credo.

– Per il ritorno... sorry, biglietto perso. Doveva rientrare ieri e ha la tariffa chiusa. Impossibile da spostare. Ma ha un sacco di miglia cumulate, puoi chiedere un biglietto omaggio per il ritorno, se non vuole spendere.

– Glielo chiedo. Grazie, per adesso.

– *De nada*. Rimettiti con il piede.

Sul conto ho duemila euro che dovrebbero servirmi per le vacanze. Ne uso una parte per comprare un biglietto on-line per Bari che partirà alle diciassette da Milano Linate. Posso arrivarci se prendo il treno che parte in trenta minuti da Cremona.

Faccio la valigia in cinque minuti, arrivo in stazione in dieci e salto sul treno praticamente in movimento. Poi salgo su un taxi a Milano Centrale che mi lascia davanti l'aeroporto che l'imbarco è cominciato. Faccio il check-in elettronico, corro per passare il metal-detector saltando la fila gridando scusate scusate, arrivo al gate che sono l'ultimo e l'hostess di terra sta quasi chiudendo le porte del *finger*. Invece mi fa passare e salgo a bordo che non ho piú fiato. Ed è una fortuna, perché cosí non mi metto a urlare quando vedo chi è il mio vicino di posto.

– Ma guarda un po' chi cazzo mi ritrovo, – dice lui, ridendo.

Ha ancora addosso il giubbotto da motociclista.

È il Burino.

7.

L'altoparlante annuncia che l'imbarco è terminato. Cerco di alzarmi. Il Burino mi afferra un braccio. – Dài, fai il bravo.

– Grido, – dico.

– Hai paura che te sparo? Dài, facciamo due chiacchiere.

La hostess si avvicina. – Signore, deve allacciarsi la cintura.

– Ho cambiato idea, voglio scendere.

Diventa pallida. Far scendere un passeggero significa

perdere un'ora. Riaprire il gate, controllare l'elenco bagagli. – È sicuro? Perché siamo già in ritardo.

– Ma no, sta scherzando l'amico mio, – dice il Burino. –
Ha solo paura di volare.

– Se vuole mi siedo vicino a lei, – dice la hostess.

– Io non ho paura di volare –. Mi guardano tutti. – Io
voglio solo… – Di colpo penso che se scendo può scendere
anche il Burino. Marcia indietro, a bordo sono piú sicuro.
– Niente. Mi scusi.

La hostess sorride, sollevata. – Non si preoccupi… Capita –. Fa un segno ai colleghi che guardano preoccupati in fondo al corridoio. L'altoparlante dice subito: «Armare gli sci-
voli».

Mi sistemo sul sedile mentre il Burino ghigna. – Bella figura di merda.

– Ma che cazzo vuoi da me?

– Da te? Bello mio, da te non voglio niente. Sei te che mi
hai fatto un livido cosí. E allàcciate la cintura, che tra un po'
quella torna.

Allaccio. Nel corridoio cominciano a mostrare le proce-
dure d'emergenza. – Cosa ci facevi a casa di Arianna?

– Certo che sei un bel tipo. *Tu* eri a casa di Arianna a fare casino, hai lasciato una zozzeria che non ti dico. Si può
sapere chi sei?

– Non sono cazzi tuoi.

– Quello che è giusto è giusto –. Guarda in giro sempre
sorridendo, poi mi ficca una mano nel taschino della camicia. Io mi oppongo e c'è una breve lotta che fa voltare di nuovo metà delle teste.

Alla fine il Burino sventola trionfante la ricevuta del mio
biglietto. – Eh eh.

– Chiamo la hostess.

– Cosí fai un'altra bella figura di merda –. Legge e ride.
– Lo dovevo immaginare, – dice, ridandomi il biglietto.

– Immaginare cosa?

– Che eri tu. Il fidanzatino di Aria. Stai andando a fare
un weekend romantico?

– Ma si può sapere chi cazzo sei e PERCHÉ MI CONOSCI?

Il volume della mia voce è andato in crescendo, per fortuna coperto almeno in parte dal rumore del decollo. Mi accorgo che siamo in volo quando sento il mio stomaco che si
ribalta.

Il Burino mi fissa per qualche istante, e sembra che non
sappia se credermi o meno. – È stata Aria a parlarmi di te.
Siamo amici.

– Figurati.

– Lavori in un'agenzia viaggi scalcinata, hai una laurea in
lettere presa per il rotto della cuffia, vivi in un buco pieno
di marocchini… Giusto fin qui?

– Vaffanculo.

– E poi ce l'hai piccolissimo. Due centimetri al massimo,
quando stai proprio arrapato.

Pianto le dita nel bracciolo. – Non ci credo che Arianna
ti ha detto cosí, – dico a denti stretti.

– Questa è una mia intuizione.

Mi volto verso il corridoio in cerca di un posto libero dove trasferirmi. Però quando ne individuo uno cambio idea
un'altra volta. Il Burino sa cose su Arianna che io non conosco ed è l'unica fonte di informazioni a portata di mano. Rimango dove sono. – Ok. E quindi?

– Dove ti aspetta Aria?

– Da nessuna parte. Non sa che vado.

– Le stai facendo una bella improvvisata.

– Esatto. E tu?

– Anch'io.

– Perché? Per far scorrere il sangue? Ti ho sentito che lo dicevi a casa sua.

Alza le spalle. – È un modo di dire.

– Un cazzo.

Mi prende la faccia e mi fa voltare verso di lui. Si toglie gli occhiali a specchio. – Guardami. Guardami, ti ho detto.

Cerco di reggere il suo sguardo, non mi viene bene.

– Arianna è una mia amica. Non le farei mai del male. Mai, d'accordo? Voglio solo aiutarla. Dimmi dove sta.

– Non lo so. Giuro. Non la sento da quando è partita.

– Devo crederti?

– Che vuoi che ti dica ancora? Cazzo, che incubo.

L'aereo ha un vuoto d'aria e chiudo gli occhi. Ho *davvero* paura di volare, nonostante tutto. Riapro, un tizio tipo manager, seduto davanti a noi, si è voltato a guardarci oltre i sedili. A guardare il Burino e non me, per una volta. – Mi scusi, – gli chiede un po' imbarazzato. – Lei è un attore? Perché mi sembra di averla vista in un film…

Il Burino si distende in un sorrisone fasullo. – Ti piace la fica, eh?

Il tipo arrossisce. Ha capito la gaffe. – Forse mi sono sbagliato.

– E invece ci hai azzeccato, sono io, John the Dick. Vuoi un autografo?

– Ma no…

– E ci mancherebbe, – urla il Burino. – Te lo faccio qui, sul sacchetto del vomito. Basta che non lo usi dopo, eh eh eh. Dimmi come ti chiami, buongustaio.

Tutto l'aereo ci sta guardando, a questo punto, e il tipo davanti a noi si è chiaramente pentito della richiesta. – Mi basta la firma…

– Macché: «A quel grande scopatore di…»

Il Burino si ferma con la biro sollevata.

– Carlo, – mormora l'altro.

– «... di Carlo» –. Il Burino firma e consegna, Carlo è rosso fuoco. – E mi raccomando, eh? Lancia in resta!

– Sí, sí, grazie –. Carlo sparisce, il Burino si accomoda tutto contento.

– John the Dick, – dico io.

– O Silvestro Stalloni, Der Kommissar Zum Zum, Casalove... A seconda del film.

– Porno.

– Be', e di che stiamo a parlare?

Mi viene da sbarellare. Arianna è stata con questo mostro. Con... Der Kommissar Zum Zum, per l'amor di dio.

– Che merda, – mormoro.

– Che ci hai contro il porno? Sei normale?

– Normalissimo.

– Non so... Tutti i maschi che conosco si arrizzano quando vedono un paio di tette. Magari tu stai un po' sull'altra sponda...

– Piantala.

Lui alza le spalle e mi guarda come se fossi un povero ritardato. – Non facciamo male a nessuno. Un sacco di uomini che le donne non le acchiappano neanche con le trappole per gli orsi, tipo il nostro amico qui davanti, almeno possono sognare e farsi una sega in santa pace –. Gli bussa sullo schienale. – Vero, Carletto? – La sommità della testa del povero cristo sparisce.

– Arianna aveva un lavoro vero.

Arriva il carrello delle bevande, il Burino prende una birra. Io niente. – Questo le rende di piú.

– A mille euro al colpo.

– Magari, sarei ricco... Davvero Aria non ti ha detto niente? – gli è tornato lo sguardo indagatore.

– Certo che no. Cazzo. Pensi che sarei stato con una che la dà a tutti?

Questo lo fa imbruttire. – Ma tu guarda che stronzo… E ti sbagli su Aria. Ha recitato in una pellicola, ma mica scopava. Non si spogliava neanche.

– Cosa faceva, la passante?

– La *dominatrix*. Aveva un mantellone che le arrivava ai piedi e una maschera veneziana. E la frusta.

– E questo dovrebbe farmi sentire meglio?

– Non me ne frega un cazzo se ti fa sentire meglio o peggio, ma è la verità. *Cordelia e i suoi schiavi*, mi pare si chiamasse.

– E il suo lavoro vero quale sarebbe?

– È una *producer*, un'organizzatrice.

Mi lascio andare contro il sedile. Ero preparato al peggio, non so, robe con gli animali o con la merda, la risposta è quasi asettica. Ecco perché avevo trovato gli annunci sulla chiavetta. Li scriveva lei. Magari anche i titoli.

– Se non sapevi niente, come mai vai in Basilicata? – chiede il Burino.

Gli spiego dell'annuncio del casting. – E tu, perché la cerchi?

– Perché forse Aria ha fatto una cazzata grossa.

– Quale?

Schiaccia il bicchiere di plastica nel portariviste. – Quella che fanno tutti i produttori, una volta o l'altra: è scappata con la cassa.

8.

La campagna della Basilicata scorre ai lati della statale 99. Il Burino e io siamo su un taxi che abbiamo preso all'aero-

porto e ci sta portando a Matera. Al Sud ci sono stato poche
volte, e mai da queste parti. Sembra un altro mondo: pub-
blicità diverse, nomi mai sentiti. I supermercati si chiamano
Migros, non Esselunga, i palazzi ai bordi della strada sono
blocchi di cemento piantati in mezzo a campi color bruciato. Ha cominciato a piovere, e le puttane africane agli incro-
ci si proteggono con grandi ombrelli colorati. Pare che nessuno si fermi a raccoglierle. Mi sento fuori posto, a differenza del Burino che con gli occhiali scuri sembra vivere la scena
di un suo film. Il momento teso è stato allo sbarco. Pensavo:
adesso questo mi salta addosso e mi tortura per sapere di
Arianna. Invece il Burino ha mantenuto l'atteggiamento che
aveva a bordo. Mi sorveglia senza venirmi troppo sotto. Il
taxi l'ha preso lui, aspettandosi che lo seguissi. L'ho fatto, in
mancanza di meglio. Ho esaurito da ore la scorta di idee.

– Quella è figa, – dice indicando una puttana, che faccio
a tempo a vedere solo con la coda dell'occhio. Sembrava molto giovane.

– Puoi pensare ad altro per qualche minuto?

Lui si tocca la fronte. – Non è mica solo lavoro. Io ce l'ho
qui. Ci sono portato –. Poi perde il sorriso. – Come pensi
che sia il nostro business?

– Immagino che girino un sacco di soldi.

– Una volta sí, adesso c'è Internet. Sei mai stato su You-
Porn?

– No.

– Ma allora proprio non ti piace… vabbe'. È come You-
Tube, hai presente? Video messi on-line dagli utenti, tutti
hard-core. Vuoi una figa nera come quella che è appena passata? Digiti *black* e ti vengono fuori mille video. Ne vuoi
una cinese, due lesbiche, una che si fa un cavallo? Trovi anche quello. E, indovina un po', tutto gratis. Molta roba fatta in casa, molta copiata, ma dillo alla Siae e vedrai che risa-

te che si fanno –. Bussa sullo schienale dell'autista. – Amico mio bello, ti scoccia se fumo una sigaretta?

– È vietato, – risponde il tassista, uno che sembra Ernest Borgnine in *Fuga da New York*.

– Dài, apro il finestrino e tengo la mano fuori, – sta già accendendo.

– Non faccia cadere la cenere… – dice l'autista.

– Ce sto attentissimo –. A me. – Ne vuoi una?

– Non fumo.

– Bravo, che ti conservi… Sai chi è l'attore porno piú famoso in Italia, oggi?

– Rocco Siffredi?

– Rocco è un mito, ci ho anche lavorato, ma il piú famoso oggi è un marocchino che fa l'animatore nei villaggi, tipo Fiorello. L'anno scorso si è scopato una turista milanese mentre il fidanzato giocava a calcetto, ha ripreso di nascosto, poi ha messo il video su Internet. Girato male, lei non era 'sto granché, lui faceva schifo al cazzo. Ma era gratis e l'hanno scaricato un milione di persone –. Scuote la testa. – Un milione, hai capito? Roba che neanche santa Moana.

– La ragazza lo sapeva?

– Pare di no.

– Roba da denuncia penale.

– Succede sempre. Se vai su YouPorn basta che digiti *ex fidanzata*, o *revenge*, e ne hai quanti ne vuoi di video cosí.

– *Revenge*?

– Vendetta, perché sei stato mollato. Molti sono finti, ma non tutti.

– Mi sembra una carognata.

– Ormai è cosí che gira. Se ti voglio sputtanare ti faccio un video con il telefonino mentre caghi o mentre mi fai un pompino, poi lo metto sulla rete. Tempo venti minuti l'hanno visto anche in Giappone e te hai voglia a lamentarti. Anche se chiami la Cia e lo fai togliere da tutti i siti Internet dell'universo, un'ora dopo qualcun altro, che ha una copia sul suo computer, lo rimette in circolo. Girano video su gente che nel frattempo si è ammazzata per la vergogna, ma non frega a nessuno. Ci si fanno lo stesso le seghe sopra.

– Bel mondo.

– Anch'io preferivo quello di prima. Anche perché con tutta 'sta roba gratis, di un film dei nostri adesso si vendono al massimo mille copie, che non è un cazzo. Tutti tagliamo i costi, usiamo dilettanti, la camera fissa… Meno male che c'è la pay Tv, altrimenti saremmo davvero alla canna del gas. Comunque, l'anno scorso guardiamo i conti, e noi soci della Aeelle ne discutiamo insieme. Che si fa? Chiudiamo, andiamo a zappare? E qui Aria ha un'idea.

– Arianna è socia?

– Sí. Poi ci sto io e altri quattro –. Il panorama fuori è diventato piú verde. Appaiono file di ulivi e case di pietra. Un cartello indica che mancano pochi chilometri a Matera. – L'idea di Aria è questa: tornare a fare film con i soldi, magari in pellicola. E provare a venderli bene nel resto del mondo, fino in America, nel giro grosso. Anche lí c'è la crisi, ma mai quanto in Italia. E per finanziarci, ci apriamo agli investitori privati, come fossimo una specie di cooperativa. Hai cento euro? Metti quelli. Ne hai diecimila? Meglio. Centomila? Meglio ancora.

– Ho sentito l'annuncio al centralino.

– L'ha fatto Aria.

– Lo so.

Spegne la sigaretta e butta fuori il mozzicone. – E ha funzionato. Nel giro di sei mesi troviamo cinquecentomila cucuzze.

– Mica tanto. Pensavo che per un film ci volessero milioni…

– Non per quelli nostri. Di solito con quindicimila euro te la cavi. Stavolta giochiamo in grande. Arianna cerca il soggetto per un film che possa piacere agli stranieri. Ce vuole l'Italia, la natura, qualcosa di meno scontato di Roma, che ci hanno girato tutti…

– Matera.

– E già. Che dopo che ci ha girato il film Mel Gibson è famosa come il Colosseo. La storia è quella di un gruppo di antichi romani che, mentre ce sta la crocifissione, se divertono.

Mi viene da ridere, nonostante la situazione. – E come si intitola?

– Boh? Io lo volevo chiamare *The Anal Passion*, non so se rendo –. L'autista lancia un grido strozzato, e sbanda. Mi sa che ascoltava. – Poi per evitare casini ne abbiamo scelto uno piú vago: *S.S.S. Sesso Sui Sassi*. Agli americani piace, facciamo qualche contratto con le star, e Arianna parte per fare l'ultimo casting per le comparse e i sopralluoghi. Mi chiama da Matera appena arrivata, sarà stato mezzogiorno. Tutto bene, ci sentiamo domani. La sera vado in un club dove il telefono non prende – vabbe', stavo a scopare – e quando esco trovo che Arianna ha provato a chiamarmi tipo sei o sette volte. Non ho la segreteria, magari voleva dirmi qualcosa d'importante, però negli Sms che mi lascia non ci sono indicazioni. Solo «Richiamami, è urgente», robe cosí. Lo faccio, è staccata. E rimane staccata. I soci cominciano ad agitarsi. Uno, mica io che sono un fesso, fa un controllino e vede che i soldi per *S.S.S.* non ci stanno piú.

– Arianna ha vuotato il conto?

– I conti. Non te la faccio lunga, ma diciamo che i soldi li teniamo un po' qui e un po' là, per evitare che ci rompano i coglioni. Se ci serve qualcosa di ufficiale, facciamo rientrare.

– Tipo spalloni dalla Svizzera?

– Credi che stai ancora nel Medioevo?

– Non ho mai avuto abbastanza soldi da doverli nascondere. E le tasse le pago.

– Per questo sei povero. È tutto elettronico adesso, ma non te so dire meglio, perché io non ci azzecco con queste cose. Non sono io che mi occupo della cassa.

– È Arianna.

– Bravo. Da quello che siamo riusciti a capire, Arianna ha mosso i soldi e li ha fatti finire chissà dove. E deve essere successo piú o meno quando è arrivata qui. I soci sono sicuri che ce li ha lei su un suo conto personale, e adesso sta andando a spenderseli. Io sono convinto, o forse spero, che ci sia una spiegazione. Non so... li ha messi su un altro conto, li ha investiti in Borsa... Però lei non si è ancora fatta sentire, e ti puoi immaginare. I soci mi hanno dato un paio di giorni per sistemare le cose con lei.

– E se non ci riesci cosa fanno, chiamano la polizia?

Il Burino abbassa gli occhiali e si sfrega gli occhi. Sembra di colpo stanco. – No. Non la polizia.

9.

Il taxi va a passo d'uomo lungo una stradina dei Ṣassi, e io mi guardo attorno dimenticandomi per un secondo perché sono lí. Ha smesso di piovere e il cielo ha una luce chiara che fa risaltare il tufo marroncino delle case scavate nella roccia.

Matera è fatta a punta e le strade si arrampicano verso la parte piú alta, che termina con le guglie del duomo. Passiamo su viuzze sempre piú strette sino a quando a un lato della strada costeggiamo un burrone. Lo riconosco perché ricordo qualcosa dei dépliant della *Torrazzo*: è il burrone della Gravina, una specie di ferita che spacca in due la regione. Sul lato del burrone verso la città i Sassi sono quasi tutti disabitati o in ristrutturazione. È il quartiere Albanese, semiabbandonato. Non come nei quartieri piú turistici del Barisano e del Caveoso, pieni di alberghi e ristoranti. C'è pure una città nuova, ma i dépliant non ne parlano e immagino che non sia un granché. Dall'altra parte, invece, comincia la Murgia e ci sono i villaggi neolitici scavati nella roccia calcarea, e le chiese rupestri.

Sono le sette di sera di un giorno feriale, e in giro per il Barisano non c'è un'anima a parte noi. Il Burino non ha piú aperto bocca. Non ha voluto specificare a chi si riferiva prima – «Non la polizia» – ma immagino che sia brutta gente, amica di altra brutta gente che per investire in nero finanzia porno. Ma Arianna ha davvero imboscato i soldi? Magari lo stava facendo quando mi ha mandato l'ultimo messaggino. È venuta qui, ha trovato qualcuno per cui valesse la pena di rubare tutto e scappare in un posto caldo. Uno meglio di me.

– Siamo arrivati, – dice il Burino, togliendosi di tasca un rotolone di banconote per pagare l'autista. Il taxi si è accostato a quello che sembra l'ingresso di un albergo. Poi mi accorgo che l'edificio che sto guardando ospita solo l'atrio, ed è ovviamente un Sasso ristrutturato.

– *Tu* sei arrivato. Io vado a cercarmi qualcosa di piú economico.

– Ho preso una doppia, ti puoi adattare.

– Sei matto.

Apro la portiera e scendo tirandomi dietro la mia borsa. Dopo un passo il Burino mi si para davanti. – Col cazzo che te ne vai.

– Prova a fermarmi.

– La paura che mi fai!

Lascio cadere la borsa e gli salto addosso. Il trucchetto della mattina non mi funziona, sono io quello a terra dopo pochi secondi con uno strano dolore alla pancia. È stato un pugno, il primo pugno della mia vita. E il Burino mi guarda dall'alto. Mi raggomitolo aspettando il calcio, ma lui si limita a fissarmi. – Ascolta, ragazzino. Io ti ho parlato come se ti credessi, ma non è proprio proprio vero. Potrebbe darsi che sai dov'è Arianna e non me lo vuoi dire –. Cerco di rialzarmi, il Burino mi tira una sberla che mi rintrona. – E statti buono.

– Bastardo.

– Ti dico quello che facciamo e tu lo fai. Io e te stiamo insieme da bravi fratelli. Pago tutto io, ma te non ti allontani. Perché se per caso Aria ti vuole vedere, ci voglio essere anch'io all'incontro.

– È andata via, non lo capisci? Ce lo ha messo nel culo a tutti! A me, a te, a tutti quanti! – La voce mi esce cosí stridula che mi rimarrà nelle orecchie per ore, dopo. Con un senso di vergogna assoluta.

Il Burino si china per aiutarmi. – Vedremo, – dice. – Dài.

Spingo via la sua mano e mi alzo, trascinando la borsa sino all'atrio. Diamo i documenti, poi una cameriera ci fa tornare in strada e raggiungere quella che sembra una piazzetta a pochi metri. L'albergo vero e proprio sta lí. Ogni stanza è un vecchio Sasso, trasformato in alloggio singolo. In quella che è la camera del Burino il soffitto a volta è alto quasi tre metri, e sembra una grotta tirata a lucido. Ci sono due letti a una piazza e mezzo, il televisore al plasma e un salottino con il frigobar.

– Ti tratti bene, – dico al Burino. Lascio cadere la borsa sul pavimento e il mio corpo in una delle poltroncine.

– È l'albergo dove è scesa Aria. Mi sembrava il posto piú giusto.

– Hai chiesto?

– Ovvio. Per telefono. Non sanno quando sia andata via con esattezza. Ha lasciato la chiave nella porta e la sua roba non c'era piú. Però aveva pagato in anticipo con la carta di credito e non si sono preoccupati.

Mi guardo attorno, cerco di respirare l'odore di lei. – La camera era questa?

– Sí –. Prende una birra dal frigo e se ne scola metà, poi me la passa. Non è contento, quasi come me.

Facciamo il turno per il bagno, e quando esco dalla doccia il Burino si è cambiato. Ha messo giacca e cravatta, con il risultato di sembrare piú losco che mai.

– Da dove cominciamo? – chiedo. Ho la testa vuota, e un'enorme stanchezza. Vorrei infilarmi nel letto e tirarmi le coperte in testa.

– Ho già cominciato –. Bussano alla porta. – Visto?

Il Burino apre e si infilano in camera due tizi. Lui è sulla cinquantina, talmente simile al signor Armando che mi viene un colpo. L'unica differenza è che non porta il parrucchino e indossa un completo grigio molto formale, mentre il signor Armando sembra Tony Manero. Lei è sulla quarantina, cicciotta, e tiene addosso una pelliccia finta. Calze a rete e tacchi a spillo, le gambe sembrano due zamponi vestiti a festa.

– Ma che bello vedervi! – grida il Burino scambiando abbracci e baci sulle guance. Poi prende le mani della tipa e la fissa negli occhi. – Sei uno splendore, Monica.

– Se mi guardi cosí mi fai bagnare… – miagola lei.

Io cerco di spalmarmi nel tufo, ma i due mi notano. Il Burino presenta me come un suo caro amico e loro come Alberto e Monica. – Ci hanno dato una mano con il casting.

Alberto alza una bottiglia avvolta nella carta. – Ci siamo permessi di portare un presentino.

– Non dovevate... – Il Burino libera la bottiglia dalla carta. – Moët & Chandon, che siccheria.

– Lo bevi sempre nei tuoi film... – dice lei, ancora piú adorante.

– È finto, bella mia. Ma questo no. Aspetta che guardo se ci sono dei bicchieri...

A me tocca il bicchiere degli spazzolini e lo champagne è caldo. Facciamo il brindisi, all'amicizia o una stronzata del genere, poi il Burino si siede sul bracciolo della poltrona, con la tipa che ne approfitta per mettergli una mano sulla coscia. – Scusate se non vi ho avvisati con un po' di anticipo...

– Ma no, ma no, è un piacere, – l'omino non smette di saltellare in giro, sempre piú rosso. – Lo sai quanto ci teniamo al progetto...

– E a vederti, – aggiunge lei.

– Sono venuto io a fare gli ultimi giri, perché Aria è dovuta tornare a casa...

– Peccato, – dice Monica. – Mi è troppo simpatica.

– Vero? Il casting è andato bene?

– Benissimo. Le ragazze sono un fiore. Aria ne ha scelte sette, mi pare –. Alberto si appoggia su uno dei letti solo con la punta del culo. – E un paio di giovanotti.

– Bellissimi, loro... – dice Monica. – Ma non hanno la tua classe, – dice mordendo l'orecchio del Burino.

– E con Aria ci avete parlato, dopo?

– Sí... Ma è andata via subito –. Alberto non riesce a staccare gli occhi dalla donna e dal Burino. – Speravo di vederla ancora.

– Sapete dov'è andata? – chiedo. Ok, non esattamente con il tono rilassato che hanno loro. Infatti si voltano tutti a guardarmi.

– Perché? – chiede Alberto.

– Perché ho bisogno di saperlo.

– Non lo so. Non l'ho vista, – dice Alberto. – Ma c'è qualche problema?

– Forse, – dico.

– No, – dice il Burino fissandomi. Poi torna a sorridere.
– Ma il ragazzo è nervoso, è la prima volta che partecipa.

– Ah, capisco –. Monica sospira. – Un novizio. Che tenero –. Poi con la sinistra abbassa la zip del Burino e gli infila la mano nei pantaloni. – Non ti dispiace, vero?

– Ma no che non gli dispiace… – dice Alberto. Poi a me:
– Io guardo solo.

Il Burino prende la testa della donna e se la piazza tra le
gambe. Lei comincia a succhiarglielo.

– È proprio una gran porca mia moglie, vero? – dice l'o-
mino.

– È tua moglie? – chiedo.

– Certo. Quella gran porca. Cosí, porca. Cosí!

A quel punto l'omino comincia a slacciarsi la patta, e io
scappo fuori.

10.

Vedo sorgere la luna seduto al tavolino del bar, dove gli
ospiti fanno colazione, in un angolo dell'edificio principale.
Cerco di distrarmi dai pensieri cupi guardando la collezione
di statuette in una grande teca sul muro. Sono di terracotta,
a forma di strane piante animaliformi coperte di piccoli insetti e fiori, e dipinte a colori vivaci. La portinaia mi spiega
che sono dei *cuccú*, poi ne prende uno e ci soffia dentro, pro-
ducendo un suono vagamente lugubre che sa di presa per il
culo. Con la coda dell'occhio vedo i due sposini passare dal-
l'atrio e allontanarsi. Saluto la portinaia e torno in camera.

Il Burino è steso nudo sul letto e si sta fumando una sigaretta. C'è un po' di casino in giro, ma temevo peggio. La bottiglia di champagne è ancora mezzo piena. – Non l'hai bevuta, – dico.

– Mi fa acidità –. Si alza e va in bagno a pisciare.

– È per questo che hai voluto che stessi con te? Ti serve un pubblico per tutte le volte che fai andare l'uccello?

– Io sono un artista, bello. Te lo devi mettere in testa. È come quando incontri un cantante e vuoi un autografo. Solo che a me chiedono qualcos'altro. E poi mi serviva.

– A cosa?

– A imbonirmeli. Mi organizzano un incontro con quelli che hanno fatto il casting. Un piccolo rinfresco.

– Tutto qui?

Tira l'acqua, poi si volta verso di me. – Hai altri suggerimenti?

– Lavati le mani.

– Bravo, che da solo non mi veniva in mente –. Lo fa.

– Esattamente chi sarebbero quei due?

– Brave persone.

– Le brave persone, a casa mia, non si fanno scopare la moglie.

– Casa tua era il posto piú palloso del mondo, già l'ho capito. Comunque hanno messo un po' di soldi nel film.

– E dove li hanno presi?

– Senti che tono, mamma mia. Sei figlio di guardie, per caso? – Mi tira in faccia l'asciugamano. – Alberto è sempre stato un po' un maneggione. Una cosa qui, una là.

– Una cosa tipo?

– Tipo… aveva una piccola ditta di smaltimento rifiuti.

– Quindi è un camorrista.

Il Burino raccoglie da terra i suoi vestiti, scuotendo la testa di fronte ai pantaloni stropicciati. – Tutti quelli che tirano su la monnezza sono camorristi secondo te?

– Tutti no, sui tuoi amici però ci scommetterei. «Aveva» nel senso che ha chiuso o l'hanno fatto chiudere?

Recupera la cravatta da sotto il letto. – E che palle. Andiamo a mangiare?

– E l'incontro?

– Piú tardi.

Ci andremo tre ore dopo, dopo esserci riempiti di agnello alla *culturiddi* e peperoni *cruschi* in un ristorante che raggiungiamo a piedi, salendo una lunga scalinata in pietra che porta a una piazza sopra il nostro albergo. Beviamo una bottiglia e mezzo di Aglianico del Vulture per tirarci su di morale, e dopo sono abbastanza rilassato per fare al Burino la domanda che mi sono tenuto dentro tutto il tempo.

– Perché non me l'ha detto? Aveva paura della mia reazione o cosa?

Lui mi guarda con un mezzo sorriso. – Tu eri la sua vita *fuori*. Mi sa che le piaceva giocare a fare la persona regolare.

– Prima o poi l'avrei scoperto.

– Aria è una persona intelligente, ma non è che le fa sempre tutte giuste. Però credo che sia davvero un po' stufa dell'ambiente. Dopo un po' ti consuma.

– Allora per questo è andata via con la cassa.

– Non ci credo.

– Allora dov'è?

– Non lo so, – dice cupo. – Non mi diverte fare delle ipotesi a cazzo.

– Va bene.

Paghiamo il conto e camminiamo fino alla parte nuova della città, piena di gente. Sembra che gli abitanti non amino stare nei Sassi, anche se i palazzi nuovi e il lungo viale non reggono il confronto con quello che ho visto in precedenza. All'angolo di un bar, su una Mercedes nera e lucida, ci aspetta Alberto: ci saluta dal finestrino con la mano e ci carica tutto allegro. Prendiamo la strada che abbiamo fatto venendo dall'aeroporto, ma a una decina di chilometri da Matera svoltiamo, poi svoltiamo ancora. Finiamo in quello che sembra un sentiero di campagna, senza illuminazione stradale.

– Siamo ancora in Basilicata? – chiedo.

– Siamo proprio al confine, – dice Alberto. – La terra di nessuno –. E ride.

Non mi piace quella risata, ma il Burino è tranquillo e vedo di imitarlo. A un certo punto, complice il vino, devo essermi appisolato, perché mi ritrovo davanti al cancello di quella che sembra una villa di campagna, completamente circondata da alberi e siepi. Alberto si allunga e pigia sul videocitofono, che si illumina e riesco a leggere la targhetta: «*Il Tempio*, club riservato».

– Visto che siete ospiti, – dice Alberto, – non vi faccio fare la tessera.

– È tuo? – chiede il Burino.

– No, dei Barone. Li conosci, no?

Da come il Burino annuisce ho la netta impressione che non gli piacciano. E se non piacciono a lui, figurati a me.

– In realtà, ultimamente lo gestisce solo Franco, perché Diego… – si tocca il naso, – ci dà un po' troppo dentro con questa. A me piacerebbe aprirne uno più vicino a Matera. Ho anche trovato il posto giusto, ma gli amici mi dicono che non è il caso –. Si volta verso di me. – La gente non è ancora preparata, è di mentalità ristretta.

Annuisco, senza capire bene di che cosa stiamo parlando. Il vino mi ha fatto salire il mal di testa. Parcheggiamo tra una fila di altre auto, saranno una ventina, poi proseguiamo a piedi verso l'ingresso illuminato. Tira un vento freddo che mi sveglia un po'. Avvicinandomi, capisco che la villa è in realtà un brutto cubo di cemento bianco a due piani, non molto grande. Dietro la porta troviamo un piccolo guardaroba e un tizio con i baffi in smoking con paillette da orchestra di liscio che ci stringe la mano. Un cartello dice: «Si ricorda che l'igiene personale e la buona educazione sono il miglior biglietto da visita». Un altro, scritto a mano: «Giovedí ore 20 Gang Bang con la grande Chanelle! Prenotazione obbligatoria». Il tizio si presenta come Franco, immagino sia uno dei Barone di cui si parlava prima. Mi dice qualcosa che non riesco a capire, forse benvenuto, perché la musica disco tamarra copre le conversazioni. Il Burino e il tizio sembrano amiconi, si prendono a braccetto e ridono. Passano una tenda scura preceduti da Alberto, e dall'altra parte scorgo persone in movimento. La tenda si richiude. Non ho il coraggio di attraversarla.

Mi prendo la testa tra le mani. Sento qualcosa che mi monta dentro: rabbia pura nei confronti di Arianna, per le cose che faceva, per la gente che vedeva. *Cazzo. Cazzo. Cazzo.*

Il Burino si sporge dalla tenda. – 'Mbe'?

– Non ce la faccio.

– Dài, che nessuno ti strappa le mutande, se non vuoi.

Tiro un respiro profondo e mi immergo. Il locale dall'altra parte è piú piccolo di come mi aspettavo. Le dimensioni sono quelle di una pizzeria, e l'arredamento è quello di una discoteca di provincia: cinque o sei divanetti blu, qualche tavolino tondo con le candele accese, un bancone per il bar con poche bottiglie. Su una pista minuscola due ragazze brasiliane con un abitino di plastica ballano tra di loro. Luci soffuse, una palla di specchi manda riflessi sulla pista e sui volti annoiati delle brasiliane. I clienti sono una ventina, seduti quasi tutti sui divanetti con un bicchiere in mano. Riconosco Monica, con un abito da sera e le solite calze a rete; ride con due tizi ancora meno attraenti del marito.

Alberto mi prende un braccio. – Che ti offro da bere? – urla.

– Una birra.

Andiamo insieme al bancone, tappezzato sul muro dietro di foto di altre serate memorabili, con spogliarelliste e pornostar. In quasi tutte le foto c'è il tizio con i baffi, sempre accompagnato da uno che gli assomiglia. Una loro caricatura incorniciata, una roba da fiera di paese, recita: «I favolosi fratelli Barone». Favolosi proprio. Intanto il Burino si scambia bacetti e abbracci con i presenti. Non capisco se sia davvero una celebrità in quel mondo oppure risulti simpatico a tutti. Entrambe le ipotesi mi sembrano fantascienza.

Alberto mi mette in mano una bottiglietta di Peroni. – Ti piace? – grida.

– La mia marca preferita.

– Intendevo il locale.

– Bellissimo.

– Ma tu nel film ci reciti o stai dietro le quinte?

– Cosa faccio io?

– Sí.

– Aiuto Aria. Sono il suo assistente, diciamo.

– È brava, eh? E, se posso dirlo, un gran pezzo di fica. La bottiglietta mi trema in mano. – Vero.

– Non ha voluto fermarsi per la serata al *Tempio*, dopo il casting. Diglielo tu che è un locale di classe e di non sdegnarci sempre.

Le brasiliane intanto si sono tolte l'abitino e ballano solo con uno striminzito perizoma indosso, poi si baciano tra loro tra gli applausi. Anche la gente sui divanetti comincia a darsi da fare. Coppie, triangoli. Si baciano e si toccano, a parte un piccolo gruppo, cinque o sei persone, che sta in circolo attorno al Burino, che parla gesticolando e ridendo.

Alberto va a dare un bacio alla moglie, che pare non avere ancora scelto il partner della serata. Uno dei tizi di prima le massaggia un piede, ma lei gli allontana le mani quando cerca di salire troppo. Ogni tanto qualcuno mi lancia un'occhiata, forse si stupiscono della mia passività. O magari no, saranno abituati ai guardoni.

Io mi rimetto a fissare la pista. Adesso le brasiliane sono nude e si stanno masturbando in piedi, in una posa innaturale e atletica, con il bacino spinto in avanti e le gambe larghe. Si sputano sulla passera per lubrificarsi, fanno smorfie di godimento assolutamente fasullo. La cosa migliore sarebbe eccitarsi, potrei lasciarmi andare. Ma ho Arianna piantata in testa.

Mi faccio dare un'altra birra dal barista, non mi chiede soldi, forse perché sono un ospite di lusso, poi vago nella sala in cerca di un posto tranquillo. Sui divanetti succede di tutto. Una bionda rifatta è completamente nuda e ha sopra due uomini che la leccano. Un tizio si fa fare un pompino da una che continua ad aggiustarsi gli occhiali perché le cadono. Un ragazzo sui vent'anni si sta scopando in piedi una che potrebbe essere sua madre, che sta leccando un'altra tizia. Tipo l'ultima scena di tutti i film porno, quando c'è l'orgia. Solo che qui, a parte le tizie che ballano, sono tutti un po' bruttini. Un po' come guardare i tuoi vicini di casa che fanno sesso: finché li senti da oltre la parete è anche eccitante. Quando li vedi con i calzini corti e la pancera, ti fa l'effetto ragionier Fantozzi, perdi tutta la fantasia. Man mano che mi abituo allo spettacolo, mi accorgo che non tutti stanno scopando. Una buona metà è lí che chiacchiera o che si dà dei bacetti, tanto per passare il tempo. Forse non si sono ancora scaldati abbastanza.

Dietro la pista, un'altra tenda nasconde una stanzetta senza finestre, con un letto a tre piazze illuminato solo da un paio di candele Ikea sui comodini contrapposti. Uno di quelli che ho visto parlare con il Burino è inginocchiato su uno dei tappetini e tira della coca che ha sparso sul lenzuolo nero. Ha circa la mia età e gli occhiali spessi. Aspetto che finisca per non mandargli in aria la polvere, poi mi siedo dalla parte opposta.

– Scusa, era l'ultimo tiro, – dice.

– Voglio solo sedermi un attimo.

Lui si lecca il dito, raccoglie gli avanzi e se li spalma sulle gengive. – Ho una voglia di fumare... Ma è vietato, cazzo.

Si presenta come Piero e comincia a chiacchierare a palla del fatto che c'è sempre la stessa gente in giro, e dopo un po' non è piú tanto divertente. Bisogna andare a Roma, dice, dove alle gang arrivano anche duecento persone e trovi sempre partner nuovi, eccetera. – Anche te non ti stai divertendo molto, mi sa. Con il tuo lavoro chissà quante ne hai viste.

– Eh, sí, dopo un po' ti abitui.

– E vuoi sempre di piú, no? Quando avevo quattordici anni, l'idea di andare con una donna mi sembrava il massimo. Adesso se prima non si fa montare da un alano mi annoio.

– A chi lo dici. Eri al casting?

Batte le mani. – Mi hanno preso! Figata assoluta.

– Complimenti. Io lavoro con Aria. Lei è dovuta partire e sono sceso io.

– Mi sono cacato al provino, adesso posso dirlo. Era la prima volta che facevo qualcosa davanti alla telecamera. Come ti ha detto che sono andato?

– Come un professionista.

– Lo sapevo! All'inizio ero un po' freddo, ma Aria mi ha messo a mio agio. Deve averlo fatto un sacco di volte.

– Già.

– Cazzo, dopo ero cosí in tiro che ci stavo provando anche con lei, ma lei mi ha detto che non è professionale. Posso dirti una cosa?

– È una gran figa.

– Proprio. Volevo accompagnarla a fare i sopralluoghi, ma lei ha capito a cosa miravo e mi ha fatto correre.

– Quali sopralluoghi?

– Per le riprese, no? Voleva rivedere i posti dell'altra volta prima che facesse buio. Non te l'ha detto?

– Sí, certo.

Monica piomba tra noi a piedi scalzi. – Ma che fate qui da soli, checcacce? Dài, venite, che John ci fa un'esibizione.

– Non me la perderei mai, – dico, pensando al modo migliore per scappare.

Lo spettacolino è già cominciato. Il Burino è al centro della pista con addosso solo gli slip, e le due brasiliane gli stanno ballando attorno.

Una delle brasiliane abbassa con i denti lo slip del Burino. Non so se dipenda da un gioco di luci, ma il suo cazzo mi appare ancora piú mostruoso di come l'ho visto di sfuggita nella camera d'albergo. Chissà se lo paghino a centimetro, come la pizza al trancio. Afferra una delle ragazze e se la mette a cavalcioni, reggendo tutto il peso con le gambe, poi inizia a pompare a suon di musica. Quelli che non hanno le mani troppo impegnate applaudono a ritmo.

In quel mentre una tizia, con un giubbotto di jeans e il velo in testa, entra a passo di carica nella sala: è una presenza imprevista, perché vedo teste che si voltano ed espressioni stupite. La tipa piomba sulla pista e salta addosso al Burino. Non vedo esattamente quello che fa, ma la brasiliana che il Burino aveva tra le braccia cade a terra, e l'altra scappa verso l'ingresso. Il bordello si scatena. Chi corre, chi si infila in fretta i vestiti, e sotto la musica si sentono le urla. Due saltano addosso alla tipa e la tengono stretta, mentre questa si dimena. Alberto e Monica soccorrono il Burino, che rimane accucciato, tenendosi il petto con le mani. Io sono un po' im-

bambolato, ma mi sveglio e corro da lui. Il sangue gli cola tra
le dita e forma una chiazza sul pavimento.

Qualcuno si ricorda di spegnere la musica, e nel silenzio
generale si sente la voce della tipa con il foulard che grida:
– Avevi detto che lo distribuivano solo all'estero. Stronzo!

11.

Maria Policoro, anni ventisette. Nel 2005 gira un film del
genere debuttanti allo sbaraglio a Catania, prodotto da una
delle tante sigle con le quali la Aeelle muore e rinasce. Lo fa
con in faccia una mascherina nera, ma si dimentica i nei che
ha sulla schiena a forma di stella cometa. Sono particolarmente visibili nella scena in cui il Burino e lei rotolano nel
letto del motel. Ma la distribuzione è solo all'estero, dice il
Burino. È un gioco eccitante, Maria lo fa più per quello che
per i pochi soldi, che spenderà per un abitino in saldo.

Di quel film non ne sa più niente, sino a quando torna a
casa dopo una cena con le amiche e suo marito la riempie di
mazzate. Si era affittato un film su Sky, del tipo amatoriale,
approfittando della sera libera. *Quel* film. Il marito la stupra
sul pavimento del salotto mentre il film va in sottofondo, e
termina rovesciandole il televisore in testa, provocandole ferite permanenti al viso, la perdita dell'uso dell'occhio sinistro e una commozione cerebrale. Lui viene arrestato e condannato a due anni con la condizionale: non perde né l'impiego né gli amici. Lei invece è costretta a tornare a Matera
dai genitori, che l'accolgono peggio che male. Trova lavoro
in un'impresa di pulizie dove le affidano sempre i lavori più
di merda, visto che non è tanto presentabile con quelle cica-
trici in faccia e la fama di zoccola che l'accompagna. Uno di
questi lavori è la pulizia del *Tempio*. Una notte, mentre sta

salendo sul motorino per tornare a casa, dopo aver ripulito
le stanze superiori del locale, vede arrivare il Burino bello come il sole. E afferra un paio di forbici.

La storia la ricostruisco un pezzo alla volta mentre aspetto in questura il mio turno per farmi interrogare. Prima c'è
stato l'arrivo dei carabinieri e dell'ambulanza al *Tempio*, il
Burino che mi guarda con la faccia pallida sotto le luci al neon
dicendo: – Stavolta ci rimango, cazzo. Lo so che ci rimango,
– e mi imprigiona la mano fino a quando non lo caricano sul-
l'ambulanza. Poi un viaggio in auto sino alla questura di Matera sempre con l'auto di Alberto, adesso con la moglie che
piange stizzita.

Alle quattro del mattino l'appuntato di turno mi riceve
trattandomi come una pezza da piedi. Gli hanno detto che
lavoro con il Burino, sono anzi un pezzo grosso della casa di
produzione, e la cosa non gli piace per niente. «È vietato girare porno in Italia… è una vergogna che un giovane come
lei… atti osceni in luogo pubblico… se non la metto agli arresti e solo perché…» Bla bla bla, ascolto con la testa che mi
scoppia. Sono una larva, un essere semivivo che si limita a
occupare uno spazio. Alla fine l'appuntato mi consegna un
foglio di via obbligatorio, il che significa che devo levarmi
dal territorio pena l'arresto. Lo guardo ancora incredulo mentre prendo un cappuccino corretto alla grappa in un bar pieno di carabinieri e poliziotti. Addio, Matera: non ci rimet-
terò più piede finché avrò vita. Addio, Burino: mi hanno
detto che ti riprenderai presto, tutto un grande spavento e
morta lí. Avrai una bella cicatrice da mostrare nelle prossi-
me esibizioni, anzi, sono sicuro che ci farai sopra un paio di
film, come John Bobbit. Addio, Arianna, anzi, Aria. Sai che
ti dico? Non ce l'ho manco più con te. Spero solo che ti stia
andando tutto bene, e che ti goda i soldi.

Intanto che recito *Il giardino dei ciliegi* mia maniera, si è fatto giorno e sono arrivato all'albergo. È ancora chiuso e suono per farmi aprire. Dopo un minuto arriva la portinaia con cui ho chiacchierato la sera precedente, e sembra l'unica del personale già sveglia.

Mi sblocca la porta con uno sbadiglio, poi si avvia ciabattante dietro il bancone. – Lascio la stanza, – dico.

– Anche il suo amico?

– Ne ha trovata un'altra –. Al Madonna delle Grazie. – Poi passa a saldare.

Mi allunga la chiave e qualcosa mi succede allo stomaco. È come un attacco violento di nostalgia che mi lascia senza fiato. Invece no, respiro. E respirando capisco che cosa l'ha provocato. Un profumo. Un profumo che ho imparato a riconoscere piú del mio stesso odore.

La portinaia ha ancora la mano sul bancone. La prendo e me la porto alle narici. – Ma cosa fa? – dice lei cercando di divincolarsi. Ma io la tengo e annuso. È quello. Il profumo che sale dalla pelle avvizzita di una vecchia, dal suo polso dove battono le venuzze, è lo stesso privo di nome fatto apposta per Arianna.

– Dove l'hai preso? – chiedo.

Lei strappa via la mano e se la porta al petto come le avessi fatto male. – Aiuto! – dice piano. Poi piú forte: – Aiuto!

Corro dietro il bancone le metto una mano sulla bocca, afferrandola dalle spalle. Sembro un maniaco da telefilm, di quelli che dopo torcono il collo facendo *snap*. Mi sento cosí.

Non mi sento niente.

– Dove l'hai preso? Il profumo che hai addosso.

Sollevo leggermente la mano dalla bocca. Lei mormora qualcosa come «comprato». Le richiudo la bocca. Accanto al bancone una porta semiaperta rivela una piccola toilette.

Trascino dentro la donna che si dibatte, la getto sul pavimento. Non sento ragioni. Non penso.

– Dimmi dove l'hai preso o ti spacco la testa –. Lei grida ancora aiuto, e faccio qualcosa che forse rivedrò nei miei incubi. Le tiro un calcio nella pancia. A una donna che potrebbe essere mia madre, anzi, forse è piú vecchia di mia madre. Non è un calcio esageratamente forte, perché qualcosa in me deve funzionare ancora come un freno, ma abbastanza. La vedo che sputa saliva e piange, le lacrime che tracciano righe di rimmel.

– Nella camera, – dice poi.

– La camera di Arianna.

Annuisce, a quattro zampe. – Sí.

– Non è vero che ha portato via la valigia.

– No. Ho provato a cercarla, ma non... al cellulare non rispondeva.

Le afferro la crocchia e tiro il suo viso verso l'alto. – Perché non me l'hai detto?

– Avevo paura che la volesse indietro. Se il proprietario lo scopre... non è la prima volta.

– Dammela. Adesso.

– È nella mia camera.

– Se non torni subito ti denuncio ai carabinieri. Non me ne frega un cazzo se dici che ti ho picchiato.

Lei mi tiene gli occhi addosso mentre si rialza, io mi siedo sul coperchio del water sicuro che non tornerà. Invece lo fa dopo pochi minuti, la faccia ancora pastrugnata. Il trolley tigrato di Arianna. Dentro ci sono un paio di jeans e della biancheria, scarpe con il tacco e la boccetta di cristallo mezzo vuota. Il computer non c'è. La portinaia mi assicura con un filo di voce che Arianna l'aveva con sé quando è uscita. Se lo ricorda, glielo ha visto usare.

Le credo. Vado in camera a recuperare il mio bagaglio.

Quando esco la portinaia è ancora dietro il bancone, respira come se le stesse venendo una sincope. Lascio cadere la chiave e cammino con una valigia per mano senza sapere dove sto andando. Finisco davanti a una vecchia osteria. Sulla porta un ragazzo che deve aver passato la notte sveglio sta accordando la chitarra. A quest'ora del mattino mi sembra un atto eroico, quasi come picchiare una vecchia. Mi siedo sui gradini di fronte a lui e riguardo i miei tesori. Annuso la boccetta, e il profumo è talmente forte che ho paura di annegarci dentro. Affondo le dita tra i vestiti di Arianna. Trovo la stampata del biglietto aereo che non ha usato per il ritorno, una boccetta di pillole per il mal di testa e una scheda di memoria, di quelle per le macchine digitali. Prendo tre pillole ed esamino la scheda. Piena o vuota? Sesso? Depravazione?

Il ragazzo sta accennando *Safari* di Jovanotti. Suona piano per non disturbare i vicini, ma è abbastanza intonato.

– Abiti qui? – gli chiedo. Lui fa sí con la testa senza guardarmi. Si ferma, tira una corda e riprende.

– Ce l'hai una macchina fotografica? Anche piccola. Basta che ci vada dentro questa –. Gli faccio vedere la scheda.
– Ci metto cinque minuti.

– Altro?

– Hai una canna?

Lui ride e sparisce nel portone. Riappare dopo qualche secondo con una macchina fotografica da pochi soldi e una mezza canna già accesa. – Il mondo è strano stamattina, – gli dico.

– Per fortuna.

Ci dividiamo la canna, che mi raschia in gola e mi rende il mondo ancora piú irreale. Però cancella il profumo dalle mie narici e dalla mia testa. Infilo la scheda nella macchina. La prima foto mostra un corpo nel buio. Si distinguono a malapena chiazze di pelle e il bianco di un lenzuolo. Sono cosí assuefatto al porno che lo archivio subito come l'immagine di un set. Ma la foto seguente è piú illuminata e il soggetto è lo stesso: sono io. Sto dormendo con un braccio sulla testa, il busto che sporge dal lenzuolo. Non so quando Arianna ha scattato questa foto, non me l'ha mai detto.

Mi tocca, mi colpisce, mi distrugge.

Mando avanti. Le foto cominciano a essere di Matera, in una stagione piú luminosa di questa. La data digitale indica quattro mesi prima. Cosa aveva detto l'idiota al *Tempio*? Che Aria voleva rivedere i posti che già conosceva. Aveva già fatto un sopralluogo. Dove mi aveva detto che era? A Roma per una *sales conference*? A Torino? Non mi ricordo piú. Le foto dopo mostrano la strada dei Sassi e poi l'inconfondibile profilo della Gravina. Le ha scattate a ripetizione, in certi momenti, riesco a intuire i suoi passi.

– Quanto vuoi per la macchina? – chiedo al tipo che è passato a *Yesterday*. Ha gli occhi chiusi e sta per addormentarsi.

– Mi serve, – dice.

– Allora facciamo che me la presti.

– E se non torni?

– Ti lascio le valigie in pegno. Questa vale un casino, – dico sollevando quella di Arianna, che sembra un torace. Roba di lusso, disegnata da Alexander McQueen. – E la macchina te la riporto entro stasera.

Annuisce lentamente. – Ok.

Gli lascio la mia roba che spero di ritrovare, ma non fa differenza se non succede. – Come hai detto che ti chiami? – mi chiede mentre mi allontano.

– Fai tu. È lo stesso.

Seguo i passi di Aria/Arianna attraverso le foto. Scendo lungo il quartiere Albanese, sul lato piú scosceso di Matera, quasi a picco nella Gravina. Vedo il torrente, sotto, mentre sposto sterpi e rifiuti. Alcuni Sassi sono chiusi da cancellate dietro cui abbaiano pitbull e cani lupo, altri sono privi di porta, spalancati, poco piú di grotte coperte di graffiti, sul pavimento segni di fuochi recenti. Aria/Arianna ne ha fotografati alcuni dall'interno. Li ritrovo senza fatica, sono grandi e disabitati, ci si possono facilmente immaginare scene di passione e set improvvisati. Continuo a scendere seguendo le foto come le briciole di Pollicino fino a quando la serie cambia radicalmente. Adesso si vedono la Civita e le guglie del duomo prese da lontano. Dall'altra parte del crepaccio. Cerco di fare una triangolazione spannometrica, e mi pare che sia sul promontorio alla mia sinistra, sopra le bocche delle chiese rupestri. Attraversare mi sembra impossibile senza ammazzarmi, e per quanto Aria/Arianna sia una buona camminatrice, non ce la vedo a spaccarsi le ossa inutilmente. Risalgo prendendo una via diversa da quella della mia discesa, seguendo un sentiero in pietra chiara che si apre in una piazzetta minuscola scavata tra i Sassi, e da qui infilando una gradinata. Il sole e il movimento mi fanno sudare, mi allaccio il maglione alla vita e m'incammino di buon passo alla ricerca di un valico. È lontano. Seguo la strada sino alla statale e cammino sull'asfalto per almeno un'ora. Sono l'unico pedone, e anche le auto alle otto del mattino non sono poi cosí numerose. Un cartello indica «Belvedere di Murgia Timone», e quando lo raggiungo, capisco di avere trovato la mia meta.

Aria/Arianna ha scattato da qui. Vedo perfettamente tutta la parete rocciosa, e la discesa che porta alle chiese rupestri. I cartelli indicano «Chiesa della Palomba», «Cave di tufo», «Grotte». Dove sei andata?

Le foto successive sono sfocate, come se Aria/Arianna le avesse scattate camminando in fretta, in automatico. Poi ce n'è una nitida, con una specie di dolmen di pietra e l'apertura di una grotta, parzialmente ostruita da massi di tufo. Le fotografie che vengono dopo sono scattate con il flash: è l'interno della grotta. Ha l'aria di essere profonda, e c'è un uomo, vestito da escursionista con zainetto, che guarda sorpreso verso l'obiettivo. Aria/Arianna deve averlo spaventato con il flash. Nelle foto seguenti è sparito e vedo solo il budello di roccia, che sembra dipanarsi a croce e abbassarsi. Poi il buio. Poi di nuovo la mia foto. Sono arrivato in fondo, la grotta è l'ultima tappa.

Cerco con lo sguardo il dolmen e lo vedo sulla distanza, al centro di quella che appare come una conca sulla spianata. Lo raggiungo facendo rotolare ciottoli e cercando di evitare le pozzanghere di fango. Il dolmen è in realtà il residuo dell'estrazione del tufo, è alto tre o quattro metri e sembra senza tempo. Un cartello spiega che mi trovo in una delle cave piú antiche, e forse è una meta turistica in alta stagione. Mi correggo, *so* che è una meta turistica in alta stagione. L'abbiamo sui dépliant, i Sassi vengono da posti come questi, che sono stati scavati per secoli. L'ingresso della grotta quasi mi sfugge: è cambiato. Davanti ora vi è una sorta di gabbiotto in fil di ferro e legno, e un cartello del Comune di Matera con la scritta «Lavori di consolidamento. Accesso vietato». La data è quella di tre mesi prima. Aria/Arianna è arrivata sin qui trovando chiusa la sua grotta preferita. Si sarà fermata? Sulla porta, una catena d'acciaio. Ma è solo appoggiata, perché il lucchetto è rotto. Sfilo la catena ed entro. L'ingresso della grotta è quello della foto, odora di fogna ed è caldo. In fondo solo il buio. Il mio cellulare ha due piccoli faretti al led, che consumano la batteria a velocità supersonica. Ma illuminano bene, con la tonalità dei vecchi flash al magnesio dei film in bianco e nero. Sciabolo l'oscurità e avanzo a piccoli passi. Fa sempre piú caldo e la puzza è sempre piú forte.

Non so bene che cosa provo davvero in quel momento. Sono stanco, quello sí. Intontito dalla grappa, dalle pillole e dalla canna. Forse provo rassegnazione. Sono arrivato alla fine della pista, e la fine è un budello scuro. O forse aspetto un segno. Arianna che se ne va lasciando le sue cose. Arianna che tiene la mia foto. Arianna che ruba. Arianna che scompare. Tutto finisce lí dentro e tutto si spiega lí dentro.

Sono arrivato alla fine della grotta, venti metri piú in fondo. Ispeziono il primo cunicolo alla mia sinistra con il raggio di luce. Quello di destra mostra qualcosa di rosa, gonfio. Ed è l'origine della puzza.

Si dovrebbe stare male quando si incontra un cadavere. Si dovrebbe scappare urlando. Invece mi chino per guardare meglio, respirando nella boccetta di profumo per coprire la puzza.

– Arianna, – mormoro.

Ma non è lei.

12.

Devo strisciare un po', e lo faccio. Non mi costa niente un po' di umiliazione in piú. Vuole che le faccia la verticale sulla testa? Vuole che mi metta a quattro zampe?

Alla fine il signor Armando mi riprende, magnanimo. «Una sbandata può capitare, quando si è giovani. Ma devi capire che se non ti comporti responsabilmente nella vita bla bla bla. E bla».

Anche Raf smette di fare domande dopo un po', e in cambio gli permetto di parlare dei suoi telefilm preferiti, di tanto in tanto. Sono anche stato a casa sua a vedere il meglio di *Star Trek serie originale*, selezionato da lui, mentre sua madre ci serviva la Coca-Cola. Non ricordo un cazzo. Sono quasi sempre fumato o sbronzo, anche se ho imparato a nasconderlo bene.

Il cadavere lo trovano dopo due mesi, anche se è molto
piú fermentato di quando l'ho visto io, e devono fare una serie di esami per capire che è Aldo Barone, il fratello mancante. Io l'avevo riconosciuto dai baffi, il resto della faccia era
troppo conciata, rincagnata e coperta di sangue secco e insetti. È lí che Arianna l'ha colpito. Con una pietra, dicono i
giornali. Una botta sola è stata sufficiente. Voleva stordirlo
probabilmente, ma deve aver capito subito di aver esagerato. E deve aver pensato: adesso cosa faccio?

In un mondo migliore di questo, Arianna avrebbe potuto dire che lui l'aveva seguita dopo il casting, e che aveva
cercato di prendere quello che lei non era disposta a dare. Di
farsi quel «gran pezzo di figa» che si muoveva in un ambiente dove tutti scopavano con tutti, pretendendo di rimanerne fuori. Ma in questo mondo, Arianna sapeva di essere fregata. Per quello che rappresentava, la legge non l'avrebbe
perdonata, l'opinione pubblica men che meno. E il fratello…

Il Barone superstite, Franco, va sui giornali molto spesso. Non solo per il lutto di famiglia. È sotto inchiesta per gli
amici con i quali fa affari: massoni, mafiosi. Uno cosí non
aspetta che sia la legge a mettere a posto le cose. Uno cosí la
legge se la fa.

Questo deve aver pensato Arianna davanti al cadavere.
E quando da una parte rischi di finire in un pilone di cemento, e dall'altra hai la possibilità di intascare mezzo milione
di euro e sparire, dubito che in molti avrebbero fatto una
scelta diversa.

Le è dispiaciuto per me? Avrebbe voluto chiamarmi ma
non si è fidata? Oppure non ha voluto tirarmi in mezzo?
Non lo so. Ho sempre paura quando vedo che qualcuno fa

la mia stessa strada di notte. Penso che gli amici del morto, gli amici degli amici, abbiano capito tutto e stiano venendo per chiedermi di lei.

La penso spesso, anche se non sempre riesco a rimettere insieme il suo viso. La ricordo per alcuni gesti, per il suono della sua risata, per il bacio che mi ha dato l'ultima volta che l'ho vista. Io sotto le lenzuola, lei sopra, che mi diceva: «Ti chiamo». La immagino in un posto caldo, dove con cinquecentomila euro si possa fare una vita da regina. Abbronzata mentre beve un latte di cocco o un mojito, distesa su un'amaca mentre ascolta musica latina, leggendo un libro con l'espressione seria che aveva sempre, quando leggeva. Mi chiedo se abbia dei rimorsi per quello che è successo. Se le manco.

Io intanto aspetto che accada qualcosa.

Annuso il suo profumo.

Diego De Silva

Non è vero

Daniele Dalisi ha cinquant'anni tutti dimostrati e belli da
vedere, la faccia drammatica che piace alle donne inclini a
complicarsi la vita. Quando si toglie la mascherina e subito
dopo il camice, e nell'incrociare lo sguardo di Sara ne coglie
subito il disagio, lo stesso che l'ha tradita al bar dell'ospedale un mercoledí di due anni e mezzo prima, la mattina che
Daniele si è avvicinato per cercarle la mano sotto il banco alla faccia della gente che passava e salutava, Buongiorno dottore, buongiorno dottoressa, e lei l'ha fissato scandalizzata e
felice, Ma che stai facendo, non vedi che ci guardano, e lui
le ha sussurrato a tanto cosí dalla bocca Stai tremando, ti vedi, senti la mia mano, anch'io; quando quest'attimo ritorna
(è sufficiente che s'intravedano anche da un capo all'altro del
reparto per ritoccare il nodo prima che si allenti anche di poco); quando la recita diventa insostenibile e d'istinto lui le ricambia l'appartenenza, convinto com'è che nessuno di loro
potrebbe mai accogliere altre braccia (nonostante lui abbia
una moglie e una figlia: ma le braccia di Paola, benché sua
socia nell'affare della vita, hanno smesso da tempo di com-
petere); quando questo succede, Daniele non riesce a trattenersi dal sorriderle: come adesso, che gli assistenti sono cosí
stanchi che non ci fanno neanche caso (o, se ci fanno caso,
non si soffermano sull'intimità di quel sorriso), al contrario
dell'infermiera, che nel raccogliere i ferri si volta di spalle e
stira le labbra in una smorfia, perché adesso ne è certa: c'è

una relazione fra il primario e la giovane anestesista che il professore vuole cosí spesso al suo fianco in sala operatoria.

– Sei stato molto bravo, – gli dice Sara sottovoce, avvicinandosi.

L'infermiera, a tanto cosí da loro, si abbandona a una specie di assenso ironico di cui probabilmente vorrebbe che gli amanti si accorgessero, ma Sara e Daniele sono troppo interessati l'uno all'altra per farci caso.

– Anche tu, – risponde Daniele.

E finalmente vengono via di là.

Lungo il corridoio, infermieri, colleghi e pazienti li salutano. Di tanto in tanto, qualche sguardo sbilenco li disapprova. Se Campobasso è piccola, l'ospedale lo è ancora di piú.

– Vieni… un momento? – le sussurra Daniele a pochi metri dalla porta del suo ufficio.

Sara si guarda intorno con un certo imbarazzo.

– Non è meglio se ci vediamo direttamente dopo?

– Per favore.

Sara annuisce, lusingata dalla sua insistenza.

– Mi sembra sempre di aver fatto cosí poco, alla fine di un intervento, – osserva, una volta entrata nella sua stanza.

Daniele la segue a ruota e chiude la porta.

– Non dire sciocchezze, – risponde. – Quando opero mi sento tranquillo solamente con te.

– È il complesso dell'anonimato dell'anestesista, lo sai. Passiamo inosservati per principio. Nove volte su dieci il paziente non sa neanche come ci chiamiamo.

– E vi lamentate? Sapessi quanto piacerebbe a me, operare in incognito.

– Lo dici perché non ti sei mai sentito trascurato, da quel punto di vista.

Lui si avvicina, fingendo palesemente di restare in argomento per cambiare discorso.

– E io?

– Tu cosa? – risponde lei, giocando.

– Ti ho mai trascurata?

– Intendevo professionalmente.

– Io no.

Sara gli sta offrendo la bocca quando bussano.

Daniele va a sedersi alla scrivania. Dalla parte opposta, lei prende a sfogliare il registro dei degenti.

– Avanti.

La porta si apre.

– Sí, Giovanna? – fa Daniele.

– Mi scusi, professore, la vuole Rotunno, – dice la caposala, dopo aver rivolto a Sara un cenno di saluto.

– Gli dica che abbiamo appena finito in sala operatoria e che saremo da lui fra un po', – risponde Dalisi, e lancia a Sara uno sguardo sbilenco, quasi si aspettasse di trovarla contrariata.

La caposala indugia sulla porta, insoddisfatta. – Abbia pazienza, professore, – dice, lievemente esasperata, – è da stamattina che non mi dà pace.

Sara emette un lieve sospiro.

– Va bene, vengo.

Giovanna respira meglio.

– Grazie, professore. Non sa com'è insistente, quello.

– Sí che lo so, – conferma Dalisi.

Il rimprovero di Sara arriva con impeccabile tempismo.

– Non capisco perché sei cosí accomodante.

– Non mi pesa chissà quanto, – si difende lui.

Lei non aggiunge altro, insoddisfatta dalla diplomazia della sua battuta.

Daniele si alza dalla poltrona. – Che fai, vieni?

– Veramente sono stanca.

– Lo sai che mi ha chiesto d'incontrarti prima dell'operazione.

– Non sono obbligata, no?

– Ma come, ti lamenti che i pazienti non sanno nemmeno come ti chiami, e adesso che ne hai uno che vuol fare la tua conoscenza ti tiri indietro?

Sara s'irrigidisce.

– Sarà che in fondo non mi dispiace, il complesso dell'anonimato dell'anestesista.

– D'accordo, – incassa Daniele mentre gira intorno alla scrivania e raggiunge la porta, evitando il contatto, – ci vediamo domani in sala operatoria.

– Cosí? – dice Sara, un attimo prima che lui esca.

– Cosí cosa? – chiede Dalisi, polemico.

– Neanche «Ci sentiamo», o «Ci vediamo piú tardi»? Direttamente domani in sala operatoria?

– Oggi me ne vado prima, – tronca lui, ormai scostante a oltranza, – si laurea Mirella, te l'ho detto.

– Me l'hai detto.

Carmine Rotunno va per i sessanta, ha un corpo nervoso, tratti contadini, piccoli occhi chiari che classificano piú che guardare. A vederlo nella sua stanza, in piedi davanti alla finestra, avvolto in una vestaglia elegante, impegnato soltanto ad aspettare, sembra piú forte del cancro. Non legge, non guarda la Tv, non usa il cellulare, non esce dalla camera, non riceve visite. Ha una battaglia che lo attende, e vuole essere pronto.

Daniele si mostra seccato, nel rispondere alla sua chiamata.

– Che c'è, ancora?

– Non vi avevo visto, oggi.

– Comincia a irritarmi questo suo atteggiamento.

– Dovete capire la mia condizione. Ho il massimo rispetto per voi.

– No. Non è vero.

– Allora sono un bugiardo?

– Non m'interessa cos'è lei, o chi è. Voglio solo che la smetta di starmi addosso.

– Sono un malato, professore. Devo vedere il mio medico tutti i giorni.

– Forse non se n'è accorto, ma è pieno di malati, qui dentro. Cosa si aspetta, che mi occupi soltanto di lei?

Rotunno inclina appena la testa di lato e solleva le sopracciglia in un'espressione compassionevole.

– Vi devo rispondere?

Daniele inspira e ribatte.

– Stia a sentire: l'intervento è domani. La opererò con la massima concentrazione. Ma per farlo ho bisogno di stare calmo e di non essere disturbato continuamente. Non mi piace operare pazienti che mi dànno l'ansia.

Le labbra di Rotunno si stirano in una specie di ghigno. Manda i suoi piccoli occhi a fare un accurato giro del perimetro del soffitto, prima di rispondere.

– Un medico bravo non la mette mai sul personale, professore. Perché poi se sbaglia paga care le conseguenze.

Le narici di Daniele si gonfiano. Deve compiere uno sforzo violento per ingoiare la rabbia.

Ecco, adesso può voltare le spalle e raggiungere la porta.

La secchezza del tono con cui Carmine Rotunno lo chiama un attimo prima che esca fa l'effetto di un preavviso di condanna.

– Professore.

Daniele si gira. Lo guarda.

– Voi siete bravo, è vero?

– Cosí dicono.

– E io perciò sono venuto qua. Ve lo ricordate, sí?

Daniele annuisce, ma con gli occhi gli tiene testa.

– Una cosa.

– Prego, – fa Rotunno, tutto orecchie.

– Dica a quei due di togliersi dall'ingresso del reparto. Per i visitatori, c'è la sala d'attesa.

Rotunno indugia, come intrigato da quei tempi supplementari di polemica.

– Manco loro vi stanno simpatici, professore?

– Peggio. Mi disturba il sistema nervoso, vederli.

– V'innervosite facilmente, voi.

– Me li toglie dai coglioni quei due, sí o no?

C'è una certa ammirazione sul sorriso di Rotunno, adesso. Lascia in sospeso la domanda per qualche istante.

– Va bene, sarà fatto.

– Ottimo, – risponde Daniele, con soddisfazione.

E finalmente se ne va.

Sara sta attraversando il parcheggio dell'ospedale diretta alla macchina, quando vede Daniele poco lontano che parla con un suo coetaneo, arrogante nell'aspetto, arrogante nell'eleganza.

Si ferma.

L'uomo in compagnia di Daniele le rivolge uno sguardo vagamente allusivo. Ma è un attimo, il tempo di riprendere la conversazione con Dalisi, che Sara, da quella distanza, non può sentire.

C'è un pubblico elegante, nella sala delle lauree, alle quattro del pomeriggio. Mirella discute la tesi con competenza. I professori si scambiano soddisfatti cenni d'assenso. In prima fila, Daniele ascolta attentamente, compiacendosi della padronanza con cui la figlia governa una situazione cosí classica. Di tanto in tanto Paola, seduta accanto a lui, gli prende la mano, emozionata. Daniele allora le cerca gli occhi e sorride, pensando com'è strano che senta cosí forte la mancanza di Sara in un momento del genere. Allora guarda l'orologio e se la immagina avvolta nella tuta da ginnastica che lui stesso le ha regalato, mentre corre, leggera e luminosa, lungo i giardini di Villa De Capoa, e gli sembra di vederla rallentare, ogni tanto, o fermarsi, molestata da un pensiero ricorrente che non vuol saperne di lasciarla.

Nell'anticamera della sala operatoria, i guardiani di Rotunno aspettano in silenzio.

È Sara la prima a uscire. Ma per la buona notizia che porta non potrebbe avere una faccia piú sbagliata. Quei due non li ha mai potuti vedere; tantomeno s'è impegnata perché pensassero il contrario.

– Benissimo, – dice, soltanto; e già uno s'è allontanato lungo il corridoio, col cellulare attaccato all'orecchio.

Daniele la trova a un tavolino del bar del pianoterra, dopo un po'. Sembra che lo faccia apposta, a far raffreddare il caffè. Si siede.

– Perché non sei rientrata?

– Avevamo finito, no?

– Mi hai sempre aspettato, alla fine di un intervento.

Sara non parla.

– È finita, Sara. Se ne va. Non pensiamoci piú.

D'istinto le copre una mano con la sua. Realizza la gaffe e subito la ritira, neanche si fosse scottato.

– Cos'è, ti vergogni? – chiede Sara, in un accesso di aggressività.

– Ma che dici, – risponde lui accompagnandosi con un sorriso penoso.

– Credi che qui dentro non sappiano di noi? Credi che le cose non si vengano a sapere?

I lineamenti di Daniele s'induriscono.

– Abbassa la voce.

– L'abbasso, l'abbasso, – risponde Sara assecondando la sua richiesta, senza però modificare di una tacca l'atteggiamento di sfida che ha assunto, – fosse mai che ti metto nei guai. Io sto sempre dalla tua parte, non è vero?

Daniele muove la testa di qua e di là. A un tratto gli sembra che tutti li guardino.

Si alza dal tavolo.

– Non ho nessuna voglia di stare qui a sopportare i tuoi nervi.

Gira i tacchi e si allontana, senza voltarsi né rallentare.

Sara lo segue con gli occhi, e per la prima volta da quando lo conosce ha la sgradevole impressione d'essersi sbagliata sul suo conto.

Al rientro a casa, Paola e Mirella, ancora fresche d'entusiasmo per la laurea, accolgono insieme Daniele sulla porta. Non hanno regali, niente da offrirgli al di fuori di se stesse.

Con le braccia di sua figlia al collo, Daniele si scopre a domandarsi dov'è finito il tempo in cui non desiderava altro che questo, e dov'era lui, quando finiva.

Il cellulare di Mirella squilla nella tasca posteriore dei jeans. Lei lo tira fuori, legge il nome sul display, lo pronuncia come una ragione superiore.

– È Federico.

– Fine delle feste a papà, – fa Daniele, rassegnato.

Paola sorride.

Mirella schiocca un bacio sulla fronte del padre e si allontana, innamorata, lungo il corridoio.

Daniele si toglie la giacca.

– Quando riparte? – domanda Paola.

– Martedí.

– Ma non è troppo presto?

– Se ne assume lui la responsabilità.

– Tanto meglio.

– Infatti. Mangiamo?

– Ma che hai?

– Niente, perché?

– Sembri appena uscito dal commercialista.

– Ah ah, spiritosa.

– Si può sapere che ti è successo?

– Lo sai.

– No. Non è solo l'intervento. C'è qualcos'altro.

– Sono solo stanco.

Sara si prepara da mangiare con gesti lenti, spezzati. Le sembra di pensare al rallentatore. Sa di avere quel guasto dentro, l'ha riconosciuto. Sa che non c'è niente da fare. Non è ancora finita, ma è peggio. Deve solo aspettare, non c'è altro modo per capire come stanno le cose. È questo il problema dei dolori in corso: li senti, ma non sai esattamente cosa sono. Pensa a Daniele. C'è una camera d'aria, in mezzo. Non è sicura che sia la sua mancanza, quella che avverte adesso. La Tv è accesa, una speaker dai lunghi capelli sciolti conduce il telegiornale della sera.

Se l'esecutivo uscisse indenne dall'ordalia del Senato, potrebbe verificarsi quello che una volta si sarebbe chiamato un cambio di fase.

Lei ascolta ogni parola, e non capisce.

Il mese successivo passa lento. Daniele e Sara concordano in silenzio una separazione fiduciosa. Non parlano di quello che è successo, non si vedono piú di nascosto, non fanno l'amore. Restano fedeli e lontani, aspettando che passi. Un giorno sí e qualche volta anche l'altro, lui le telefona, spaventato e pieno di speranza. Sara gli risponde sempre.

– Io non vado da nessuna parte, ricordatelo, – le dice un giorno in corsia, approfittando di un momento di solitudine.

La notizia arriva di domenica pomeriggio, mentre Daniele si rade allo specchio del bagno, scalzo e con un asciugamano annodato in vita. Dalla stanza da letto, Paola gli urla di raggiungerla subito.

Alle spalle dello speaker del telegiornale compare il primo piano di quello che viene definito un pericoloso latitante appena arrestato in Francia. È un capomafia promosso sul campo per meriti di sangue, e si chiama Sabato Smeraldo, non Carmine Rotunno, come sapeva Daniele.

«Sembra, – dice il mezzobusto, – che l'uomo fosse malato di cancro e abbia fruito di cure recenti. Al momento, gli inquirenti sono impegnati a ricostruire i suoi ultimi spostamenti, per venire a capo dei legami e delle coperture di cui il boss dovrebbe avere, con ogni probabilità, beneficiato.

«"Questa maggioranza perde i pezzi per strada": è con questa frase lapidaria che il portavoce dell'opposizione ha commentato la diff…»

Paola azzera il volume del televisore e guarda suo marito con sgomento.

– E adesso che succede? – gli domanda.

Daniele non si scompone. Indica a sua moglie il cellulare poggiato sul comodino.

Paola glielo passa, aspettando che lui le risponda.

– Che deve succedere? Niente.

E lascia la stanza, come se la notizia non costituisse una novità.

Paola resta seduta sul letto, interdetta davanti allo schermo, a fissare lo speaker che muove le labbra e chissà che cosa sta dicendo.

Daniele torna in bagno. Chiude la porta a chiave. Digita
un breve messaggio sulla tastiera del telefonino: «Devo parlarti».

Seleziona il numero di Sara e invia.

Poi riprende a radersi.

Al mattino, il caffè all'angolo di casa di Sara offre in lettura tre quotidiani, appesi ai dorsetti di legno come camicie.
È la sua puntata giornaliera prima di andare al lavoro, un piacere privato in luogo pubblico che si concede da qualche anno, ogni giorno. Il barista non ha neanche bisogno dell'ordinazione: gli basta vederla entrare, aspettare che prenda posto al tavolino con il quotidiano, e poco dopo la serve. Caffè
macchiato e brioche piccola.

Sara sfoglia il giornale.

Chissà perché, quando riconosce l'uomo nella foto, le viene da sorridere.

Piú tardi, al lavoro, incontra un collega in ascensore. Sembra inquieto.

– Hai saputo? – le domanda.

– Sí.

– Sei preoccupata?

– Perché dovrei?

– Come perché? L'abbiamo operato noi, quello.

– E allora? Mica siamo tenuti a conoscere la biografia dei
malati, Alfredo.

– Lo so. Ma è il sospetto addosso che non sopporto. Hanno già chiamato due giornalisti, stamattina.

– Hanno fatto presto.

– Ma com'è potuta succedere una cosa del genere?

– Mah... Chissà quanti delinquenti, magari non pericolosi come questo, abbiamo curato senza saperlo.

Alfredo sospira mentre l'ascensore raggiunge il piano di destinazione e si ferma.

– Sai cos'è che mi dà piú fastidio? Che se fossi uno che legge questa notizia sul giornale, mi sentirei autorizzato a dubitare del reparto intero, magari di tutto l'ospedale. È tremendo stare dalla parte dei sospettati, quando nemmeno tu crederesti alla tua innocenza.

Lo sguardo di Sara si perde nell'aria.

– È... vero.

– Ma che ti prende?

– Niente. Stavo solo pensando a quello che hai detto.

– Il professor Dalisi?

L'uomo che s'è appena rivolto a Daniele, alzandosi da una delle sedie dell'anticamera del reparto su cui ha aspettato fino a quel momento, è giovane, per quanto brizzolato; ha modi garbati, vestiti sobri, e guarda dritto negli occhi.

– Sí.

L'uomo gli tende la mano.

– Mi scusi se mi presento senza aver preso un appuntamento: sono il commissario Vanini.

– Piacere.

– Avrei bisogno di parlarle. Ma se adesso è impegnato, posso tornare un'altra volta.

– No. Tanto me l'aspettavo da un momento all'altro, una visita del genere.

– Ah.

– Devo scendere al piano inferiore per un consulto. Le dispiace se parliamo strada facendo?

– S'immagini. Colpa mia che sono arrivato all'improvviso.

Prendono le scale.

– Non sapevo affatto chi fosse quell'uomo, – dice Daniele a bruciapelo.

– Vedo che va dritto al punto.

– L'ho operato proprio come avrei fatto con qualsiasi altro paziente.

– Come le aveva detto di chiamarsi?

– Non me l'aveva detto. Ma sulla sua cartella clinica c'era scritto Carmine Rotunno.

– Ricorda anche il nome di battesimo.

Daniele rallenta. Lo guarda negli occhi.

– Ricordo anche la fantasia della sua vestaglia, se è per questo. Vuole che gliela descriva?

– Non volevo essere ironico.

– Lo spero davvero. Perché quando una mattina leggi sul giornale che la tua équipe ha salvato la vita di un mafioso, le battute spiritose sono l'ultima cosa che ti va di sentire, glielo assicuro.

– Certo, posso immaginarlo. E di cosa soffriva esattamente questo signore?

– Adenocarcinoma.

– Sarebbe un tumore del polmone, giusto?

– Esatto.

– L'intervento ha avuto buon esito?

– Migliore di quanto tutti sperassimo.

– Dunque, lei non conosceva la vera identità di questo fortunato paziente.

– Ho già risposto a questa domanda.

– Stavo solo ricapitolando. E ha per caso motivo di pensare che qualcuno dei suoi assistenti, intendo quelli che hanno partecipato all'intervento, potessero essere a conoscenza della sua identità?

Giungono all'ingresso del reparto a cui è diretto Daniele.

– Assolutamente no. Io sono arrivato, commissario. Se vuole scusarmi.

– Ah, ma certo, la ringrazio, professore, è stato molto disponibile. Un'ultima cosa.

– Se non è lunga.

– Telegrafica: lei conosce l'avvocato Saggese?

Daniele rilascia un sospiro.

– Lei sospetta di me, commissario? Perché se è cosí, preferisco che me lo dica senza girarci intorno.

– Di solito ci metto almeno mezza giornata per sospettare di qualcuno, professore. E lei la conosco da un quarto d'ora scarso.

– Guardi che c'è scritto sui giornali che Saggese era uno dei legali di Smeraldo.

– Lo conosce o no?

– Se le rispondo di sí, lei si sentirà autorizzato a pensare che io possa avere organizzato con lui il ricovero di Smeraldo nel mio reparto, giusto?

– Oh, io ne penso talmente tante, sa. E sapesse con quanta fretta cambio idea. Perciò non faccia affidamento sui miei pensieri e mi risponda con tranquillità.

– Sí, lo conosco. E credo anche che non mi possa vedere.

– Sul serio? E perché?

– Perché sono stato suo avversario in una causa, circa un anno fa.

– Suo avversario?

– Ero consulente del pubblico ministero.

– Ah.

– Ha perso la causa.

– Pure.

– E la mia consulenza ha pesato in una percentuale piuttosto alta su quella sconfitta, non so se mi spiego.

– Credo che si stia spiegando molto bene.

– Il cliente di Saggese era un imprenditore danaroso. Penso che quella sentenza gli abbia fatto fare un bel bagno. Vada a guardarsi gli atti, se crede.

– Sí, magari lo farò. Grazie della dritta. E del suo tempo.

– Si figuri.

– Potrei disturbarla ancora. Devo dirglielo, purtroppo.

– Quando vuole.

– La dottoressa Vallicelli? – chiede Vanini a Sara incrociandola per le scale di lí a poco.

– Secondo lei me ne vado in giro con il nome di qualcun altro? – fa lei, prontissima.

Vanini incassa la battuta e si trattiene a stento dal ridere.

– Buona, – dice.

– Grazie.

Si guardano.

Forse è per via del suo esordio imbarazzante che Vanini non trova la battuta.

– Stava cercando di rimorchiarmi o cosa? – dice Sara, visto che quello non parla.

– La prego, non infierisca, – le porge la mano. – Stefano Vanini. Sono della polizia.

Sara si toglie la propria di tasca e gliela stringe.

– Piacere.

– Che fa, sfotte?

Sara sorride.

– Che facciamo, continuiamo col cabaret o deve dirmi qualcosa? Ho un intervento fra mezz'ora.

– Mi basta anche meno.

– Allora prego.

– Ha saputo del mafioso arrestato in Francia?

– Che fosse un mafioso l'ho sentito alla televisione. Per me, era un paziente che dovevo anestetizzare.

– Ah, be', anche lei viene subito al punto. Non vedete proprio l'ora di parlarne, qui dentro.

– Le rendiamo la vita piú facile, non è contento?

– Come mai le ispiro tutto questo humour, dottoressa?

– Chiedo scusa.

– Può dirmi se durante il ricovero è successo qualcosa, anche un piccolissimo dettaglio, che l'abbia lontanamente insospettita?

– Non capisco la sua domanda.

– Cos'è che non capisce?

– Se avessi avuto un qualsiasi sospetto su quell'uomo sarei andata alla polizia, non le sembra?

– Giusto. Quindi si trattava di un paziente come un altro: nessun trattamento di favore, nessun privilegio.

– Già.

– Si ricorda chi lo assisteva, chi gli stava vicino, chi veniva a trovarlo?

– A trovarlo, non so. Ma quando passavo vedevo sempre due giovani, tra la sala d'attesa e camera sua. Pensavo fossero i figli.

– Com'erano?

– Boh... Giovani. Venticinque, trent'anni; bruni, media statura, vestiti in modo informale... le ripeto, normalissimi. Anzi, diciamo pure anonimi.

– Nessun altro?

– Faccio l'anestesista. Le mie frequentazioni con i pazienti sono molto scarse, commissario.

– E quelle con i suoi colleghi?

– Quotidiane.

– Posso chiederle che rapporti ha con il professor Dalisi?

– Sono l'anestesista di cui si fida di piú.

– E a parte gli aspetti professionali?

Sara lo fredda con lo sguardo.

– Non è tenuta a rispondermi, dottoressa.

– Tanto lo sa già, non è vero? Vuole solo capire quanta voglia ho di essere sincera con lei.

– Centrato.

– Siamo amanti.

– Da quanto?

– Vuol sapere se siamo una coppia da motel o da tramonto mano nella mano?

– È una distinzione originale, ma sí, diciamo che è questo che voglio sapere.

– Allora diciamo che quando andiamo nei motel scegliamo stanze da cui si vedano tramonti.

– Questo mi rende le cose piú difficili.

– E perché?

– Perché le persone innamorate si difendono l'una con l'altra. E le domande diventano inutili. Però gliene faccio una lo stesso: crede che Dalisi sapesse di Smeraldo, prima del suo arresto?

– Certo che no.

– Perché nel caso gliene avrebbe parlato, giusto?

– Non mi avrebbe nascosto una cosa del genere.

– Nemmeno se avesse pensato che sarebbe andata a denunciarlo alla polizia?

Sara ci mette un po' a rispondere.

– L'ho messa in difficoltà? – chiede Vanini.

Sara risponde alla domanda precedente.

– Nemmeno in quel caso.

– Non sembra molto convinta.

– È solo che mi serviva un secondo di raccoglimento.

– Un secondo di raccoglimento.

– Esatto.

– In altre parole, ha avuto bisogno di riflettere sulla sua fiducia prima di confermarla.

– E no, è lei che ha provocato la mia esitazione. Facendomi quella domanda a bruciapelo mi ha costretto a immaginare, anche solo per un attimo, che Daniele mi avesse nascosto la verità di proposito. Era un passaggio obbligato per poterle rispondere. Voleva soltanto vedere come avrei reagito davanti a quella ipotesi.

– Lei è una donna intelligente, dottoressa.

– Soltanto perché ho capito a che gioco giocava? Non sia cosí presuntuoso, commissario.

– Ha ragione. Forse sono io a essere meno intelligente di lei. Un'ultima cosa...

– Ancora?

– Lei conosce l'avvocato Saggese?

– Di nome.

– Mai incontrato, quindi.

– Mai avuto bisogno di assistenza legale, per fortuna.

– Va bene. La ringrazio del colloquio.

– S'immagini.

– A ogni modo, – conclude Vanini offrendole il suo biglietto da visita, – se per caso le venisse in mente qualcosa...

Sara prende il biglietto, lo guarda, poi guarda lui.

– Ho buona memoria, commissario. Se avessi avuto qualcosa da dirle, l'avrei già fatto.

– A volte la memoria ci sorprende, dottoressa. Non le riaffiora mai un ricordo all'improvviso?

– Credo di no.

– Allora butti pure via il mio biglietto, se crede.

E senza aggiungere altro, si allontana.

Sara guarda ancora il biglietto. Punta un cestino della carta poco lontano. Esita, poi infila il cartoncino nella tasca del camice senza accorgersi che, dalla rampa di scale sottostanti, il commissario Vanini l'ha osservata e adesso ha ripreso a scendere, con un sorriso sornione stampato sulla faccia.

Daniele piantona l'ingresso del reparto di otorinolaringoiatria. È bene informato sul mio conto, pensa Sara.
– Ciao.
– Ciao.
– Vorrei parlarti, possiamo?
– Ho un'adenoide.
– Lo so, tra quaranta minuti.
– Non mi piace che ficchi il naso nei miei impegni.
– Mi manchi, Sara.
– Guarda, non è proprio il momento.
– Perché? Cos'è successo?
– Non mi va di parlarne.
– Ho capito, è venuto anche da te quel poliziotto, come si chiama…
– … Vanini.
– Quindi ti ha cercato?
– No, ha letto il nome sul cartellino e mi ha fermato per le scale.
– Che voleva?
– Quello che voleva da te, immagino.
– Dobbiamo parlare, Sara.
– Non posso, ho l'intervento, lo sai.
– Perché mi liquidi in questo modo?
– Non ti sto liquidando. È solo che non voglio agitarmi quando ho sala operatoria.
– Per favore, vieni un attimo dentro.
– Ti ho detto che…
Daniele le va vicino. Le prende la mano. Stringe appena.
– Ti prego.

Sara sente le gambe tremare. Un sintomo che già conosce, che addirittura la diverte quand'è felice, e adesso, invece, la destabilizza. Credeva che i suoi sentimenti fossero cresciuti un po', che avessero smesso di ricompattarsi per cosí
poco, e invece eccoli là, festaioli e bambini come al solito.

– Va bene, – si sente rispondere.

Lo segue, imbambolata, nel suo ufficio, ed è spiazzata dal-
l'impazienza con cui lui la tira a sé appena chiude a chiave
la porta.

– Ehi.

– Non ce la faccio. Non ne posso piú di stare senza te.

Le cerca le labbra. Le trova.

– Daniele.

– Di' il mio nome. Dimmelo ancora.

– Ti prego, Daniele, non correre cosí…

La stringe forte, derogando alla delicatezza a cui l'ha abituata, confondendola. Sara sente le sue braccia mai cosí ner-
vose, l'affanno, il rumore del cuore addosso, e scopre quanto questa fame arretrata, questa sincerità incontenibile, questa estorsione sentimentale la trovi consenziente.

Le prende il viso fra le mani. Le bacia gli occhi, poi ancora le labbra, poi la stringe di nuovo a sé, ristabilendo con il
corpo l'autorità del suo amore.

Sara gli accarezza i capelli.

– Calmati adesso, vuoi?

Lui trattiene la commozione.

– Sí.

– Mi lasci respirare un attimo?

Lui si strofina il naso con un dito, ridacchia e la scioglie
dal suo abbraccio.

– Sí. Scusa.

– Credevo che volessi parlare del poliziotto.

– Sai quanto me ne frega del poliziotto.

– È un problema, Daniele. Anzi, è il nostro problema. Dovremmo parlarne.

– Va bene. Parliamone.

– Ho un intervento adesso, te l'ho detto.

– Allora stasera?

– Stasera?

– Perché, non puoi?

– Non è che non posso, è che…

– Cosa?

– Daniele, per favore. Se siamo stati lontani fino a questo momento un motivo c'è. Non possiamo fare la pace come due fidanzatini.

– E perché no?

Sara stringe gli occhi. Scuote la testa. Sulle prime, le viene da ridere.

– Ma guardati: ti comporti come se non fosse successo nulla. Come se non avessimo un problema. Non hai nessuna voglia di occupartene. Ti basta rimettere le cose al loro posto.

– Non mi pare che sia una colpa, questa.

– Lo è invece. E se tu non lo capisci, non è il caso di riprendere a vederci.

– Va bene, ma parliamone, almeno. Non capisco di che cosa mi ritieni responsabile, esattamente. Possiamo incontrarci e parlarne, di questo stramaledetto problema che ci fa stare lontani? Chiedo troppo?

Sara è come disarmata, tanto è ragionevole la sua domanda. Risponde assecondando il terreno pianeggiante della logica, piú che quello dissestato dei propri pensieri.

– No. Non chiedi troppo.

– Ooh, meno male. Allora, posso avere l'onore, stasera?

– Non fare il cretino.

– Voglio solo sapere: sí o no.

Sara si prende una breve pausa.

– Sí.

Daniele s'illumina.

Ritrovarsi a fare su e giú per il corridoio di casa, vestita e truccata, perdipiú come piace al tuo amante che sta per venire a prenderti, carico di aspettative e di espedienti con cui sai che riuscirà ad abbattere le tue ultime resistenze convincendoti che non sia successo niente di grave, e piú tardi tornerà d'ufficio nel tuo letto, e nella tenerezza stanca che segue l'amore ti domanderà se c'era proprio bisogno di farla tanto lunga, rinfacciandoti il tuo corpo nudo legato al suo, che cancella le buone ragioni del distacco che ti sembravano cosí solide fino al giorno prima, ecco, ritrovarsi a fare su e giú per il corridoio può essere una condizione tutt'altro che felice quando ti accorgi che non hai piú voglia di uscire, e il vestito che hai scelto non ti piace, e il trucco che hai messo non camuffa l'amarezza che provi, perché quello che veramente vorresti, ora, sarebbe mandare la serata a monte, rovinargli i piani, rispondere: «Non scendo», cosí, «Non scendo» e basta, pensi pure quello che vuole; che bello sarebbe modificare il corso delle cose, assecondare il capriccio dell'attimo, ristabilire il conflitto, decretarlo, non è come pensi tu, le cose non si risolvono prendendomi per la voglia, devo sapere chi ho accanto, cos'hai fatto, cosa sto facendo con te; che bello sarebbe sentire la tua voce oltraggiata al citofono che risponde, anzi, chiede: «Ma come?», e io non mi spiego, non ti dico niente, non voglio: tutto qua.

Invece, quando Daniele suona, Sara risponde solo: «Sí», e mezzo contrariata, mezzo rassegnata, si dà un'ultima occhiata nello specchio.

– Che hai?

Daniele ha levato gli occhi dalla strada e s'è girato a guardarla per farle la domanda.

Sara si stringe nelle spalle. Fuori è buio, le nigeriane in vendita sono fantasmi che appaiono sul ciglio della statale, chinano la testa e qualche volta ridono. Qualcuna sta ferma quasi al centro della via e si sposta solo all'ultimo, come le civette quand'è notte.

– Ti ho chiesto che hai.

– Ho sentito, – risponde Sara senza voglia.

I muscoli facciali di Daniele s'induriscono.

– Non hai neanche scartato il mio regalo.

– Posso farlo al ristorante.

– Sí, ma preferivo che l'avessi fatto quando te l'ho dato.

Sara fa ristagnare la sua replica per qualche istante, poi recupera la borsa dal sedile posteriore, spazientita.

– Va bene! Allora lo apro subito, cosí sei contento!

Tira fuori il pacchetto dalla borsa, lo scarta nervosamente, guarda all'interno, richiude.

– Ecco. Bellissimo. Grazie.

Rimette il regalo in borsa, ripone la borsa sul sedile posteriore e guarda fuori del finestrino, irrigidita.

– Se la serata deve continuare cosí, – dice lui dopo un po', – tanto vale che la facciamo finire subito.

Sara si volta verso Daniele, indugiando sulla sua osservazione.

– Sí, forse è una buona idea.

– Siamo a questo punto, allora.

– Può darsi.

– È per il poliziotto di stamattina che stai cosí, vero?

– Se dici questo non hai capito niente.

– Cos'è che non capisco?

– Che non ne posso piú di mentire. Ho detto a Vanini che per quanto mi riguardava era fuori discussione che tu sapessi la verità. Hai idea di come faccia sentire una cosa del genere?

Daniele si riempie i polmoni d'aria. Lascia andare un sospiro avvilito.

– Sara, mi dispiace. Non avrei dovuto coinvolgerti.

– Sono io che non dovevo lasciartelo fare.

– Ma che scelta avevo? Volevano me. In fondo si trattava di operare un malato.

– Per favore, almeno smettila di giustificarti, non lo sopporto.

– E va bene, – sbotta Daniele esasperato, – ho abbassato la testa. Ho fatto come volevano. Ora che te l'ho detto ti senti meglio?

– No.

Daniele la guarda, umiliato.

– Credevo mi capissi. Che fossi dalla mia parte.

– Anch'io lo credevo.

Daniele pianta gli occhi sulla strada e non dice piú niente. Schiaccia il pedale dell'acceleratore per scaricare la frustrazione.

– Mi dispiace, – fa lei dopo un po'.

– Sai che c'è di nuovo, Sara? – esplode Daniele con rabbia. – Va' alla polizia e racconta tutto. Rovina la mia vita e la tua, se questo ti fa sentire meglio!

– Sai benissimo che non lo farei.

– Allora che vuoi da me? Smettila di tormentarmi e lasciami in pace!

La macchina sfreccia sull'asfalto. L'intermittenza delle luci delle auto nell'altro senso si fa sempre piú veloce. Sara si guarda intorno, spaventata.

– Rallenta, – dice.

Daniele sembra non sentirla neanche.

– Daniele, per favore, rallenta, – ripete Sara terrorizzata. Non riesce nemmeno a urlare, quando le luci del camion nell'altra direzione l'accecano.

Daniele frena all'ultimo momento, evitando lo scontro.

Il clacson del camion è un insulto assordante.

L'auto si ribalta e salta fuori strada come un giocattolo azionato da un congegno a molla.

Dal posto di guida, il camionista rimane a osservare la scena inorridito, quasi contasse i rimbalzi che precedono lo schianto.

Sara riapre gli occhi in un posto inondato di luce. La vista di un armadietto metallico stipato di medicinali, e soprattutto l'odore familiare, la confortano.

– Cos'è successo? – domanda al medico di guardia, che pare risollevato, nel vederla risvegliarsi.

– Ha avuto un incidente. Ma è stata molto fortunata.

Sara si tira su con uno scatto nervoso.

– Daniele. Come sta. Dov'è.

Il medico abbassa lo sguardo.

Sara lo afferra per un braccio.

– Che gli è successo.

Quello la guarda imbarazzato.

– Mi dispiace.

Chissà come fa la notte a passare. Sara ha chiesto un sedativo, il collega l'ha accontentata ed è rimasto con lei a lungo, sembrava non si fidasse di lasciarla sola. Lei avrebbe voluto andarsene, gli ha detto che si sentiva bene, che poteva tornarsene a casa. Preferisco che resti qui almeno stanotte, ha risposto lui, e Sara non se l'è sentita di insistere. Cosí hanno parlato, lui (si chiamava Giulio) le ha raccontato della sua bambina che non vedeva quasi mai per via della separazione e di come fosse diventato difficile lavarsi i denti la mattina guardando lo spazzolino della bimba lasciato nello stesso bicchiere, e Sara all'inizio non l'aveva capita questa cosa dello spazzolino nel bicchiere e si vergognava di guardarlo in faccia perché le sembrava buffa e un po' strana, ma dopo l'ha investita una tristezza tale che è scoppiata a piangere da non riuscire a fermarsi finché Giulio non l'ha abbracciata e le ha detto delle parole all'orecchio che lei non sentiva ma che le hanno fatto bene, comunque.

Poi Giulio s'è messo a parlare d'altro e lei fino a un certo punto l'ha seguito ma era molto stanca, voleva solo stare sola e non sentire né voci né rumori e cosí ha chiuso gli occhi. Giulio allora ha abbassato la voce sempre di piú, come si fa quando si leggono le favole ai bambini che stanno scivolando nel sonno, finché non ha creduto che dormisse e se n'è andato. Allora Sara s'è alzata, è andata alla finestra ed è rimasta lí in piedi a guardare il cielo dall'altra parte che ci ha messo tutta la notte a diventare bianco.

È ancora alla finestra quando entra una ragazza che riconosce immediatamente. Bella, giovane, addolorata e severa. Da Daniele non ha preso quasi niente. Non gli somiglia, non fosse per l'espressione che assume nel guardarsi intorno, tale e quale alla sua. D'istinto, Sara si tira indietro i capelli, come volesse mostrarsi a volto scoperto prima di affrontare un'accusa.

Mirella si ferma al centro della stanza e le dà la colpa con gli occhi. Sara non oppone resistenza.

– Sarai contenta, adesso, – dice secca la ragazza, rompendo il silenzio.

– Io? – risponde Sara sbigottita. – Io contenta?

– Prima l'hai portato via a mia madre. E adesso a me. Nel momento piú felice.

Sara si morde le labbra.

– Lo amavo, Mirella.

– Non mi chiamare per nome. Non siamo amiche.

Gli occhi di Sara s'inumidiscono.

– Scusami, – risponde, mortificata.

– Dovevi morire tu, non lui.

Sara comincia a piangere.

– Per favore, non tormentarmi, lasciami in pace…

– Stavate litigando. È per questo che è andato fuori strada, vero?

Sara la guarda, il volto rigato dalle lacrime, sconvolta dalla sicurezza dell'affermazione della ragazza.

– È stato un incidente, – risponde, disperata.

– È tutta colpa tua.

– Ti prego, vattene, – singhiozza Sara, – lasciami stare…

Il suo lamento è interrotto dalla voce di un giovane medico che entra nella stanza.

– Che sta succedendo, qui?

Mirella si volta e lo inquadra. L'uomo la guarda con astio.

– Chi è lei?

Mirella non risponde.

– Alfredo! – esclama Sara, risollevata dalla comparsa di una faccia amica.

Il dottore supera la ragazza e le va incontro, prendendole la mano. Sara lo tira a sé e lo abbraccia. Lui ricambia, senza però levare gli occhi da Mirella, che si avvia lentamente alla porta.

– Le ho chiesto chi è, – ripete, minaccioso.

– Lo domandi alla sua collega chi sono, – risponde Mirella con durezza.

Lui fa per ribattere, ma Sara lo tira a sé.

– Lasciala andare, Alfredo, ti prego. Non importa.

Mirella se ne va.

Alfredo accarezza i capelli di Sara, rassicurandola.

– Chi è quella?

– La figlia di Daniele, – risponde a fatica Sara.

Gli occhi di Alfredo prendono una piccola luce, come una qualche somiglianza gli tornasse. Poi guarda di nuovo Sara con compassione.

– Mi dispiace tanto, Sara.

– Grazie, – fa lei strofinandosi un occhio con il collo della mano; poi cambia discorso per soffocare la commozione. – Hai visto che non mi sono fatta niente?

– Ho visto sí, – risponde lui, con il tono della scampata tragedia. – Anche le lastre. È una specie di miracolo.

– Oggi torno a casa.

– Vuoi che ti accompagni?

Sara lo guarda, felice della sua proposta.

– Non è che ti scombino la giornata?

– Non dire fesserie.

– Guarda che non ho intenzione di suicidarmi, – risponde Sara con il sorriso sulle labbra.

– Scusami, è che non mi fido della tua rassegnazione. Sono preoccupato per te.

– Lo so. Ma non ce n'è motivo, davvero.

– Perché non vieni a dormire a casa mia? Gloria ne sarebbe contentissima.

– No, sul serio, ti ringrazio… È meglio se me la vedo da sola.

Apre la portiera e fa per scendere.

– Sara.

– Cosa?

– Il funerale è domani. L'hai saputo?

Lei lo guarda e non risponde.

– Se vuoi vengo a prenderti, – dice Alfredo.

– Grazie, ma non ci vado.

– Hai tutto il diritto di esserci.

– No, non me la sento. Comunque, grazie, Alfredo. Sei stato molto caro. Lo sai, è difficile tornare a casa, dopo la morte.

Alfredo butta la testa all'indietro e stringe gli occhi.

– Come hai detto? – domanda, spiazzato.

Sara si porta una mano alla fronte. Un lieve capogiro la coglie.

– Non so, non capisco… non so come m'è venuta una frase del genere, – dice confusa. – Scusami.

– Sara, – dice Alfredo come volesse aggiungere qualcosa.

Ma lei è già scesa dalla macchina, e sta raggiungendo il portone a passo svelto.

I funerali si svolgono in forma ristretta, di primo pomeriggio. Sara esce di casa tardi, e si apposta sul marciapiede di fronte alla chiesa sul finire della messa. Una frase di Alfredo, che in serata l'ha richiamata piú volte per assicurarsi che stesse bene, l'ha convinta: «Ti sei nascosta per due anni e mezzo, non è abbastanza?»

Sara non pensava facesse cosí male vedere i suoi colleghi uscire uno alla volta dalla chiesa. Molti con la faccia appesa, qualcuno indifferente, qualcuno palesemente provato dalla durata della messa. C'è anche il sindaco, che aspetta i familiari di Daniele sul sagrato.

Esce Alfredo, che la vede, le sorride e le va incontro.

– Potevi dirmelo che venivi.

– Cosí te ne stavi qui fuori a soffrire abusivamente anche tu?

– Quanto sei fessa. Sarei venuto a prenderti, tanto per cominc... oh, ma che ti prende?

A un tratto Sara ha puntato gli occhi come un segugio sulla gente che fa la fila per baciare i familiari di Daniele.

– Come s'è permesso di venire, quello? – dice, digrignando i denti. L'ultima volta che ha visto l'uomo che ha appena riconosciuto stava parlando con Daniele nel parcheggio dell'ospedale, il giorno prima dell'operazione del boss.

Alfredo ruota il capo verso il gruppo di persone che occupa lo spazio antistante la chiesa.

– Saggese, vuoi dire? Non lo so. Proprio non lo so. In chiesa eravamo tutti in imbarazzo, infatti.

Si soffermano a guardarlo entrambi, sottolineando con gli occhi la gravità dell'eleganza, l'artificiosità della disinvoltura, la sicurezza volgare dell'atteggiamento.

– Ma tu guarda che arroganza.

– Lascia perdere, Sara, è meglio.

Paola e Mirella accettano con commozione le sue condoglianze, adesso.

– E io che mi vergognavo di venire, – commenta Sara, disgustata.

– Hai visto che avevo ragione? – fa Alfredo.

Saggese si congeda dalla famiglia di Daniele e si avvia verso il parcheggio vicino.

– Avevi assolutamente ragione, – risponde Sara, e con lo sguardo fisso davanti a sé si avvia al seguito di Saggese.

– Aspetta, dove vai? – dice Alfredo.

Ma Sara non lo sente neanche. Del tutto indifferente agli sguardi dei familiari di Daniele che prendono atto della sua presenza, pedina Saggese fino alla sua auto. L'avvocato volta la testa di lato nell'atto di disinserire l'antifurto della macchina con un colpo di pollice sul telecomando.

– Buonasera, dottoressa Vallicelli.

E poi si gira, pronto ad affrontarla.

Sara lo guarda negli occhi. È cosí indignata che non riesce nemmeno a parlare.

– Non è molto brava a seguire la gente, lo sa?

Forse è l'insolenza della battuta a restituirle la capacità di rispondere a tono.

– Lei invece s'intende di sotterfugi, non è vero?

La fronte di Saggese si corruga.

– Farò finta di non aver sentito.

– Con quale faccia si è presentato qui?

– Vado sempre ai funerali di chi mi fa perdere una causa.

– La sua ironia è fuori luogo, avvocato Saggese.

– E il suo atteggiamento no?

– C'ero anch'io in quella macchina.

– Lo so. Infatti mi rallegro di ritrovarla illesa.

Alcuni colleghi di Sara passano a breve distanza, diretti anche loro alle macchine. Nel vederla parlare con l'avvocato del boss che ha messo l'ospedale sotto i riflettori nazionali, si scambiano delle occhiate di riprovazione. Sara nota il loro atteggiamento, ma procede nella polemica.

– Lei sa com'è successo l'incidente?

– No, credo proprio di non saper rispondere a questa domanda.

– Perché stavamo litigando.

– Non vedo perché m'informa di questo…

– Perché l'argomento del litigio era Sabato Smeraldo.

– Non vedo perché mi…

– Perché Smeraldo, il boss che hanno arrestato in Francia, quello che abbiamo operato nel nostro ospedale di tumore al polmone, è un suo illustre cliente. Gli ho praticato io l'anestesia, pensi un po'.

– È una notizia che ho appreso dai giornali, infatti.

– Ma davvero.

– Cosa si aspetta che le dica, dottoressa?

– Che è stato lei a organizzare tutto. La scelta di una città tranquilla, lontana dai riflettori, perfetta per un ricovero sotto falso nome; un oncologo bravissimo e insospettabile, visto che era stato suo avversario in un processo poco tempo prima... a proposito, complimenti per l'alibi: è stato davvero previdente; l'assistenza di un'équipe all'oscuro di tutto... peccato solo che l'hanno arrestato, altrimenti non avremmo mai saputo che nel nostro ospedale era passato un paziente cosí celebre.

– Davvero una buona sceneggiatura, dottoressa. Posso farle io una domanda?

– Sentiamo.

– Le dà proprio cosí tanto imbarazzo aver operato un mafioso?

– Forse lei è abituato a non fare molta attenzione ai suoi clienti, avvocato, ma io sí.

– Sta dicendo sul serio? Perché se è una battuta non fa ridere.

– Dovrei essere fiera di aver curato un pericoloso delinquente?

– Assolutamente sí.

Sara ha un momento di confusione.

– Non sapevo chi fosse quell'uomo.

– Non ha alcuna importanza che lo sapesse o no. Cosa fa, cura soltanto gli incensurati? Quando le portano un malato gli guarda la fedina penale, invece della lastra?

– Guardi, Saggese, lei è l'ultima persona che può darmi lezioni di etica professionale.

– Crede di essere cosí diversa da me, dottoressa?

– Completamente.

– Si sbaglia. Facciamo la stessa cosa, io e lei. Siamo pagati per lavarci le mani delle miserie dei nostri clienti. Non siamo chiamati a esprimere giudizi sul loro passato, né sul loro presente, né sulle loro azioni, né sulle loro scelte. Non ci viene chiesto di occuparci di loro, ma del problema che hanno.

– Lei è molto abile nel giustificarsi moralmente, avvocato. Ma sa cosa la rovina? Che è evidente che non crede a quello che dice.

– Non conta che io creda a quello che dico. Conta che quello che dico non faccia una grinza.

– È agghiacciante il suo modo di ragionare.

– Il suo, invece, è semplicemente ipocrita.

– Non si permetta, – minaccia Sara, perdendo la calma.

Alza una mano e fa per colpirlo.

Saggese la intercetta a mezz'aria. Le stringe l'avambraccio e si avvicina, parlandole a tanto cosí dalla faccia, per metà minaccioso e per metà seduttivo.

– Mi domandavo quanto ancora ci avrebbe messo a perdere la pazienza, – dice fra i denti, sfiorandole le labbra.

– Le toglierò quel sorriso arrogante dalla faccia, glielo giuro.

L'avvocato la lascia andare.

– È una buona notizia. Cosí la rivedrò.

Sale in macchina e parte.

Sara rimane dov'è, immobilizzata dalla frustrazione.

Quando si sente chiamare per nome, alle spalle, è come se uscisse da un incantamento.

– Dottoressa Vallicelli.

Sara si volta. È Vanini.

– Buonasera, commissario, – dice, in palese difficoltà per essere stata probabilmente vista in compagnia di Saggese.

– Come sta? – chiede Vanini.

– Secondo lei come sto?

– È una domanda di routine, viene spontanea, anche se… mi rendo conto…

– Mi scusi, sono molto nervosa.

– Niente. Mi dispiace molto per il professore.

– La ringrazio.

– Ma sono felice che lei stia bene.

– La ringrazio anche per questo. Mi scusi, vorrei andare, adesso.

– Dottoressa.

– Cosa?

– Forse non è il momento, ma devo farle una domanda.

– Ha ragione, commissario. Non è il momento.

– Mi pagano per essere inopportuno, dottoressa. Cosa voleva da Saggese? Mi sembrava piuttosto accalorata, nel discutere con lui.

Sara esita per un attimo, ma poi riesce a trovare una spiegazione plausibile.

– Ho trovato fuori luogo la sua presenza al funerale, dopo quello che è successo.

Vanini si ferma a considerare la risposta.

– Sarebbe stato il caso di non alimentare i sospetti di vicinanza fra lui e Daniele, specialmente in pubblico, – continua Sara.

– Risposta ineccepibile, – osserva Vanini, per niente persuaso.

Sara fa per salutarlo quando lui la prende in contropiede.

– Però mi aveva detto di non conoscerlo, Saggese.

Lei esita di nuovo, ma recupera prontamente.

– Lo conoscevo di fama, come le ho già detto. Oggi ho avuto l'occasione di presentarmi.

– Hm-hm, – annuisce quello, sempre meno convinto.

– Adesso mi permette di andarmene, commissario?

L'indomani, in ospedale, Sara realizza la sua impopolarità dal saluto stentato del primo collega che incrocia. Il filo spinato degli altri lo senti subito, te lo trovi attorno di mattina. Lo montano di notte, mentre dormi. Non c'è nessuno che si trattenga con lei, la fermi per chiederle anche soltanto come sta, o semplicemente la saluti con la naturalezza di ogni giorno.

Esasperata, va in cerca di Alfredo. Lo trova in corsia, diretto in sala operatoria.

– Hai un minuto?

– Veramente stiamo per operare.

– Cos'è, anche tu mi fai il mobbing, adesso?

– Ma che stai dicendo, Sara?

– Che sto dicendo? Mi trattano tutti come se avessi dato scandalo, qua dentro! Si può sapere che cavolo gli ha preso, a tutti quanti? Che male ho fatto?

Alfredo si guarda intorno, un po' imbarazzato; poi le risponde con una certa grevità, quasi che in parte condividesse le ragioni dell'emarginazione che Sara sta subendo.

– Ti hanno visto che parlavi con Saggese, al funerale.

– E allora?

– Possibile che non capisci, Sara? È un momento difficile. Ci è piombato addosso un pregiudizio pesante come un macigno. Abbiamo operato un mafioso: vaglielo a spiegare a chi legge i giornali, che non ne sapevamo niente.

– Lo pago anch'io il prezzo di questa situazione, cosa credete?

– E pensi di migliorare le cose appartandoti con l'avvocato del boss al funerale del medico che l'ha operato?

– Allora è per questo...

– Nessuno ha niente contro di te, Sara. Capito?

– Sí, ho capito. Ho capito che non ve ne frega niente se siamo stati tutti complici di un reato, anche senza saperlo. Che non ve ne frega niente della verità. Anzi, che piú rimane nascosta, piú vi sentite tranquilli.

– Va bene, e se anche fosse? Non siamo tutti coraggiosi e appassionati alla giustizia come te. Siamo meschini e vigliacchi, e allora? Cosa vuoi fare, metterti sull'altarino e farci la predica?

– E se ti dicessi che è stato Saggese a combinare tutto?

– Lui o chiunque altro, che differenza fa? Io ho fatto il mio lavoro, come Daniele. Come te. Abbiamo operato un malato, tutto qui. Non facciamo i poliziotti, Sara, siamo medici!

– Insomma, voltiamoci dall'altra parte e facciamo finta che non è successo niente: è questo che mi stai dicendo?

– Devo operare, adesso, – risponde secco Alfredo.

E la lascia lí, isolata e confusa.

Spazzolino, dentifricio, collutorio; tovaglioli di carta, una spugnetta abrasiva, due lampadine, un pacchetto di cerotti assortiti. Sara guarda la merce con cui ha riempito il cestino di metallo e sorride. Praticamente nulla di quello che sta comprando le serve. Non subito, almeno.

Benché non sia nuova alla frequentazione dei supermercati per ragioni che nulla hanno a che fare con la necessità di approvvigionarsi di merce, non può fare a meno di sentirsi ridicola. Non ha mai capito perché, fin da quand'era bambina, camminare fra le scatolette e i detersivi le ha sempre fatto questo curioso effetto sedativo, quasi che i pensieri si stirassero, smettessero di azzuffarsi per la precedenza. Sarà quella parata modulare di colori, dimensioni e forme; l'artificialità del clima, o quell'odore compresso di alimentari, che un po' l'attira un po' la nausea: certo è che le basta varcare la soglia di un supermercato per lasciare fuori i pensieri come biciclette.

Ha appena imboccato il corridoio dei vini quando capisce di essere osservata. Sulle prime è un sospetto, un sintomo di-

stante che si fa piú persistente quanto piú tenta di smentirlo. Poi l'uomo col giubbino si tradisce in qualche modo, fra
gli interstizi degli scaffali che separano i vini dai casalinghi.
Archivia il dettaglio, si affretta alle casse e viene fuori di là.

È sera, il cielo ha liberato una pioggia tagliente, nevroti-
ca, che sgombera le strade e rovina i piani della gente. Sara
cammina a passo svelto sotto i balconi, con lo sguardo fisso
sul marciapiede e la paura che approfitta dell'acquazzone.
Lasciando il supermarket aveva fatto affidamento sui passanti, che adesso sono troppo impegnati a cercare riparo, a tirare fuori il telefonino per disdire, a inventarsi un'alternativa
alla commissione per cui erano usciti di casa, per venirle in
aiuto nel caso l'inseguitore l'aggredisca.
   La pioggia s'infittisce. Sara vede sempre meno ma continua a camminare velocemente. Sa di aver commesso un errore allontanandosi cosí tanto, ma ormai s'è spinta troppo
oltre per tentare di correggerlo. È cosí che agisce la paura, ti
assale a metà strada. Bastava fermarsi in un qualsiasi posto
frequentato, chiamare la polizia o direttamente Vanini (il numero ce l'ha, non l'ha buttato via): adesso è diventata una
preda disorientata, accessibile; non c'è nessuno intorno, nessuno vedrà nulla, nessuno interverrà. Quale momento sce-
glierà l'uomo col giubbino? La prenderà alle spalle o le sbar-
rerà la strada? Il male che vuol farle sarà rapido o lento?
   Non gli darà questo vantaggio. È ben allenata nella corsa. Che corra anche lui, se vuole averla.
   L'asfalto sotto i piedi sembra un pavimento che brucia.

Arriva a casa in un tempo di cui non ha consapevolezza
né memoria. È cosí stanca, e insieme entusiasta d'essere sal-
va, che per un po' le sembra plausibile che l'uomo col giubbino sia stato partorito dalla sua immaginazione.

Non va di proposito alla finestra. Quando ci passa davanti, e lo vede dabbasso, a pochi metri dal portone, in un certo senso la conforta realizzare che esiste.

Apre la finestra cercando di vederlo in faccia, e quello, con arrogante lentezza, si volta di lato, quanto basta per impedirle l'inquadratura. Un gesto di presunzione criminale cosí esibita che Sara deve trattenersi dallo scendere in strada e affrontarlo fisicamente. Recupera il biglietto di Vanini nella borsa e compone il numero. Quello risponde al secondo squillo.

– Commissario? Sara Vallicelli, devo parlarle.

– Buonasera anche a lei, dottoressa.

– Mi scusi, non ho tempo per la forma. Credo che un uomo mi abbia seguito. È ancora qui, davanti al mio portone.

Ci vuole qualche secondo perché Vanini assimili l'informazione.

– È sicura?

– Io credo... sí, sono sicura. Ero al supermercato, poi ha cominciato a piovere, e c'era uno con un giubbino che...

– Va bene, mi racconterà piú tardi. Non si agiti, le mando una macchina.

– D'accordo.

– Se può, vada subito da una vicina. Oppure chiuda bene la porta.

Sara butta l'occhio in strada. L'uomo è scomparso.

Apre la finestra, si affaccia.

Non c'è nessuno.

– Forse non ce n'è piú bisogno, commissario. Credo se ne sia andato.

– Cosa?

– Non c'è piú.

Vanini tace per qualche secondo.

– Dottoressa.

– Sí?

– È sicura che qualcuno la seguisse?

– Sta dicendo che non mi crede, commissario? Va bene, – reagisce Sara indispettita, – se è cosí che la pensa, mi scusi se l'ho chiamata. Non ricapiterà, stia tranquillo.

– Aspetti un attimo, dottoressa, – si spazientisce Vanini, spiazzandola, – guardi che non sono un vecchio amico, che può mobilitare e smobilitare quando vuole. Mi ha chiamato dicendo che un uomo l'ha seguita? Bene: allora voglio che sporga una regolare denuncia, qui, nel mio ufficio, domani mattina. Perché ho anche qualche altra domanda da farle. E le consiglio di venire, mi ha capito?

Sara incassa la ramanzina e risponde dopo qualche secondo.

– Ho capito.

– Bene. A domani, allora. Entro la mezza, – conclude il commissario, arretrando un po'.

Rimangono in silenzio.

– È ancora lí?

È lui che l'ha chiesto.

– Sí.

– Cos'ha da sorridere?

– E lei come lo sa che sto sorridendo? – risponde Sara, intrigata.

– Mi sbaglio, per caso?

Sara lascia passare un paio di secondi.

– No.

– Lo vede.

– Lo vedo cosa?

– Che avevo ragione.

– Sí, l'aveva, – ammette lei. – Ma non sull'uomo che mi ha seguito.

– Motivo in piú per venire a fare la denuncia.

– Le ho già detto che vengo.

– Guardi che non era mica un invito.

– Sí, era sembrato anche a me che non lo fosse.

– Non sono per nulla fiero della mia autorità, quando la esercito. Ma a volte mi capita di farlo.

– Me ne sono accorta.

– Allora l'aspetto domani. E se dovesse aver bisogno di me, mi chiami. A qualsiasi ora.

– D'accordo.

Attaccano, poi Sara si spoglia, s'infila nella doccia, chiude gli occhi sotto l'acqua tiepida. Piú tardi, torna alla finestra.

L'uomo col giubbino.

Le sembra che sorrida.

La mattina dopo, Sara piomba in tribunale come una furia. Sa esattamente dove trovarlo, ha chiamato in studio di mattina presto, la segretaria le ha riferito che aveva udienza e poi le ha chiesto chi fosse. Lei ha detto nome e cognome e le ha chiuso il telefono in faccia.

Saggese la vede arrivare mentre passeggia nei pressi di un'aula d'udienza, attorniato da uno stuolo di praticanti ossequiosi e ammaestrati. L'andatura di Sara è cosí determinata, cosí militaresca, che l'avvocato accusa una momentanea incertezza circa gli esiti dello scontro che – è chiaro – lo aspetta di lí a un attimo. Giusto il tempo che la sua naturale arroganza riprenda il sopravvento.

Sara si ferma a un passo da lui e gli punta il dito contro.

– Crede di spaventarmi? Io non ho paura di lei.

Saggese la squadra dalla testa ai piedi, e pure in una circostanza cosí imbarazzante, non riesce a tenere a bada l'ammirazione che ha sempre nutrito per la sua bellezza.

– Ragazzi, – risponde, rivolgendosi ironicamente ai suoi

giovani assistenti, che si guardano in faccia l'un l'altro, inquieti, – la dottoressa Vallicelli; dottoressa Vallicelli, i miei praticanti.

– Non faccia il buffone, Saggese. Sa benissimo di cosa parlo, e perché sono qui.

I praticanti assistono, raggelati, e continuano a scambiarsi delle occhiate sbilenche.

Saggese guarda prima loro e poi lei.

– Prego?

– Chi è quel delinquente che mi ha messo alle calcagna, uno dei suoi clienti?

– È sicura di sentirsi bene, dottoressa? – risponde Saggese con un ghigno sulle labbra.

Sara glissa, e lo attacca da un'altra parte.

– Lo sa, in fondo me l'aspettavo; è tipico di quelli come lei far fare il lavoro sporco agli altri. Mi dica: ha mai fatto qualcosa con le sue mani?

Uno dei praticanti fa per dire qualcosa. Saggese lo fredda con lo sguardo. Poi torna ad affrontarla.

– Adesso sta veramente esagerando, dottoressa. Si rende conto della gravità di quello che dice? Dei rischi che corre?

– No, me lo dica lei il rischio che corro. In quale tipo di eliminazione è piú bravo il bastardo che mi ha messo alle calcagna?

Per un momento, l'avvocato arrossisce.

– Il suo sistema nervoso è dissestato, dottoressa. I dirigenti dell'ospedale ne sono al corrente?

Sara ruota il capo di qui e di là prima di rispondere, come per ridicolizzare la minaccia ricevuta.

– Stia attento ai malati, avvocato. A volte, mandano in galera la gente.

Saggese butta la testa all'indietro. Vorrebbe rispondere, dire qualcosa, ma non gli viene niente. Niente di niente.

I praticanti sembrano manichini con le bocche aperte.

Sara gira i tacchi e se ne va.

Non si volta a guardarlo, ma è convinta che se lo facesse lo troverebbe esattamente come l'ha lasciato, con la stessa espressione inebetita sulla faccia.

Arriva in questura con venti minuti di ritardo. Vanini è al telefono. Sara lo saluta con un cenno del capo. Lui ricambia con una specie d'assenso e la invita a sedersi dall'altra parte della scrivania. Sara si accomoda mentre la conversazione telefonica procede.

– Certo che l'ho sentita, l'ho sentita perfettamente, – dice il commissario in tono grave, tenendo lo sguardo fisso su Sara. Che ricambia, un po' interdetta un po' no. – Cosa posso dirle, – va avanti Vanini seccato, lanciando a Sara delle lunghe occhiate di disapprovazione, – mi rammarico di non partecipare al suo sbigottimento, ma no, la cosa non mi sorprende. Sarà il mestiere che faccio a rendermi cosí disincantato, che vuole.

Sara china la testa di lato e sorride, sorniona.

Vanini la bacchetta con lo sguardo. Lei ricompone le labbra.

– Va bene. Quando vuole. Non è necessario che riceva io l'atto, come sa benissimo. Cosa? No, nessuna polemica, guardi. E gradirei che la smettessimo di discutere del mio tono, per favore. Di niente. Arrivederci.

Riattacca, punta il gomito destro sulla scrivania, chiude il pugno, ci poggia sopra il mento e riprende a fissare Sara manco fosse una bambina dispettosa che ne ha combinata un'altra.

Lei sta per sorridere, e lui pure.

– Cominciavo a preoccuparmi, – esordisce Vanini.

– Dopo appena venti minuti di ritardo, commissario?

– Non dovevamo mica andare a ballare.

– Ha ragione. È che prima dovevo fare una cosa.

– Lo so.

– Cos'è che sa?

– Secondo lei con chi stavo parlando?

Sara scuote la testa, come se l'allusione non la sorprendesse.

– Ha fatto presto, a quanto pare.

Vanini incrocia le braccia sulla scrivania e si spinge in avanti.

– Si rende conto di cosa ha fatto, dottoressa?

– Vuol darmi anche lei della dissestata mentale, commissario?

– È cosí che l'ha chiamata?

– Già.

– E non ha tutti i torti. Gli va a fare quella sparata in tribunale, e davanti ai procuratori, per giunta. Mi spiega cosa pensava di ottenere?

– Niente. Ero solo arrabbiata. E lo sono ancora. Molto.

Vanini si riempie i polmoni d'aria e lascia andare un sospiro solidale.

– Stia a sentire. Non credo che Saggese sporgerà denuncia, per il momento. Ma quello che è successo stamattina potrebbe costituire un problema molto serio per lei. Lo sa questo?

Sara lo guarda fisso, poi abbassa gli occhi.

– Tutto questo è ridicolo, – osserva.

Vanini sospira di nuovo.

– Perché non prova a essere sincera con me?

– Perché quando ci provo, non mi crede.

– Si sbaglia.

– Se non ha motivo di trattenermi, commissario, mi faccia andar via, per favore.

– Prima dovrebbe fare quella denuncia.

– Ah, già, è vero.

– Può passare all'ufficio di fronte.

– Bene.

Sara si alza e si avvia alla porta. Vanini la chiama un attimo prima che esca.

– Dottoressa.

– Cosa c'è?

– Stia lontana da quello là.

Sara annuisce. E per la prima volta da quando l'ha incontrato, sente che quel poliziotto è dalla sua parte.

– Stai bene?

Guido Marcelli, il chirurgo che fra poco opera, ha rivolto a Sara una domanda piuttosto inquietante, considerato che è lei l'anestesista di turno.

– Certo, perché? – risponde Sara, quasi sprezzante.

Marcelli non usa mezze misure.

– Perché sembra che tu abbia la testa altrove, oggi.

– Può darsi, e allora?

– Non sono interessato ai tuoi pensieri, – mantiene il punto il chirurgo, – semmai alla tua concentrazione.

– Ti ringrazio dell'interessamento, ma sono padrona di me stessa, Guido; e so esattamente come ci si comporta in sala operatoria, stai tranquillo.

– Bene, allora, – fa lui, più scettico di prima.

Entrano in sala operatoria. L'équipe inizia a prepararsi in attesa del paziente. Sara non parla con nessuno. Si guarda intorno curiosa, come fosse entrata in una stanza che non ha mai visto. Tutto quel che vede attira il suo interesse, la incanta. Adesso non solo Marcelli, ma anche gli altri assistenti e perfino gli infermieri registrano, inquieti, la sua distrazione.

Il chirurgo chiede all'infermiera di abbottonargli il camice sulla schiena, poi si posiziona di fianco a Sara.

– Mi dici che ore sono, per favore?

Sara butta l'occhio all'orologio alla parete.

– Quattro e venti, – risponde.

Gli occhi di Marcelli puntano quelli dell'assistente che lo
fronteggia, trovandovi, seppure a malincuore, la conferma
che si aspettavano.

– Cioè, no, scusa, le tre e venti, – si corregge Sara.

Il chirurgo si volta lentamente verso di lei.

– Preferirei che tu non partecipassi all'intervento, Sara.

– Che cosa?

– Hai sentito.

– Ma dài, Guido, – ribatte lei, annaspando, – ero solo distratta. A te non capita mai di leggere un'ora per un'altra?

– Niente di personale, Sara. Ho la massima stima di te, e
lo sai. Ma oggi non mi dài sicurezza. Preferisco non averti,
se non ci stai con la testa.

– La mia testa sta benissimo! Non ti permetto apprezza-
menti! – sbotta lei.

– Sara, per favore. Abbiamo un intervento da fare. Vuoi
calmarti?

– Non puoi estromettermi! Sono stata assegnata a questo intervento! Dovrai spiegarti con il mio primario!

– Lo farò, non preoccuparti, conosco bene la procedura.
Ma adesso ti chiedo di lasciare questa sala, – inchioda Marcelli.

Sara si guarda intorno esasperata, cercando la solidarietà
di qualche collega.

– Nessuno dice niente? – alza la voce, rivolgendosi all'intera équipe. – Tutti d'accordo con il capo?

Silenzio.

Ci sono giorni in cui fare jogging non ti scarica la mente. Sono quelli in cui i pensieri tengono il capriccio. E anche se li porti in giro, tentando di prenderli per sfinimento, non c'è verso. Ti stanno dietro dietro, come bambini che ripetono sempre lo stesso lamento.

Lungo i giardini di Villa De Capoa, Sara è rincorsa dalla morte di Daniele (ancora troppo irreale perché possa crederci veramente), dalla paura dell'uomo col giubbino, dal ghigno di Saggese, dall'estromissione dall'intervento chirurgico che, fra tutti, è curiosamente l'avvenimento che piú le dà dolore, adesso.

«Ho capito, – sembra che dica, perfino voltandosi, di tanto in tanto, per vederli, – avete ragione voi, lasciatemi perdere, per favore». Poi si ferma a una panchina, ché è stanca di scappare.

Il sonno la sta prendendo con dolcezza, quando sente parlare inglese. Non si dice cosí, pensa contrariata fra sé e sé. Quel verbo vuol dire un'altra cosa.

Poco piú in là, un turista in abiti sportivi cerca di carpire un'informazione da una ragazza che si sbraccia, inventandosi parole.

Si alza, li raggiunge.

– Parlo inglese, posso aiutarvi? – dice.

La ragazza non si volta neanche. Il turista continua a sforzarsi di interpretare i suoi gesti.

– Ehi, – fa Sara, indispettita dalla mancata risposta di entrambi, – avete sentito cosa ho detto?

La ragazza disegna un quadrato immaginario con le dita. Il turista segue il gesto, interdetto.

– *Squa-re. Co-mu-ne*, – sillaba lei.

– A-aah, – esplode il turista, e finalmente sorride.

Sara fa un passo indietro, inorridita.

– Perché non mi rispondete? – domanda, con la voce che si spezza.

E continua a indietreggiare mentre la ragazza procede nella spiegazione che il turista, adesso, sembra cominciare a comprendere.

– Sono qui, – urla Sara, disperata.

Ma i due estranei non la vedono. Non la sentono.

Sara vorrebbe gridare ancora ma non può, soffocata da un nodo che la stringe alla gola.

Un'altra voce, da piú lontano, arriva.

– Dottoressa –. E poi, di nuovo: – Sara.

Sara spalanca gli occhi. Le mani che la tengono per le spalle, il viso che la guarda da vicino, la bocca che le parla, sono quelle del commissario Vanini.

– Dottoressa. Si calmi, va tutto bene.

Stravolta e affamata di realtà, Sara gli si stringe addosso, ansimando. Sia pure con disagio, Vanini l'accoglie nelle braccia.

– Ha sognato, dottoressa. Ha soltanto sognato, – le dice sottovoce nell'orecchio, e la estrae senza scosse dal sogno.

Sara si scioglie dal suo abbraccio, imbarazzata.

– Stava urlando: «Sono qui! Sono qui!»

– Mi… mi scusi.

– E di cosa? – fa Vanini, lisciandosi i capelli all'indietro. – Si sente meglio adesso?

– Sí, grazie.

– Respiri. Raccolga bene l'aria e la lasci andare, lentamente. Ecco, cosí.

– Devo essere proprio stanca, – osserva Sara, riprendendo colore, – se mi addormento su una panchina. E gli incubi, poi…

– Lei è sotto pressione, dottoressa. Gliene sono successe troppe. Dovrebbe cambiare aria, per un po'.

– Sí, può darsi. Ma lei che ci fa qui?

– Ho provato piú volte a chiamarla, ma aveva il cellulare spento. Cosí l'ho cercata e, insomma, l'ho trovata. Volevo dirle che è passato Saggese in questura, per diffidarla.

– Diffidarmi? Che vuol dire? Mi ha denunciata?

– No, diciamo che è una denuncia annacquata, una specie di avvertimento. Come le avesse mandato a dire di non farlo mai piú. E io sono qui per questo. Per dirle di non ripetere un'iniziativa come quella del tribunale.

– Perché l'ha fatta, se non è una vera denuncia?

– Per mettere agli atti la sua invettiva, nel caso un domani gli servisse. Un po' come tenersi la ricevuta di ritorno di una raccomandata, non so se mi spiego. Gli avvocati sono cosí, devono sempre tenere i documenti in ordine.

– È assurdo che debba avere lui il coltello dalla parte del manico, – dice Sara, parlando praticamente a se stessa.

– Che cosa vuol dire?

– Niente. Solo che lo trovo arrogante, tutto qua.

– Basta con le risposte di comodo, dottoressa. Mi dica la verità. Perché l'ha accusato di averla fatta seguire?

– Perché lo penso.

– Perché avrebbe dovuto farlo?

– Per spaventarmi.

– Nessuno ha interesse a spaventare qualcun altro, a meno che non tema qualcosa a propria volta. Cosa sa lei che Saggese non vuole si sappia?

– Va bene, ha ragione, – risponde Sara, messa alle corde dalla sua logica. – Può essere che non sia stato Saggese a farmi seguire. Può essere che quell'uomo non mi seguisse affatto. Che sia stata la mia immaginazione a inventarlo.

– Perché continua a essere cosí reticente, dottoressa? Crede non abbia capito come stanno le cose?

– Non può provare niente se io non parlo.

– Finalmente è sincera, – dice Vanini risollevato.

E, come avesse sentito abbastanza, si alza dalla panchina per andarsene.

– Questo non cambia niente, – dice Sara.

– Si sbaglia.

– Perché?

– Perché adesso so che prima o poi mi racconterà la verità.

Sara lo guarda interdetta.

– Sa cosa sta per cominciare? – dice Vanini, cambiando improvvisamente discorso.

– No, cosa?

– Ma come. Non sa che giorno è oggi?

– Ho perso il conto dei giorni, commissario. Non li distinguo piú.

– È il Corpus Domini.

Sara s'illumina.

– Davvero?

– Le è passato di mente. Eppure è sempre stato un giorno importantissimo, per lei.

– Come fa a saperlo? – domanda Sara, sorpresa.

Vanini sorride, e va via senza rispondere.

Sara ama i Misteri fin da piccola. Ce la portava il nonno, sempre, glieli raccontava. Lei guardava, con curiosità e timore, e si stringeva forte alla sua mano mentre tutti quei corpi travestiti si agitavano, sospesi, nell'aria. A volte qualche bambino truccato da angelo passava davanti a una finestra e voleva bere. Allora una donna gli dava l'acqua.

«Guarda le macchine, amore».

«Cos'è una macchina, nonno?»

«È un trucco, ma lo puoi vedere. Guarda, è come un albero nascosto, una giostra. Serve a reggere i Misteri».

«E cosa sono i Misteri?»

«Sono angeli, o demoni. Oppure santi. O madonne. Sono uomini, donne. O vecchi. Soprattutto bambini. Vedi, nuotano nell'aria. Ma è perché sono imbracati con l'ovatta e con il cuoio, non possono cadere».

La sagra dei Misteri attraversava il borgo antico. Sara seguiva il passo dei portatori che reggevano le macchine e imparava le facce truccate, i corpi ricurvi, sbilenchi, i santi appesi, i diavoli che sbeffeggiavano la gente: guardava e imparava, senza sapere che erano martíri e miracoli di carne, quadri viventi dell'Antico e del Nuovo testamento. Il nonno le spiegava, ma poco per volta. Voleva che le piacesse, prima di capire.

Sara non passa nemmeno da casa per cambiarsi. Va alla processione cosí come sta, in tuta e scarpette da ginnastica, per vederla subito, seguendo il consiglio del commissario.

Quando si unisce alla folla, sta passando il Mistero di Abramo.

Il vecchio è in piedi sulla macchina. Ha la barba lunga, una spada in pugno, un piccolo angelo attaccato al braccio che gli impedisce di calare il ferro sul figlio ai suoi piedi, che Dio gli ha ordinato in sacrificio.

Sara s'incanta. Fissa l'angelo bambino che sventa il delitto con le sue povere forze. Appena un po' piú dietro, l'agnello destinato a prendere il posto di Isacco.

Digrigna i denti mentre la macchina passa, offrendosi al pubblico che affolla la strada.

E finalmente capisce cosa fare.

– Non so a che ti serve, dottoressa, ma è meglio se lasci perdere.

L'uomo che Sara ha raggiunto ha un'officina appena fuori città. Fa di nuovo il meccanico dopo aver scontato una condanna per rapina. Quando Sara l'ha chiamato, dopo appena un paio di battute le ha chiesto: «Che ti è successo?» Ed era evidente che avesse già capito.

– È inutile che cerchi di farmi cambiare idea, – insiste lei, – ho già deciso. Dimmi solo sí o no.

– Puoi chiedermi qualsiasi cosa dopo quello che hai fatto per mia figlia, lo sai. Ma se ti devo aiutare a rovinarti la vita, voglio almeno dirtelo che stai facendo una cazzata.

– Allora è un sí?

– Guarda che rischi grosso, se non sai usarla.

– M'insegnerai tu.

– Come?

– Hai detto che potevo chiederti qualunque cosa.

L'uomo sospira.

– Ti deve stare proprio a cuore questa storia, dottoressa.

– Bravo. È proprio lí che sta.

L'uomo la guarda negli occhi. Sara regge il suo sguardo con determinazione.

– Senti, se vuoi te lo faccio io questo servizio. Sul serio.

– Lo faresti?

– Per te sí.

– Sei gentile, ma no. È una questione personale.

Quello annuisce, arreso. E senza dire altro apre l'armadietto metallico degli attrezzi, si china sui polpacci, libera un doppiofondo, tira fuori una pistola.

– Va bene, allora. Cominciamo.

La spia dell'intercomunicazione si accende a intermittenza sul frontalino del telefono fisso. L'avvocato Saggese sbuffa, risponde in viva voce, seccato.

– Che altro c'è?

– Mi scusi, avvocato, – risponde la segretaria, – c'è una chiamata per lei. Dice che è urgente.

– «Dice» chi? – ribatte quello, insofferente.

– La dottoressa Vallicelli. Credo sia la stessa che ha chiamato l'altro giorno, quand'era in udienza.

Saggese va in stallo, manco qualcuno avesse schiacciato il tasto Pausa.

– Avvocato? – fa la segretaria.

L'elaborazione del dato richiede qualche secondo, evidentemente.

– Me la passi.

La linea s'interrompe, seguita da una breve sequenza di bip che segnalano lo smistamento in corso della chiamata.

L'avvocato si siede alla scrivania.

– Pronto?

– Sono Sara Vallicelli.

– Sí. Me l'hanno detto.

– La disturbo?

– No, – risponde lui, laconico. Ma c'è dell'attesa, in quella negazione.

– Ecco, io… la ringrazio.

– Di cosa?

– Non era affatto scontato che mi rispondesse.

– Ha ragione. Non era affatto scontato.

Sara lascia che si prenda la soddisfazione intera, prima di riprendere.

– Senta, per quanto possa sembrarle fuori luogo, le chiedo scusa per come l'ho aggredita in tribunale.

– Cos'è, Vanini l'ha informata della diffida? Guardi che non l'ho mica denunciata.

– Sí, mi ha spiegato il commissario.

– Avrei potuto.

– Lo so.

– E questo le avrebbe fatto cambiare idea sul mio conto?

– Credo di sí.

Saggese ci pensa su un attimo.

– Mi ha messo in imbarazzo davanti ai miei assistenti.

– Mi dispiace.

– È stato molto sgradevole.

– Lo so.

– Non so perché gliel'ho lasciato fare.

– Non so cosa dirle.

Segue un breve silenzio.

– Io una risposta ce l'ho, – fa Saggese.

Sara non replica.

– Vuole sentirla? – continua lui.

Sara gongola. Non credeva fosse cosí facile. Le sembra di vederlo, dall'altro capo del telefono, tronfio e soddisfatto.

– La prego, accetti le mie scuse e salutiamoci. Mi sento troppo in imbarazzo con lei, per apprezzare la sua gentilezza.

– Certo che le accetto.

– Va bene, allora… grazie. Le sono riconoscente. Davvero. Mi ha tolto un gran peso.

– Un momento. Aspetti.

Sara stringe i pugni. Addirittura le parte un piede, che batte sul pavimento per i fatti suoi.

– Cosa?

– C'è una condizione.

– Una condizione?

– Già.

– E sarebbe?

– Accetto le scuse se lei accetta che la inviti a cena.

Sara tace sapientemente.

– Allora? – chiede quello dopo un po'.

– Questa proprio non me l'aspettavo.

– Dica solo sí.

Sara si prende un'ultima pausa.

– Perché no.

Il ristorante è un po' fuori mano, sobrio, non molto frequentato. Saggese ha voluto un tavolo in fondo alla sala.

I camerieri sono andati ad accoglierli con la dovizia di garbo che si usa ai clienti particolari.

Arriva un prosecco, d'ufficio.

Brindano.

Sara non riesce a guardarlo in faccia.

– Non credevo che sarei mai riuscito a cenare con lei.

– Nemmeno io, guardi.

– E pensare che ho dovuto diffidarla, per convincerla a
vedermi con altri occhi.

– Sí, è curioso ma è da quello che ho capito di averla usata come capro espiatorio di tutta questa situazione.

– Mi fa piacere che lo dica. Perché non sopportavo che
mi odiasse.

Segue un breve silenzio, durante il quale Saggese l'asse-
dia con lo sguardo.

Sara non potrebbe scegliere un momento migliore, per
cambiare discorso.

– Ma non si ordina, qui? – domanda muovendosi nervosamente, manco la sedia le stesse stretta, a un tratto.

Saggese continua a fissarla, convinto di avere azzeccato
la via della seduzione.

– No, fanno tutto loro. Le piacerà.

– Se lo dice lei, – risponde Sara accarezzando una posata. – Tanto non ho molta voglia di mangiare.

– Nemmeno io, guardi.

– Allora perché mi ha portato a cena? Le piace fare le cose all'antica?

Saggese ride di gusto.

– Lo sa, una delle cose che mi hanno sempre attratto di lei è che sa essere molto spiritosa.

– Mi viene naturale, quando sono in imbarazzo.

– Quindi adesso è in imbarazzo, – dice l'idiota.

– Un po', – risponde Sara abbassando lo sguardo.

Saggese si fa avanti con il busto, cercandole il viso piú da vicino.

– Sara.

Lei non risponde. Continua a guardare nel piatto. Tiene le labbra in dentro.

Lui abbassa la voce.

– Guardami, per favore.

Sara lo asseconda per gradi.

– Sei bellissima.

Sara si porta una mano alla fronte, fingendo un capogiro.

– Senti, io... sta succedendo tutto troppo in fretta, credo... di aver bisogno di un po' d'aria.

– Ti senti bene?

– Sí, ho... solo bisogno di uscire un attimo, se non ti dispiace.

– Ma certo, andiamo, – risponde Saggese, entusiasta all'idea che il dessert preceda addirittura l'antipasto.

Sara prende la borsetta e si avvia.

Con un gesto della mano, Saggese chiede al capocameriere un breve rinvio del servizio della cena; quindi esce dal ristorante per raggiungere la sua conquista, che nel frattempo s'è incamminata nel parcheggio.

– Ti senti meglio?

Sara lo precede di qualche metro. Tiene la borsetta nella mano destra. Il parcheggio è semivuoto e poco illuminato. Piú in là, la tangenziale. Non c'è nessuno intorno.

– Sara, – ripete Saggese.

Lei continua a camminare.

– Perché non rispondi? – fa lui, avvertendo in quel momento la sensazione inconfondibile dell'errore madornale.

Ancora di spalle, Sara apre la borsetta, tira fuori la pistola, si volta, lascia cadere la borsetta, gli punta contro l'arma, reggendola con entrambe le mani.

All'inizio, Saggese sembra deluso. Questione di attimi, prima che l'angoscia lo prenda.

Si gira per un attimo verso l'ingresso del ristorante. È già troppo lontano.

– Tutto qui? – dice, tentando di mantenere il controllo. – Farmi credere di piacerti per mettermi una pistola in faccia?

Sara trema, ma ha il coraggio negli occhi.

– Sta' zitto.

– Non credo che tu sia capace di usarla.

Lei, per tutta risposta, prepara il colpo.

Saggese impallidisce.

– Che cosa credi di fare? Ci hanno visto tutti, nel ristorante.

– Non me ne frega niente.

– Senti, è per quello col giubbino? Volevo solo spaventarti, te lo giuro.

– Hai rovinato la mia vita. È colpa tua se Daniele è morto…

– Ho fatto solo quello che mi hanno chiesto. Smeraldo doveva essere operato, e io dovevo trovare il sistema migliore. Tutto qui. Sono un passacarte, Sara, nient'altro.

– Parli come un aguzzino nazista. «Ho solo eseguito un ordine», «Non sono responsabile»: fai davvero schifo, lo sai?

– E Dalisi? – le rinfaccia Saggese. – Non ti faceva schifo, lui?

– Non ti azzardare neanche a nominarlo, porco!

– Credi che fosse un osso duro? – incalza quello. – Che abbia faticato per convincerlo? Appena gli ho raccontato chi era l'uomo che doveva operare, ha abbassato la testa.

– Smettila! Non voglio piú sentire le tue infamie!

Saggese invece infierisce, probabilmente sperando di farla desistere rincarando la dose.

– Poteva rifiutarsi. O denunciare. Fare il suo dovere di cittadino. E di medico. Invece ha avuto paura e s'è voltato dall'altra parte. Come tutti.

Fa un passo verso di lei.

Poi un altro.

– Sta' indietro, – ordina Sara.

– E tu questo lo sai, – dice Saggese continuando ad avanzare, – non è vero?

Le labbra di Sara tremano. Serra i denti e tira.

Il silenzio che segue lo sparo sembra il principio di qualcosa.

Saggese si guarda la spalla sinistra, allibito. Poi cade pesantemente in ginocchio.

– Lui non era migliore di me, – ansima, fissando Sara negli occhi. – Ha ubbidito, come ho ubbidito io. È stato mio complice, che ti piaccia o no. E tu questo non puoi cancellarlo neanche se mi ammazzi, brutta troia!

Le narici di Sara si dilatano. Inspira, spara di nuovo.

Stavolta lo prende al torace.

Saggese non urla. La detonazione lo spinge all'indietro.

Qualcuno esce di corsa dal ristorante.

Sara si avvicina al corpo senza vita di Saggese.

Lo guarda.

– Lo so, – gli dice.

Recupera la borsetta. Tira fuori il cellulare, compone un numero.

C'è un gruppetto di persone che si agitano, nello spazio antistante il locale, adesso. Sara riconosce il capocameriere. Qualcuno cerca di avvicinarsi, ma lei mantiene la pistola nella mano, e nessuno avanza piú di tanto.

Il commissario Vanini risponde al terzo squillo.

– Sara Vallicelli. Ho appena ucciso Saggese. Sí. Adesso. Sono nel posteggio del ristorante *Mesticanza*, lo conosce? Bene. Venga a prendermi.

Il parcheggio è illuminato a intermittenza dai lampeggianti delle auto della polizia. La scena dell'omicidio è delimitata da un nastro giallo. Gli agenti tengono lontani i curiosi e svolgono i rilievi d'ordinanza.

Sara è appoggiata a una macchina, di schiena. Davanti a lei, Vanini, rassegnato, cerca di cavarle una parola di bocca.

– Ma che ha fatto, – le dice.

Arriva l'ambulanza. La sirena è spenta. Gli infermieri scendono a recuperare il cadavere.

– Chi le ha dato la pistola, – chiede Vanini.

Sara lo guarda e non risponde.

Vanini sospira.

– Andiamo.

Si avviano alla macchina che li aspetta. Gli agenti chiedono al commissario se sia il caso di ammanettarla. Lui fa segno di no, apre lo sportello posteriore, fa entrare Sara, sale a propria volta. Due agenti prendono posto davanti.

Riprendono la statale.

Sara guarda fuori dal finestrino. C'è molto silenzio.

– Cosa crede di avere ottenuto? – domanda Vanini.

Sara non sa cosa rispondere.

Il commissario scuote la testa.

– Tanto non sarebbe servito lo stesso, – aggiunge, in un tono curiosamente confidenziale.

– Cosa? Come ha detto? – gli chiede Sara, accusando un'improvvisa oppressione.

Vanini la guarda, poi ruota di poco la testa e dirige lo sguardo verso le luci intermittenti di un'ambulanza ferma sul ciglio della corsia opposta, poco lontano. C'è una macchina capovolta, appena fuori strada.

Sara si schiaccia contro lo schienale, raggiunta da una vampa di orrore. La conosce, quella macchina.

– Che cos'è? – chiede Sara.

– Come cos'è, – risponde Vanini. – Non lo sa?

Sara impallidisce.

Vanini dà un colpetto sulla spalla dell'agente che guida.

– Accosta, – dice.

Si fermano quasi di fronte alla scena dell'incidente. Una coppia d'infermieri tira via due corpi dall'auto ribaltata.

Sara si copre la bocca con la mano.

Il primo corpo è quello di Daniele.

Vanini le poggia una mano sulla spalla.

– Sara, – le dice piano.

Lei ruota la testa al rallentatore. Lo guarda, sconvolta.

I due agenti si girano verso di lei.

Vanini fa un cenno col capo in direzione dell'incidente.

– Hanno vinto loro, non vedi?

Gli occhi di Sara si riempiono di lacrime.

– Tu non c'entri. Hai fatto quello che potevi.

– Volevo solo dire la verità.

– Lo so. Ma la verità… è abituata a non essere vista.

Sara comincia a piangere.

– Per questo non ti vedevano, quel giorno al parco, – continua Vanini.

Sara guarda di nuovo fuori. È suo, il secondo corpo che hanno appena estratto dalle lamiere contorte.

Affonda la testa nella spalla di Vanini, e si abbandona a un pianto singhiozzante.

Il commissario l'abbraccia, e le accarezza i capelli.

Sara riapre gli occhi. È distesa nell'ambulanza, collegata a un monitor, una flebo nel braccio. Un infermiere le tiene la mano. Ha il viso del commissario Vanini. Sulla barella accanto c'è Daniele, pallido, gli occhi semichiusi, i vestiti imbrattati di sangue. Accanto a lui, un altro infermiere.

Prova a parlare. La voce non viene.

– Non si agiti, signora, cerchi di stare calma, – dice l'infermiere.

Sara avverte le gambe tremare all'impazzata. Alza appena la testa per vederle, tanto le pare strano che riescano a ribellarsi da sole. La sirena l'assorda. Stringe forte la mano dell'infermiere che, con l'altra, picchia forte contro il vetro che separa il vano posteriore da quello di guida.

– Piú veloce. La perdiamo.

L'altro collega guarda il monitor, poi guarda lui, e non apre bocca.

L'ambulanza brucia l'asfalto strepitando, imponendo con la sua voce isterica la precedenza della disperazione. I passanti, quando la sentono arrivare, si fermano. Interrompono le loro occupazioni e la seguono con gli occhi, anche se non c'è niente da guardare. A volte aspettano che scompaia dietro l'angolo. Allora abbassano la testa, pensano a qualcosa d'impreciso e riprendono a camminare, lentamente.

Giampaolo Simi

Luce del Nord

Caro Fabrizio,
è strano scrivere una lettera a chi non sa leggere. Eppure è l'unica lettera davvero necessaria che io abbia mai scritto. Chissà se in vita tua prenderai mai una penna per scrivere qualcosa di tuo pugno, come sto facendo io adesso. Si fa quando bisogna raccontare qualcosa di importante a una persona altrettanto importante. E io per prima cosa ti voglio raccontare che fino a qualche anno fa ero un poliziotto. Sono sicuro che se te lo dicessi oggi ne saresti molto orgoglioso. Quando leggerai questa lettera, chissà, l'idea potrebbe non piacerti piú. Comunque, subito dopo il liceo avevo fatto il concorso, tanto per provare e di nascosto a mio padre (ma non voglio menartela con vecchie beghe familiari). Nel frattempo mi ero iscritto all'università. Ero entrato in polizia un anno e mezzo dopo e, a parte i primi mesi del corso, ero riuscito a non smettere di studiare.

Nel 2003, a ventotto anni, ero viceispettore. Con una laurea in scienze politiche, ero sicuro di avere davanti una discreta carriera. Poi, in un giorno solo, è cambiato tutto. E a questo punto devo dirti un'altra cosa che non hai mai saputo di me.

E cioè che, proprio da poliziotto, sono stato in carcere.

Genova, 16 aprile 2003
Cella 12, piano primo,
seconda sezione del carcere di Marassi

– Sul serio sei della madama?

– E allora? La cosa ti diverte?

– Per nulla. Non ci sono mai stato in cocca, io, con la madama.

– Ma come parli?

– Ho detto che con gli sbirri io non sono mai stato culo e camicia.

– Bravo, continua cosí e dormi.

– Io dormo poco. Mi dispiace, è l'età. E te, quanti anni hai?

– Ventotto.

– Deve portare rogna. Anche a me m'hanno legato a ventott'anni. Successe sul treno, dopo Imperia, a venti chilometri dal confine, quando ormai ero tranquillo. Invece mi aveva bevuto proprio Julien, il caid, che doveva aiutarmi a stare per un po' in bandiera a Marsiglia. C'era stato un casino per colpa di quello Steve là. Erano dieci anni che saltavo il bancone, era filato sempre tutto liscio anche nelle filiali piú grosse. A Sestri centocinquanta milioni in una botta sola, oh! Un paio di smitragliate con le volanti, ma non ci aveva mai rimesso la pelle nessuno. E invece Steve ti va a sparare alla guardia giurata. In pieno petto, bam, da un metro. Io l'avevo detto subito, che quello Steve lí non mi piaceva.

– Posso dirti una cosa?

– Come no.

– Non me ne frega nulla di te, del marsigliese e di Steve.

– Capito. Io invece sono curioso di sapere cosa hai fatto te. Sai, sono un po' preoccupato. Non solo sei uno sbirro,

ma perdipiú t'hanno anche rinchiuso. Devi aver smarrona-
to di brutto. Devi essere proprio un bastardo.

– Sono solo uno che sta di merda. Piantala.

– Hai rotto di testa? E perché allora non t'hanno mandato al centro diagnostico? Ho capito, i colleghi hanno avuto riguardo. Là ci spediscono quelli che stanno male sul serio, che vogliono ammazzarsi. O quelli con l'Aids.

– Cazzo guardi?

– È che non mi sembri il tipo che si mette nei casini per
aver sminchiato di botte un marocchino o un trans che non
ti lustra il manganello.

– Infatti, non sono quel tipo lí. Ci hai azzeccato.

– Cos'è, roba di neve? Eri in cocca con qualche trafficante? Ci stanno dentro ancora i calabresi? Uno di questi una
volta m'ha raccontato che avevano nascosto un carico dentro dei serpenti. Renditi conto: c'erano questi pitoni arroto-
lati dentro le loro belle vetrine, tutti regolarmente denunciati alla dogana, con tanto di documenti. Tu ce le avresti
messe le mani, se ti fosse capitato un controllo? Neppure i
cani ci si sono avvicinati. Invece erano solo pelle, svuotati,
e dentro tutta coca.

– Che geni.

– Sí, veramente dei geni, cazzo. E te, invece, ti sei fatto
beccare con le mani nella bamba.

– Buonanotte.

– Ti dico, ogni tanto anche noi pippavamo. Tipo se facevamo una festa. Ma quando si andava giú di dura, no, mai.
Se hai bisogno di quella roba per saltare il bancone, meglio
che fai il magnaccia. Con la coca mica sei lucido. Sembra.
Finisci che spari a cazzo, basta niente e fai un casino, come
quell'imbecille di Steve, che io l'avevo detto subito… perché, vedi, la neve o ti fa venire la paranoia, o ti fa sentire Superman.

– Ascoltami, Superman... perché non ti ficchi il mantello in gola?

– E dài, non te la prendere. Sei giovane, vuoi toglierti due soddisfazioni, il macchinone, la barca, o l'appartamentino al mare per le fighe. E poi lo fanno in tanti, ti capisco.

– Ma cosa credi di capire?

– Abbassa la voce, sennò arrivano i tuoi amichetti.

– Io parlo come mi pare.

– Meglio che ti calmi.

– Che cosa pretendi di sapere tu, di uno come me? Ti permetti anche di farmi la morale perché rapinavi le banche a diciott'anni? Perché puntavi la pistola contro cassiere e impiegati... sai che coraggio. E guarda come sei finito, stronzo!

– Prova a toccarmi con un dito e ti spacco la faccia.

– Tranquillo, Superman. Io sono uno pulito e non ho mai messo un dito addosso a nessuno.

– Tu uno pulito?

– Sí. Cazzo ridi?

– E t'hanno messo al gabbio? Belín, ma allora sei proprio un babbeo.

– Diamanti? Pensa quante coincidenze. Julien, il caid marsigliese...

– Ricominci?

– Ti dico solo che quell'infame mi aveva promesso un lavoretto tranquillo. Dovevo andare ad Algeri e portare una valigia di dollari a un tipo che veniva dall'Africa. E lui mi doveva consegnare un sacchettino di sale grosso... molto grosso, capito?

– Allora è meglio che t'abbiano legato.

– Come no, m'hanno declassificato da otto mesi, dopo

venticinque anni di carceri speciali. Hai presente, venticinque anni di speciali?

– E tu, hai presente chi circola nel giro del sale grosso?

– Non vorrei darti una delusione, ma dopo tutti questi anni non m'impressiono facilmente.

– Io lo dico solo per il tuo bene. Casomai ti venisse in mente, quando esci...

– Quando esco so già cosa fare. Continua.

– Al collega Conte arriva una soffiata su un contrabbando di pietre preziose. Conte non dice altro, ma ognuno ha i suoi confidenti e non li deve sputtanare, neanche con i colleghi. Questo mio collega è reduce da un'operazione contro la bisca del clan Nocito, la piú frequentata della città. Peccato che abbia organizzato l'irruzione al momento sbagliato: c'erano solo un barista e le donne delle pulizie. Quindi l'hanno tolto da quell'indagine e l'hanno rifilato alla mia squadra, nell'operazione *Luce del Nord*.

– Di' un po', pagate uno apposta che dà i nomi alle operazioni?

– No, è che per giudicare il colore di un diamante bisogna guardarlo di mattina, alla luce di una finestra rivolta a nord.

– E perché?

– Perché verso nord la luce è piú neutra e uniforme. Soddisfatto? Allora, il confidente ha fatto sapere a Conte che i diamanti grezzi viaggerebbero su un due alberi con bandiera francese, il *Grace*. Attracca in porto una mattina presto e siamo già lí, abbiamo pure i trolley per fare finta che stiamo andando a prendere un traghetto. A bordo sono in tre o quattro, e verso le nove scende dalla barca un tipo ricciuto, con cappellino da baseball e occhiali scuri. Conte mi dà un'occhiata e io vado subito verso l'auto. Il tizio si mette in spalla una borsa a sacco blu e monta su un monopattino a moto-

re. Gli andiamo dietro, poi lui entra dalla Porta dei Vacca e
lí ci tocca lasciare la macchina. Per poco non ce lo perdiamo.
Fa un giro che non ti dico, poi suona a un portone in vico
Santa Brigida, dietro piazza dei Truogoli. Dalla finestra si
affaccia una ragazza, lui si toglie gli occhiali e il cappellino e
urla: sono Domenico. E a quel punto mi chiedo come ho fatto a non riconoscerlo.

– È un tuo amico?

– Siamo cresciuti insieme, stavamo porta a porta, su al
Biscione.

– Quella schifezza si vede anche da qua.

– Forse non faceva neppure cosí schifo, ma vent'anni fa
lo chiamavano il Bronx, perché ci stavano molti meridiona-
li. La famiglia di Domenico veniva dalla Calabria. Erano stati qualche anno a Milano, avevano abitato perfino in una pol-
veriera dismessa, renditi conto, neanche le bestie. Domenico e io abbiamo fatto insieme tutto: le medie e le superiori,
la prima balla e la prima canna...

– Che tenerezza. E la prima scopata?

– Dopo ci arrivo. A diciotto anni, io sono andato all'u-
niversità e lui ha smesso. Gli è presa la passione per il mare
e cosí... sempre fuori, sparito dalla circolazione. I primi tempi ogni tanto mi chiamava, a qualunque ora gli venisse in
mente, e mi proponeva di comprare in società una barca, un
pezzo di spiaggia, una volta addirittura un'isola intera. Io
non l'ho mai preso sul serio e un bel giorno c'è rimasto male. Cosí, da tre anni per Natale io gli mando un'e-mail di au-
guri, ma lui non mi risponde. Quando l'altra mattina l'ho riconosciuto, ho pensato che la soffiata doveva essere una bu-
fala, e che Conte stava per fare un'altra bella figura di merda.
Ma il collega era in piena trance operativa e insisteva che la
descrizione del suo confidente coincideva. Cosí ho abbozza-
to. E Conte non ti va a trovare un posto d'osservazione per-

fetto? Proprio davanti, in uno stabile mezzo ristrutturato.
Ci sono i ponteggi, ma si vede che non ci lavora piú nessuno
da un po' e saliamo. Il vicolo è cosí stretto che se allungo il
braccio tocco il davanzale della casa di Domenico. Guardiamo il mio amico che molla la sacca blu e abbraccia la donna.
Immagino che Domenico deve essere stato via per un bel po'.
Lei gli fa vedere dei fogli, poi si abbracciano ancora. Dopodiché Domenico riprende la sacca blu e va in cucina, tira fuori pacchetti e bottiglie, ma un cartoccio molto piccolo, ecco,
quello lo infila in una specie di nascondiglio dietro il frigo.
Poi la ragazza torna in cucina e li vediamo uscire.

– E allora siete andati.

– Conte vorrebbe andare, certo. Un metro e mezzo e c'è
il terrazzino, con i ponteggi non ci vede nessuno, neppure
dalla strada. Ma per me è una stronzata. Gli dico: tu vai a
prendere la videocamera, io vado a pedinarli. Gli rammen-
to che non dobbiamo avere fretta, dobbiamo documentare
quello che succede, chi va e chi viene, non serve a niente beccare un corriere, dobbiamo capire tutto quanto il movimento, altrimenti l'inchiesta si ferma. Lui la prende male, io devo rammentargli che ad avere fretta poi succede come con
la bisca dei Nocito. Cerco di parlargli da collega a collega,
ma lui la prende come un'offesa. Ci mandiamo a fare in culo, ma alla fine molla e va a recuperare le attrezzature.

– E come se ne va, entri tu da solo.

– Io devo capire subito se il mio amico si è messo davvero in un giro del genere. Un salto e sono sul terrazzino. Entro, la casa è graziosa, la casa di una donna, sai, con le pareti dipinte di giallo ocra, girasoli dappertutto e tende proven-
zali. In sala c'è un pannello con delle foto messe un po' alla
rinfusa. In una vedo un tipo con i capelli biondi lunghi, l'o-
recchino, la camicia a quadrettoni e l'aria da scoppiato. Quello lí io lo conosco, e sta proprio accanto a Domenico. E so

anche dove l'hanno fatta, quella foto. Ad Amsterdam. Perché il biondo scoppiato sono io, e quelli lí eravamo noi due, dieci anni fa. Due ragazzotti, al futuro non pensavamo, chi si immaginava che…

– Neanch'io mi sarei immaginato di passare la vita in galera, se ti consola. Va' avanti, va'. Che c'è dietro il frigo?

– C'è una presa elettrica a muro, di quelle vecchie, tonde. La apro e dentro c'è un sacchetto di cellophane chiuso con lo scotch. Piccolo, ma pesante. Strappo lo scotch e mi trovo in mano dei sassolini giallastri, come di vetro opaco. A vederli cosí, grezzi, sembrerebbero poca roba. Ma non sono poca roba quando diventano diamanti. Conte ha ragione, Domenico è nel giro e io non so cosa fare.

– Il tuo dovere. Sei della madama, no?

– E per te, Superman, venivano prima i soldi della rapina o l'amicizia? Sentiamo.

– Ascoltami bene, in batteria era piú che essere amici. Perché quando si andava giú di dura in una banca, bastava che uno solo smarronava e addio. La tua pelle era nelle mani di tutti gli altri. E se le cose si mettevano male, i tuoi non ti lasciavano da solo nei casini. C'era un patto: riportare sempre a casa tutti. Tutti o nessuno, mi sono spiegato?

– Come no, mi hai quasi commosso. Comunque, sento chiudere il portone a pianterreno. Qualcuno sale per le scale, e io riconosco subito la voce di Domenico. Mi faccio subito il film di quello che succederà l'indomani mattina, molto presto: Conte busserà ed entreremo, il mio amico sulle prime non mi riconoscerà, anche perché l'abbiamo tirato giú dal letto, poi mi guarderà negli occhi e non ci crederà. Conte andrà a botta sicura in cucina, dopodiché gli chiederemo di seguirci, gentilmente. Ecco quello che succederà, piú o meno. Intanto mi affaccio dal terrazzino e vedo proprio Conte di ritorno, che sta attraversando piazza dei Truogoli. A quel punto ho smesso di ragionare, e ho fatto la cazzata della mia vita.

– Cioè?

– Mi sono infilato il pacchettino in tasca, ho risistemato alla meglio la presa e me ne sono andato dal terrazzo, proprio mentre Domenico e la sua donna si sbaciucchiavano sulla porta. Sono saltato di là giusto in tempo per farmi trovare in appiattamento dal collega, gli ho detto che era tutto a posto e che i due erano scesi giusto a comprarsi le sigarette. Mi sono inventato una scusa per sganciarmi tre quarti d'ora, ho preso la macchina e me ne sono andato alla spiaggia di Sturla. Visto che ti interessava la mia prima scopata, è lí che l'ho fatta, sai? Sandra, si chiamava. Aveva diciotto anni, io sedici. Mi faceva quasi paura, da tanto che era davvero una donna. Alta come me, due tette cosí, che due mani non bastavano a…

– Scusa, cazzo c'entra?

– C'entra. Dimmi una cosa, Superman: t'hanno mai ficcato un gancio da camallo qua, sotto il palato, come se t'avessero preso all'amo, eh?

– Ascoltami bene: io ho quasi sessant'anni e qua è pieno di gente che sbudellerebbe sua madre per dieci euro, ma ti assicuro che non esiste qualcuno che si *sogni* di *provare* a fare una cosa del genere a me.

– Bravo, Superman. Ma io ne avevo sedici, e lui venti. Si chiamava Gigi Molina, truccava le moto ed era un capo della curva. Aveva dieci diffide sul groppone e le tasche piene di biglietti, anche per le trasferte. Era famoso per entrare nelle curve degli avversari, da solo, a rubare le bandiere.

– Belín, che eroe.

– Non era un eroe. Era un fuori di testa. E stava con la Sandra. Io mica lo sapevo, e poi era stata lei a farsi avanti. Era marzo, mi pare, ci incontravamo il pomeriggio, faceva-

mo delle passeggiate e poi ci infilavamo in un rimessaggio
che aveva la serratura scassata. Figurati che Domenico mi
accompagnava e mi tornava a prendere. I suoi gli avevano
appena preso una moto, un cinquantino da cross. Ma una
sera ci beccarono Molina e due suoi amici. Mi portarono sulla battigia e mi buttarono in acqua a suon di calci. Poi Molina mi prese per i capelli e mi tirò su infilandomi in bocca
un gancio da camallo. Cazzo, me la ricordo come se fosse
ora, quella punta ficcata nel palato. Mi disse che voleva farmi un bel lavorino sulla faccia, cosí le donne non mi avrebbero piú neppure guardato e avrei smesso di fare lo stronzetto.

– Ti sei fatto la plastica o te la sei sfangata?
– Me la sono sfangata. E sai perché? Perché è arrivato
quell'idiota di Domenico a fare l'eroe. Sgommava sulla ghiaia
con il cinquantino da cross, si sentiva chissà chi. Molina l'ha
tirato giú dalla sella e gli ha mollato due sberle. Poi s'è messo a guardare la moto e Domenico gli ha detto che se non mi
faceva niente la poteva prendere.

– E quello se l'è presa.
– Era nuova di pacca, ci avrà tirato su un due milioni, al-
l'epoca.

– Da non credere.
– Domenico è cosí. È un impulsivo.
– Ma no, da non credere quello, Molina. Tipico quaquaraquà. Scusa, ma se ti trovo che mi fotti la donna, io ti apro,
non è una questione di soldi.

– Pensala come ti pare, ma a casa Domenico inventò che
gliel'avevano fregata sotto il naso come a un babbeo. Io rimasi sul pianerottolo e sentii tutto. Suo padre lo sminchiò
di botte, come dici tu. Lo mandarono a fare lo sguattero in
banchina al porto, tutta l'estate, per pagare le rate. E io, dieci anni dopo, sbatto in galera Domenico?

– Sei della madama. Devi fare il tuo dovere.

– Se per una volta non lo faccio, non cascherà il mondo, mi sono detto. E ho buttato i diamanti in mare.

– T'hanno legato per cosí poco?

– No, il peggio è venuto dopo. Dunque, io torno in appiattamento con il collega. Domenico e la donna stanno in casa tutto il giorno e non succede nulla. In certi momenti sentiamo anche i loro discorsi e la cosa mi mette a disagio. Ridono, si baciano, sembrano la coppia piú felice del mondo. Conte invece fa le battute: levatene la voglia, perché poi, per qualche annetto, te la sogni. Mi rodo, ma mi tengo tutto dentro. Cosí, quando c'è da piazzare la videocamera a infrarossi abbiamo uno scazzo, e io forse esagero. Lui la vuol puntare su una finestra, secondo me va puntata in strada, o sul portone, per capire i movimenti, filmare chi viene e chi va, mica penserà che questo accolga i ricettatori in soggiorno. Poi vediamo che Domenico si chiude in camera da solo e parla al telefonino. È agitatissimo. Saluta in fretta la sua donna e capiamo che si prepara a uscire. Dico a Conte che, se lui vuol stare tutta la notte lí, faccia pure. Io tampino il tipo e poi vado a casa a dormire. Se ci sono novità, lo avverto. Conte non mi risponde, ma so che lui vuole chiudere in fretta, perché dopo il casino combinato alla bisca dei Nocito, su questa faccenda il collega si sta giocando tutto. Ma siccome i diamanti in casa di Domenico non ci sono piú, è meglio anche per lui che l'irruzione non si faccia e lo convinco un'altra volta a non avere fretta. Ti spiace se bevo un sorso?

– Non è minerale ed è anche calda.

– Fa lo stesso. Domenico fila diritto verso piazza della Commenda. Là, la sera, sono tutti immigrati. Ecuadoriani, soprattutto. L'ambiente lo conosco, negli anni scorsi il centro storico l'abbiamo battuto parecchio. Bonifica sul territorio, la chiamavano. Vedo che parla con uno di questi qui, un tamarro tatuato, con la bandana gialla e nera, avrà sui vent'anni. Io sto defilato, perché con qualcuno di loro ho avuto a che fare anche di persona, non vorrei essere riconosciuto. In sostanza non concludo niente. In mezzo agli ecuadoriani ci sono ragazzotti un po' esuberanti, anche qualche testa di cazzo matricolata. Hanno le loro bande, fanno il verso alle gang di Los Angeles e magari si pestano di brutto per delle stupidaggini, per una scritta sul muro o per un pezzo di marciapiede. Non capisco però cosa abbia a che spartirci Domenico. Grazie...

– Passa, ho sete anch'io.

– Il mio amico torna a casa, ma prima si ferma a prendersi una birra, tira fuori il cellulare e fa un numero. E sai chi chiama?

– Chiama te.

– Proprio. Io vado in paranoia, e lí per lí non rispondo. Mi allontano e lascio squillare. Poi mi infilo anch'io in un posto, ordino una birra e lo richiamo. Stiamo due minuti a parlare di stupidaggini, lui mi sembra il frescone di sempre, se l'è goduta assai, in giro per il mondo, poi mi fa: sono a Genova, perché non ci troviamo? Ma davvero?, dico io, e quando? Fra un quarto d'ora, dice lui. E dopo un quarto d'ora siamo a un tavolo in un locale in fondo a via delle Grazie.

– Via delle Grazie... com'è, adesso? Ci ho abitato per sei o sette mesi. Era una casa piccola ma mi piaceva, ci stavamo io e Bernardo. Ce ne andammo da un'ora all'altra, mi ricordo che fu il verduraio sotto casa a darmi la bossa...

– Che?

– A dirmi che secondo lui da qualche giorno girava qualche sbirro in borghese.

– Bravo verduraio.

– Ascoltami bene, hai ventotto anni, di certe cose non ne sai niente e io nella politica non ci metto le mani volentieri, ma ti dico solo che quello nel 1960 era in piazza De Ferrari e i celerini lo sminchiarono di brutto, dopodiché per scusarsi lo tennero in galera quattro anni. È rimasto zoppo, e non ha avuto mai mezza lira di risarcimento. Pretenderesti anche che vi avesse in simpatia?

– Lasciamo perdere.

– Appunto, lasciamo perdere.

– Insomma, ci troviamo in questo posto. Carino, prima era un alimentari e hanno tenuto il bancone di marmo dove tagliavano la carne. Scendiamo di sotto, ci sono due vecchie cantine strapiene di tavoli e di gente. Mentre aspettiamo che si liberino un paio di sedie, ci diamo dentro con un whisky torbato, perché ci torna subito in mente che in uno dei nostri viaggi senza una lira, alla ventura, lavorammo due giorni a spostare legna in questa famosa distilleria in cambio di un paio di brande. Forse, penso, inseguivamo alla nostra maniera la luce del Nord, quella luce bianca e neutra che ha il sole quando non tramonta mai. Ricordi. Valgono quel che valgono. Domenico è tutto nel presente invece, mi racconta che ora ha una barca in comproprietà, che fra dieci giorni riparte per le Canarie e che ha una donna fissa, a Genova, da quasi tre anni. Valeria, si chiama. Valeria Dal Moro. Mi dice che lavora in uno studio di giovani architetti e mi ricordo di conoscerla almeno di vista. Perdipiú hanno appena avuto la grande notizia: Valeria è incinta. Allora ci vuole una bottiglia seria per festeggiare, dico io. Troviamo un tavolo e anche la bottiglia seria. Usciamo dal locale appoggiati l'uno all'altro. In strada c'è un bordello da non credere e la cosa mi tranquillizza. Se c'è qualche telecamera in giro, ci confondiamo di sicuro fra la gente. Lui però insiste: devo vedere la sua barca. Io preferirei andare a dormire, ma Domenico la mena cosí tanto che alla fine ci vado.

– Ma il tuo amico lo sa che sei della madama?

– Certo che lo sa. Ma il mio lavoro non gli è mai interessato granché. Proprio quella notte gli stavo raccontando di quando al porto ero in servizio al rilevatore di Co_2, un macchinario che ti dice se in un container c'è nascosto qualcuno senza bisogno di aprire niente. A un certo punto ho capito che pensava ad altro. Ho smesso di parlare e lui ha cominciato un discorso vago, su una fregatura che aveva preso da un tipo che gli aveva venduto una macchina in Spagna... in due parole mi chiede di prestargli diecimila euro, non vuole chiederli né a Valeria né ai suoi, non vuol fare la solita figura di quello che si fa mettere in mezzo. Un paio di mesi al massimo e me li ridà.

– Scusa se te lo dico, ma questo tuo amico è proprio scemo. Chiedere i soldi a uno della madama, se stai in certi giri...

– Lui non mi vede come uno della mada... un poliziotto. E questo è il primo punto. Il secondo è che lui si crede un furbo che fotte dazi e dogane, e basta. Comunque, io ho fatto una cazzata ancora piú grossa di quello che immaginavo. Perché ora i diamanti spariti Domenico li deve pagare. Se diecimila euro gli bastano per cavarsi dai problemi, a me non pare il vero. Ho avuto la possibilità di farmi un'idea piuttosto precisa dello spessore criminale dei soggetti che trafficano con i diamanti, e i casi sono due: o Domenico paga per la merce sparita o sparisce lui. E allora ci diamo un appuntamento in quella vecchia trattoria di vico Testadoro...

– C'è ancora?

– C'è ancora. Potrebbe essere anche uguale a come te la ricordi. Tavoloni con la tovaglia cerata a quadretti...

– E il baccalà accomodato, lo fanno ancora buono?

– Buono. Però con pochi pinoli, per i miei gusti.

– Cazzo, me ne ne mangerei un pentolone.

– Ci sediamo e io gli passo sotto il tavolo un marsupio con

i contanti. Sarà che è giorno e lo vedo meglio, sarà per la mezza sbronza che abbiamo preso la sera prima, ma ha una faccia che non mi piace. Mi ringrazia mille volte, mi invita a cena per farmi conoscere Valeria. Niente di impegnativo, mette le mani avanti, formaggi francesi e Sauternes. Mi tocca inventarmi che ho una seratina giusta, lui insiste come suo solito, ci rimane anche male e mi domanda quand'è che smetto di scopare in giro e metto la testa a posto. Io, capisci?

– Un grande.

– È fatto cosí. Intanto il collega Conte è sempre piú nervoso. Dice che non succede niente, girano solo dei ragazzotti tamarri, dei sudamericani, che sembrano fare la ronda nei vicoli intorno. Butto lí che magari il nostro corriere ha nascosto dietro il frigo giusto un po' di fumo perché quella moglie un po' perfettina gli fa le paranoie. Conte aggiunge che sarà anche una perfettina, ma le perfettine sono proprio quelle che poi «te lo scorticano». Conte ha il potere di farmi incazzare, ma non batto ciglio, lo mando a riposare e mi preparo un piano. Il giorno dopo, come al solito, pedino Domenico. Esce con una valigetta, e mi immagino che lí dentro ci siano anche i miei soldi. Va a Brignole e sale su un treno locale, verso il Levante, ma a quel punto lo lascio andare e poi torno in centro. Vado ad aspettare la sua donna sotto lo studio di architettura, mi presento e chiedo di parlarle dieci minuti. Lei non mi pare preoccupata, mi riconosce subito e mi domanda a cosa deve l'onore di una visita del «mitico Derna». Mi racconta che una sua amica, una certa Anna, le ha fatto una testa cosí con me per non so quanto tempo. Mi incrociava spesso gli ultimi tempi che bazzicavo i giri universitari. In altri momenti le avrei lasciato il mio numero. Invece il mitico Derna è un poliziotto e le deve raccontare che il suo uomo è nei casini, ma sul serio, e che finire in galera non è neanche la cosa peggiore che gli possa capitare. Questa mi

sbianca di colpo e sulle prime non mi crede proprio. Poi la
faccio riflettere: Domenico sta fuori per mesi, è possibile che
lei non si sia mai accorta di niente. Sono sicuro che Valeria
è in buona fede, e lei deve capirlo bene, se voglio portarla
dalla mia parte. Le racconto anche dei diecimila euro e le
chiedo con il cuore in mano di parlare al suo uomo. Lo deve
convincere a dare retta al mitico Fabio Derna, a uscire dal
giro, a collaborare con noi e a farsi proteggere.

— A diventare un infame, insomma.

— Infame? Ma come cazzo ragioni? Gli nasce un figlio e
lui va in galera.

— Sai quanti anni di galera mi sarei risparmiato io, se avessi «collaborato», come dite voi? Ma non l'ho fatto. Io non
vendo chi ha rischiato la pelle per salvarmi il culo. E anche
perché a me, i pentiti, è proprio il tipo di gente che non sopporto. Io li ho visti, questi quaquaraquà... gente che aveva
venti, trenta morti sulle spalle, e che anche in carcere am-
mazzava per un niente, un'occhiata storta... per prestigio.
Poi, un giorno, gli prendeva la crisi mistica, si facevano portare in villeggiatura a spese dello Stato e si bevevano anche
la mamma.

— Domenico non ha mai ammazzato nessuno.

— Va bene, la questione è un po' diversa. Nemmeno io ho
mai ammazzato. Ma se la devo dire com'è, è stato un caso.
Le volte che c'era da sparare, ho sparato. Ma non per fare il
guappo, questo voglio dire.

— Okay, la questione è che io Domenico lo voglio tirare
fuori da quel giro e basta. Quel pomeriggio stesso sono a casa e mi chiama. Ho fatto la mossa giusta, penso, e immagino che Valeria l'abbia convinto. Mi chiede se i diamanti li
ho presi io, e io gli rispondo di sí. Non gli dico che li ho but-
tati in mare, perché non ho ancora capito bene come la pensa e potrebbe reagire male, mandarmi al diavolo prima che

riesca a parlargli a quattr'occhi. Io però non posso certo entrare in casa sua. Gli dico che un collega lo sorveglia, e che quindi per venire da me deve stare bene attento. Sa come fare, mi rassicura. E io, come un idiota, lo aspetto, pensando che forse ce la facciamo, stiamo uscendo da questo casino. E invece…

– A me sembra che, per essere al telefono, hai rischiato un po' troppo, oggi come oggi.

– Ero tranquillo, Domenico non aveva il telefono attenzionato.

– Sicuro?

– Certo. La stavo preparando io, la richiesta.

– E allora?

– C'era un altro piccolo problema.

– Quale?

– Avevano attenzionato il mio, di cellulare.

Genova, 10 giugno 2008

… ti sembrerà strano, Fabrizio, ma ho ricordi molto confusi dell'irruzione in casa mia. Io avevo agguantato Domenico per il colletto della camicia e lui mi aveva piantato le unghie nei polsi. Gli gridavo che era una testa di cazzo e che si doveva fidare. Anche lui mi aveva detto di tutto. Che mio padre e io li avevamo sempre considerati terroni, gente inferiore da aiutare e compatire. Che anche mio padre, lavorando al porto, s'era sempre imboscato un po' di roba e non per questo era un ladro (era vero, come era vero che la metà delle sigarette, dei saponi e dello scatolame andavano regolarmente a loro).

E poi che non dovevo permettermi di parlare con la sua donna senza che lui lo sapesse.

Che ero un bastardo e gli stavo facendo rischiare il culo.

Invece no, gli urlai io, il culo lo rischiava per la sua mania di fare lo splendido, di non privarsi di nulla. Gelosie, vecchi rancori, frustrazioni. È incredibile come anche l'amicizia piú forte si porti dentro cariche inesplose devastanti. Eppure lo stavo convincendo, ne sono sicuro, quando sentimmo bussare alla porta e gridare: «Polizia». Mollai la presa d'istinto, lui mi scaraventò a terra, poi scattò verso la finestra della cucina, che dava sul retro.

Non ebbi il riflesso istintivo di inseguirlo. Pensai che era meglio aprire e spiegarmi con i colleghi. Erano in cinque, ne conoscevo soltanto due, di vista. Nessuno di loro mi toccò, neppure con un dito. Ma da come mi chiesero di seguirli in questura, capii subito che ero ufficialmente piombato nella merda.

Non mi sbagliavo. Conte si era mimetizzato nella movida e mi aveva fotografato insieme a Domenico, all'uscita del locale, e poi mentre salivamo sul *Grace*, al porto. Poi c'erano due miei assegni circolari emessi proprio il giorno prima, e soprattutto c'era la mia telefonata con Domenico in cui ammettevo di averli presi io, i diamanti. Era vero? E perché l'avevo fatto? Per rivenderli io o per screditare il collega Conte?

Dissi che era vero, li avevo presi, ma non per ragioni cosí squallide. Raccontai la mia versione al commissario Filetta, il nostro dirigente per l'operazione *Luce del Nord*, e alla dottoressa Alibrandi, la titolare del filone d'inchiesta principale: un traffico di armi leggere contro pietre preziose di contrabbando fra la Liberia, la Slovacchia e i Paesi Bassi.

Non credettero a una parola. Se non al fatto che mi ero appena autoaccusato di occultamento di corpo del reato. Questo faceva di me un pericolo per l'indagine in corso. Mi spedirono in custodia cautelare a Marassi. Stentavo a creder-

ci, ma di colpo mi sentii come svuotato. Finii in cella con uno
che si era fatto quasi trent'anni per non so quante rapine.
Uno tranquillo, mi assicurarono i colleghi. Il mio avvocato
invece mi garantí che in una settimana al massimo avremmo
ottenuto i domiciliari. Ma a me non importava, in quel momento. Mi ero rovinato la carriera e non ero riuscito a tenere fuori dalla merda Domenico, anzi.

Quanto alla sua donna, aveva deciso di non aiutarmi, forse perché pensava che le avessi mentito, o forse perché cosí
le aveva consigliato il suo legale. Passai un giorno a guardare il soffitto, con un pensiero fisso: speravo che prendessero
Domenico, perché a quel punto solo lui poteva confermare
la mia versione. E perdipiú, ero sempre piú convinto che finire in galera non fosse la cosa peggiore che gli potesse capitare.

In effetti, ho saputo tempo dopo quello che gli avevano
fatto l'Olandese e i suoi, la mattina che l'avevo lasciato salire sul treno a Brignole. Domenico aveva pensato di presen-
tarsi dall'Olandese con diecimila euro, una cifra quindici o
venti volte superiore a quella che i diamanti grezzi erano co-
stati in Liberia.

Mi spiace dilungarmi su questioni che ti possono sembrare noiose. In quegli anni la Liberia non riusciva a garantire
che i suoi diamanti non finanziassero gruppi di ribelli o bande di militari fuori dal controllo del governo. Nessun diamante poteva quindi uscire legalmente dal paese, le miniere
erano state chiuse e i minatori, gente che già campava con
due o tre euro al giorno, lasciati liberi di morire, ma se non
altro all'aria aperta. Immaginati com'era facile trovare dei
disperati che per un centinaio di euro si ficcassero qualche
nottata in un pozzo, anche a rischio di rimanerci sepolti vivi. Un altro migliaio servivano per ungere sorveglianti, poliziotti e funzionari, e il business era fatto.

Domenico non aveva capito bene il calibro di colui con cui aveva a che fare, ma io sí: l'inchiesta della Alibrandi girava in gran parte sul colonnello Peter Alphonse De Vaerecken, detto l'Olandese, anche se era sudafricano. Dall'esercito era passato alla Executive Outcome, una milizia privata che lavorava essenzialmente per due tipi di clienti: grandi multinazionali e debolissimi governi fantoccio, sempre che una distinzione fra le due cose sia davvero possibile. Chiusa la Executive Outcome, si era riciclato come istruttore e consulente militare in Congo, il che gli aveva permesso di far viaggiare per l'Africa centrale migliaia di casse piene di lanciagranate Rpg 14 e di Ak47. A un certo punto i postumi di una febbre tifoidea lo avevano convinto a spostarsi in climi piú temperati e salutari. Si era goduto un po' dei quattrini accumulati: yacht privato, residenza a Ginevra e villa in Costa Azzurra. E poi si era dedicato a traffici piú raffinati, tipo quello di diamanti da paesi non autorizzati, come la Liberia. Conoscenze in Africa non gliene mancavano, parenti in Europa neppure. Passando dall'Italia alla Svizzera, i diamanti proibiti arrivavano ad Anversa con bolle di accompagnamento e certificati di provenienza formalmente regolari, pronti per essere tagliati. Era prima della Svizzera che andavano intercettati. In genere, finivano il loro viaggio in Russia. Come vedi, un curriculum di tutto rispetto.

Quella mattina Domenico era andato a Boccadasse, dove qualcuno lo aveva prelevato e portato sullo yacht dell'Olandese, che aspettava a dieci miglia dalla costa. Là lo avevano legato e gli avevano fatto fare «il sottomarino» nel bidone della pastura, pieno di sangue e interiora. Ti tengono mezzo minuto con la testa sotto, ti fanno riprendere fiato un istante e poi ancora giú in apnea. Dopo un quarto d'ora uno è disposto a qualsiasi cosa purché la si smetta. L'Olandese e i suoi si erano goduti lo spettacolo pranzando tranquilli. A fine pranzo, l'Olandese aveva preso qualche banconota dalla valigetta di Domenico e ci aveva acceso sigari e sigarette a tutta la compagnia. Poi gli aveva fatto un bel discorsino: da un calcolo grezzo, i diamanti spariti avevano un valore commerciale di almeno un milione di euro. Domenico era arrivato a offrire la propria quota della barca, cioè la cosa che aveva di piú caro al mondo. Ma per l'Olandese era meglio che se la tenesse, la barca, perché con quella gli doveva garantire almeno una decina di viaggi fra la Liberia e Gibilterra. Gratis, ovvio. E in piú c'era da scoprire il nome di un poliziotto che «stava in cocca» (come direbbe qualcuno che tu non hai conosciuto) con ambienti della mala che avevano deciso di ostacolargli il passaggio da Genova. Lui pensava a un clan ben inserito in città da molto tempo, gente che sapeva come muoversi con le madame (come direbbe sempre quel qualcuno).

Immaginati in quali condizioni era tornato a casa Domenico, quella sera. Non avrebbe potuto continuare a far finta di niente, anche se quel pomeriggio io non avessi fatto una chiacchierata con la sua donna. Ma il risultato fu che Domenico sospettò persino di aver trovato il poliziotto che De Vaerecken cercava. Vale a dire proprio me, il suo grande amico. Mi fece quella maledetta telefonata e arrivò a casa mia fuori di sé. Spero che non ti capiti mai di vedere un uomo perso, in preda al panico. Fu cosí che finimmo a menarci. Alla fine dovetti prenderlo per il colletto e sbatterlo contro il muro per convincerlo a fidarsi di me.

Da vicinissimo, vidi nei suoi occhi riaccendersi una luce pallida ma cristallina. Proprio come la luce del Nord, quando sembra che arrivi notte e invece è già l'alba.

Mi sarebbero bastati pochi secondi in piú.

Invece i colleghi bussarono proprio in quel momento.

Pochi secondi e una vita cambia.

Poi ci vogliono anni per ricostruire tutto e darsi almeno qualche spiegazione.

Oggi, per esempio, io so che il giorno dopo, saputo del mio arresto, il mio amico mi credette. E non solo. So anche che Domenico si mise a provarle tutte per togliermi dalla galera. Aveva capito che nella merda c'eravamo finiti insieme e solo insieme potevamo uscirne.

Era sempre stato cosí, fra noi due. Anche se, a dire il vero, nella merda lui aveva cominciato a mettercisi da solo. Aveva sempre avuto un certo talento, per questo. Tanto per dirne una, sei mesi prima il mio amico frescone aveva versato l'anticipo del *Grace* vendendo a qualcuno un paio di piccoli diamanti grezzi, il suo compenso per il primo trasporto per conto dell'Olandese. Ovviamente Domerico non era entrato da un gioielliere in via XX settembre con le sue belle pietrine in tasca: le aveva vendute sottobanco a qualcuno che aveva molti liquidi e possibilità di smerciare senza problemi roba del genere. Chi meglio della cosca dei Nocito, che qualche anno fa aveva il controllo del totonero e del videopoker di tutto il Levante. Quando poi il totonero è finito nel mirino della Direzione distrettuale antimafia, i Nocito hanno spostato i loro investimenti sulle bische e sui club. E hanno dovuto cominciare a cercarsi poliziotti e carabinieri disposti a non ficcare troppo il naso su certi circoli ufficialmente «riservati ai soli soci», in cambio di favori e di qualche buona dritta.

Una delle dritte era che un dodici metri chiamato *Grace* faceva da corriere per diamanti di contrabbando.

Uno di questi poliziotti era il collega Michele Conte.

Genova, 18 aprile 2003
Cella 12, piano primo,
seconda sezione del carcere di Marassi

– Com'è che si chiama quel tuo amico?
– Domenico.
– Sí, ma di cognome?
– Fiore, perché?
– Ha la tua età, incensurato… mi sa che è proprio lui.
– Lui cosa?
– Mi spiace dirtelo, ma l'hanno seccato.
– L'hanno preso?
– No. L'hanno fatto fuori.

– Domenico ammazzato?
– Ne so poco. Tornavo dalla lavanderia e mi sono fermato nella cella qua in fondo, a salutare Ivan e Gioele. C'era il
televisore acceso. Guardavano il Tg regionale perché parlava di una sparatoria. Una mezz'ora fa, in un vicolo che non
mi ricordo, ma deve essere uno di quelli che sbocca in via di
Pre'.
– Chi è stato?
– I tuoi colleghi, mio caro. Lo stavano per arrestare e lui
è fuggito. Era armato e ha anche sparato, pare.
– Merda, ma non è possibile. Domenico non sa sparare.
– Be', questo mi pare poco ma sicuro. Mi dispiace, sbirro, da come me ne hai parlato, questo tuo amico mi stava
simpatico.

– Ripigliati, sbirro, cazzo. Mi fai venire la depressione.
– Lasciami perdere.
– E invece no. Guarda qua.
– Che cos'è?

– È un pezzo di ricambio di una lavatrice. Due anni fa sono venuti a fare delle riparazioni in lavanderia, e me lo sono imboscato. Ci ho messo un paio di settimane a fargli i bordi, ad abbassare queste linguette… però è diventato tipo una cazzuola, vedi?

– Lo vedo. E allora?

– Allora… era Pasqua di un anno fa quando ho cominciato a lavorarmi la presa d'aria della lavanderia. Staccavo la grata, scavavo l'apertura dentro lasciando l'intonaco verso l'esterno, e poi la rimettevo. Ci lavoravo quasi tutti i giorni, avevo in tutto una mezz'ora, non di piú. Un po' di tempo mi andava via anche per eliminare quello che scavavo. Poco alla volta, altrimenti se si intasava uno scarico, finiva che mi sbossavano il movimento. Mi è toccato anche cominciare a giocare a pallone, perché cosí me ne portavo un po' dietro e la buttavo nel campo.

– Ma fra un mese ti dànno il lavoro esterno, fra quattro hai l'udienza per la semilibertà… un anno e mezzo e sei fuori. E ti metti a evadere?

– In galera ci stanno volentieri solo i quaquaraquà. Io, da quando m'hanno legato, ho pensato sempre e solo ad andarmene. Ogni santo giorno. Sennò non sopravvivi, venticinque anni rinchiuso.

– Non ti capisco.

– Non puoi capire. Non saresti uno sbirro. Comunque, qualche quaquaraquà deve aver nasato qualcosa e ha cantato con le guardie. Cosa credi, è per quello che ti hanno messo in cella con me. Per vedere se sei ancora sbirro, nonostante tutto. O almeno per farmi rimandare il movimento.

– E ora che me l'hai raccontato, che fai? Domattina evadi?

– Magari. Due mesi fa un imbecille flippato di ragazzotto è entrato duro e mi ha mezzo spaccato un ginocchio. E siccome non gioco piú, sono anche ingrassato. Dal buco non ci passo ancora, e con questo ginocchio non posso saltare neanche dalla sedia se mi venisse voglia di appendermi.

– Saltare?

– Ti spiego. Fai conto che intorno alla grata l'intonaco ora è solo uno strato esterno, come un wafer. Lo rompi con un dito. L'apertura dà sulla strada, ma è a sette, otto metri d'altezza. Fra poco cambieranno la viabilità, ma per ora lí sotto passano ancora diversi Tir. Devi aspettarne uno, quelli sono alti almeno quattro metri. Ti ci vorrà anche un po' di culo, ma ce la puoi fare.

– Io?

– Mi sembri abbastanza magro e in forma. Che c'è, non te la senti?

Genova, 10 giugno 2008

Superman se la rise di gusto, quel pomeriggio stesso, affidandomi il suo sacchetto gonfio di pedalini, canotte e mutande sporche. Far evadere uno sbirro era quasi meglio che evadere di persona, mi confessò sottovoce. Poi mi agguantò per le spalle e mi mormorò in un orecchio queste testuali parole: – Io non ho mai ammazzato nessuno, te l'ho detto. Non vorrei iniziare con te, sbirro. Sono stato chiaro?

La risposta giusta era una sola, aprii bocca prima di vergognarmi: – Non sono un infame.

È l'ultima parola che mi sarei mai immaginato di pronunciare, da poliziotto. E per giunta a uno come lui. Però sentii che non doveva rimanere l'ultima parola fra di noi. Avevo preso anche il mio sacchetto ed ero già sul ballatoio. Non so fino in fondo perché, e non so neppure se la cosa avrà mai un qualche significato per te, ma te la voglio raccontare lo stesso. Tornai indietro e gli dissi: – Mio padre non era in piazza De Ferrari, nel 1960.

Ricordo che non mi rispose. Mi guardò stranito, lisciandosi i baffi rossicci.

– Era nascosto in un solaio di salita San Matteo. Con il fucile.

Ti saresti divertito, Fabrizio, a vedermi saltare su quel Tir. Mi ricordo che aveva sulla fiancata un calamaro gigante con un cappello da marinaio. Il guidatore inchiodò, ci fu un tamponamento a catena e in strada si scatenò il caos. Io mi calai dal tetto della cabina aggrappandomi a uno specchietto retrovisore e riuscii a correre via fra le macchine.

Mi calcai in testa un berretto, mi cambiai la maglietta e salii sul primo autobus senza neppure guardare dove portava. Era un pomeriggio splendente, di sole e di vento forte. Guardavo dal finestrino e pensavo a dove poter andare. Non a casa mia e neppure su al Biscione, dai miei. Ero di colpo uno che non dovrebbe essere dov'è. Un clandestino. Cambiai tre autobus, fino ad arrivare a Capreno, un paesino sulle colline sopra Sori. Entrai da un barbiere e mi feci tagliare i capelli. A zero. Sei euro, servizio completo. Aspettai l'ultima corsa del pomeriggio e ridiscesi verso Genova.

Tornando in città, con la sera la sensazione di non essere più nell'ambiente in cui avevo vissuto fino a due giorni prima si fece soffocante. Le secche di ghiaia del Bisagno erano di un grigiore metallico e ostile, i grattacieli di Corte Lambruschini riflettevano un buio fatto di nulla. Alle spalle delle ciminiere e dei gasometri di Cornigliano (ti ho portato a vedere quando ne hanno demolito uno, ti ricordi? Ti divertisti tantissimo) montava dal mare una muraglia di nuvole che nessuno sembrava notare, tranne me. Anche le lavatrici di Pra', quelle case popolari bianche con il buco, mi par-

vero di colpo una collina colonizzata da popoli alieni. Nei vicoli del Porto Antico provai che cosa vuol dire tentare di essere invisibile. Avevo imparato come passare inosservato al
pedinato di turno, ma essere invisibile per una città intera era
diverso. Mangiai qualcosa in un doner kebab in piazza del-
l'Amor Perfetto, un posto dove non avevo mai messo piede
se non per un controllo con i colleghi. Bonifica sul territorio,
la chiamavano.

Dalla foto su un giornale cercai di capire qual era, fra tutti i vicoli che partono da via di Pre', quello dove avevano
ucciso Domenico. Era vicolo Vivaldi, un carugio cosí stretto che ci si passa uno alla volta. Ci andai, ma non c'erano
piú segni. Qualcuno aveva vuotato un secchio sul selciato.
Il sangue del mio amico Domenico era colato in un tombino con qualche risciacquatura. Mi inginocchiai, agguantai le
sbarre del tombino cercando di svellerlo. Domenico e io eravamo solo due ragazzi. Avevamo vissuto insieme gli anni migliori delle nostre vite, ma la nostra unica fortuna era stata,
in fin dei conti, non sapere che sarebbe finita cosí. Cosí male, cosí presto.

Anche le facce che vedevo in giro erano giovani. Facce
meticce, occhi neri e nasi andini. Lontano dalle luci al neon
di qualche scarno emporio di refurtiva sbucavano cosce e se-
deri statuari, inguainati da jeans leopardati. Dalle finestre
con le persiane socchiuse sentivo arrivare un rap in simil-in-
glese dalla pronuncia improbabile. Girai un po' lí intorno,
poi lo vidi, che fumava appoggiato a un angolo. Non pareva
aspettare qualcuno. Sembrava starsene a pensare, solo e nervoso.

Mi avvicinai e gli chiesi una sigaretta. Lui mi guardò strano, ma tirò fuori un pacchetto di Pall Mall. Da vicino riconobbi il tatuaggio con il cuore e la spada, la bandana gialla e
nera, il giubbotto senza maniche, da tamarro. Mi fece accen-

dere e gli chiesi come si chiamava. Lui mi rispose in un buo-
nissimo italiano che se per caso volevo farmi fare un servi-
zietto avevo sbagliato persona.

– No. Sono qui perché ieri hanno ammazzato un mio amico, – risposi io, tenendo d'occhio la scalinata sghemba del
vicolo. – Domenico Fiore. Tu sai bene di cosa parlo. E io so
che tu lo conoscevi.

Con León fu dura. Mi ripeteva che lui era figlio di una
badante, che era in Italia da dieci anni, che conosceva Domenico solo perché il mio amico andava a ballare nel locale
di un suo parente. Era la verità, ma non tutta. Mi ero fatto
l'idea che León avesse aiutato o nascosto Domenico nelle ultime ore della sua vita, ore da latitante. Mi portò in un ba-
retto infimo, tutto stanze tre metri per due, in un seminter-
rato. Mi ritrovai fra alcune facce viste durante qualche controllo di pattuglia. Ramón, Pinga, Ignacio, Rato... nomi
fasulli o soprannomi conquistati per una rissa o una coltellata. Uno di loro mi strinse la mano ridacchiando, un altro mi
squadrò con insofferenza, e intanto León parlottava fitto con
i piú anziani, che arrivavano a stento alla quarantina. Quelli che conoscevo si ricordavano che non mi ero mai approfit-
tato della divisa. Allora seguii León in una mansarda proprio
in via di Pre'. Venti metri, non di piú, in linea d'aria dal punto dove era avvenuta la sparatoria fra i miei colleghi e Domenico.

Dagli scalini stretti e storti mi aspettavo una topaia. Invece era un appartamento discreto, ristrutturato di recente,
con mattoni e travi a vista. L'avrei preso subito anch'io, se
mi fossi potuto permettere mille euro d'affitto. León lo divideva con chissà quante persone, a giudicare dal puzzo di
piedi e dal casino infernale di vestiti, coperte, sacchi a pelo
e scatoloni.

Mi disse che aveva conosciuto Domenico quando faceva il muratore. E questo poteva essere anche vero, il mio amico aveva fatto di tutto nella vita, dal cameriere all'antennista. Ma a me interessava altro. León continuava a ripetermi che Domenico gli pareva un uomo buono, che spesso gli chiedeva di sorvegliare con qualche altro della sua banda i vicoli intorno a casa sua. Tutto lí. Il perché, León non gliel'aveva mai chiesto. A lui bastava essere pagato, e Domenico pagava, anche se non sempre con i soldi: telefonini, iPod, orologi, liquori, vestiti. Tornava a Genova ogni volta pieno di ogni ben di Dio.

– Domenico è stato qui da te, prima di morire? – gli domandai.

– Qua vicino. C'è un vecchio negozio dove qualche volta dormono dei miei amici. Gli serviva un posto sicuro, mi ha detto.

– E cosa ha fatto, Domenico, in quei giorni?

– Si è trovato una pistola ed è andato in giro, anche da gente pericolosa. Diceva che doveva trovare uno della polizia che aveva incastrato un suo amico. Alla fine la polizia ha trovato lui.

– Eri qui, quando è successo?

– No, – fu la prima risposta. Lo guardai intrecciare le dita delle mani e glielo domandai di nuovo. Con la stessa intonazione.

– Allora? Sei proprio sicuro?

Non mi rispose. Si passò le mani sulla faccia e chiuse gli occhi. Prese il cellulare, lo aprí e mi disse che quello gliel'aveva regalato proprio Domenico. Poi girò lo schermo verso di me.

È strana, la memoria. Quelle immagini sgranate sono diventate, anno dopo anno, nitidissime.

Si vedeva Domenico nel vicolo, accanto a un contenitore verde per i rifiuti.

Dopo qualche secondo, estraeva qualcosa dalla giacca a vento. Dalla parte in ombra del vicolo spuntavano due braccia e una pistola. Si sentiva urlare almeno due volte «Buttala!»

Domenico faceva qualche passo, come per scappare, ma si fermava subito, davanti a una saracinesca dipinta a spray con una scritta azzurra. Si fermava e buttava la pistola per terra. L'inquadratura sobbalzava. A quel punto il collega usciva dalla copertura e si avvicinava a Domenico ordinandogli di alzare le mani. Domenico obbediva, poi guardava il collega e le riabbassava. Come in segno di sconforto.

E a quel punto diceva qualcosa. Dovetti andare avanti e indietro cinque o sei volte, perché Domenico lo diceva senza urlare.

Alla fine lo capii. Diceva: «Arrestami, sovrintendente Conte. Vuol dire che ci faremo compagnia, in galera».

La tipica uscita d'impulso di Domenico. Era fatto cosí, lui. Conte urlava ancora: «Buttala!» ma non lasciava passare un secondo e faceva fuoco.

Un colpo solo e si vedeva Domenico franare sul contenitore, reggersi alla saracinesca, poi crollare a faccia in giú sulle immondizie rovesciate.

León aveva ripreso la scena dalla sua finestra, ma non se l'era sentita di andare alla polizia con quel filmato. Ci aveva pensato un'ora, forse di piú, poi l'aveva spedito alla donna di Domenico. Gli era sembrata l'unica cosa giusta da fare. Ma la ragazza non gli aveva risposto, non si era fatta viva e, a quanto pareva, neppure lei era andata alla polizia. Anche i notiziari della sera ribadivano la versione di Conte: Domenico gli aveva puntato contro la pistola.

Non mi spiegavo il perché. León provò a chiamarla. Cinque, dieci, quindici squilli. Nessuna risposta.

Neanch'io volevo andare alla polizia. Anzi, non potevo. Non ancora. L'unica cosa giusta da fare mi sembrò rintracciare il collega Conte. Non riuscivo a credere di aver lavorato fianco a fianco con l'assassino del mio piú grande amico. Cominciai a pensare che fosse tutta colpa mia. Se avessi lasciato lí i diamanti, non avrei messo il collega nelle condizioni di incastrarmi. E Domenico sarebbe in carcere, forse, ma vivo.

Ma le mie colpe non bastavano a spiegare tutto, non spiegavano quella frase di Domenico, non giustificavano che uno stronzo come Conte arrivasse a uccidere un uomo a sangue freddo. C'era molto altro da capire, e l'unico che me lo poteva dire era proprio il collega.

Conte abitava su all'Oregina, in un condominio vicino a un campo da calcio. C'ero stato un paio di volte e basta, ma ero sicuro di ricordarmelo. Il problema era come arrivarci. Alla mia auto avrei trovato un paio di colleghi ad aspettarmi, poco ma sicuro.

León aveva una vecchia Renault e la teneva nel cortile di un amico vicino alla piazzetta del Carmine. Ce lo mandai da solo, perché era troppo vicino a dove abitavo io allora, in cima al vicolo della Giuggiola, al terzo piano. Mi piaceva da matti, quella casa. Salivo una ventina di scalini e già in piazza San Bartolomeo dell'Olivella, davanti a quella chiesa piccolissima, non sembrava piú di essere in pieno centro. Non ti ci ho mai portato, lo so. Ci torno, ogni tanto, ma sempre da solo.

Qualche minuto dopo la mezzanotte León arrivò su un catorcio con una scritta gialla e nera sul cofano. Su una portiera c'era il simbolo della sua banda, il cuore e il pugnale.

Dal rumore e dal fumo avrei detto che andasse a carbone.
Lo convinsi a lasciarmi guidare e gli dissi di continuare a chiamare la ragazza di Domenico. La ripresa del catorcio ricordava il rantolo di morte di un animale preistorico. León scuoteva la testa guardando fuori. Dieci squilli a vuoto e poi la
voce della compagnia telefonica: utente irraggiungibile. Gui-
davo e mi affannavo fra le ipotesi piú terribili, una delle quali si era effettivamente verificata da qualche ora. Se il catorcio avesse avuto la radio, avrei saputo che la compagna del
giovane ucciso nella sparatoria di vico Vivaldi si era resa ir-
reperibile. Era la verità, ma non tutta.

Quel giorno lei aveva preferito non passare dal nascondiglio di Domenico. Sapeva che la tenevano d'occhio e sentiva che il cerchio si stava stringendo. Era uscita dallo studio
da sola, verso le due, tampinata da un collega. Un certo ingegner Barbagallo l'aveva interpellata per un villino da ristrutturare a Nervi. L'appuntamento era per le tre, piú o meno l'ora in cui Domenico veniva ammazzato. Quando dalla
radio di bordo gli era arrivata la notizia della sparatoria di vicolo Vivaldi, il collega se n'era venuto via. Lasciandola in un
villino dove non c'era niente da ristrutturare e nessun ingegner Barbagallo.

La ragazza di Domenico non poteva rispondere al messaggio perché intorno alle quattro era nelle mani del colonnello De Vaerecken e dei suoi. Era stato l'Olandese in persona a guardare per primo il video e a mostrarglielo. E a
prometterle, il bastardo, che sarebbero andati insieme a
beccare l'assassino di Domenico. Che gliel'avrebbe ammazzato davanti agli occhi. E come no. Il colonnello De Vaerecken aveva trovato il poliziotto che gli aveva ucciso il corriere. Voleva dare un segnale inequivocabile a quelli che
pensavano di rovinargli la piazza con le soffiate alla polizia.

Primi fra tutti i Nocito. Tutte cose che so oggi, ma che in quel momento, tirando allo spasimo il catorcio di León per arrivare da Conte prima possibile, ignoravo.

Dovevano essere lí da tutta la sera.

Quando Conte uscí dall'auto appena parcheggiata, ebbi giusto il tempo di aprire la portiera. Non vidi neppure da dove erano sbucati, se dai giardini pubblici o da un parcheggio condominiale. Lo presero in due, alle spalle. Uno lo strinse alla gola con un laccio, l'altro gli bloccò le braccia. Conte non riuscí neppure a urlare. Il terzo uomo aprí gli sportelli posteriori di un furgone, e in non piú di dieci secondi del sovrintendente Michele Conte si sarebbero perse per sempre le tracce, se sotto casa sua non ci fossimo stati León e io.

Ricordo che rimasi con il piede per terra e la mano sulla chiave dell'accensione. Un'azione da professionisti dei corpi speciali, il tipo di gente che poteva lavorare per l'Olandese.

León mi guardò e io capii che stava sperando di tornare indietro. Gli chiesi di lasciarmi l'auto: gliel'avrei ripagata, se non gliela riportavo.

Sempre che indietro ci tornassi anche io, ovviamente. León mi rispose che veniva con me, non aveva paura. Stava facendo il grosso per non farsela sotto. Sudava da inzuppare il sedile e giochicchiava con l'accendino. Gli dissi di piantarla, che mi innervosiva, poi entrai in strada con la portiera ancora aperta. Anch'io avevo paura. Eravamo in due, disarmati, contro dei professionisti.

Per un po' seguii due luci di posizione tonde, poi sul lungomare Canepa vidi che si trattava di un pulmino Volkswagen metallizzato, di un color prugna orribile. Targa gialla, olandese o francese, mi sembrò.

Non erano molto pratici di Genova, altrimenti ci avrebbero seminato subito. Vicino al centro commerciale della Fiumara ci staccarono di qualche centinaio di metri. Li riprendemmo soltanto perché León li vide in tempo: avevano sbagliato strada e stavano tornando indietro sul ponte di Cornigliano, diretti verso i moli.

Il furgone si infilò lentamente fra i canyon di container. Bisognava lasciare la macchina, o ci avrebbero notato subito. Avremmo perso il nostro unico, misero vantaggio.

Avvicinandoci al mare, i lampioni diventavano radi e le pareti di container alte come palazzi. L'asfalto, le cabine di lamiera, le bitte, i binari dei carroponte, tutto era coperto da una coltre ancora piú scura della notte, impenetrabile ai riflessi delle luci del porto. Guardai verso l'altra sponda del Polcevera, dove ancora funzionava, giorno e notte, l'altoforno dell'Ilva. Ricordava la carcassa di un grande drago che sputa i suoi ultimi fumi neri e qualche ruggito lontano. Il padre di Domenico aveva lavorato lí per qualche anno, all'epoca dell'Italsider, giusto il tempo necessario a prendersi la bronchite cronica che gli avrebbe tolto il respiro quando finalmente pensava di meritarsi una vecchiaia tranquilla.

Con questi pensieri in testa andavo avanti nel buio, armato solo di un pezzo di ricambio per lavatrice.

Il furgone si fermò davanti a un container già agganciato dalla gru e pronto per essere chiuso e caricato su un piccolo mercantile. Si chiamano panamax, perché per la loro stazza contenuta passano anche dallo stretto di Panama. Era una delle tante cose che mi raccontava *mio* padre, e che io ascoltavo solo per rispetto.

Il container era aperto e semivuoto, l'interno era illuminato dai cerchi biancastri di un paio di torce. Conte venne trascinato di peso fuori dal furgone. Ad aspettarlo c'erano altre persone, tra cui un uomo imponente, dai capelli chiari e lisci, lunghi fin sulle spalle. Fu lui l'unico a parlare, in un italiano discreto. Prese per un braccio quella che mi parve niente piú che un'ombra, quasi incorporea, e le chiese se voleva sparare lei, all'assassino del suo caro Domenico. La risposta fu troppo debole perché arrivasse fino a noi, ma vidi che l'Olandese la aiutava a impugnare la pistola e a puntarla contro Conte. Il collega era in ginocchio, singhiozzava e balbettava, come istupidito. Mi sforzai di riflettere, e mi si gelò il sangue. Il gioco delle parti era ancora piú macabro di quello che sembrava: la donna di Domenico sapeva troppo, ormai. In quel container, da scaricare in mare aperto, non sarebbe finito solo il collega Conte, ma anche lei. Che sparasse o no. Morta o viva.

A distrarmi fu León. Mi toccò su una spalla e fece un cenno alla cabina di comando della gru di carico che reggeva il container. All'interno si scorgeva la sagoma di un uomo. Rividi per un attimo mio padre al lavoro. Certe volte andavamo a prenderlo assieme a mia madre. E quando tornavamo a casa, a tavola mi piaceva che mi imboccasse come se sollevasse la forchetta al comando della sua gru. Ci voleva un'eternità, a mangiare in quel modo, e intanto mia madre non vedeva l'ora di sparecchiare e andare a stendersi sul divano. Quando fui piú grande, mi portò anche con lui nella cabina, qualche volta. Il mio vecchio ha sempre voluto che mi laureassi, perché dovevo avere un lavoro migliore del suo. Ma ha anche sempre temuto che, disdegnando certi lavori, svalutassi anche un po' lui.

– Forse so come manovrare l'aggeggio, – dissi a León.

– Io tolgo di mezzo il tipo.

– Sicuro? Non è il momento di fare il bullo.

Mi lanciò un'occhiata offesa e poi si issò sul primo gradino della scaletta metallica.

– Fidati. Non lo faccio neanche fiatare.

Mi fidai. Del resto, non avevo alternative.

León fu un lampo senza luce. Colpí il manovratore con una gomitata precisa, dietro un orecchio, poi lo imbavagliò con la sua bandana. Io intanto guardavo la pulsantiera elettronica. Una gru non fa poi molte cose, i tasti erano sette o otto, ma all'improvviso non sapevo bene cosa fare e dove mettere le mani.

L'Olandese e i suoi non si erano ancora accorti di nulla. Detti il pezzo di lavatrice a León e gli dissi di sistemarsi a guardia della scala.

Ero ancora con le mani per aria quando sentii lo sparo.

Troppo tardi, pensai. Un'altra volta.

Guardai subito verso il container e vidi l'Olandese barcollare e abbattersi contro la parete con un rimbombo vibrante. Era stata la donna di Domenico. Gridò e sparò ancora un paio di colpi, poi Conte si rialzò, la agguantò alla vita e la spinse fuori dal container.

A quel punto tentai. Lo scatolone metallico si alzò di un paio di metri con uno strattone brusco. Un uomo dell'Olandese precipitò sull'asfalto. Gli altri rotolarono in fondo al container quando, senza capire bene come, lo sollevai di altri cinque o sei metri facendolo dondolare paurosamente.

Di sotto presero a sparare. León era rannicchiato all'imbocco della scala. Non capivo esattamente cosa stesse succedendo. Un uomo di De Vaerecken era rimasto accanto al furgone. Lo vidi inciampare all'indietro e sbattere contro la portiera, ma prima di accasciarsi fece partire una raffica da una mitraglietta corta. Conte barcollò, abbandonando la pistola. Urlò qualcosa a Valeria, cercò di chinarsi per riprendere l'arma, ma finí accasciato su un fascio di grossi cavi.

Feci sollevare ancora il container e ruotai il braccio di carico in modo che il lato aperto non desse angoli di tiro a quelli rimasti dentro. Scesi insieme a León, e trascinai Valeria al

riparo dietro la colonna di un grande carroponte. Michele
Conte rantolava, la pistola che aveva appena lasciato sembrava quasi galleggiare leggera nella pozza di sangue.

Stavo per raggiungerlo quando un altro uomo, zoppicando, sparò verso di noi una raffica di copertura che scatenò
un inferno di traiettorie di rimbalzo. Scavalcò il cadavere del
compare e saltò sul furgone. Aspettai di sentirlo sgommare,
prima di uscire allo scoperto. La ragazza di Domenico rimase rannicchiata, a tremare fra le braccia di León, mentre io
chiudevo gli occhi al collega Conte.

Troppo tardi, e per l'ultima volta. Troppo tardi anche per
una sola parola.

Ma ancora oggi non so che cosa avrei potuto dirgli.

Mentre León chiamava i soccorsi, mi lasciai cadere a terra, dove la fuliggine si era impastata al sangue in una melma
scura e appiccicosa. L'aria era umida e amara. L'altoforno
buttava borbottii cavernosi e barriti sinistri.

Grattai con le unghie l'asfalto nero e guardai il mare appena piú chiaro, orlato dalla barriera di scogli e cemento.

Di lí a poco sarebbero arrivati altri colleghi, e avrei passato tutta la notte a raccontare di nuovo una storia che avevo solo voglia di dimenticare. La storia della morte del mio
amico Domenico Fiore. E cioè tuo padre, Fabrizio. Una storia di cui mi porterò il peso, per tutta la vita.

Il giorno che leggerai questa lettera, saprai giudicare da
solo quanto mia sia stata la colpa di tutto questo. E capirai
che è stato per te che tua madre Valeria, la donna di Domenico, ha trovato la forza di puntare la pistola contro De Vaerecken.

Mi sembrava giusto raccontarti che devi la vita anche a
persone che non conosci, come León e Superman. E al sus-
sulto di disperata dignità di Michele Conte.

Ora ti vedo correre per la terrazza, con quella maglia della Samp che ti sta tre volte. Mi chiami papà e mi rimprove-
ri: oggi non abbiamo ancora giocato il nostro derby. Hai ragione. Ogni giorno mi infilo una maglia del Genoa ed è come recitare due parti insieme. La parte di me stesso da
piccolo, quando su al Biscione Domenico e io rimanevano fino a buio, a scrostarci le ginocchia per segnare l'ultimo gol.
E la parte di tuo padre.

Ma un giorno qualcuno dovrà pur raccontarti la verità, e
con questa lettera voglio essere io a farlo, perché credo di
averne diritto e penso che a Domenico piacerebbe cosí. Te
la scrivo oggi, che hai quattro anni e non sai ancora leggere,
perché è il momento giusto per farlo. E perché non si sa mai.
La vita cambia completamente, anche in un attimo solo, e
poi non si torna piú indietro.

Superman, per esempio, non tornerà piú indietro. Ora sta
ad Antigua, nei Caraibi. Vent'anni fa un suo compagno di
batteria aveva fatto in tempo a scappare con parecchi soldi.
Si è comprato un'isola, davvero, come voleva fare tuo padre
Domenico. Fra di loro il patto era che avrebbero diviso tutto, il giorno in cui Superman fosse uscito. Anche grazie a me
ha finito di scontare la pena senza fare altre cazzate. Mi chiama, ogni tanto, e mi dice di andare là. Là non c'è la luce del
Nord, c'è il sole caldo del Sud, tutto l'anno.

È ancora presto, ma ho paura che prima o poi Superman
mi convincerà.

Vedi, tua madre Valeria e io viviamo assieme da quando
sei nato, ma purtroppo non saremo mai una vera coppia. È
amore quello che ci tiene uniti, certo, ma alla fine è amore
per te e per Domenico. C'è un'ombra fra di noi, che solo la
tua presenza meravigliosa tiene lontana. Ma non appena tu
ti addormenti e noi rimaniamo soli, in questa casa sale il si-

lenzio e quell'ombra ritorna. È un'ombra pesante, è qualcosa che ci manca e non abbiamo il coraggio di chiederci l'un l'altra.

Fra mezz'ora Valeria rientrerà per la cena. Tu sei sulla soglia, i riccioli neri e le sopracciglia dritte e marcate proprio come quelle di Domenico. Con il pallone sottobraccio, mi hai già strattonato per una manica e mi hai detto: – Basta lavorare –. Poi mi hai chiesto cosa ho di tanto importante da scrivere, da qualche giorno in qua.

– Niente, – ti ho risposto. – Ho finito.

Ora chiuderò questi fogli in una busta e prenderò la maglietta del Genoa.

E allora nei tuoi occhi scuri si accenderà qualcosa di limpido, come quando la luce del Nord passa da un diamante purissimo.

Loriano Macchiavelli

Il confine del crimine

Racconto noir di pura invenzione ma quasi reale

Un prologo, anche se per i racconti non si usa.

In questa brutta storia, Sarti Antonio, sergente, c'è entrato perché stava dietro a certi furti di Suv, di fuoristrada e di altre bestie del tipo. Da un po' in qua ne spariscono troppe di queste belle, ingombranti, inquinanti e inutili automobili, e i ricchi bolognesi cominciano a preoccuparsi. Al volante di quelle bestie si sentono Indiana Jones del Pavaglione, e vivono le loro avventure nella savana d'Africa senza spostarsi da via Indipendenza. O da *Zanarini*, in piazza Galvani, quello con la rana in mano. Cosí va il mondo.

Il mio questurino era già arrivato a Marcella Carlotti, detta Rasputin, ma niente prove. Rasputin è in gamba. La conosceva e ce n'ha messo a convincersi che una bella ragazza, con tanto di laurea, rubasse automobili importanti.

L'ultimo furto glielo ha segnalato il buon Settepaltò.

Se non avete ancora incontrato Settepaltò, eccolo qua: i benpensanti lo considerano un barbone, il piú antico che circoli per Bologna, uno che rompe le palle, rovina il paesaggio e se sparisse dalla circolazione sarebbe meglio. In realtà Settepaltò è un mite che il destino ha messo in circolazione per aiutare il prossimo. Lo fa offrendo gratis ai passanti un casco da cantiere perché si proteggano dalle radiazioni, causa principale, a suo giudizio, dei malanni fisici e mentali che tormentano i bolognesi. E sono tanti. I malanni. Ma anche i bolognesi.

Fino a qualche anno fa raccoglieva carta e cartoni, li caricava sulla bicicletta e li trasportava nella baracca di periferia dove abita da sempre. Vendeva il raccolto e ci ricavava da sopravvivere onestamente senza pesare sulla comunità. Poi un signore molto ecologico a parole e poco nei fatti ha deciso che era il momento di istituire la raccolta differenziata dei rifiuti, e ha distribuito per le strade una quantità di cassoni e cassonetti multicolori che i cittadini riempiono diligentemente: la carta e il cartone in quelli azzurro pallido, la plastica nei gialli, il vetro nei verdi, gli abiti usati in quelli rosa tenue. Una volta alla settimana passa un autocarro per ogni colore, vuota i cassonetti e trasporta i rifiuti in un luogo a ciò deputato. E da quell'istante i rifiuti si mescolano assieme e tornano come prima. Peggio di prima, perché carta e cartone hanno perduto il loro modesto valore costringendo Settepaltò alla raccolta indifferenziata. Nel senso che adesso raccoglie di tutto.

D'inverno e d'estate indossa il casco e un numero spropositato di cappotti, uno sull'altro. I cappotti, cosí come il casco, proteggono dalle radiazioni, ma poiché sono di stoffa, se ne impregnano e vanno cambiati spesso. Il piú esterno, e quindi piú esposto, finisce bruciato davanti alla baracca che gli fa da abitazione, al Sostegnino. Terminato il rito della purificazione, Settepaltò ne indossa uno nuovo sotto i precedenti, e cosí quello che era il secondo diventa il primo. Fino a che anche questo sarà saturo di radiazioni assorbite e verrà sacrificato.

Vive felicemente la sua miseria e il suo altruismo. Quanti anni abbia, nessuno lo sa. Molti, comunque, e vissuti in beata solitudine.

Ogni volta che il mio questurino lo incontra, fa fermare l'auto Ventotto e gli offre il caffè. Prima di salutarsi Settepaltò gli poggia, invariabilmente, sul cranio un casco che, appena il vecchino è fuori vista, finisce nel cassonetto giallo della plastica. Il mio questurino è ligio. Se avesse conservato tutti i caschi, vendendoli potrebbe viverci di rendita. Si salutano e Settepaltò ha dieci euro in piú nella tasca dell'ultimo cappotto: è il costo che il mio questurino ha stabilito per ogni casco. Ma Il vecchietto non ne sa nulla. Si trova i dieci euro e ringrazia la provvidenza dei poveracci.

Per l'ultimo furto di Suv è andata cosí: Settepaltò entra da Anacardio, il barista, e chiede: – Anacardio, mi fai telefonare?

– Sette, – gli risponde Anacardio, – c'è la gabina proprio qui fuori, dinanzi al bar.

Intanto ci sarebbe da chiedersi come facciano due genitori a chiamare il figlio Anacardio e poi come faccia Anacardio a chiamare ancora *gabina* la cabina, dopo che c'è stata una campagna di stampa contro la *gabina* di Bossi.

– Sí, c'è, – dice il buon Settepaltò, – ma è rotta.

Sono tutte rotte le cabine sparse per Bologna, e a nessuno interessa piú di tanto. C'è o non c'è il telefonino? C'è, ma non per Settepaltò.

– Guarda che se non telefono a Sarti, quello poi si arrabbia con te.

– Se è per il sergente, – dice Anacardio. E fa passare Settepaltò dietro il banco, alla cassa.

– Pronto, c'è Sarti Antonio?

– Chi lo vuole?

– Sono io, Settepaltò.

– È fuori per servizio…

– Guarda che è una cosa importante. Mi raccomando. E anche urgente, se no quella chissà dove va a finire…

– Capito, capito, Settepaltò. Adesso lo rintraccio e gli dico di venire da te. Dove ti trova?

– Dove mi trova? Cosa vuol dire?

– Dove sei adesso?

– Aaa, adesso. Be', digli che lo aspetto a porta Saragozza, proprio dove una volta c'era il pisciatoio e adesso non c'è piú...

– Stai fermo lí, non ti muovere che ti mando Sarti, – e il mio questurino lo trova a porta Saragozza, immobile dove una volta c'era il pisciatoio e adesso non c'è piú. Forse la pubblica amministrazione s'illude che i bolognesi non piscino piú. Come i baristi, e infatti i loro bagni sono sempre «momentaneamente fuori uso». Cosí non si sa bene dove andare a pisciare. A Bologna. Non so altrove. Sono uno che viaggia poco, io.

– Che ti succede, Settepaltò? Qualche guaio?

Il vecchietto guarda il mio questurino e scuote il capo. Dice: – Se continuerai a far finta di niente e non ti metterai in testa il casco, il guaio sarà tuo, Antonio. Te ne avevo pur dato uno.

– Hai ragione, Settepaltò, hai ragione, ma me l'hanno rubato.

– Rubato. Che gente che c'è per la strada. Non hanno rispetto nemmeno per il casco, – e va a frugare nel bagagliaio della bicicletta, trova un casco da cantiere e lo ficca sulla testa di Sarti Antonio, sergente.

– Non mi avrai fatto correre qui per questo? Sai che ho anche messo la sirena?

Settepaltò sistema meglio il casco sul capo del mio questurino e comincia: – Sai cos'ho visto, Antonio? Proprio lí, – e indica un posto libero nel parcheggio della piazza, – proprio lí ho visto quella bella ragazza... Come si chiama? Sí, quella delle auto...

– Rasputin. È di lei che parli?

– Proprio. Stava lí, chinata di fianco a una gran macchina e cercava di aprire la portiera. Mi sono detto: «Vuoi vedere che ne sta rubando un'altra? Ad Antonio non farà piacere», e allora ti ho cercato e cosí… Dove vai, Antonio? Antonio!

Antonio è già seduto sulla Ventotto e grida a Felice Cantoni, agente: – Vai, vai, Felice! A casa di Rasputin, piú in fretta che puoi! Forse la becchiamo ancora seduta sull'auto rubata!

Felice Cantoni, agente, è felice solo quando il collega gli permette di scatenare i cavalli incatenati sotto il cofano della Ventotto. Sorride, sgasa e mette dentro le marce una dopo l'altra, senza nemmeno premere la frizione. Per i giri del motore, ha un orecchio che non sbaglia.

Ma arrivano tardi lo stesso. Negli ultimi tempi capita spesso a Sarti Antonio, sergente, di arrivare tardi. Non perché sia un questurino trascurato. Solo sfigato.

Rasputin ha appena parcheggiato l'auto rubata e aperto la portiera dell'utilitaria per prendere le chiavi di casa, che sente il motore imballato della Ventotto quando quella è ancora in piazza Malpighi. Anche lei ha orecchio per le auto.

– Merda, è già qui.

Monta sulla sua utilitaria e la piazza in mezzo a Ca' Selvatica. Attiva l'antifurto, scende, chiude a chiave le portiere, salta sulla Cherokee appena rubata e quando la Ventotto di Felice Cantoni, agente, imbocca via Nosadella, Rasputin sta viaggiando in retromarcia e a tutto gas. In senso vietato fino all'angolo con Frassinago dove si ferma un attimo per godersi l'auto Ventotto che sbatte contro la sua utilitaria. Ma Felice Cantoni, agente, al volante ci sa fare e la Ventotto inchioda a due dita dalla portiera dell'utilitaria.

Rasputin non si è goduto il botto ma le bestemmie di Sarti Antonio, sergente. E i suoi pugni sul tettuccio dell'utilitaria. Che per un poco sopporta le intemperanze e poi fa partire l'urlo dell'antifurto.

Sarti Antonio, sergente, e Felice Cantoni, agente, annusano il puzzo di zolfo lasciato dagli pneumatici della jeep Cherokee sull'asfalto e nell'aria di via Ca' Selvatica.

– Ci ha fregato, ci ha fregato! – e il mio questurino ingoia una bestemmia. Sarà perché non si sfoga che la colite gli morde il ventre.

– Non è possibile, – borbotta Felice Cantoni, agente, seduto al volante. Scuote il capo. – È andata in senso vietato, ti rendi conto, Anto'. In senso vietato e in retromarcia, – e l'idea di come si sarebbe ridotta la Ventotto se lui non fosse il pilota che è, lo fa star male. Si rilassa con una sigaretta. Dentro la Ventotto! Al secondo tiro, guarda il collega che ha rinunciato a calmare l'antifurto ed è salito a bordo.

– Chiama qualcuno che faccia smettere 'sta lagna, Felice, e sgomberi la strada. Ormai chissà dov'è, quella. Che c'è da ridere?

Felice Cantoni, agente, indica la testa del collega: – Sai che ti sta bene?

Soltanto adesso Sarti Antonio, sergente, toglie il casco che Settepaltò gli ha piantato in testa e lo fa volare sul sedile posteriore. Ora ha il tempo di arrabbiarsi. – Quante volte ti devo ripetere che non si fuma in auto? Non si fuma, cazzo!

Rasputin è in viaggio verso L'Aquila, e Sarti Antonio, sergente, non lo sa ancora. Io mi sono messo in un bel casino e sull'A24 ci sono quattro auto.

La prima, una Punto metallizzata, ultimo modello, è guidata da un tale che guarda piú spesso nel retrovisore che sulla strada. Il suo nome, adesso, non servirebbe, ma fa Arturo. L'ho saputo in seguito, quando l'ho incontrato e l'ho trovato in un brutto stato di conservazione.

Il nominato Arturo ha la ricetrasmittente accesa e comunica non so cosa, perché non conosco la lingua, a qualcuno che non so chi sia. Si accontenta dei mugolii che gli arrivano come risposte.

Sulla seconda, una Volkswagen gialla modello tartaruga, c'è un tal Samir. Samir e basta, per il momento. Iraniano con permesso di soggiorno in regola. Talmente in regola che ha in tasca anche la cittadinanza italiana. Samir è preoccupato, borbotta nella sua lingua madre e anche lui guarda nel retrovisore dov'è stampata una jeep Cherokee nuova di fabbrica. Sta lí, nel suo specchietto, da Civitanova, da quando lui ha preso l'A24, che sarebbe l'autostrada dall'Adriatico verso Teramo e L'Aquila.

Un'ultima occhiata alla Cherokee, un altro borbottio nella lingua dei padri (cosí siamo in parità sessuale), sterza di colpo e s'infila nello svincolo per Assergi.

– Merda, merda! – grida Arturo nel microfono. – È uscito, è uscito! – Inchioda, mette dentro la retromarcia e la tira a motore imballato fino allo svincolo. Frena in tempo per evitare la Cherokee che, anche lei, sta imboccando l'uscita presa da Samir. Urla ancora qualcosa ai compari. Li starà aggiornando sulla nuova situazione. Nessuna risposta.

– Allora, che faccio? – grida in lingua nostrana. Ancora silenzio.

1. *Prima protagonista: Marcella Carlotti, ladra d'auto.*

Al volante della jeep Cherokee c'è Marcella Carlotti, Rasputin per gli amici. Anche lei ha un'auto nel retrovisore, che sarebbe la quarta di una storia che si presenta piuttosto incasinata. È un pick-up, e le sta dietro da quando ha imboccato l'A24. In anni di precisa e studiata attività professionale, ha imparato a riconoscere le auto e capire le intenzioni degli occupanti. Il pick-up, ci scommetterebbe le palle se le avesse, è blindato. Ha il cassone coperto, i vetri oscurati, le griglie di protezione sulle gomme... Insomma, una macchina come si deve e che, a trovare il committente giusto, frutterebbe un bel tot.

Oltre alle auto, Ras conosce abbastanza il mondo per capire che si sta mettendo male. Ha avuto troppa fretta e non è il suo stile, ma a volte le esigenze lo esigono. Appunto.

Se fosse stata indovina, non avrebbe perso tempo a laurearsi al Dams per poi andare in giro a rubare auto. Una bella ragazza come lei meriterebbe di meglio. Né si sarebbe messa in strada oggi per consegnare la Cherokee. Lo avrebbe fatto domani. O dopo. Ma quel coglione d'un questurino le è piombato addosso troppo presto.

A proposito: come accidenti avrà saputo che si era appena fatta una jeep?

I pentimenti postumi non le piacciono. Le piacciono le decisioni. Per questo è ancora in giro a fregare auto. Ha cominciato a quindici anni, con un buon maestro. Il migliore. Adesso, però, c'è da capire le intenzioni del pick-up e, per arrivarci, ha imboccato anche lei l'uscita Assergi, evitando per un niente il matto con la Punto metallizzata che, in retromarcia, le stava venendo addosso.

Il pick-up è pesante e, per andarle dietro, lascia un bel po' di battistrada sull'A24. Adesso Ras è sicura che a bordo c'è gente con brutte intenzioni. E con una blindata a due dita dal culo, ci vuole poco per arrivarci.

La strada, tutta curve e strappi, sale ripida e si pianta in un bosco di querce e, piú sopra, di castagni e noccioli. C'è fresco attorno, eppure Rasputin suda e non c'è condizionatore che tenga. Dalla sua c'è che lei conosce la zona e quelli che la seguono no. Forse no. Sa che la strada imboccata la porterà a Campo Imperatore. Oltre i duemila. Vuoi mai andare a pensare che per una strada cosí, si arrivi a sbattere nei carabinieri?

Non posso credere che quel coglione di Sarti Antonio abbia diramato a tutto il reame i dati dell'auto che ho rubato. Con i problemi che hanno... Non lo farebbe mai: è una questione fra me e lui.

C'è un'altra possibilità. Il proprietario della Cherokee è uno che conta, si è accorto che gli ho fregato l'auto preferita e mi ha messo dietro i suoi e davanti i carabba.

Oppure: l'auto che mi sono fatta ha il bagagliaio gravido. Roba che costa, armi o droga, vallo a sapere. Non ho avuto il tempo nemmeno di controllare, come faccio sempre... E io ci sono dentro fino al collo.

La piú ragionevole: la Cherokee era sorvegliata dalle forze dell'ordine. Ecco perché Sarti Antonio m'è arrivato addosso subito. Mai successo prima.

Fatto sta che adesso Rasputin ha davanti un blocco stradale. Non dei peggiori. Un normale posto di controllo. Che sarebbe: una sola auto, un solo carabiniere per i documenti e uno protetto dall'auto, M12 imbracciato. Con i tempi che corrono, non si sa mai.

Poi c'è il blocco stradale in un solo senso di marcia. Un'auto e un uomo per il controllo piú un uomo armato come sopra. Un'altra auto per eventuale inseguimento.

Blocco stradale nei due sensi. Come sopra, ma con due auto di controllo piazzate in senso contrario l'una all'altra. Naturalmente si raddoppiano anche gli uomini disponibili.

Non so se e cosa abbiate capito, ma è cosí che funziona.

Rasputin ne sa come me e sa che potrebbe anche spingere sul gas e lasciarli di merda. Prima che quelli salgano sulla loro vettura, facciano manovra e le si mettano dietro, lei arriva a Campo Imperatore.

Non vale la pena. Prova un sorriso e si rilassa contro lo schienale.

I carabba hanno bloccato l'auto di Samir. Samir si sbraccia e parla agitato. Meglio cosí: ne fermano una e le altre passano tranquille fino al termine del controllo in corso.

Non questa volta. Il carabiniere vede la Cherokee spuntare dalla curva, fa segno a Samir di togliersi dalle palle, alza la paletta e Ras è fatta. Non ha nessuna voglia di diventare un'altra vittima di un colpo partito accidentalmente. Rallenta, si ferma accanto al carabiniere e guarda nello specchietto in attesa del pick-up. Ci sarà da divertirsi. Fine della carriera. Almeno per un po'.

– Be', – borbotta, – un periodo di riposo mi ci vuole –. Meglio su una spiaggia dell'Abruzzo che in cella, ma non si può avere tutto dalla vita. Non di questi tempi. – Una bella domenica mattina. Di merda.

2. *Secondo protagonista: l'appuntato Cefagno.*

Quando ha visto i carabinieri, Samir ha ringraziato il suo dio. Meglio loro di quelli che mi stanno dietro, ha pensato. Anche perché, al momento e sull'auto, non ha niente di compromettente.

Ha rallentato, ha messo la freccia, si è fermato anche se quello con la paletta l'aveva ignorato, è sceso e ha dichiarato subito: – Sono cittadino italiano e chiedo protezione.

Cefagno, appuntato, è uno che conosce il mestiere, ha passato una vita nell'Arma, ne ha viste e vissute di tutti i colori. Niente piú lo meraviglia. Porta la destra al berretto: – Da chi la dobbiamo proteggere, signore?

– Mi sta seguendo da quando ho lasciato la città… Mi vogliono uccidere!

– Chi vuole ucciderla?

Dalla curva, in fondo al rettilineo, spunta la jeep di Ras.
– Quelli, maresciallo. Lei ha l'obbligo di proteggermi!

– Si calmi, si calmi. Chiariremo tutto. E non sono maresciallo –. Cefagno fa un cenno al collega armato e dietro l'auto di servizio, allontana Samir, si porta sull'asfalto e alza la paletta.

Il collega di Cefagno, Guarcillo, è un giovane carabiniere e si sta adeguando al servizio. Fa pratica. Per questo l'appuntato se lo porta dietro quando il maresciallo Federici lo manda per controlli. Gli mette in mano l'M12 e lo piazza dietro l'auto, al coperto. E gli spiega: – Di solito non serve, ma se ci fosse una qualche minaccia, grida «Fermo o sparo!» e tieni l'arma bene in vista. Insomma, sei il mio ombrello, capito? – Ubbidiente e preciso, Guarcillo annuisce e si piazza. Come nell'occasione. E quando ha sentito Samir urlare che lo vogliono uccidere, ha puntato il mitra. Non ha gridato, come da disposizioni dell'appuntato, perché non ha ancora ravvisato gli estremi e non c'era nessuno contro cui urlare. Però si è mostrato e ha mostrato il mitra. Di solito basta e la gente si calma.

Il gippone rallenta, segnala il cambio di direzione e si ferma a qualche metro dall'appuntato. Che affianca l'auto, porta la mano alla visiera e dice: – Scenda dall'auto.

Prima di eseguire, Ras dà un'occhiata al retrovisore. È una sveglia. Ruba auto solo su commissione o quando ha la certezza di piazzarle subito. Non di svendere per togliersi di dosso il peso. Nell'occasione, le cose non sono andate come da progetto e adesso aspetta un po' di casino con quelli del pick-up blindato che sta per spuntare dalla curva, in fondo al rettilineo.

È sui trenta, forse uno o due di meno. Magra, abiti sgualciti e sgualciti i capelli. Ha il viso di chi non dorme da un po' di notti. Stamattina non ha avuto tempo né per scegliersi gli abiti né per il trucco. Il questurino le è arrivato sul collo. E poi, domani alle dodici e trenta, appuntamento al parcheggio del terminal autobus di L'Aquila. In una mano i soldi e queste sono le chiavi della Cherokee. Arrivederci e grazie. Finito. Ras sarebbe salita in centro e alle Streghe avrebbe avuto modo e tempo di rimettersi in tiro. Invece ha trovato un carabba che le dice: – Patente e libretto di circolazione.

Lei fruga nella borsetta. L'occhio alla curva. E per l'appuntato Cefagno non è un buon segno. Ordina: – Tenga le mani in vista e lasci perdere la patente, signora. Verificheremo in caserma –. Al suo carabiniere: – Stai in guardia, Guarcillo! La situazione non mi piace!

– Sissignore! Io… Io sono pronto!

– Perché in caserma, appuntato? – chiede Ras con tutta la gentilezza che riesce a mettere nella domanda.

– Glielo spiegherà il signor maresciallo.

– Be', veramente, avrei un appuntamento a L'Aquila…

– Dovrà rimandarlo. Intanto tenga le mani in vista, – e dà un'occhiata veloce all'interno della vettura. – Mi consegni la borsetta –. Avrebbe anche una mezza voglia di palpare la signora, che lo meriterebbe, ma gli hanno insegnato a essere civile e riservato.

Dal veloce controllo, niente di sospetto.

– Continui a tenere le mani in vista. Il mio giovane collega è alle prime armi e potrebbe fraintendere i suoi gesti. Si metta accanto al signore, prego –. Un'ultima occhiata alla strada, come aveva fatto Ras, e poi: – Aspetta qualcuno?

– Chi, io? – L'appuntato non risponde a chi lo prende per il culo. – No, chi dovrei mai aspettare? – Dove accidenti è finito il pick-up blindato? Ma non lo dice.

– Se non aspetta nessuno, possiamo andare in caserma. Tutti.

3. *Terzo protagonista : il mitra.*

I carabinieri, con i mezzi che hanno oggi, ci mettono poco ad arrivare a Ras e alla Cherokee rubata e a Samir che, oltre a Samir, fa al-Kaiad, ufficialmente importatore di tappeti, ma sospettato di appartenere a un gruppo terroristico iraniano. Infatti, come sa chi si occupa di questioni internazionali, nei tappeti in arrivo dall'Oriente, vicino, medio o lontano che sia, si nasconde di tutto: droga, esplosivi, clandestini, polonio... Viviamo in tempi oscuri. Ci possiamo finire tutti nell'elenco dei terroristi. Se già non ci siamo.

Stando cosí le cose, i carabinieri della stazione di Castel del Monte...

So benissimo che a Castel del Monte non c'è stazione dei carabinieri. Per questa storia, la stazione c'è. Oppure diciamo: i carabinieri di un paese sperduto sul Gran Sasso. I carabinieri come sopra, sequestrano ai due fermati i consueti oggetti personali: cellulare, cintura, lacci delle scarpe, biro, portafoglio...

Al termine dell'inventario, Ras rimette tutto il suo nella borsetta che finisce sulla scrivania dell'appuntato, nell'ingresso. Mentre i due fermati finiscono in camera di sicurezza. In attesa degli atti per la loro traduzione altrove. Da là in poi, ci penserà chi di competenza.

La camera di sicurezza ha tutto secondo le regole: due brande di ferro fissate al pavimento e senza parti mobili. In un angolo, il cesso alla turca manda attorno il fetore di anni di piscio che non ha mai conosciuto l'acqua dello scarico. Niente oggetti mobili, che i fermati potrebbero utilizzare per arrecare danno a loro stessi, al prossimo o alla struttura dello Stato.

– Ooo, – fa Ras, – questa sí che è una camera di sicurezza! – E prima che il giovane Guarcillo li chiuda dentro: – Carabiniere, lo sai che è contro la legge rinchiudere una donna
e un uomo nella stessa camera di sicurezza?

– Veramente io… – fa il giovane. E non sa se chiudere o
chiedere disposizioni. – Veramente noi, qui, abbiamo una
sola camera di sicurezza…

L'impaccio del giovane fa sorridere Ras. – Non ti preoccupare, – l'aiuta. – Per stavolta non ti metterò nei guai, ma
tirami fuori prima che puoi. Non mi fido dei terroristi.

– Come sa che il signore è un terrorista?

– Secondo te, cosa può essere uno che si chiama Samir al-
Kaiad? Intanto il nome mi ricorda tanto al-Qaeda, e poi viene dalla terra dei terroristi, no?

Strano: terra e terrorista potrebbero avere la stessa radice. È un problema che Guarcillo non si pone mentre chiude
la cella.

Ras saggia una branda e ci si siede, guarda il compagno di
sventura e lo rassicura: – Ooo, Samir, guarda che scherzavo.
Se no, finisce che qui si muore mangiati dalla bile.

– Scherzi del cazzo, – borbotta il *terrorista*. Sarà pure d'o-
rigine iraniana, ma ha vissuto abbastanza dalle nostre parti
da parlare come i residenti.

Quando si viene messi dentro, e ve lo dice uno che lo sa,
ci si guarda attorno. Poi ci si guarda in faccia. Lo fanno anche questi due, e al *terrorista* viene un dubbio. Picchia i pugni contro la porta e grida: – Carabiniere, carabiniere!

Anche la porta è di ferro, niente cardini o spigoli. Ha uno
spioncino di venti per venti. Centimetri. È di lí che si mostra il viso di Guarcillo.

– Cosa c'è?

– Non voglio restare solo con questa… questa… È un
mio diritto.

– Mi dispiace, ma non abbiamo altre camere libere, – e non si capisce se sia ironia.

– Ho denunciato che questa… questa signora mi seguiva per uccidermi e voi, voi la mettete in cella con me!

– Ooo, matto! – grida Ras. – Cosa dici?

Samir non l'ascolta. Si toglie gli occhiali e li passa dallo spioncino: – Vi siete dimenticati di sequestrarmi questi. Le stanghette sono d'acciaio e quella… quella potrebbe piantarmele in gola.

Ras ci ride sopra, anche se ne ha poca voglia. – Samir, Samir…

– Visto, carabiniere? È la seconda volta che dice il mio nome. Come fa a conoscerlo?

Guarcillo va in crisi. Lo aiuta Ras: – Ooo, Samir, non so se ci hai fatto caso, ma mentre declinavi le tue generalità per il verbale, io ero seduta al tuo fianco. Scommettiamo che tu conosci il mio?

Samir ci pensa su, ma è poco convinto, e solo dopo che Guarcillo ha chiuso lo spioncino va davanti alla donna: – Carlotti Marcella, perché mi seguivi?

– Come fai a sapere il mio cognome? – lo scimmiotta lei.

– Chi ti manda?

– Chi mi manda? – e si fa seria. – Va bene: carte in tavola, Samir, tanto, prima o poi… – Si alza e si trova muso a muso con Samir. – Mi manda la Cia –. Una battuta che avrebbe potuto risparmiarsi, ma, al momento, non ha la minima idea di quello che sta per rovinarle addosso. – Anzi, no, mi manda Bin Laden! – La fanno sorridere gli occhi sbarrati del compagno di detenzione. – Guarda, il mio coglione, che erano quelli del pick-up a seguire me. Figurati se io… Lasciamo perdere, Alí Babà, – e lascia perdere sul serio. Torna a sedere sulla branda, dura come l'acciaio dal quale l'hanno tratta, ci si stende, sospira e chiude gli occhi. Sarà per poco, ma non lo sa ancora.

Il sole è alto sulla cima di Monte Cristo, e in caserma non si aspettano ospiti. Suonano.

Guarcillo apre lo spioncino e dice: – C'è Buccio, signor maresciallo.

– Dàgli cinque euro. Non abbiamo tempo per le sue coglionate. Che non si faccia rivedere prima di una settimana.

Il maresciallo Federici andrà in pensione fra qualche mese e da poco lo hanno trasferito da queste parti, vicino a casa. Una specie di premio. È un tipo che non ha mai mollato. Il suo capo, colonnello di un Comando provinciale dell'Emilia, una volta chiamata «la rossa», lo aveva soprannominato il Cinghiale perché non mollava la presa. Comunicò al Cinghiale il suo trasferimento e, davanti ai colleghi, concluse:

– Ti ringrazio per la dedizione al servizio, maresciallo capo Federici. Ti ringrazio per la coscienza e la costanza. A me serviva un collaboratore che sapesse leggere i casi e, allo stesso tempo, sapesse stare nella strada. Per me tu sei stato indispensabile. Anche se si sostiene che nessuno è indispensabile –. Lo indicò ai subalterni: – Il maresciallo è sempre stato la forza dell'Arma, e quest'uomo, Cinghiale, è uno degli ultimi grandi marescialli. Come lui non se ne fanno piú. Se n'è perduto lo stampo.

Tanto per ricordare un buon uomo, uno che non meritava la fine che gli hanno fatto fare.

– Ah, Guarcillo, non ti sognare di chiedere il rimborso dei cinque euro. Oggi tocca a te, – e Federici si alza per togliersi di dosso il peso della pistola. Il turno è finito, anche se in una caserma il lavoro non è mai finito. O almeno cosí gli avevano spiegato molto tempo fa. Lo aspettano al caffè del paese per una partita a carte. Che non farà.

Io non so quanto ci hanno messo. Il tempo, certi drammi, lo perdono. Un'eternità o un secondo, il risultato non cambia. Guarcillo prende una banconota; rimette in tasca il portafoglio; apre la porta; sorride al vecchio Buccio, gli porge i cinque euro. Poi...

Poi tutto finisce nella raffica di un mitra e nei rapidi colpi di una pistola. La raffica sbatte il carabiniere Guarcillo contro la parete. I colpi di pistola scaraventano il maresciallo Federici sulla scrivania. Stava in piedi sulla porta del suo ufficio. A turno finito. Ha in mano la pistola d'ordinanza. Per riporla.

Anche l'appuntato Cefagno sta per riporre l'M12. Preme il grilletto, ma la sua raffica si schianta contro il soffitto. Lui si schianta contro l'armadietto. Petto e testa squarciati.

Gente abituata a sparare e poi a pensarci su. Gente che sa cosa fare senza bisogno di consultarsi. Come adesso: uno prende le chiavi, apre la camera di sicurezza; con la canna del mitra fa segno ai due occupanti di uscire e alla svelta. Nell'atrio della caserma pianta l'arma fra le costole di Samir, lo spinge fuori, sulla strada. Poi si volta verso Rasputin, che s'è fermata, e, sempre con la canna dell'arma, le fa segno di uscire. Gente che non ha bisogno della parola per farsi intendere.

Il motore del pick-up è avviato e lo sportello posteriore aperto. Sbattono i due nel cassone e chiudono a chiave. Il pick-up sgomma via mentre l'ultima raffica, uscita dal finestrino dall'auto, scrosta l'intonaco e scheggia i sassi sopra la porta della caserma, aperta, spalancata su un massacro.

Nel silenzio del paese, all'ombra di una montagna violata dalla tragedia, restano tre morti. Resta l'odore degli spari. Resta Buccio, appoggiato al muro esterno. Guarda il pick-up sparire oltre la piazza, e poi, imbiancato di polvere e di calcinacci, scivola a sedere sui ciottoli. Nella destra, la banconota da cinque euro. Da quelli della caserma non ne avrà altre.

Gran brutto mestiere il mio. T'illudi di stare sopra le parti, di sapere come andrà a finire, di controllare e dirigere il traffico, e ti trovi dinanzi alla tragedia. Non puoi nemmeno dire: «Attenzione!»

Come sia nata, la tragedia, e perché, lo saprò a storia finita. Quando chi è preposto a cercare gli assassini avrà trovato la strada per raggiungerli.

Adesso siamo nel Piccolo Tibet di Campo Imperatore, a metà strada fra Castel del Monte e Calascio. Sopra i milleduecento. Un cielo come non ricordavo esistesse, aria fine, delicata, fresca. Gli alberi ad alto fusto, faggi e abeti, sono un mare mosso dalla brezza. Gli arbusti e gli sterpi fioriti e profumati dall'estate sono erba buona per i pascoli dei pastori del buon vecchio Gabriele, rimbambito per le scopate.

Un paradiso costruito dalla natura. Stiamo facendo il possibile per trasformarlo in un inferno. Con dentro il cadavere di Samir al-Kaiad, viso schiacciato sull'erba e il resto del corpo sull'asfalto. La raffica gli ha ridotto la schiena a una poltiglia. E aveva paura, il poveraccio, delle stanghette d'acciaio degli occhiali. E di Ras.

– Ha tentato di scappare, – mormora il tenente Ruggieri, nucleo operativo del Comando provinciale di L'Aquila. Stava con i suoi davanti al massacro della stazione, e una telefonata della forestale lo ha portato al cadavere di Samir. – Cercate attorno: dovrebbe esserci anche la donna…

Un posto dove non passa gente. È stato il fumo nero e denso e tossico del pick-up in fiamme a far correre qui la forestale.

4. *E adesso tocca a Sarti Antonio, sergente.*

Seduto nell'ufficio del tenente Ruggieri, Sarti Antonio, sergente, si trova a giocare fuori casa, in un ambiente e fra persone che non conosce. Il che gli rende la vita difficile. E gli muove la colite.

– Spiegami una cosa, – dice. – Perché hai chiesto un mandato di cattura internazionale contro Carlotti Marcella per atti di terrorismo? La conosco, e ti assicuro che...

– No, no, – lo interrompe il tenente, – sei tu che mi devi spiegare come mai abbiamo il corpo di un certo Samir al-Kaiad e non quello della Carlotti, – e prima che Sarti Antonio, sergente, provi a esporre una sua tesi, ammesso che l'abbia: – C'è dell'altro e di peggio, Sarti. Nella caserma del povero maresciallo Federici... Sai che era uno di qui? Sai che stava per andare in pensione? Sai che lo conoscevo e sono stato io a dargli il benvenuto al suo arrivo? – Si prende il tempo per accendere una sigaretta. In ufficio e quindi contro le leggi vigenti. Ha i suoi drammi e gli tremano le mani e si capisce perché. Due boccate di fumo chiaro e poi: – Dicevo... su, nella caserma del povero Federici, ho trovato gli oggetti personali sequestrati a Samir, ma non quelli appartenenti alla ragazza. Ci sarà un motivo e io lo immagino. O vuoi dirmelo tu?

Sarti Antonio non ha bevuto un caffè dacché lo hanno portato a fare un sopralluogo alla caserma del maresciallo Federici e poi, piú su, nella maledetta strada verso il cielo, dove il pick-up stava ancora puzzando di gomma e di plastica bruciate e, sull'erba e sull'asfalto macchiati di sangue, giaceva il corpo di Samir. Adesso c'è la sagoma tracciata col gesso. Dove lo trovi un caffè su queste montagne?

Ha il problema della colite. Non lo fa vedere, anche se gli

sta mangiando le budella. Ingoia l'ultimo morso e: – Be',
adesso come adesso… Insomma, non mi sono ancora fatto
un'idea…

– Io sí, io me la sono fatta. Mentre succedeva il finimondo, la tua ladra d'auto ha avuto tutto il tempo per portare
via… – Fruga fra gli appunti e legge: – Ha portato via il necessario per il trucco, il portafoglio contenente cinquecento
euro e i documenti, una spilla d'oro raffigurante una rosa,
occhiali da sole con custodia, chiave d'auto, un mazzo di chiavi d'appartamento, la rubrica con indirizzi e numeri di telefono, il telefono cellulare… – Strapazza le carte. – Il tutto
contenuto in una borsa di pelle marrone che non c'è piú… –
e guarda il mio questurino. – Insomma, la tua innocentina
non avrebbe lasciato una traccia ch'è una del suo passaggio,
se non avessimo il verbale del fermo. Arrivata e sparita. A
scheggia. Se per te è normale…

Sarti Antonio, sergente, aspetta che Ruggieri si calmi con
un paio di tiri, e poi: – Posso offrirti un caffè? Se non prendo un caffè, non riesco a ragionare.

– Quattro morti e questo vuole il caffè. In corridoio c'è
una macchinetta…

– Per favore, no! Non mi va di bere nella plastica.

Il tenente sbuffa. Si alza, schiaccia metà sigaretta nel posacenere e si rassegna: – Andiamo a prendere 'sto caffè.

Lo prendono in un bar a due passi dal Comando provinciale. – Ti dispiace se ci sediamo? – dice il mio questurino.
– Il caffè va bevuto con calma. Intanto parliamo…

– E di cosa? È tutto chiaro: la donna è coinvolta, e su questo… – e il tenente traccia una croce sul tavolino. Numera
con le dita. – Per cominciare, sappiamo che seguiva l'auto di
Samir e sappiamo che Samir temeva di essere ucciso. Poi: nel
massacro che gli assassini si sono lasciati dietro, è l'unica so-
pravissuta; prima di uscire dalla caserma, si è ripresa gli ef-

fetti sequestrati; è sparita come sono spariti i suoi complici... Insomma, cosa ti ci vuole ancora, cazzo!

– Niente, niente, non t'arrabbiare, che poi ti viene la colite. Dico solo che la conosco e non è il tipo. Pensaci un po': va a fare una strage e prima ruba un'auto... Con il rischio di essere fermata e via dicendo.

– Guarda che *è* stata fermata... – e il tenente Ruggieri sospende. La ragazza di colore, forse una marocchina, del Marocco, intendo, porta i due caffè. – Grazie, Zaira. Segna sul mio conto –. La ragazza sorride come sanno sorridere solo i disperati senza arte né parte e torna dietro il banco. – E poi, vuoi che ti dica l'ultima? La signora Carlotti è la sola traccia che abbiamo, e quindi la sola che possiamo seguire. Se ti va bene è cosí, se non ti va bene è cosí lo stesso.

– Un caffè decente, – dice Sarti Antonio, sergente. E per dirlo lui, deve essere vero. – Possiamo controllare la jeep di Rasputin?

– Com'è che la chiami?

– Non io. La chiamano Rasputin nel giro dei suoi amici. Il perché non lo so, ma glielo chiederò.

– Be', poliziotto, prima dovrai trovarla. Conosco le montagne qua attorno, e se ha deciso di non farsi trovare, non la trovi neanche se viene giú dio.

– Allora? – Il tenente Ruggieri si stringe nelle spalle, Sarti Antonio, sergente, ingoia un morso di colite. – Non è vero che Rasputin sia l'unica traccia. Il vecchio... come si chiama?

– Buccio. Sí, quello... – e Ruggieri fa un gesto vago. – Ho provato a fargli venir fuori un'idea... È fatto, fatto come un copertone.

Escono dal bar e Sarti Antonio dice: – Tu sei delle mie parti...

– Cioè?

– Emilia. Direi romagnolo.

– Perché?

– Perché parli come i giovani di dieci, quindici anni fa dalle mie parti –. Ruggieri non dice né sí né no, e il mio questurino cambia discorso. – Ti dispiace se con Buccio ci provo io?

Ruggieri si stringe nelle spalle. Borbotta: – Oh, per me…

Sarti Antonio, sergente, lo sappiamo, non è un questurino normale. Per dire: non conosce L'Aquila e non ha mai portato in giro un fuoristrada militare. Al Comando dei carabinieri, di disponibile c'è solo un fuoristrada militare. E messo male. Arriva direttamente dalla guerra nel Kosovo. Residuato bellico.

– Se non c'è di meglio… – brontola. E sta attento alle manovre del carabiniere meccanico che glielo mette in strada. Retro, prima, seconda, folle e freno a mano.

– Ho fatto il pieno. Ce ne stanno di chilometri… Firma qui.

Firma, dice: – Grazie, – e gratta la prima. – Per Assergi? – chiede, con tutto il peso sulla frizione.

– Facile: segui le indicazioni per l'A24, – e addita a sinistra, sulla via Beato Cesidio. – Facile, no?

Facile il cazzo! Intanto, il Comando sta dall'altra parte, fuori dalle mura, e Sarti Antonio deve attraversare una bella fetta di città per prendere la strada di Campo Imperatore. Poi: deve concentrarsi sul fuoristrada, le indicazioni non ci sono… Se ci sono, lui non le vede. Come non vede la Fontana delle Novantanove Cannelle, la facciata barocca di palazzo Persichetti, i Duchi di Rivera e, per dire, non si accorge nemmeno del Forte Spagnolo. Che è come dire: passo per via Rizzoli e non vedo le Due Torri, a Bologna.

Fra bassi e bassi, arriva sulla 17 bis e poi ad Assergi, dove comincia la salita per Castel del Monte, tutta curve e impennate. Attraversa il Piccolo Tibet e qui Sarti Antonio, sergente, si ferma perché ne vale la pena.

Dovrebbero vederlo tutti il nostro Piccolo Tibet. Vanno nei paesi dell'esotico, i coglioni, quando l'esotico è qui. Una corona di monti, il Cristo, il Bolza, il Camicia, il Prena, il Brancastello... E lassú, con la torre e la chiesa stampate contro un cielo che piú azzurro non lo trovi, ecco Castel del Monte.

Un'occhiata al panorama, un rimpianto per non essersi portato la macchina fotografica, sorsi d'aria pulita e via. A Castel del Monte.

Sul tavolino c'è il caffè per Sarti Antonio, sergente, e un rosso per l'indigeno. Ci sono altri, seduti al bar, ma non si occupano dello straniero. Gli hanno dato un'occhiata quando ha chiesto se conoscevano Buccio. Gliel'hanno indicato e sono tornati alle loro carte.

In gioventú, Buccio doveva avere una forza della madonna. Uno con i piedi piantati nella roccia e la testa in cielo. Non perché sia alto; è solido e guarda il prossimo dritto negli occhi. Dice: – Questa non me l'aspettavo.

– Perché?

– Perché parevano persone a modo. Uno di loro mi fa: «Buon uomo, se ci porti alla caserma dei carabinieri, questi sono per te», e mi mostra un pugno di soldi. Di quelli nuovi...

– Quanti erano?

– Cinquantacinque. Li ho contati dopo, quando c'è stato il tempo...

– Gli uomini, Buccio, non i soldi.

– Erano tre. Io dico: «Sí che vi ci porto. Per quei soldi vi porto in cima al Bolza. E sulle spalle», e lui mi mette in mano i soldi e mi fa montare sulla sua macchina. Io dicevo: «Volta qui, volta là, adesso dritto», e quello andava e gli altri dietro con la loro macchina. Non ha aperto bocca per tutta la strada...

– Ti ricordi com'erano?

Sospettoso, Buccio adocchia il mio questurino. – Ma tu chi sei?

– Sono della questura di Bologna...

– Che ci fai quassú?

– Mi ci hanno mandato. La ragazza... Hai visto una ragazza? – Buccio annuisce. – Bene, la ragazza era una mia... Una che conoscevo. Quando l'hai vista?

– Quando sono tornati fuori, dopo il finimondo. Uno spingeva quello con la faccia scura. Non è di queste parti.

– No, non è di queste parti. E la ragazza? – Buccio guarda Sarti Antonio e aspetta. – Voglio dire, come trattavano la ragazza? Spingevano anche lei?

– No, non mi pare. Aveva la borsetta in mano come se andasse a spasso...

– Be', Buccio, io non credo che andasse a spasso.

Il vecchio ci pensa un po', poi: – Adesso che mi fai pensare, no, non ci andava a spasso. Hanno chiuso anche lei nel cassone –. Vuota il bicchiere.

– Hai detto che sono entrati in due...

– Ho detto a quello che mi ha pagato: «Ecco la caserma», e lui ha parlato con i due, mi ha chiesto di accompagnarli e di suonare e si è rintanato nella sua macchina, dall'altra parte della piazza –. Sarti Antonio, sergente, pensa che sarebbe inutile chiedergli di che macchina si trattava. Risparmia la domanda. Anche perché Buccio decide: – Non parlo piú.

Sarti Antonio ordina un altro rosso per il buon vecchio, mette i soldi delle consumazioni sul tavolo, si alza, porge la mano e dice: – Grazie, mi hai dato delle informazioni importanti e mi sono venute un paio di idee –. Non capita spesso. Di solito le idee non vengono a lui. Gliele dànno altri. Lui le mette assieme alle cose che ricorda. Il resto arriva poi. Se arriva.

Ha già avviato il motore che Buccio gli grida: – Non vuoi sapere che macchina era?

Grida anche Sarti Antonio, sergente. – Perché, lo sai?

– Per dio, – e la chiude lí.

Sarti Antonio, sergente, aspetta che si decida e, visto che quello non lo fa, decide lui: – Che macchina era? – urla.

– Una Fiat Punto ultimo modello. Metallizzata. Se n'è andata appena i due sono tornati fuori dalla caserma.

Adesso Sarti Antonio, sergente, è curioso e torna da Buccio. – Spiegami una cosa: perché non hai parlato con il tenente…

Buccio lo interrompe con l'indice sollevato: – Io con i carabinieri non parlo.

– Capito –. Mette un altro paio di monete sul tavolino. – Per il prossimo bicchiere –. Buccio lo guarda, di nuovo sospettoso, e Sarti Antonio spiega: – Perché anch'io non parlo con i carabinieri, – e mentre torna alla kosovara, Buccio gli grida dietro:

– Nemmeno con i poliziotti parlo, – poi, sottovoce e solo per sé: – Tu non mi freghi. Non sei un poliziotto.

Sarti Antonio, sergente, non è una cima, e questo è un dato di fatto. Questurino per esigenze di famiglia, non ha mai migliorato la sua condizione. Qui, poi, in un paese di Campo Imperatore, non ha nemmeno Rosas a dargli una mano.

Sarti Antonio, sergente, non è una cima ma ha una memoria da computer, e ricorda che, nell'elenco degli oggetti personali sequestrati al povero Samir, c'era il cellulare. Adesso e qui, nella caserma del massacro, nessun cellulare. Difficile che il *terrorista* se lo sia portato dietro nel viaggio verso il suo paradiso. Con o senza vergini ad aspettarlo.

– C'è un bagno da queste parti?

Il carabiniere chiede conferma: – Un bagno?

– Diciamo un cesso. Mi basta. C'è?

C'è un cesso anche nel paradiso del Gran Sasso.

Sulla strada che da Castel del Monte porta a Calascio, dove il povero Cefagno, appuntato, ha avuto la brutta idea di piazzare il suo ultimo posto di controllo, sono ancora parcheggiate la tartaruga di Samir e il Cherokee di Rasputin. Di Rasputin tanto per intenderci.

Ora le cose sono oltre la comprensione di Sarti Antonio, sergente, che, seduto sulla kosovara, guarda le auto. Non un'idea che è una. Potrebbero essere di turisti andati a funghi. Non fosse per il nastro bianco e rosso che segna il confine. Di qua la legalità, di là il crimine. Un giro di nastri bianchi e rossi. Poco per distinguere il confine fra legale e illegale. Passeggia attorno, tanto per rinfrescare la memoria, che se c'era un indizio importante, gli specialisti l'avrebbero trovato. Oltrepassa il confine del crimine e dà un'occhiata dentro le auto. Normale. Torna sulla kosovara, le gambe fuori:

– Peccato non fumare.

– Lo dici a me?

– Lo dico a me, dal momento che non ci sono altri con i quali scambiare un'opinione. Un posto ideale per rilassarsi con una sigaretta –. Sospira. – Ci starebbe bene anche un caffè –. Ultima occhiata attorno. – Torniamocene a casa.

– Che sei venuto a fare?

– Un giro turistico in Abruzzo. Riprendo il treno per Bologna, stendo il rapporto… Sai, per la parte burocratica… – So, so… – E fine dell'avventura.

– E Rasputin?

Sarti Antonio, sergente, allarga le braccia. – Rasputin…
Che ci posso fare?

– Darle una mano, per esempio. Lei è dentro questa brutta storia solo per aver rubato un'auto. Ti sembra giusto?

– Questa è buona! Niente mi sembra giusto in questo
mondo di merda. È giusto che ci sia qualcuno in giro a uccidere il prossimo? È giusto che ci siano dei morti di fame…

– Lascia perdere, questurino, lascia perdere. Frequentare Rosas ti fa male, – e chiudo perché si fa sentire l'inno di
Mameli.

– Pronto, chi è?

– Sarti, sono io, Rasputin… – Bel colpo!

– Rasputin? – Niente risposta. – Dove sei finita? Cosa
ti viene in mente? E il mitra? Perché ti sei messa in questo
guaio…

– Stai zitto un secondo, Sarti? Guarda che non ho molto tempo. Zitto e ascolta –. Sarti Antonio ingoia le altre domande. – Primo, sono nei guai…

– Lo so.

– Secondo, mi cercano…

– So anche questo, Rasputin! – grida il mio questurino.
– Dimmi dove sei che vengo a prenderti.

– Non ci penso neppure. Vuoi starmi a sentire? Mi cercano per uccidermi, cazzo!

– Il tenente Ruggieri non è il tipo che va in giro ad ammazzare…

– Non lui, Sarti! – grida anche Ras.

– Chi?

– Se te lo dico, non ci credi.

– Ci credo. Ormai credo a tutto.

– Ho bisogno di una mano e sei l'unico che me la possa
dare… e del quale mi fidi –. È in un brutto affare davvero,

se il mio questurino è il solo del quale la ragazza si possa fidare.

– Cosa devo fare? – Rasputin non risponde. Sarti Antonio ne sente il respiro alterato. Come se corresse. – Cosa devo fare, Ras? Dove sei?

La voce gli arriva sussurrata: – Adesso non posso, Sarti, mi stanno addosso… Ci vediamo alle Streghe fra tre giorni, nel pomeriggio, – e sparisce nel nulla dell'ètere eterno.

Sarti Antonio, sergente, guarda il telefonino come se si aspettasse di veder uscire la ragazza dai piccoli fori dell'auricolare. Non esce, ma sul display c'è stampato il numero che lo ha appena chiamato. Lo comunica ai colleghi della centrale di Bologna e aspetta in linea.

– Sei ancora lí, ciccio bello? – «Ciccio bello» non ha nessuna voglia di stronzate. Non è il momento. Mugola una bestemmia. – Ti tira un po' il culo, Sarti?

– Sí, mi tira. E allora? Mi sono rotto le palle delle vostre stronzate. Questo numero?

– Samir al-Kaiad, importatore di tappeti orientali, nazionalità italiana, residente a Bologna in via… – Altro bel colpo!

Chiude, senza dire «crepa», intasca l'inno di Mameli, mette in moto, gratta la retromarcia, gratta la prima e prende la discesa per L'Aquila.

– Alle streghe, – borbotta. – E dove trovo le streghe? Di questi tempi, poi, che nessuno ci crede…

È partito troppo presto. Se fosse rimasto un paio di minuti, ne avrebbe viste delle belle. Cosí le ha solo sentite. Le raffiche. Per tornare indietro, bestemmia con il cambio.

Arriva sullo spiazzo del sequestro e la Cherokee non c'è piú e il confine fra legalità e crimine è stato strappato. Sull'asfalto, i bossoli delle raffiche che lo hanno raggiunto poco fa. Il resto è silenzio.

– Ruggieri? Sono Sarti... Qui è successo... Meglio che mi raggiungi. Non lo so dove sono. Cioè, sono alle auto sequestrate.

Arrivano. Nel frattempo Sarti Antonio, sergente, ha messo dei segnali attorno ai bossoli in modo che non vengano calpestati. Ha usato quello che ha trovato *in loco*: pietre, arbusti, un foglio di giornale trovato sulla kosovara... Insomma, ha isolato un po' d'asfalto. La scena del crimine.

Il tenente Ruggieri se ne intende: – Stessa arma che ha ucciso i nostri.

– Se troviamo chi ha rubato il gippone... – tenta di dire Sarti Antonio.

– E chissà mai chi l'ha rubato! Le chiavi le ha solo la tua Rasputin, no? Non è lei che si è ripresa la borsa e il resto, prima di lasciare la caserma?

Forse ha ragione, ma: – Chi ti dice che le abbia solo lei? E che la borsa se la sia ripresa lei?

– Vuoi scommettere?

Sarti Antonio, sergente, non scommette sui morti. Nemmeno sui vivi. Una questione di principio.

Ha lasciato una Bologna d'agosto, afosa e pesante, dove si respira ossido, piombo e le porcherie sputate dalle marmitte. A L'Aquila ha trovato sere fresche. La giacchetta leggera che si è portato dietro, qui serve a poco, è una finta. Mangiano all'aperto, in una gradevole trattoria.

Il mio questurino non si decide a scegliere e Ruggieri gli toglie di mano il menu. Dice: – Lascia fare a me. Fidati.

– Mi fido, mi fido, – e il tenente borbotta con il proprietario. È da un po' che, in piedi accanto al tavolo dei due, aspetta l'ordinazione.

La ragazzina dall'ombelico scoperto posa sul loro tavolo

una bottiglia di Montepulciano d'Abruzzo, sorride al tenente e sculetta via. – Celestina, – confida il tenente a Sarti Antonio. E riempie i bicchieri. – Figlia del titolare. Brava ragazza.

– Quanti anni ha?

– Non ho idea. Quindici, sedici…

– Non è un po' giovane per te?

– Cosa ti salta in mente, Sarti! – Solleva il bicchiere per
invitare a bere, non per un brindisi. Non ce n'è motivo. –
Anche se non sono vecchio come te. Ho trentadue anni…

– Bella carriera, Ruggieri. Complimenti.

– Lascia perdere…

– Anch'io ero partito bene, quasi subito sergente. Mi sono fermato lí. Da anni.

Il tenente gusta un sorso d'Abruzzo. – Ti dicevo: non ricordo quand'è stato l'ultimo omicidio. Abbiamo qualche furto in appartamenti, quasi sempre a opera di romeni che arrivano dai campi nomadi di Roma… Siamo a un'ora d'autostrada. Molti li prendiamo prima che tornino all'ovile, –
e un altro meditato sorso. – Che ne dici?

– Un'isola felice, insomma.

– Il rosso, dico. Come ti pare?

Assaggia anche il questurino: – Gradevole.

– Be', tu non capisci un cazzo di vino. Un'isola felice, sí,
fino a quando non è arrivata la tua Rasputin.

– Lascia stare Rasputin, che non c'entra. Anch'io vivevo
in un'isola felice. Guarda com'è ridotta oggi, – e la diatriba
sulle molte, troppe, isole felici d'Italia, finisce lí. È arrivato
un piatto che manda attorno profumo d'erbe aromatiche, forse raccolte sul Gran Paradiso, e d'altre cose buone. Mangiano in silenzio e il Montepulciano aiuta a dimenticare le giornate infami che stanno passando attorno.

– E di questo, che ne dici?

– Straordinario. Cos'è?

– Agnello, *casce e ove*.

– Spiega…

– Agnello cotto nel tegame. Servito in un sugo di pomodoro e polpette fatte con impasto di formaggio e uova.

Si fa sentire l'inno di Mameli e Sarti Antonio ci mette un po'. Prima per trovare il portatile e poi il tasto giusto.

– Sí, chi è?

– Sarti, non ho tempo da perdere. Ti dò…

– Fermati. Dove sei? Ascoltami, Rasputin: ti devi costituire…

– Buona idea. Con voi mi becco l'ergastolo e arrivederci. Guarda che sento anch'io la radio. Lascia stare e piglia nota. Trova il proprietario di un'auto con questa targa, – e la riporta d'un fiato. – Hai scritto?

– Non mi serve, – e Sarti Antonio, sergente, cerca, a cenni, di tranquillizzare il tenente. Gli sta facendo gesti minacciosi. – Dimmi dove sei: vengo da te e…

Ma Ruggieri gli strappa il cellulare e ci urla dentro: – Pensi di scapparmi? Hai ammazzato i miei uomini e io ti prenderò, dovessi fare tutto il Gran Sasso a piedi! Io ti prendo e ti spezzo le gambe…

– Io non ho ammazzato nessuno, coglione che non sei altro! E prega che io ne venga fuori viva, perché, guarda, sono la sola testimone che hai contro quelle bestie, brutto stronzo! Tu e quel questurino del cazzo, vedete di trovare quello della Punto metallizzata! E arrestatelo!

Per un po' Ruggieri tiene il portatile all'orecchio. Lo restituisce e dice: – Andiamo –. Grida: – Sul mio conto, Celestina!

Pochi passanti nel vicolo. Silenzio, penombra e contorni in chiaroscuro. Piazza Duomo: i lampioni sotto i portici fanno quasi giorno e si viaggia lenti per il passeggio. Troppo lenti per Ruggieri. Esce dal portico e intanto mugugna: – Sarti, tu mi nascondi elementi preziosi! Intralci il mio lavoro e sono pronto a farti del male...

– In che senso, scusa?

– Ti metto sotto inchiesta. E se non basta...

– Basta, basta e come –. Il mio questurino non è al massimo. La telefonata gli ha inchiodato sullo stomaco l'agnello *casce e ove* e il Montepulciano d'Abruzzo gli balla dentro e cerca di uscire. Da dove, non importa. Poi la colite. – Adesso ti spiego...

– Devi essere convincente, caro mio, se non vuoi che ti sbatta in cella. Elementi per farlo ne ho a strafottere, caro mio! Devi essere convincente.

Sarti Antonio, sergente, è convincente. In caserma. Per sé tiene due notizie: la prima telefonata dal portatile di Samir e l'appuntamento alle Streghe. Forse non si fida del tutto di questo carabba che parte a testa bassa. Poi, senza chiedere permesso, va a chiudersi in bagno. Esce e, un poco piú rilassato, finisce cosí: – Perciò, io sono sicuro che Rasputin si è trovata in un casino piú grande di lei.

– Sai una cosa, Sarti? Della tua sicurezza io me ne sbatto. Ho messo pattuglie su tutte le strade del Gran Sasso. Io prendo la tua Rasputin. La prendo e la schiaffo a Preturo che non c'è dio.

– Preturo?

– Preturo, Preturo... Mai sentito parlare del carcere di massima sicurezza di Preturo? È anche comodo: una decina di chilometri da qui. Ha ospitato i boss della mafia e delle Brigate rosse. Anzi, quasi quasi ti ci porto e ti abitui, perché ho idea che ci finirai anche tu.

– Sto bene senza vederlo.

– Io non ti capisco. Sei un poliziotto che non capisco, Sarti.

– E tu, un carabba che non so come far ragionare. Stai perdendo tempo dietro Rasputin, e intanto i responsabili...

Il tenente batte l'indice sulla fronte di Sarti Antonio.

– Ooo, sei duro di testa, tu! Te l'ho detto e ridetto. Primo: come mai non l'hanno ammazzata? Secondo: è l'unico indizio che abbiamo, quindi lo seguo, ergo, trovo la tua Rasputin e trovo chi ha ammazzato i miei uomini.

– Balle, carabba, balle! Perché si sarebbe messa in contatto con me se fosse coinvolta? E poi, non è vero che è il solo indizio. Abbiamo un numero di targa, no? Insomma, vuoi controllare o no 'sto cazzo di targa?

Entra un carabiniere e consegna un foglio al superiore. Che lo scorre e dice: – Aspettavo solo che un questurino, per di piú sergente e con la colite, mi insegnasse il mestiere.

– Se la metti cosí, carabba, ho anch'io qualcosa da dire sull'Arma...

– Me la dirai dopo. Aaa, non chiamarmi piú carabba –. Sventola il foglio sotto il naso del questurino colitico. – Due cose, fetentone: il cellulare dal quale è partita la telefonata di Rasputin è intestato a Samir al-Kaiad. Dice niente? Non solo la tua protetta si è portata via dalla caserma gli oggetti di sua proprietà, ma ha rubato anche il cellulare di Samir. Cos'è, un vizio? Poi: hai detto targa? Ecco qua: trattasi di una Punto metallizzata di proprietà di tale Arturo Concini residente a L'Aquila. Adesso ci andiamo! – e le volanti sgommano e sirenano per le strade di un'isola felice. Ex.

Seduto dietro, accanto al tenente Ruggieri, il mio questurino ha una voglia di caffè che fa i piccoli. Attaccato allo schienale che gli sta dinanzi, vorrebbe gridare: «Rallenta, rallenta!» Ma alla guida non c'è Felice Cantoni, agente, e non può rallentare ulteriormente la Giustizia.

5. *Un altro morto; anzi, tre. E un'idea geniale quanto casuale.*

L'ho scritto all'inizio di questa brutta storia: mi è capitato di rivedere Arturo Concini. Nella cantina di casa sua, in una vecchia stradina d'ombre e d'archi del centro storico di L'Aquila. In brutto stato di conservazione. Gli hanno piantato una raffica in faccia e i bossoli sono ancora per terra.

In pigiama, scalzo, mani e piedi legati dietro la schiena. Mani e piedi rosicchiati dai topi. Una fine senza dignità. E nessuno ha sentito la raffica. È il quarto cadavere di una brutta storia.

Arrivano in tre. La scientifica ha appena cominciato a guardarsi attorno e il tenente Ruggieri sta ancora studiando uno dei bossoli. Tre che contano piú di Sarti Antonio, sergente, e piú di Ruggieri. Neppure un'occhiata al cadavere e diritti dal tenente. Uno, dev'essere il capo, gli chiede: – Comanda lei, qui? – Non aspetta risposta e gli mette sotto il naso una tessera. – Capitano Auregli, Ercole Auregli.

– Agli ordini, signor capitano.

Il *signor capitano* lo prende sottobraccio e, assieme, escono dalla cantina. Stanno fuori una decina di minuti, poi, rientrando, Ruggieri ordina ai suoi: – Giovani, piegate i ferri. Si torna in caserma.

– Che ti hanno detto? – chiede Sarti Antonio, seduto sull'auto accanto al collega carabiniere.

– Non te lo immagini? – Nonostante l'incazzatura, Ruggieri riesce a essere ironico: imita il capitano. – «Quest'uomo è un nostro infiltrato, tenente, e ci pensiamo noi» –. Torna serio: – Servizi segreti.

– Ma come l'hanno saputo, se noi l'abbiamo appena trovato?

– Collegamenti con la Cia, satelliti, computer e chissà che altro. L'ha presa alla larga per non farmi capire un accidente. Pare che lo avessero infiltrato per controllare da vicino un gruppo di fuoco di non so dove... Di un paese amico... Alleato... Hanno perso i contatti, si sono insospettiti e... – e una bestemmia. Non avevo mai sentito un carabba bestemmiare. I tempi cambiano. Mostra il bossolo. – Sai da dov'è uscito?

Sarti Antonio, sergente, se lo rigira fra le dita. Dubito che sappia da dov'è uscito. Le armi non sono la sua specialità. La pistola che gli hanno messo in mano tanti anni fa giace nel cassetto del comodino, sotto i fazzoletti e i calzini puliti. Restituisce, finge di sapere, annuisce e la cosa finisce lí. Per fortuna Ruggieri non insiste.

Gli altri due morti ammazzati sono alpini. Li trova la pattuglia di commilitoni in giro per dare il cambio alle guardie dislocate attorno al poligono di tiro, all'interno del parco del Gran Sasso, nella zona di Campo Imperatore. È lo stesso Ruggieri che, sul posto e davanti ai due poveracci, lo spiega a Sarti Antonio, sergente.

– Periodicamente gli alpini tengono qui le loro esercitazioni di tiro e sul confine del poligono vengono dislocate guardie per impedire ai turisti di entrare e mettersi a rischio. Questi due disgraziati avranno intercettato il gruppo di fuoco che stiamo cercando... – Indica i corpi. – Portano le armi solo *pro forma*, e come vedi...

Sono ridotti male, poveretti. Gli hanno sparato senza pietà e i corpi stanno a cinque, seicento metri l'uno dall'altro, lungo l'antico tratturo in piano che costeggia il poligono. Con la bocca a masticar l'erba, rossa del loro sangue. A una decina di metri, ai bordi del tratturo e fra la sterpaglia che fa da siepe, gli uomini del tenente trovano due tipi di bossoli.

– I soliti, – dice Ruggieri. – Anche questi vengono da uno Sten corto modello Mark II S e da una semiautomatica calibro 9 lungo Fn Browning. Come gli altri –. A Sarti Antonio la cosa non dice nulla, ma non commenta. Ha già fatto le sue magre e bastano quelle. – Ti dirò di piú: quello che ha ammazzato il Concini, a L'Aquila, è uno Sten silenziato. Ecco perché nessuno ha sentito la raffica. Sai cosa vuol dire, Sarti? Che qualcosa non va in questa storia.

Sono sicuro che il mio questurino ha sulla lingua la domanda: «Perché?» Non la fa. Non sta parlando con Rosas. E mente: – Comincio a capire…

– Beato te. Allora spiegami che ci fanno a L'Aquila e a Campo Imperatore, uno Sten corto modello Mark II S e una semiautomatica calibro 9 lungo Fn Browning. Due armi studiate apposta per i sabotatori inglesi durante la Seconda guerra mondiale. Non se ne vedono in giro da cinquant'anni.

Finalmente Sarti Antonio, sergente, ha una sua idea. Non è piú presto. – O un commando britannico si è perso da queste parti durante la Seconda guerra mondiale e sta cercando la strada di casa, oppure… oppure chi sta ammazzando cerca di confonderci le idee.

Ruggieri conferma senza pensarci su: – La seconda, Sarti, la seconda. Sai che non è male? – Rosas non l'avrebbe mai detto. Be', questo carabba comincia a diventarmi simpatico. E anche al mio sergente.

– C'è dell'altro, – e qui il questurino stupisce perfino il sottoscritto. – Si tratta di armi che venivano anche paracadutate dagli alleati durante la guerriglia partigiana. Vogliono farci credere che si tratta di gente… Terroristi, insomma, con radici nella Resistenza.

– E se fosse veramente un gruppo di fuoco nostrano? Rasputin ci starebbe dentro a meraviglia. So come la pensa e lo sai anche tu –. Il tenente alza l'indice della destra. – La tua idea mi piace e farò indagare alcuni personaggi di qui che la pensano come lei.

Sarti Antonio, sergente, non replica, ma ne avrebbe. Una storia vecchia. Anarchici ed estrema sinistra. Il male oscuro del pianeta.

Fame zero. Seduti in trattoria, il tenente Ruggieri biascicchia alcune fette di *cojoni de mulo* che Celestina gli ha messo dinanzi. Sarti Antonio, sergente, è al secondo caffè e ordina il terzo.

– Riuscirai a dormire stanotte?

Il mio questurino se ne sbatte. Ha dei pensieri e li conosco: un appuntamento non sa dove. Chiede: – Che mi sai dire delle streghe?

– Mi preoccupi, Sarti. In che senso?

– Metti che uno volesse andare alle streghe…

– Aaa, – e Ruggieri allontana i *cojoni de mulo*. – Dalle parti di corso Garibaldi.

– Ci trovo le streghe?

– Ci trovi via delle Streghe –. Si sporge verso il socio d'indagine. – Sarti, cosa mi nascondi?

– Me ne ha parlato un collega. Mi ha detto: «Se ti fermi a L'Aquila, vai alle streghe…»

– Ha fatto bene. È una strada speciale.

– E cos'ha di speciale?

– Be', vacci e lo vedi.

6. *Alle Streghe*.

Di speciale ha che non ci sono porte in tutta la lunghezza della via. Non credo ci sia un'altra strada al mondo senza porte per entrare in casa. Solo finestre.

Una donnetta porta a spasso il suo Fuffi e guarda il mio questurino che le passa dinanzi per la quarta volta. – Chi cerchi? – gli chiede.

– Una porta. Metti che io volessi entrare…

– Siamo alle Streghe, e alle streghe non servono le porte. Loro attraversano i muri.

– E per chi non è strega come me?

– Prima o poi troverà il modo per entrare –. Chiede scusa e si china a raccogliere la cacca di Fuffi, appena depositata molto, molto vicino alle scarpe del questurino, e va a scaricarla nel cassonetto.

È un pomeriggio di fine agosto, il sole è passato tanto in fretta su via delle Streghe che non ha avuto il tempo di scaldare né i muri né la strada. Anzi, c'è una gradevole brezza che scende dai monti, accarezza la via e non fa rimpiangere il torrido che, di questa stagione, picchia sui tetti e sull'asfalto di una Bologna andata a male.

Sarti Antonio, sergente, riprende il passeggio avanti e indietro. «Fra tre giorni, di pomeriggio». È oggi. Sempre che non ci siano altre streghe nei dintorni.

La donnetta con Fuffi torna nei paraggi: – Vai vicino alla terza finestra, – suggerisce, – quella con i gerani gialli, e vedrai che qualcosa succede –. Saluta con la mano libera dal guinzaglio e sparisce. Forse oltre l'angolo o forse attraverso un muro. Una storia da raccontare ai nipoti. Ma il mio questurino non avrà nipoti. E non è nato per i misteri. Appoggiato al muro, aspetta che accada quanto promesso dalla donnetta.

– Ma chi ti ha dato la patente di questurino? – chiede Rasputin, da dentro. – Non ti sei accorto che ti hanno pedinato?

– Di solito sono io che pedino gli altri…

– Non parlare e ascoltami. La Filippa…

– Quella del Fuffi che mi ha smerdato sulle scarpe?

– Quella. T'indicherà la strada… Mi farò viva io.

– Ras, Ras, ascolta: sei nei guai, e se non ti costituisci… I carabinieri ti sono addosso…

– Fossero solo quelli, sai che paura. C'è di peggio, ciccio bello, e un peggio che mi sta a due dita dal culo…

Sirene e motori imballati e frenate sull'asfalto e ordini gridati dal tenente Ruggieri… Una retata con le carte in regola. In corso Garibaldi, la strada che sta accanto alle Streghe.

– Devo sparire: sono arrivati quelli dalle righe rosse, – mormora Rasputin. Da dentro.

La Filippa non è nei dintorni. La gente corre verso corso Garibaldi, dove c'è il casino. Si avvia anche Sarti Antonio, sergente, e sbatte contro la Filippa. Senza Fuffi.

– Scusi, – le mormora.

– Niente, niente. Aaa, senti, – e gesticola come se spiegasse la strada per Gerusalemme. In realtà parla di: – Calascio, capito? Io ci sono nata, ma non fa fatto. Quando sei lassú, cerca la strada dei tre archi. Non potrai chiedere perché lassú non ci abita piú nessuno. Calascio è un paese abbandonato. Fra il primo e il secondo arco, a sinistra scendendo, trovi una scala. Sali. Sul pianerottolo.

– Sul pianerottolo, va bene… Cosa trovo? – Filippa è sparita.

Gran movimento davanti a un portone; tre auto dell'Ar-

ma bloccano corso Garibaldi; giubbetti antiproiettile e M12
da tutte le parti. Il tenente Ruggieri grida ordini, ma i passanti non «circolano». Gente poco abituata ad atmosfere e
situazioni da guerra civile.

Ruggieri vede il questurino e urla: – Sarti! – Appena è a
portata, lo prende per il bavero. – Cosa t'ha detto? Perché
non mi hai avvertito? Credi di potermi prendere per il culo? – e si avvia all'auto, senza lasciare la presa. – Scappata,
capito? Scappata per le cantine! Adesso io e te facciamo due
chiacchiere in caserma! Considerati agli arresti!

In caserma, le spiegazioni sono brevi. – Guarda che io sono andato per arrestarla.

– Perché non mi hai informato?

– Perché ti saresti presentato con il tuo esercito al completo. Magari anche un carro armato, e Rasputin… – Fa segno di un passero che vola via. – Come ha fatto appena le
tue sirene… – Per la seconda volta sorseggia il caffè. Nel bicchiere di plastica. Non ce la fa. – Come si può bere 'sto
schifo? – Getta caffè, bicchiere e stecco, tutto di plastica,
nel cestino accanto alla macchina infernale, in corridoio. –
Se tu e il tuo esercito non aveste fatto tutto il casino che avete fatto, a quest'ora Rasputin l'avresti qui, nel tuo ufficio e
ci spiegherebbe le cose…

– Sei stato d'intralcio alle mie indagini e ne risponderai!

– Tu sei stato d'intralcio alle mie. Anzi, hai impedito l'arresto di una ricercata. Comunque, tranquillo, domattina sparisco e non mi vedi piú, – e la trasferta di Sarti Antonio, sergente, in terra d'Abruzzo, è finita in vacca. Finiscono lí anche le reciproche accuse. Troppo complicato spiegare ai
numerosi caporioni come si sono svolte le cose.

7. *Mi sbaglio…*

… e va cosí: L'Aquila, mattino presto, bar della stazione, i due bevono un caffè. Il cellulare nella tasca interna della giacca di Sarti Antonio, sergente, segnala l'arrivo di un Sms. Lui se ne sbatte.

– Non guardi? – chiede Ruggieri?

Sarti Antonio, sergente, alza le spalle. Non è il momento. Sorseggia e borbotta: – Fa schifo anche questo. Non vedo l'ora di farmene uno, a casa mia, con la mia miscela, la mia macchinetta… Be', ti saluto e spero di non rivederti.

– Ti faccio compagnia. Manca mezz'ora al tuo treno…

– Non ti trattengo. Hai da sistemare i tuoi posti di blocco. Ciao e buona fortuna, – e quando il treno prende le rotaie per Giulianova, dove troverà altre rotaie dirette a Bologna, Sarti Antonio, sergente, esce tranquillo dalla stazione di L'Aquila, si accerta di non essere controllato, imbocca viale XXV aprile, poi viale Corrado IV e finisce nella rimessa del Comando provinciale dei carabinieri.

Il solito carabiniere meccanico gli fa un cenno di saluto: – Pronta e rifornita, come da disposizioni.

Disposizioni arrivate la sera precedente, dal telefono dell'albergo di Sarti Antonio, sergente, a nome del tenente Ruggieri. Per fortuna il carabba non ha controllato. Ci mancherebbe: se dubitiamo anche dei questurini, dove andiamo a finire?

Prima di prendere la strada per Calascio, Sarti Antonio, sergente, legge il messaggio arrivato al suo cellulare mentre prendeva il caffè con il tenente Ruggieri. C'è scritto: «Quanto ci metti x arrivare czz mi sono sempre dietro ras».

Calascio è un paese morto. Perciò, bellissimo. Sembra che l'ultimo piede umano ci sia passato nel Medioevo. L'erba è spuntata fra i conci stradali e nelle fessure dei gradini; i muri, addossati l'uno all'altro, si sostengono con archi e contrafforti come per mutuo soccorso. Pareti scrostate e ringhiere screpolate da secoli d'intemperie e di ruggine; niente lampioni né pali per l'illuminazione stradale... Insomma, ci si potrebbe vivere in pace. Con beatitudine.

Erba e sterpaglia anche nelle fessure della scala dai tre archi. Dal famoso pianerottolo, anticipato dalla Filippa, si gode una gran parte del paese.

C'è uno strano odore nell'aria. Sarti Antonio, sergente, lo ha sentito altre volte e non gli è mai piaciuto. Come non gli piace ora.

A Calascio nessuno lo aspetta. È lui che aspetta non si sa chi. Aspetta un po' troppo.

Sul pianerottolo c'è una porta con l'erba cresciuta fra soglia e pavimento.

È dentro che Rasputin lo aspettava. Adesso non lo aspetta più. Dal pavimento insanguinato, a braccia aperte come un cristo in croce, lo guarda con occhi troppo spalancati. La camicetta inzuppata di sangue. La mano destra, chiusa a pugno, ha l'indice rivolto verso il camino. Come a indicare a Sarti Antonio la direzione.

Una brutta morte. E proprio quando lei credeva di esserne fuori.

Ras ha imboccato la strada per la sua morte quando ha lasciato l'A24 per la provinciale di Castel del Monte. O forse quando ha adocchiato la jeep Cherokee da rubare. O ancora prima, quand'è nata.

A saper leggere nei suoi occhi spalancati e morti, si potrebbero vedere gli ultimi avvenimenti.

Io conosco perché sono sopra le parti. La bellezza di sapere come sono andate le cose. Come vanno e andranno. Ma l'impotenza di non poterne cambiare il corso. Non essere il destino.

A saper leggere nei suoi occhi si vedrebbe il film passato davanti a Rasputin: una semiautomatica e uno Sten.

Poi il massacro alla caserma, la sua borsa ancora posata sulla scrivania... Il giovane carabiniere, Guarcillo, non ha avuto il tempo per metterla nell'armadietto dei reperti da consegnare, poi, al magistrato. Se l'è ripresa lei, prima di lasciare la caserma, e gliel'hanno lasciato fare. Ha preso anche il cellulare di Samir, che non c'era ragione di lasciarlo lí, dov'erano solo morti.

Poi, subito dopo, sul piano di carico del pick-up, dove la nuca sbatte contro il tettuccio a ogni sobbalzo, Samir ha la schiena appoggiata alla fiancata e gli occhi chiusi. Muove le labbra, come se pregasse il suo dio.

Poi il motore del pick-up imballato per la salita.

Poi quello al volante che ci tira dentro con la seconda.

Poi i due in cabina. Tranquilli, come per una gita. Come se non si fossero lasciati dietro una strage. Giacca di buon taglio, camicia lavata di fresco, sbarbati da poco e non un capello fuori posto. La cravatta, come per un ricevimento.

Poi Rasputin che chiede a Samir: – Cosa vogliono da te questi americani? – Silenzio. – Ooo, il mio coglione! – grida. – Che c'entro io con la vostra guerra di merda?

C'entri, Ras, c'entri. C'entriamo tutti.

Poi la canna della semiautomatica che picchia contro il vetro di separazione, si appoggia lungo il naso di chi la impugna e prende di mira Ras: silenzio o t'ammazzo. Silenzio per un po'.

Poi: – Lo sai, vero, che ci ammazzeranno?

Poi, poi, poi…

Samir socchiude gli occhi, guarda le nuche dei due, davanti, e balbetta: – Non… non possono ucciderci.

– Possono, possono. Hai visto come hanno ridotto quei poveracci? Si sono tolti i passamontagna. Vuol dire che ci ammazzano –. Li tiene d'occhio mentre fruga nella borsetta. – Passa al mio posto, che mi copri un po'. E se si voltano, toccami.

– Che vuoi fare?

– Andarmene… Preferisco rischiare che morire da cogliona… – La serratura dello sportello posteriore del pick-up non è attrezzata contro l'effrazione dall'interno. Cede subito. Rasputin ci sa fare con le auto. Trattiene lo sportello: – Appena rallenta, alla prossima curva, io salto. Fallo anche tu.

Curva, il pick-up rallenta, Rasputin salta, Samir esita. E fa male: il suo tardivo e breve tentativo di fuga finisce sull'asfalto, a pochi metri dalla scarpata dove Rasputin s'è buttata e adesso rotola in basso, fra gli sterpi e i primi abeti. Le pallottole fischiano e sollevano schegge di roccia e terra e corteccia. Lei si fa piccola e corre. Corrono anche i due. E continuano a sparare.

Si ferma, ansima… Un modo per scomparire, cazzo! S'infila sotto uno sterpo e, con i piedi, spinge un grosso masso, lí in bilico da secoli. Rotola, rimbalza sui tronchi, muove altri massi, prende velocità…

I due non lo vedono, ma lo sentono e lo inseguono come se inseguissero Rasputin. E sparano. A caso, stracciando foglie e rami e una pioggia d'aghi…

Rasputin riprende fiato e, quando sente i due abbastanza lontani, anche coraggio. Risale, appena un'occhiata a Samir: – Poveretto, – e vorrebbe andarsene con il pick-up.

Niente chiavi. Gente del mestiere. Andrà a piedi. Ma prima… Ma prima…

Non si può ammazzare il prossimo e lasciare che gli assassini vadano, tranquilli, per la loro strada. Né si può far finta di non aver visto. Di essere di un altro mondo.

Tornano, risalgono la scarpata e sudano e ansimano. Uno siede sul predellino del pick-up; l'altro si appoggia alla fiancata. Adesso li vede bene. Li ha nel mirino. Facce da persone civili. Ma incazzati. Uno prepara il falò; l'altro telefona a un Arthur e lo insulta. Poi gli ordina di raggiungerli. Rasputin conosce un paio di lingue. Ha girato un po' di mondo.

Arriva la Punto metallizzata. Arturo stende sul cofano la cartina della zona e dà le sue dritte.

– La puttana, – parla di lei. – La puttana può aver preso solo due strade, – dice in un americano imparato in fretta e male. – O punta su Calascio o cercherà di tornare a Castel del Monte. Direi Castel del Monte, perché ci sarà già un bel dispiegamento di carabinieri. A Calascio, invece, non troverebbe aiuto. Un paese morto. A Castel del Monte ci vado io. Voi cercatela nei boschi fra qui e Calascio… Ci sono dei sentieri… Lei li seguirà.

Ci sono sí, i sentieri, ma col cazzo che li seguo. Prendo per i boschi. Aspettami a Castel del Monte, Arturo. I due americani mi cerchino pure sui sentieri per Calascio.

Sentieri e macchie e torrenti e cascate e stagni e boschi fitti e ruderi e santuari… C'è un mondo a Campo Imperatore. Vecchio di millenni eppure sempre nuovo.

Quando sarà finita 'sta brutta storia, tornerò e mi godrò questa meraviglia. Adesso prendo il Sentiero Italia che mi porterà all'orto botanico e lí sono già a L'Aquila.

Stanotte dormirò al santuario. Almeno non avrò freddo… Però se passano da queste parti, per prima cosa entrano a controllare. Meglio se mi sistemo dietro, in una nicchia del muro. Vedo il tratturo. Un freddo cane, lo stesso.

– Sono io, Sarti, Rasputin…
– Rasputin? Dove sei finita? Cosa ti viene in mente? E il mitra? Perché ti sei messa in questo guaio…
– Stai zitto un secondo, Sarti? Guarda che non ho molto tempo. Zitto e ascolta, – e su, in cielo, dove dovrebbero abitare solo i santi in compagnia di Dio, scattano i computer, trasmettono dati, inviano coordinate…
– Ecco, l'hanno inquadrata. La troia è qui, – e i due tornano indietro.
Altri occhi che non sono né di santi né di Dio, hanno inquadrato Rasputin e i due americani che le stanno addosso.

Arrivano. Li illumina una luna che non è mai stata tanto splendente. Come cazzo hanno fatto ad arrivare qui? Dovevano essere sui sentieri di Calascio. Ho fatto bene a non entrare nel santuario. Cambio strategia: se loro sono qui, io vado a Calascio e ci vado con la Cherokee.
Via di nuovo, con cautela. Ma non basta. Uno dei bastardi è uscito dal santuario e l'ha sentita e le sono di nuovo dietro. Di corsa. Il freddo resta nella nicchia appena lasciata.

Arriva alla Cherokee. Ha già le chiavi in mano. Ci salta dentro, mette in moto, parte a palla e le palle fischiano e rimbalzano sulla carrozzeria e rompono il vetro e penetrano nei sedili posteriori.

Finalmente Calascio. Nasconde la Cherokee fuori dal paese, in un fienile, e per un poco si rilassa.
Ancora di corsa per i vicoli senza vita ma con tanta ani-

ma, fino ai tre archi, su per la scala, nell'appartamento di Filippa…

Siede sul pavimento, non c'è altro modo, la schiena contro il muro…

Non uso il mio cellulare. È diventato prezioso e non lo devono trovare. Lo nascondo nella sporgenza di un mattone, dentro il camino, come facevo da bambina con le cose che volevo tenere per me.

Ma perché ci mette tanto? Dài, Sarti, rispondi…

– Sí, chi è?

– Sarti, non ho tempo da perdere. Ti dò…

– Fermati. Dove sei? Ascoltami, Rasputin: ti devi costituire…

– Buona idea. Con voi mi becco l'ergastolo e arrivederci. Guarda che sento anch'io la radio. Lascia stare e piglia nota. Trova il proprietario di un'auto con questa targa… – e su, in cielo, dove dovrebbero abitare solo i santi in compagnia di Dio, scattano i computer, trasmettono dati, inviano coordinate…

Di nuovo i cani dietro.

Ma come cazzo fanno a sapere dove mi trovo? Questa volta non mi fregano: io ho il gippone e loro sono a piedi. A L'Aquila ci arrivo prima io, è sicuro. Poi vediamo come mi trovate alle Streghe, figli di puttana rottinculo! Voglio vedere chi la vince.

8. *Un finale amaro come il crimine*.

La vincono loro. È gente che porta a termine i lavori affidati. Sempre. È nella loro cultura.

L'hanno trovata che lei, Rasputin, già pensava di esserne fuori. Tornata su, a Calascio, per aspettare solo Sarti Antonio, sergente, consegnargli il suo cellulare e dirgli chi sono e da dove viene il gruppo di fuoco. E per riprendere la sua vita di sempre. Rubando altre auto. Che male c'è? Basta non superare il confine del crimine. Che è abbastanza vago e dipende da chi lo prende in esame. Meglio: dipende da chi lo stabilisce, il confine.

Lo sappiamo: ognuno di noi ha il proprio. Fin qui è lecito, da qui in poi è crimine. Per i due del gruppo di fuoco, la difesa dei propri interessi sposta il confine in avanti. Tanto in avanti da consentire il massacro. Anche se c'è chi pensa non sia consentito. Che sia delitto. E anche costui diventa un terrorista. Con Rasputin, il confine del crimine lo hanno tracciato i due dalla faccia di persone perbene stampate sul display del cellulare che Rasputin, da morta, ha appena fatto trovare a Sarti Antonio, sergente. Nel camino spento da chissà quanti anni. Dove la piccola Rasputin nascondeva i suoi poveri tesori di bambina.

Adesso Sarti Antonio, sergente, li vede, i due. Sono lí, uno seduto sul predellino del pick-up, lo Sten, con il calcio a terra, fra le ginocchia; l'altro appoggiato alla fiancata, la Browning nella destra e il braccio rilassato lungo il corpo. Quasi in posa. Una cosa normale. Poco distante dai loro piedi, Samir è un mucchio di stracci insanguinati sull'asfalto della provinciale che da Castel del Monte porta a Calascio.

Sarti Antonio, sergente, non riesce a togliere gli occhi dal quadratino luminoso. Cerca di capire. Non ce la fa e si stampa nella memoria i visi, gli abiti, le armi… e scuote il capo e si passa la mano sulla fronte.

Fregata! Il messaggio «Quanto ci metti x arrivare czz mi sono sempre dietro ras», l'ha fregata. Sarti Antonio, sergente, non lo sa. Meglio. Ci mancano solo i rimorsi. Per non aver letto subito il messaggio. Per non aver coinvolto nell'azione il tenente Ruggieri e i suoi uomini, magari spedendo via cielo un elicottero. Per non essere partito immediatamente in modo da arrivare a Calascio prima del gruppo di fuoco... Fuoco amico, come si dice fra alleati.

Non sarebbe servito a nulla. Se non a far trovare al tenente Ruggieri due corpi invece di uno. Di Sarti Antonio, ex sergente, il secondo.

L'ultimo sguardo alla povera Rasputin. Si era illusa di vincere, pensate un po'.

9. *Vivi o morti. Ovvero: c'è sempre un movente.*

Da «La Stampa», 27 gennaio 2007: «La Casa Bianca ha ordinato a intelligence, truppe speciali e forze armate di *kill or capture*, "eliminare o catturare", gli 007 infiltrati da Teheran in Iraq...»

Da «Ellemme», notiziario dall'aldilà, 31 gennaio 2007:
«Secondo notizie per il momento non confermate, c'è chi assicura che l'ordine impartito dalla Casa Bianca circa il *kill or capture*, che riguarda gli 007 infiltrati da Teheran in Iraq, sia in vigore, e da tempo, anche in altri paesi».

Marcello Fois

Dove?

I genitori di Asia avevano letto il rapporto Kinsey, avevano occupato insieme ai loro studenti la Sala tesi della facoltà universitaria in cui insegnavano, avevano un mucchio di idee chiare su tutto. Guardavano alla masturbazione e al petting come fasi salienti e irrinunciabili per una sana crescita sessuale e per una profonda conoscenza del sé.

I genitori di Asia giravano nudi per casa, se capitava, nel senso che non stavano a coprirsi se dovevano transitare dal bagno alla camera da letto. Loro pensavano ai rapporti interpersonali come ad avvenimenti del tutto staccati da istanze di carattere censitario, razziale, anagrafico, religioso, politico, culturale, morale, estetico, eccetera.

I genitori di Asia mi davano del tu e mi invitavano a dar loro del tu. Dicevano che i miei brufoli dipendevano dal caos del mio corpo, che erano il segnale di uno squilibrio fra Yin e Yang. I genitori di Asia mi parlavano come se fossi un adulto fatto, invitandomi a specificare le caratteristiche di quello che io avevo definito innamoramento per la loro «ragazza». Semplice pulsione erotica, decretava il padre di Asia, tempesta ormonale, spiegava. Anche tentare di rimorchiare ragazzine faceva parte, secondo loro, di una tappa indispensabile, del bagaglio di esperienze assolutamente da farsi; anche dare una tiratina a uno spinello; anche sentire gli adulti come nemici...

Poi un giorno la madre di Asia se n'era andata. E lei era rimasta col padre. E adesso anche Asia era scomparsa, e tutti si affrettarono a dire che questa faccenda che le donne di casa Gostner tendevano a sparire era qualcosa che non deponeva bene nei confronti dei maschi di famiglia. Cosí Asia era sparita: un attimo prima era con noi al falò, un attimo dopo non c'era piú.

Ma ora, mentre mi teneva un braccio sulle spalle, Ludwig Gostner, il padre di Asia, sembrava imbronciato, e stranamente calmo. Io lo guardai, e lui si sentí in dovere di spiegarmi quell'atteggiamento.

– Tra madre e figlia, – disse, – si instaura un rapporto conflittuale che, se non inserito in una giusta collocazione, può deflagrare e ingenerare una reazione a catena... Hai presente la bomba atomica? – Avevo presente. – Credo che Asia abbia voluto vivere quest'esperienza contro di lei. È la sua elaborazione, per una scomparsa di cui non è mai riuscita a darsi una spiegazione –. Disse queste cose guardandomi dall'alto del suo metro e novanta, col busto che quasi mi copriva completamente. Restò qualche secondo in silenzio, poi con un terribile cambio di tono riprese: – Credo che l'alcol e il sesso nella stessa sera siano stati un carico troppo grosso per una ragazza di quindici anni. E cosí tutto il resto. Non dici niente? – m'incalzò a un certo punto. – Eh, Carlo... sono sicuro che aprirti ti farebbe bene.

Non avevo un accidente da dire. Non riuscivo a dire niente. Mia madre chiese che mi lasciassero in pace. Un tipo brusco in divisa si presentò.

– Maresciallo Tani, – disse. Disse che se fosse stato per lui mi avrebbe riempito di botte. – Lasciatemelo cinque minuti, vedrete come parla, – disse.

Cominciava a imbrunire e l'erba era umida. Del falò della sera prima non era rimasto che un segno nero circolare di carboni polverizzati e qualche bottiglia vuota.

La sera prima avevamo cantato *Questa è La Fine. Sí, è un'amica La Fine. Questa è La Fine, la mia unica amica, La Fine. Della nostra ipocrisia, di tutto ciò che esiste, La Fine...* Poi la birra, direttamente dal collo della bottiglia, e qualche giro di canna. Poi in silenzio a salutare Jim che se n'era andato dieci anni prima, che si era inabissato nel mare lontano, oltre le creste aguzze delle montagne, come la palla rossa del sole. La sera prima al posto di quel cerchio nero aveva brillato una fiamma che ci asciugava le lacrime e aveva fatto il cielo ancora piú scuro.

Mi venne un brivido. Per Jimmy, per Asia, per tutto il resto.

– Ha detto qualcosa? – latrò l'uomo brusco in divisa.

Il padre di Asia agitò il braccio per farlo tacere. Ritornò a sedermi accanto, coprendomi le spalle col suo giubbotto. – Eravate seduti qui? – mi chiese.

Guardai la radura circondata dai sempreverdi e la straordinaria morbidezza con cui sfumavano le vette, piú in là. Accennai di sí.

– Poi? – chiese.

Indicai un punto qualunque verso l'oscurità.

– Da quella parte? – m'incoraggiò.

Non risposi. Ma era solo a causa di tutta la confusione che stavano facendo intorno a me. Oppure per i fari delle volanti che strappavano lembi di oscurità e sbattevano sul prato le ombre nerissime degli alberi. Oppure per i cani che guaivano ancorati ai guinzagli tesi sino al punto di rottura che un uomo in divisa grigia afferrava a due mani, come le briglie di una diligenza lanciata a tutta velocità.

Il padre di Asia mi cinse le spalle con un braccio. – Lo so
che una ragazza come mia figlia può fare impazzire, – mi disse a un certo punto. – Lo so che soffriamo allo stesso modo:
tu per il rifiuto, io per l'assenza.

Per qualche istante restammo a guardarci. Lui assentí col
capo, come a incoraggiarmi. Ma io non dissi nulla. Il suo
braccio mi pesava sul collo. Ai cani avevano fatto annusare
qualcosa, una maglietta, ed erano impazziti.

– Da quella parte? – riprovò il padre di Asia. Niente da
fare. Mi batteva il mento con l'indice della mano.

– Cominciamo lo stesso, – ruggí l'uomo brusco in divisa.
– Qui non si risolve niente.

– Vedi quanta gente fai preoccupare col tuo silenzio? –
riprese il padre di Asia come se niente fosse. Ancora nessuna risposta. – Io lo so come vanno queste cose: lo so, io le ho
provate, con le troiette in fasce che ce la fanno annusare e
poi niente. Lo so che si diventa matti. Vi siete riuniti in questo punto, avete cantato, ballato, vi siete baciati. Hai baciato mia figlia?

Nessuna risposta.

– Io le capisco queste cose, la situazione, il dolore intendo, il vostro rito di elaborazione del lutto, e ora le capisco
meglio. Con me ti puoi confidare. A me devi dirlo. Sei sempre stato uno di casa. Ti sto chiedendo una mano! E tu mi
devi aiutare. Vedi, anch'io ho bisogno di elaborarlo, il mio
lutto.

Sapeva tutto, quell'uomo, spiegava ogni cosa con parole
chiare, mi parlava come se fossi un suo vecchio compagno di
liceo.

Provai un sorriso sentendo il calore del suo braccio che si
estendeva alle mie spalle.

– Possono passare giorni, – ricominciò dopo interi minuti di silenzio, – passerà troppo tempo se tu non parli, e avrà freddo e sarà sola chissà dove, e avrà paura, perché nonostante tutto mia figlia restava una piccola borghese, una giovane donna con un sacco di sciocchezze per la testa, e io la rivoglio con me... – Il tono della sua voce, che diventava sempre piú concitato, mi spense il tentativo di sorriso. La pressione del suo braccio, che diventava una morsa tra la nuca e il collo, mi fece piegare in avanti. – Che cosa è successo? – continuò con un sibilo. – Vi siete appartati? Ci hai provato con lei? Volevi di piú di quello che lei era disposta a darti? Pensavi che sarebbe bastata questa stronzata di rito collettivo, di commemorazione per uno stronzo di cantante che è crepato, per fotterti la mia bambina? Questo pensavi, piccolo rottinculo arrapato? Eh, questo pensavi?

Pensavo solo che sarei morto. L'uomo brusco in divisa intervenne in tempo: balzò sul padre di Asia, me lo strappò di dosso.

E all'improvviso mi apparve chiara una cosa: quell'uomo non sapeva niente, niente di niente.

– Dove l'hai seppellita, maiale assassino? – continuava a urlare Ludwig Gostner mentre cercava di svincolarsi dalla presa dell'uomo brusco. – Apri quella bocca, finocchio bastardo, capellone del cazzo, stronzetto di merda: dove l'hai seppellita? Dove?

7 luglio 2001

– E cosí lei crede che la scomparsa di suo figlio possa essere collegata a questo fatto? – Il commissario Curreli tentò un'inflessione assolutamente neutra.

L'ingegner Carlo Meletti accennò di sí, ma era un accennare incerto. – Non so cosa pensare, – sussurrò. – Noi non abbiamo nemici, non siamo ricchi, certo non ci manca nulla, ma ricchi proprio no.

Marchini ascoltò la conversazione senza fiatare. Carlo Meletti tentò di fermare un tremore convulso alla gamba.

– È stato lui, Gostner, – si lagnò a un certo punto. – È lí che dovete cercare il mio ragazzo… Ha quindici anni, mio Dio!

– Si rende conto che lei fa un'accusa piuttosto grave?

– Loro credono che io c'entri con la scomparsa di Asia… Lo sa cosa credono? Che sia stato io a… farla sparire… Non lo capite che è una vendetta?

Da soli in ufficio, Marchini e Curreli si guardarono come se non riuscissero a trovare il modo giusto per dirsi quello che avrebbero dovuto dirsi. Un meccanismo da vecchia coppia di sposi che sanno tutto l'uno dell'altro.

– Che ne sappiamo della vicenda a cui fa riferimento l'ingegnere? – chiese Curreli a bruciapelo.

Marchini prese qualche secondo per riflettere. – Roba di vent'anni fa: il Meletti flirta con Asia Gostner, serata di luglio, falò sul Renon… Illegale, tra l'altro…

– Dài, Marchini, a quindici anni è illegale tutto e niente, vai avanti!

– La ragazza scompare nel nulla… I sospetti ricadono sul fidanzatino, il Meletti appunto, ma l'inchiesta si chiude con un nulla di fatto, per quanto si cerchi non si trova nulla a suo carico, ma…

– Ma?

– Ma per Ludwig Gostner, il padre della ragazza, lui rimane colpevole… Non si contano i suoi tentativi di riaprire il caso…

– E la madre?

– La madre resta un mistero. Petra Polzot, uscita di casa

e mai piú ritornata… Neanche la scomparsa della figlia l'ha fatta tornare… – riassunse Marchini.

– Certo mi ha rovinato la vita. Non c'è posto né occasione dove per vent'anni non mi sia visto comparire davanti Ludwig Gostner, alla laurea, al matrimonio, una volta persino in palestra… – elencò l'ingegner Meletti.

Curreli aggrottò le sopracciglia. – E che cosa le diceva?

– Niente, assolutamente niente… Era lí e basta. Voleva farmi sapere che lui c'era e che non aveva dimenticato… Poi, qualche mese fa, piú nulla…

– E lei aveva dimenticato?

A Meletti scappò una specie di sorriso. – E come avrei potuto? Senta, commissario, per quanto possa valere, io le giuro che non ho alcuna responsabilità in merito alla scomparsa di Asia. Lei era la mia ragazza… Come avrei potuto dimenticare?

– Dunque, dunque… – riassunse Curreli. – C'è Riccardo Meletti, un ragazzo di quindici anni sparito esattamente vent'anni dopo la scomparsa di Asia Gostner, un'altra ragazza quindicenne: stesso giorno, stessa ora. Abbiamo il padre del ragazzo scomparso oggi, che è l'ex fidanzatino della ragazza scomparsa vent'anni fa. Abbiamo Ludwig Gostner, l'anziano padre della ragazza scomparsa vent'anni fa, che ha sempre ritenuto colpevole il Meletti…

– Il Meletti chi? – lo interruppe De Pisis. – Il ragazzo?

Curreli ebbe un moto di stizza. – No, non il ragazzo. Il padre del ragazzo, che vent'anni fa era il fidanzatino della giovane scomparsa: la Gostner. Ci siamo fin qui?

De Pisis fece finta che ci fossero. – Quindi? – chiese, sperando di prendere tempo per dipanare dentro di sé una matassa che si faceva troppo ingarbugliata.

– Quindi abbiamo ragione di credere che la scomparsa di Riccardo Meletti e quella di Asia Gostner siano collegate.

– Ah, – constatò De Pisis. – Un maniaco che festeggia i vent'anni d'impunità.

Curreli strinse le palpebre come se avesse bruciore agli occhi. – Senti, De Pisis, non la butterei in vacca.

De Pisis sollevò il mento e lo sguardo che gli stava sopra. Quel breve movimento bastò a diffondere nell'aria l'olezzo di una colonia costosissima.

Tutto, tutto, tutto. Tutto voleva sapere Giacomo Curreli delle ultime, diciamo, sei ore, del ragazzo scomparso... E capire come e perché. E rivoltare la sua stanza come un calzino. E sentire una per una tutte le persone che lo conoscevano. E sapere che cosa aveva fatto quel giorno, secondo per secondo, l'anziano padre di Asia Gostner. Tutto. Per Marchini quel «tutto» era la certezza certa che se solo si fosse azzardato a pronunciare la parola «turno» o «pausa» se la sarebbe vista brutta. Vedersela brutta con Curreli significava semplicemente schiantarsi contro il suo silenzio. Ecco, il commissario aveva un silenzio terribile, qualcosa che a Marchini sembrava peggio di una brutta risposta.

Ogni volta che Curreli tornava dall'ufficio del procuratore capo aveva bisogno di almeno un'ora di decantazione. De Pisis era quanto di piú deprimente lui potesse pensare, e sí che non era bello tornarsene da solo la sera in un appartamento semivuoto, o sentire i propri cari solo per telefono. Eppure, persino questa forma sottile di depressione da solitudine sembrava al commissario meno deprimente che discutere col profumatissimo dottor De Pisis. Una volta gli aveva chiesto se fosse parente del pittore, e l'altro era caduto dalle nuvole: «De Pisis pittore?» Poi aveva scosso la testa come a scacciare solo l'ipotesi di una simile, incongrua parentela. A Curreli la pittura era sempre parsa una forma altissima di riflessione, qualcosa che si avvicinava parecchio alla sua idea del mondo. Un delinquente, diceva a se stesso, è come una tela bianca da riempire di contenuto, se riempi la tela quello spazio cessa di essere vuoto. E questo era un concetto, opinabile se vogliamo, ma di sicuro incomprensibile per il dottor olezzante De Pisis. Ma anche per Marchini, a dire il vero. Con la differenza, non piccola, che Marchini aveva il pregio di conoscere bene i propri limiti. Era uno a cui non si poteva non volere bene. Lui aveva quella particolare aura delle persone che nascono buone.

Comunque, all'uscita dall'ufficio del procuratore capo gli sguardi di Marchini e Curreli si incrociarono, e uno capí che l'altro aveva bisogno di stare solo.

Anche se il commissario avesse avuto voglia di parlare, Marchini non avrebbe saputo che dirgli: non c'era niente di niente da dire…

Ludwig Gostner il pomeriggio della scomparsa di Riccardo Meletti era rimasto tutto il giorno al Circolo degli scacchi, e aveva almeno venti persone pronte a testimoniarlo. I Meletti, inoltre, avevano concesso l'autorizzazione a ispezionare la stanza di Riccardo, ma era stato tempo perso se si esclude il ritrovamento di due Dvd pornografici scovati nel doppiofondo di un cassetto.

Per calmarsi, Curreli si metteva seduto con i piedi sulla scrivania come nei film americani, e si infilava le cuffie del lettore Mp3 nelle orecchie… Quella meraviglia tecnologica era accettabile persino per uno come lui: migliaia di pezzi musicali in un oggetto piccolissimo… Chiuse gli occhi aspettando che Ray Charles attaccasse *Sorry Seems to Be the Hardest Word*.

In quella brutta faccenda gli sembrava tutto talmente chiaro che quasi faceva fatica a esprimerlo. Lui di figlie ne aveva due, avevano adesso la stessa età di Asia Gostner quando era sparita. Lui sapeva, sapeva bene. Immaginava tutta la pena di un padre che, abbandonato dalla moglie, passa la sua esistenza a cercare la figlia scomparsa e a chiedersi: dove? Qualunque cosa possa significare quel *dove*. Dove è finita? Dove è sepolta?

Quel *dove* aveva rovinato tutto. Gostner era rimasto solo, schiacciato dall'impossibilità di una qualunque ipotesi di elaborazione del suo terribile lutto bianco.

– Per me la questione è chiara, – disse Curreli quando ritornò fra gli umani. – E quando sarai padre sarà molto chiara anche a te.

Marchini accennò un sorriso. – Con questi turni… – disse a sua volta. – Quando ce l'ho il tempo di fare un figlio? Torno a casa che sono uno straccio.

Lo scambio che seguí fu piuttosto un monologo. Marchini fece appena in tempo a riportare gli scarsi risultati della sua ricerca che Curreli si ingegnò a dimostrargli che erano cosí scarsi perché, probabilmente, non avevano fatto le domande giuste. Per esempio, avevano chiesto al responsabile del Circolo degli scacchi da quanto tempo Ludwig Gostner fosse iscritto? Marchini strizzò gli occhi e fece cenno di no. Appunto. Che cosa si aspettavano? Che uno avesse un piano cosí preciso, covato per anni, e poi lo rovinasse facendosi vedere nei pressi del luogo del misfatto? No, Ludwig Gostner doveva stare anni luce lontano da Riccardo Meletti, e doveva essere in un posto dove potesse essere visto. Quindi il punto è: Ludwig Gostner era un frequentatore abituale del Circolo degli scacchi o si era presentato *una tantum*

proprio nel periodo intorno alla scomparsa di Riccardo Meletti?

A questo Marchini non sapeva rispondere. Come vole-
vasi dimostrare. Afferrato il punto? insisteva Curreli, e Marchini scuoteva le spalle come a dire che sí, ma non era vero.
Lí per lí non capiva proprio che differenza potesse fare il fatto che Ludwig Gostner fosse un frequentatore abituale del
Circolo degli scacchi, poi capí, e Curreli lo percepí dalla qualità dello sguardo. Ci sei arrivato, sussurrò. E Marchini questa volta fece segno che sí, che era logico: se Ludwig Gostner si era presentato al Circolo degli scacchi diciamo da un
mese o due, poteva essere perché aveva bisogno di un alibi.
Ma allora bisognava trovare un complice. Che ne sapevano
della signora Polzot? Chi? Petra Polzot ex Gostner. Scomparsa nel maggio 1981, abbandono del tetto coniugale si sarebbe detto, una lettera scarna del tipo: *non cercatemi, per-
donatemi se potete, questa non è la mia vita...* eccetera. Cosí
il Gostner non fa in tempo a rendersi conto che la moglie
l'ha lasciato che sparisce anche la figlia... Una bella sfiga.
Già, soffiò Marchini. Si capisce che uno perde la bussola e
comincia a perseguitare il primo che ritiene colpevole, Carlo Meletti appunto. Cosí aspetta, aspetta che il figlio del suo
nemico abbia l'età giusta e poi lo fa sparire, dente per dente. Sí, regge abbastanza, si entusiasmò Marchini. Curreli,
manco a dirlo, non aveva per niente l'aria soddisfatta. Avete trovato un computer nella stanza di Riccardo? No. E vi
pare possibile? Marchini allargò le braccia. Papà ingegnere,
studio avviato, quelli col computer ci vanno a letto. Persino il figlio del portinaio ha un Pc oramai e non Riccardo
Meletti? Collegamenti in camera? Marchini fece mente locale, sí, certo: prese per computer sí, ma né apparecchio né
fili...

– Certo, Riccardo ha il suo Pc. Ma la settimana scorsa ha avuto un problema al disco fisso ed è stato portato a riparare… Ho insistito perché ne prendesse uno nuovo, noi in studio abbiamo delle condizioni molto convenienti, ma Riccardo è ostinato, voleva assolutamente il suo computer.

– Forse c'era dentro qualcosa di prezioso, – commentò Curreli. – Non le dispiace lasciare al mio collega l'indirizzo del posto presso cui l'avete portato ad aggiustare? – chiese indicando Marchini.

Carlo Meletti scarabocchiò un indirizzo su un foglio e lo porse all'ispettore.

Questi afferrò il foglietto e si spostò per permettere a Carlo Meletti di alzarsi e guadagnare l'uscita. Curreli si voltò per un secondo a osservare una nuvola che correva davanti alla sua finestra come una specie di preparazione al congedo imminente. Tuttavia Meletti non si alzò, anzi, sembrò sistemarsi meglio sulla sedia. Prese fiato. – Asia era una ragazza piena di segreti, commissario. La sera in cui scomparve avevamo discusso… Lei non sa quante volte mi sono domandato se quella discussione non mi rendesse anche indirettamente responsabile di quello che è capitato…

– E di che cosa avete discusso esattamente?

– Lo dissi al giudice: erano sciocchezze di ragazzi… Vede, io ero stato dietro ad Asia per mesi e lei mi aveva sempre respinto, poi all'improvviso ecco che mi chiede se voglio diventare il suo ragazzo, Asia era cosí… Ecco, di questo stavamo discutendo, del perché lei avesse deciso… Me lo domando tuttora.

– E cosa si è risposto? – Il tono di Curreli era stranamente caldo.

– Non lo so… Non lo so… Ma non passa giorno in cui io non me lo chieda…

Curreli tacque per qualche secondo. – Le indagini in casi come questo sono sempre estremamente approfondite... Non ho ancora esaminato gli incartamenti, ingegnere, ma se non è stato fermato all'epoca, non ho ragione di credere che lei sia responsabile, per quanto può valere...

– Vale molto, commissario... Per me vale molto... Ma Ludwig Gostner non sembra pensarla allo stesso modo... E anche questo lo posso capire, oggi lo posso capire... Questo... Non sapere... Oh, non c'è niente di peggio... Lo convochi, commissario: lui sa qualcosa... Riccardo è scomparso vent'anni dopo Asia, lo stesso giorno... Non mi dica che la ritiene una coincidenza...

– Anche se fossi d'accordo con lei, senza prove non sarei autorizzato a pensare che Ludwig Gostner sia responsabile della scomparsa di suo figlio.

– Ma cos'altro le serve? È talmente chiaro... Perché non fate qualcosa... perché?

– Per lo stesso motivo per cui non posso ritenere lei responsabile della scomparsa di Asia Gostner, ingegnere.

La risposta è no. Ludwig Gostner non era un frequentatore abituale del Circolo degli scacchi, e nemmeno un giocatore eccellente se è per quello, ma si sa come succede a quell'età, si fanno le cose per dare un senso compiuto al tempo che se ne va. Cosí si era presentato e pretendeva di partecipare ai tornei... Era irascibile, al circolo faceva fatica a trovare qualcuno che volesse perdere tempo con lui. Nell'ultima settimana si limitava a guardare le partite degli altri.

La risposta è ancora no. Petra Polzot e Ludwig Gostner non hanno piú avuto contatti dal quel giorno di giugno in cui la donna, senza nemmeno fare i bagagli, si è volatilizzata. E questo è quanto: si passa da una famiglia a una casa

vuota. C'è da perdere la testa. E Ludwig Gostner la testa
l'ha persa davvero: nel giro di due anni si trova senza lavoro, accede a una pensione di invalidità per la sussistenza e
vive in isolamento, tre quarti della casa affittata a studenti
o professionisti, un quarto, bagno, cucinotto e una stanza,
per sé, a rimuginare, a rattristarsi. In confronto alla perfezione di cielo e di monti che gli si paravano davanti alla finestra, dovette sembrargli immensamente crudele abitare in
quel paradiso.

La risposta è sí. Il contenuto del disco rigido del computer di Riccardo Meletti, magari a frammenti. Ma si può con-
sultare. Ci vuole pazienza, però.

La risposta è ancora sí. Interrogati uno per uno, gli amici di Riccardo confermano che l'hanno aspettato al campo
scuola per una partita di calcetto e che lui non si è presentato. Alla domanda se avessero notato qualcosa di strano nel-
l'atteggiamento del ragazzo, la risposta degli amici fu di quelle che sanno dare gli adolescenti: in che senso «strano»? Insomma, su quel fronte lí tutto normale.

– Sono io… Tesoro, tutto bene?… Sí, certo, anch'io…
Non ti preoccupare, principessa… Tua sorella come sta?…
Dille che se non la trovo in casa la prossima volta che chiamo la faccio prelevare da un collega e la faccio chiamare dal
commissariato… La mamma è lí?… Sí, sí… Tesoro, anch'io… Chiama quando vuoi e fammi chiamare anche da tua
sorella… Sí, bene… Ehi… Tutto bene?… Mmmh, hai una
voce strana, non è che stai covando qualcosa? C'è una strana epidemia in giro, con questo caldo… Appunto, e voi an-
datevene al mare… No, che riposo, abbiamo una brutta pesca: un ragazzo scomparso… E chi lo sa, è una storia com-

plicata, una storia di vent'anni fa, vedi un po'… Secondo te un padre che ha subìto la perdita di una figlia sarebbe in grado di far subire la stessa cosa a un altro padre? Eh, eh, eh, lo so che il padre sono io… Ma se tu fossi nei panni di quel padre?… Perché è impossibile rispondere?… Mmmh, certo… No, era cosí, per sentirvi… Per sapere che state bene… Se voi state bene io sono tranquillo… Eh, lo so, dài… Non è vero che non lo dico mai… Lo sai… Anch'io. Anch'io, certo…

Carlo Meletti avanzò all'interno dei locali del Circolo degli scacchi come Priamo nel campo degli Achei. E aveva in cuore la stessa pena. Ludwig Gostner lo vide arrivare mentre il suo avversario, un bambino occhialuto e serioso seduto davanti a lui, macellava il suo cavallo sotto la lama rettilinea di una torre in D2. Meletti non disse una parola, intercettò il Gostner e lo raggiunse, e quando quest'ultimo cercò di alzarsi dalla sedia, lo trattenne abbracciandogli le ginocchia. Il vecchio si irrigidí, ma capí presto che non sarebbe riuscito a liberarsi. Ora Meletti piangeva, un pianto silenzioso…

Marchini si grattò il mento. Cosa si poteva fare in quella situazione? Il punto era che per quanto cercasse, in merito a indagini vere e proprie sulla scomparsa di Asia Gostner non riusciva a trovare un bel niente. Roba generica, certo, roba che avrebbe potuto trovare chiunque su Internet, pagine di giornali locali, con notizie piú o meno fantasiose: rapita dai rom, rapita dai marziani, rapita dagli italiani («Mafiosi, ci rubano il lavoro e le donne, appunto»). Per il resto un bel niente. Appunto. Secondo le ricostruzioni della stampa locale, a occuparsi della scomparsa della ragazza furono al tempo le forze dell'arma dei carabinieri…

– E tu telefona a Marcialis, maresciallo Marcialis, è una brava persona. Lui quello che trova sull'indagine te lo dà, non è di quelli corporativi, – consigliò Curreli.

Intanto Marchini prendeva appunti e accennava di sí, ma gli restava un po' d'amaro in bocca perché si rendeva conto che sapeva pochissimo di quanto riteneva di sapere molto.

Il maresciallo Salvatore Marcialis sembrava proprio una brava persona. Non era alto, ma era di quelli che ci teneva alla forma fisica. – Io una volta all'anno, caschi il mondo, mi faccio i miei quindici giorni di terme, poi tutte le mattine a correre… Sa cosa piace a me?

Marchini fece cenno di no.

– Mi piace ballare, ma mia moglie chi la sente? E allora io me ne vado alle terme, dove nessuno mi conosce e mi posso scatenare, mi capisce?

Marchini accennò di sí.

– Ma lei lo sa quanti anni ho io? – chiese Marcialis a bruciapelo. Poi aspettò.

Marchini tirò su col naso come se avesse bisogno di ossigeno supplementare. – Mah… – tentò. – Quarantadue? – Lo disse andando al risparmio.

Marcialis sfoderò una dentatura bianchissima: – Ne aggiunga dieci, – disse con immensa soddisfazione.

Marchini scosse la testa con una sorpresa quasi convincente. – Stavamo parlando della questione Gostner.

Marcialis ritornò professionale nello spazio di un secondo: – Mmmh, Gostner, Gostner… Vediamo che c'è…

Niente. Praticamente una cartella vuota. Qualche perizia sul luogo della scomparsa, qualche verbale di interrogatorio... Un foglietto con una scritta a matita semisbiadita, «Csa». E Marcialis che perde tutto il suo buonumore.

Quando Marchini la racconta quasi non crede a se stesso, prima è tutto pappa e ciccia, le terme, il ballo... E poi di botto freddo come il marmo e duro come il marmo. Curreli lo sta ad ascoltare mentre guarda le solite cassette sempre piene di oggetti che saranno tre traslochi che non tira fuori, la prossima volta, pensa tra sé e sé, nemmeno le trasferisco quelle cassette: le regalo alla Caritas, o direttamente, le butto. Marchini lo vede altrove.

– Mi segue? – incalza. – Quell'indagine praticamente non esiste, tutta routine, come un controllo per un mancato arresto al semaforo...

Curreli lo guarda. – Questo è un posto dove non succede niente, Marchini. Mettiti tranquillo, che ragioniamo con calma.

Cosí Marchini finalmente si siede, e un po' si sente come fosse ritornato a scuola.

– La situazione sarebbe che nessuno vent'anni fa ha cercato Asia Gostner?

– Be', a constatare dagli incartamenti, è cosí...

– Da quelli consultabili. Quanti anni hai, Marchini?

– Trenta... quasi...

– E Csa non ti dice niente?

– Dovrebbe dirmi qualcosa?

– Studia, Marchini, studia...

– Forse non ha capito di cosa stiamo parlando...

De Pisis emise solo un piccolo sbuffo. – Forse è lei che non ha capito, commissario. Da quanto tempo è qui?

– Lo sa: da due settimane.

– E in due settimane lei ha già capito tutto? Lasci che le

spieghi una cosa: questa regione è una delle piú ricche d'Europa, il reddito *pro capite* è altissimo, la disoccupazione quasi nulla, e sa perché?

– Posso immaginarlo.

– No, commissario, lei non può proprio immaginarlo... Perché il motivo è talmente semplice, talmente elementare, ma talmente remoto per noi mortali dello stivale che non siamo nemmeno piú in grado di concepirlo: buona amministrazione, commissario. Semplicemente.

– E un po' di tolleranza in meno.

– Qualche volta mi chiedo, Curreli, se ho a che fare veramente con un collega o che cosa...

– Comunque non era di buona amministrazione che stavamo parlando. Che c'entrano i Csa con la questione Gostner?

De Pisis si mise comodo. – Me lo dica lei, – disse.

– Non lo so. Io so solo che vent'anni fa una ragazza è scomparsa e nessuno ha fatto niente per trovarla.

– Ecco, vede che volevo dire? Lei ha spesso l'aria di non sapere quello che dice. Allora mi ascolti bene, commissario: i buoni rapporti tra la polizia di Stato e l'arma dei carabinieri sono una costante in questa fetta di nazione. Ma lei è a Bolzano da troppo poco... Si è guardato in giro?

– Un posto dove non succede niente.

– Appunto: il Bengodi, commissario. Approfitti della sede fortunata e si riposi. È contento dell'appartamento?

La Compagnia speciale antiterrorismo venne istituita nel secondo dopoguerra nell'ambito del 7° Battaglione carabinieri di stanza a Laives per contrastare l'azione degli oltranzisti autonomisti altoatesini di lingua tedesca che negli anni Cinquanta-Sessanta agivano lungo il confine italo-austriaco colpendo, con attentati terroristici, obiettivi sensibili civili (tralicci dell'alta tensione, centrali idroelettriche, ponti e convogli ferroviari) e militari (stazioni dei carabinieri, caserme dell'esercito o della guardia di finanza).

Alla Csa erano chiamati a partecipare soprattutto carabinieri paracadutisti del Tuscania, incursori del Col Moschin e agenti della guardia di finanza. Per la sorveglianza continuativa degli obiettivi più importanti erano impiegati anche gli alpini.

La Compagnia speciale antiterrorismo era organizzata in squadriglie, reparti di pochi elementi altamente flessibili che avevano a disposizione anche elicotteri dei carabinieri e dell'esercito per spostarsi.

Marchini strizzò gli occhi come tutte le volte che provava a memorizzare qualcosa.

Imparare a capire quello che il suo commissario sapeva da subito era diventato una specie di metodo per lui. Del resto Curreli si era laureato in filosofia con centodieci.

«Non che serva a molto, la filosofia, – diceva spesso. – Ma almeno mi ha impedito di credermi onnipotente, immortale e infallibile».

A Marchini queste affermazioni del capo non sembravano nemmeno più tanto strane, perché sapeva riconoscere che contenevano una certa qualità didattica.

«È stato laurearsi con una tesi su Socrate e i socratici che mi ha rovinato», si prendeva in giro Curreli.

Comunque, davanti alla schermata che dipanava l'acronimo Csa, Marchini si sentí per un istante nei panni di quell'allievo di Socrate che capisce tutto quello che il maestro ha cercato di insegnargli proprio nel momento esatto in cui si rende conto della propria ignoranza.

Il maresciallo Marcialis, senza divisa, in piedi davanti al bancone del bar *Renon*, sembrava più piccolo di quanto già non fosse.

– Com'è che questo posto sembra sempre cosí pulito? – chiese Curreli quasi a se stesso guardando la via oltre le vetrine.

– L'aria limpida, la luce diretta, – rispose Marcialis.

– Fa impressione, – sospirò Curreli.

Marcialis fece, di spalle: – Giacomo, non è che mi posso trattenere tutta la mattina.

Curreli assentí. – Ma se un'indagine è affidata alla Csa e se nella pratica di quell'indagine non si trova niente di niente, vuol dire quello che sto pensando io?

Marcialis buttò giú il suo caffè. – Dipende, – rispose, – guarda che io non escluderei l'incuria, commissa'… Magari il materiale è stato archiviato male, non dovrei dirlo, ma capita spesso, a voi no?

Curreli allargò le braccia: – Eh… – fece.

A Marcialis scappò un sorrisetto furbo.

– Ma davvero, marescia', – proseguí Curreli, – c'è la possibilità che questa sia una faccenda di materiale male archiviato?

– Io piú che «dare un'occhiata» non posso, Giacomo, eh? Non siamo nemmeno della stessa parrocchia…

– Va bene, – concesse Curreli. – Vedi quello che puoi fare che, al di là delle parrocchie il Bene è uno… Hai presente Socrate?

– Ho fatto l'agrario, – stoppò Marcialis. – E comunque anche il Male è uno, e anche molto stupido, spesso.

– Sí… sí… Certo. No, l'appartamento è bello. Be', sí… No, come al solito le casse dei libri non le ho nemmeno aperte… Ogni volta mi dico che appena arrivo le vuoto e invece rimangono imballate… Poi mi ritrovo a pensare che vuotare quelle casse significa che mi fermo… E magari è la volta che vi trasferite e finalmente stiamo insieme… No, davve-

ro dico, qui si sta bene, anche troppo, qui aspetti un autobus e lui arriva… Che ridi? Davvero sto dicendo… E poi le
bambine possono andare a scuola in bici…

A questo punto Marchini si fece notare. Curreli si con-
gedò velocemente dalla moglie al telefono e fece cenno a
Marchini di entrare. Quest'ultimo posò sulla scrivania del
commissario una pila di fogli. I primi due contenevano una
specie di lista fittissima, gli altri, una trentina, contenevano
stralci di documenti trascritti.

– Il computer di Riccardo Meletti?

Marchini confermò…

> … <Candy> Rimel? Che strano nick. M o f?
> <Candy> C6?
> <Rimel> Sí… sí… ci sono. M.
> <Candy> Scusa, dal nick non si capiva…
> <Rimel> Niente… tu anni?
> <Candy> 15, tu?
> <Rimel> 15 quasi 16… come sei?
> <Candy> Bellissima 180x50… sono una top.
> <Rimel> Eh eh eh…
> <Candy> Non ci credi?
> <Rimel> Io Riccardo 172x61.
> <Candy> Sei bello?
> <Rimel> Normale direi…

… E cosí via, fino a:

> <Candy> Tu non lo conosci quello stronzo di mio nonno… La
> nonna e la mamma non ne parlano mai, ma io ho fatto le mie ricer-
> che… Lo sai che anche noi veniamo dalla tua città?
> <Rimel> ☺ Davvero?
> <Candy> Credo di sí…

… E ancora:

> <Candy> Sei carino…
> <Rimel> No, è la foto che è venuta bene. Quello affianco a me è
> Rick… te ne ho parlato, no? Lui è bellissimo… Ma tu… la tua foto?

\<Candy\> ☺ ☺ bellissimo davvero il tuo cagnone...
\<Rimel\> Non ti fidi... Me l'avevi promessa... ☹ ☹ ☹
\<Candy\> Lo so...
\<Rimel\> Non mi dici nemmeno dove stai...
\<Candy\> Se mia madre mi scopre... Tu non lo sai com'è...
\<Rimel\> Ma tuo padre che dice?
\<Candy\>...

– E poi? – chiese Curreli.
– Non c'è granché, – chiarí Marchini. – Non è rimasto
molto nel disco fisso. Delle conversazioni via chat di Riccardo Meletti sono state recuperate solo quelle che lui ha salvato... Ma ho chiesto di vedere se c'è altro... Comunque ci
vuole tempo, stanno decrittando alcuni file Jpg.
– Cioè?
– Immagini, commissario, immagini...

Si prospettava una fuga amorosa? Riccardo Meletti conosce la ragazzina in chat e si avventura da qualche parte per
incontrarla... C'è un patto fra i ragazzi? A sentire quelli della polizia postale, molti pedofili ingaggiano «carne fresca»
fingendosi ragazzine intraprendenti... Ma sta di fatto che
Riccardo Meletti è scomparso senza nemmeno il minimo indispensabile per sopravvivere, nel cassetto del suo comodino sono state trovate varie banconote da venti euro... Una
scomparsa talmente sorprendente che i genitori nemmeno
ricordavano come fosse vestito l'ultima volta che hanno visto il loro ragazzo.

Giorgia Meletti non smise un attimo di intrecciare piccole ghirlande di fieno.
– Vede, perché siano pronte per Natale dobbiamo iniziare adesso, – specificò con voce assente. – Tutto, tutto si
deve prevedere, – continuò.

Curreli dopo averla vista non era piú sicuro che fosse necessario sentirla. – Signora… – tentò.

La donna non si voltò nemmeno, sollevò la testa e aspettò che il commissario continuasse.

– Si tratta del suo ragazzo, abbiamo bisogno di sapere da lei se qualche giorno prima di…

– … Sparire, – concluse la donna con voce monocorde.

– Sparire, – sussurrò Curreli. – Volevo chiederle se avesse notato qualcosa di strano nel suo comportamento, qualcosa che una madre vede.

– Felice, – disse la donna. Non si girò, non sembrava nemmeno curiosa di sapere com'era fatto quell'uomo che era andato fino al suo laboratorio artigiano per parlarle. – Era felice: lei ricorda com'era innamorarsi a quindici anni?

Curreli tentò un sorriso, ma Giorgia Meletti non poté vederlo.

Si può stare in un commissariato che sembra una clinica svizzera? A Curreli sarebbe piaciuto che sotto tutto quell'ordine ci fosse un segnale di umanità. Gli capitava di aprire cassetti e armadi nella speranza di constatare un qualche disordine, qualche oggetto incongruo… E invece niente. Non è mica bello, pensava tra sé e sé… Non va bene proprio… C'era intorno un silenzio assolutamente innaturale per un commissariato.

Era come scoppiare di salute, pensava Curreli, come quando una moneta diventa talmente forte che tutta l'economia ne risente… In natura se si è troppo forti si comincia a essere deboli. Cosí la pensava Curreli. In quel posto il grado di assorbimento, il grado di realismo, era diventato cosí basso che uno scippo poteva far cadere un'amministrazione. Esattamente come l'euro troppo forte, appunto. Non aveva studiato filosofia mica per niente. Ma intanto un ragazzo era scomparso e intorno a quella scomparsa c'era una calma assente... E vent'anni prima, lo stesso giorno, una ragazza era scomparsa e nessuno sembrava aver fatto niente per cercarla.

Si diceva che in quei vent'anni erano cambiate tante di quelle cose anche lí, anche lí nel Bengodi. Come incrinature nel cristallo perfetto. Dopo la stagione dei Piccoli e dei Grandi Fuochi, quando ai confini saltavano all'aria i tralicci, era scoppiato il silenzio...

Qualche slavo trovato a guidare in stato di ubriachezza... Qualche meridionale che esagera con gli schiamazzi notturni... Ed era tutto. Un ragazzo fuggito per amore e, ancora, era tutto.

Marchini ciondolava per la stanza con una sigaretta spenta in bocca. Da quando si era messo in testa che doveva smettere di fumare ogni volta che ne aveva voglia elencava a se stesso dieci motivi per evitare di accenderla: cancro, alito puzzolente, denti gialli, aria viziata, macchie di nicotina, mal di testa, rinite, abiti intrisi, raschio alla gola, senso di colpa... Quindi, finita la litania, andava fuori e accendeva. Il cortile interno del commissariato fungeva anche da autorimessa per le auto sequestrate a chi veniva fermato dalla Polstrada; lí si riunivano i viziosi del tabacco, il funzionario locale aveva fatto sistemare ai quattro lati del cortile capienti posacenere per evitare che le cicche sporcassero il piano cementato. Non avreste potuto vedere un piano cementato piú lindo di quello, Marchini poteva giurare che in natura non esiste un piano cementato talmente lucido. Cosí fu preso da una specie di istinto alla disobbedienza. Si guardò intorno per qualche secondo, poi con l'indice fece schizzare la cicca verso l'alto. Si godette la parabola che la sospingeva sotto una monovolume parcheggiata. Abiti intrisi, raschio alla gola, senso di colpa… Senso di colpa… Non si poteva rovinare la perfezione del piano cementato. Cosí, trascorso il momento della disobbedienza, Marchini si avviò verso la monovolume parcheggiata per chinarsi a raccogliere la cicca.

Quando entrò nell'ufficio del commissario Marchini, sembrava avere per la prima volta il volto serioso di un adulto. Curreli lo guardò come se non lo riconoscesse.

– Di chi è la macchina qua fuori? – L'ansia di Marchini si faceva via via piú palpabile.

Curreli allargò le braccia. – Mah, sarà l'auto di qualche fermato, ne hanno portate due stanotte.

– Venga là fuori, – ordinò Marchini. Curreli, che in qualsiasi altro momento non avrebbe concesso quel tono a un sottoposto, capí che doveva seguirlo.

Cosí si trovarono nel cortile interno del commissariato centrale, accosciati come due calciatori in posa per la foto, a guardare qualcosa che era restato attaccato tra il parafango e il vano della ruota anteriore sinistra.

Capelli. Piú precisamente, un lembo di cuoio capelluto con un ciuffo di capelli ancora attaccato.

L'auto risultò intestata a un giovane slavo, tale Igor Setvic, fermato da una pattuglia perché trovato a dormire dentro la macchina in un'area demaniale. Invitato a spostarsi e rimuovere il mezzo, il giovane aveva dato in escandescenze evidentemente alterato da uno stato di palese ubriachezza. I solerti agenti, dopo vari inutili inviti alla calma, conducono il Setvic al commissariato di zona e ne parcheggiano l'auto nel cortile di pertinenza.

Non ci vuole molto a capire di chi siano quei capelli, tanto che quando Marchini azzarda un nome, Curreli, terrorizzato dal fatto che anche lui pensa la stessa cosa, lo ferma con un gesto della mano. E cosí, quasi per punirsi, si sottopongono al compito atroce di tornare a casa Meletti per richiedere reperti appartenuti al ragazzo scomparso da confrontare col lembo di cuoio capelluto trovato da Marchini. E bevono l'amaro calice fino in fondo quando devono assistere al primo pianto di Giorgia Meletti, che per quarantotto ore non ha smesso di lavorare nella sua stanza-laboratorio, senza mai una reazione, senza quasi parlare. Ora quella richiesta, una spazzola con dei capelli di Riccardo, aveva scatenato una certezza che certezza non poteva essere, ma che ne aveva tutta l'aria. Cosí in poche ore, grazie al confronto microscopico dei reperti, i dubbi si affievolivano: dopo essere sparito di casa da quarantotto ore esatte, un lembo di Riccardo Meletti, quindici anni, tornava a casa.

Quel ciuffo di capelli, quella incerta certezza, ruppe il silenzio perfetto del perfetto edificio. Qualche agente si mosse di corsa per raggiungere la propria auto di servizio e pattugliare la zona dove l'auto del Setvic era stata intercettata la notte appena trascorsa.

I cani trovarono il corpo del ragazzo appena ricoperto da uno strato di terra sottile.

De Pisis attraversò il corridoio a lunghe falcate lasciando una scia olezzante dietro di sé. Entrò nell'ufficio di Curreli senza nemmeno bussare. Annunciò che di lí a un'ora avrebbe avuto una conferenza stampa per il caso Meletti, e voleva essere sicuro di non dire «fischi per fiaschi». A Marchini venne in mente che era dai tempi del catechismo che non sentiva la frase «fischi per fiaschi». In ogni caso De Pisis chiedeva informazioni, ma poi non le ascoltava. La sua teoria era che in preda all'ubriachezza, lo slavo, il Setvic, non vedendo il ragazzo che sopraggiungeva in bicicletta, l'aveva travolto con la macchina. Valeva a poco comunicargli che niente nello stato del cadavere faceva pensare che le cose fossero andate in quel modo, anzi, era possibile che fosse successo l'esatto contrario: il ragazzo non vedendo la macchina ci finisce sotto. Di piú: secondo i referti della scientifica, era assai probabile che la macchina al momento dell'impatto fosse ferma... Ma De Pisis su questo avrebbe glissato. Nel Bengodi, il Bene è uno, ma il Male ha molte, troppe facce. Quando si proviene dal silenzio, ci si deve ritornare con delicatezza spegnendo il chiasso delle ipotesi.

Davanti ai pochi oggetti che Riccardo Meletti portava con sé al momento della sua morte, tutto appariva chiaro: c'era un portafogli con pochi spiccioli, una tessera della Sasa per l'abbonamento ai trasporti pubblici, due o tre foglietti scarabocchiati, una foto stampata al computer, un telefono cellulare. Poco piú in là, dove lo slavo aveva cercato di occultare la bicicletta, si trovò anche la sacca da ginnastica con l'occorrente per la partita di calcetto...

La foto. Un'immagine piuttosto sbiadita di una stampata al computer, una ragazzina bionda dal viso leggermente allungato. Curreli – c'è da dirlo? – pensò subito alle sue figlie. Cosí si trova a dire a Marchini quanto amore ci vuole e quanta angoscia per instradare nel mondo quegli uomini e donne non fatti. Anche perché, dice il commissario, a quindici anni il mondo mica si vuole conoscere; a quindici anni il mondo è come un banchetto di cibi strani su cui buttarsi a capofitto. Neanche i giornali leggono, tutto quello che gli interessa della realtà è solo l'apparenza della realtà. Il che sotto sotto è sano, pensa Marchini, e questo perché lui da quel banchetto c'è uscito da poco. Comunque: niente si crea e niente si

distrugge, dice pensando ad alta voce. E questa non è filosofia, ma scienza.

Infatti eccolo nell'ufficio da esposizione di Bruno Walter,
ispettore capo ed espertissimo di informatica. Ma secondo
te, se io sto chattando con qualcuno è possibile stabilire dove si trova esattamente? Bruno Walter, Walter è il cognome, l'ha detto tante di quelle volte che ormai lascia perdere,
non ci deve nemmeno pensare alla risposta. E prima che Marchini possa spiegargli cos'ha in mente ha già capito tutto.

Nell'ufficio di Curreli è entrata una luce scarna come di
pala d'altare. Carlo Meletti è solo, sembra invecchiato di dieci anni, è seduto nella poltroncina davanti alla scrivania, sul
piano di quest'ultima, in fila, gli oggetti appartenuti al figlio
Riccardo.
  – Si è trattato di un incidente. Niente ci fa pensare il contrario, – sta dicendo Curreli. E pensa che nel Bengodi nemmeno la morte è quello che sembra. C'è un realismo pratico,
c'è una verità senza fatalismo. L'auto del Setvic era in sosta
dove non avrebbe dovuto essere, ma Riccardo c'è finito contro dopo una caduta dalla bicicletta… L'esame autoptico non
lascia dubbi. E certo lo slavo non è incolpevole… Si addor-
menta in macchina, sente un botto, si sveglia, constata che
il ragazzo è morto, sa di trovarsi in zona vietata e anziché denunciare il fatto tenta di occultare il cadavere. L'incidente
del resto è avvenuto poco distante dal centro sportivo…
  Carlo Meletti ascolta senza rispondere, guarda gli oggetti sulla scrivania con una nostalgia patetica, come un vecchio
attore filodrammatico. Si vede che non ha sperimentato molti altri dolori, si vede che la vita aveva tenuto in disparte per
lui quell'unica prova terribile. Bussarono. Un agente semplice fece capolino, il commissario accennò con la testa. Ludwig

Gostner entrò circospetto nell'ufficio. Meletti schizzò dalla poltrona e fece uno scatto in avanti.

– Ho convocato io il signor Gostner, – lo anticipò Curreli, – perché è arrivato il momento di parlarvi.

Gostner tentò un sorriso. Aveva addosso una vita di rimpianti e solitudine.

– Lo conosco quel dolore, – disse guardando negli occhi Carlo Meletti.

Meletti si sentiva mancare. – Io non avrei mai fatto del male ad Asia, – sussurrò.

Sembrava che stessero per abbracciarsi, ma lo sguardo di Gostner si incollò sulla stampata che portava l'immagine della ragazzina bionda posata sul tavolo. Per un attimo Curreli pensò che fosse in preda a un infarto: Asia, sibilava, Asia, Asia… E indicava il foglio.

E se non rispondeva? E se c'era da aspettare? Walter era talmente abituato a lavorare con gente che continuava a fare domande che seguitava a digitare per conto suo come se nulla fosse… L'unico problema, disse a un certo punto, poteva essere che la ragazzina <Candy> sapesse che <Rimel> era morto; secondo gli stralci delle loro conversazioni, lui le aveva mandato un'immagine e probabilmente era la stessa apparsa su tutti i giornali e le Tv. Marchini su quel punto faceva il Curreli, e rispondeva che no, che i ragazzi a quell'età non sono interessati alla realtà, eccetera.

Certo, le coincidenze sono possibili, ma troppe coincidenze smettono di essere una coincidenza. Primo: Riccardo Meletti muore esattamente vent'anni dopo la scomparsa di Asia Gostner. Secondo: la ragazzina con cui Riccardo Meletti è in comunicazione via chat è la sosia sputata di Asia Gostner. Qui è già troppo.

Cosí, quando Curreli fa irruzione nell'ufficio di Walter – nome o cognome? – trova Marchini che martella l'ispettore di domande. Sta tirando su davvero un bravo allievo. Ma non fa in tempo a complimentarsi con se stesso che gli squilla il cellulare.

– La faccenda non è chiarissima, – sta dicendo Marcialis. – Ma risulta che della ragazza scomparsa se n'è occupato Tani, un collega della Csa. Era una stagione particolare quella.

– Sí, – lo incalza Curreli. – Ma se n'era occupato per un motivo preciso? Voglio dire, la scomparsa della ragazza era collegata a indagini in corso…

– Mah, tu la conosci la Csa. Qui, come in Sardegna, non è che andassero troppo per il sottile… – Curreli approva, aveva vissuto quella stagione in cui le garanzie sembravano differite. – Comunque c'è un fatto, – continua Marcialis. – Si diceva che il maresciallo Tani si fosse ritirato, o fosse stato pensionato, per aver usato la mano piuttosto pesante durante gli interrogatori di alcuni fermati del Bas…

– I gruppi indipendentisti?

– Proprio loro. I confini con l'Austria erano una zona caldissima allora… Ogni notte era come Piedigrotta. Insomma, questo Tani ne ha beccati due e gli ha fatto la festa. La ragazza scompare prima che venga messo in congedo. E lui si presenta durante le ricerche. Ora non so che autorizzazione avesse, ma non mi sorprenderebbe se non avesse aspettato alcuna autorizzazione. Comunque c'è dell'altro. Dicevano che si fosse innamorato di una collaboratrice, una «gola profonda»… Chissà, forse lo era davvero –. Marcialis rise di gusto.

– Un bel tipo. E chi era questa collaboratrice?

– Non lo sappiamo, nei dossier è rubricata come PP. Tutto qui.

– Bene. Grazie, Marcialis, a buon rendere.

– Guarda, Giacomo, che qui c'è un bel Circolo dei sardi, perché non ti fai vedere qualche volta?

Curreli anziché rispondere agitò leggermente le spalle, il che forse per Marcialis poteva voler dire «vediamo», ma dentro di sé voleva dire «manco morto».

Cosí <Candy> aveva risposto, ed era esattamente come aveva detto Curreli. La ragazza non aveva collegato il suo «corrispondente» col ragazzo morto, non pareva nemmeno sorpresa di sentirlo… Marchini, con una certa malinconia, aveva provato a mettersi nei panni di Riccardo, anche se la ragazza percepiva «qualcosa di diverso» che non sapeva spiegarsi… In ogni caso Walter ora era in grado di dire dove era posizionato l'apparecchio della ragazza. E non era troppo distante: si trattava di una malga in zona Colle.

– Sí, zona Colle. Ma come lo sai? – chiese Marcialis. Dal telefono la sua voce sembrava quella di un uomo ancora piú piccolo di quanto non fosse.

– Era solo per una conferma, – troncò Curreli. Poi mise giú e guardò Marchini. – Stesso posto, – disse. – Tani abita alla malga Tirol, in zona Colle.

– Sono io… No, abbiamo capito che non è successo niente… li abbiamo trovati tutti… poi ti spiego… Come si fa, dico io… Voglio dire: quanto male si può fare senza necessariamente farne?

Per Marchini, quella giornata alla malga Tirol dove si era incarnato un passato che sembrava definitivamente morto parve come una gita all'inferno, ma un inferno troppo vicino a un paradiso, tanto era meraviglioso il posto. Tani era come ci si sarebbe aspettato un carabiniere in pensione, e PP, Petra Polzot, a parte qualche chilo di troppo, non era cosí diversa dalle immagini di vent'anni prima. Quanto ad Asia, si era fatta una donna ed era diventata madre a sua volta.

– Vede? Che le dicevo? Non è successo niente –. Il tono trionfante di De Pisis faceva venire i brividi. – Qui non succede mai niente.

Curreli avrebbe voluto chiedergli se davvero era convinto che non fosse successo niente. Poi avrebbe voluto chiedergli com'era possibile non trovarsi per vent'anni pur abitando a pochi chilometri di distanza. E infine avrebbe voluto chiedere a chi sarebbe spettato parlare con Ludwig Gostner per avvertirlo che aveva pianto i vivi e non i morti; avvertirlo che solo di tradimento si era trattato.

– Come sarebbe «non è successo niente»? – sbottò Curreli. – Una donna scappa con l'amante e poi inscena la scomparsa della figlia per sottrarla al padre lasciando che lui pensi che la ragazza è morta e non sarebbe successo niente?

De Pisis sbuffò. – Lasciamo le cose come stanno, commissario, ragioni un po': le risulta che la figlia si sia mossa per cercare il padre una volta che era in grado di farlo?

– No, non mi risulta, – dovette ammettere Curreli, ed è inspiegabile capire quanto gli seccasse dare ragione a De Pisis. Piú che di malizia, piú che di tradimento, si era trattato di disamore. Perché l'amore smuove le montagne, dicono, ma il disamore, peggio che l'odio, congela gli oceani, ferma la vita…

– Non è contento di essere stato assegnato a una piazza dove finalmente si può rilassare? Ha intenzione di trasferire anche il resto della sua bella famiglia? – intervenne De Pisis per interrompere quella riflessione che sentiva troppo lunga.

– Veramente avrei pensato di chiedere il trasferimento, – rispose Curreli, come se la cosa gli fosse chiara solo in quel preciso momento. – Vede, non credo di essere tagliato per un posto dove non succede niente in questo modo, preferisco un posto dove succede davvero qualcosa...

De Pisis sbarrò gli occhi. – Me l'avevano detto che lei era un soggetto difficile. Dunque faccia la richiesta del caso, e vedremo di accontentarla.

Curreli pensava che una volta tanto un trasferimento l'aveva chiesto lui. Poi gli venne in mente che prima di partire poteva scrivere una lettera a Ludwig Gostner giusto per far sí che succedesse qualcosa. Tanto ormai aveva capito che non c'era alcuna intenzione di procedere: erano passati vent'anni, nessuno era morto. Questo pensavano quelli come il dottor De Pisis, come se la morte fosse solo perdere la vita, ma vallo a spiegare che Socrate ha preso la cicuta per continuare a vivere. L'olezzante dottor De Pisis, niente a che fare col pittore, lo squadrò rendendosi conto che il commissario, perso ancora una volta nelle sue riflessioni, non aveva sentito una parola di quello che aveva detto. – Commissario? – sussurrò finché non ottenne attenzione. – Dove pensa di andare? Ha in mente una sede per il trasferimento, eh? Dove? – Curreli fece di spalle.

Wu Ming

Momodou

13.

«La Gazzetta della Provincia»
8 febbraio 2008
CARABINIERE SI DIFENDE: MUORE UN IMMIGRATO
Era intervenuto per sedare una rissa
Il militare prima di sparare aggredito e pugnalato

di Mimmo Lupetto

Tragica fatalità ieri mattina a Campanise. In un condominio del quartiere Sanbenedetto, un carabiniere ha ucciso con un colpo di pistola un immigrato della Gamibia che l'aveva ferito con un coltello da cucina. La vittima si era scagliata contro il militare intervenuto per sedare una rissa. Accade tutto all'improvviso, verso le nove, in via Ragucci 7. In un appartamento al secondo piano, preso in fitto da alcuni extracomunitari, scoppia un violento alterco. Il ventisettenne Momodou Jammeh ha cercato di infilarsi, armato di coltello, nel letto di una donna con la quale divideva insieme con altri l'alloggio. Questa, chiaramente impaurita, ancorché ignara delle reali intenzioni del connazionale, comincia a gridare a squarciagola. Due extracomunitari accorrono in suo aiuto e, resisi subito conto di quanto sta accadendo cercano di convincere Momodou ad abbandonare i suoi propositi bellicosi. Tutto vano. Nel frattempo, però, qualcuno attirato dalle urla avverte con una telefonata i carabinieri. Una gazzella della locale tenenza, comandata dal sottufficiale Pasquale Tajani, interviene subito. I militari fanno irruzione nell'appartamento cercando, con molta precauzione, di riportare la calma. Ma Momodou ormai è una furia indomabile. Non vuole sentire ragioni. E brandendo il coltello si scaglia contro uno dei due carabinieri ferendolo per fortuna in maniera non grave. Dall'arma di ordinanza impugnata precauzionalmente dal militare, quasi contemporaneamente, a questo punto, parte un proiettile che centra l'aggressore. Il gambiano muore sul colpo. Bisognerà chiarire qual è stata la scintilla che ha scatenato l'aggressione di Jammeh nei confronti della donna: se si è trattato di un tentativo di violenza a scopo sessuale o se alla base c'erano altri motivi. Momodou Jammeh risulta disoccupato. Nel condominio del Sanbenedetto, alcuni vicini dicono di averlo visto piú volte in atteggiamenti sospetti. «Non ti guardava mai in faccia, – dice la signora Antonia Ceglia, 64 anni, – e spesse volte pareva in stato d'ebbrezza». I Ceglia sono una delle poche famiglie italiane rimaste a vivere in via Ragucci, dove gli abitanti sono ormai in prevalenza dell'Africa nera.

Gli italiani sono cosí ignoranti, pensa Kati. Che posto sarebbe la «Gamibia»? Un incrocio tra Gambia e Namibia, probabilmente. Come confondere Veneto e Venezuela. No, peggio: come confondere Guinea e Nuova Guinea. Gli italiani sono cosí ignoranti e provinciali. Però, a parte gli errori e i nomi storpiati, la notizia è di quelle grosse, chissà se Sulayman l'ha già letta, piú tardi lo chiamo, pensa Kati. Momodou Jammeh voleva violentare sua sorella! Sí, perché la donna che viveva con lui era sua sorella, chissà perché il giornalista non lo scrive.

Allora è vero che in quella famiglia c'è qualcosa di strano. Kati lo sente dire da quand'era bambina, quando stava ancora a Banjul, prima che tutti partissero. Prima che Campanise diventasse *Gambianise*. Sulayman gliel'aveva detto piú di una volta, che secondo lui Momodou aveva il singhiozzo in testa. Voleva sempre stare da solo. Se gli facevi una domanda, due volte su tre rispondeva: «*Ase ke*», «forse», con quell'aria da uccello sospettoso, la pappagorgia, i soliti due o tre peli non rasati. Aveva la pappagorgia anche da piccolo, magro e col doppio mento, e mica per niente lo chiamavano «il Pellicano», *Kabookoo*.

Ousman, lo zoppo di Sukuta che fa le pulizie all'ospedale, una volta ha visto il Pellicano nella sala d'attesa degli psichiatri. Non lo ha salutato.

Kati lo conosceva poco. Un ciao, qualche frase di circostanza, niente di piú. E poi, Momodou non era sempre a Campanise. Aveva lavorato al Nord, o almeno *dicevano* che avesse lavorato. Era tornato da meno di un anno, per vivere con sua sorella e il cognato, che però lavora a Surmano e non c'è mai. E infatti. Che brutta, brutta storia. Anche la sorella, però. Yama. Possibile sia stata sulla nuvola del cucú per tutto questo tempo? Non se n'era accorta che suo fratello voleva… Chissà, forse non era nemmeno la prima volta. Adesso chiamo Sulayman, pensa Kati, gli chiedo se ha già sentito cos'ha fatto il Pellicano.

Anche se a quest'ora lo avranno sentito tutti, a Gambianise.

12.

8 febbraio 2008, ore 10:51

Apre gli occhi in un letto che non è il suo. Dalla penombra spunta il profilo di mobili e oggetti sconosciuti. C'è silenzio, non il solito rumore di traffico che sale dalla strada.

Yama prova a credere che l'incubo sia finito, ma non ci riesce. Da piccola le succedeva spesso di svegliarsi a casa di sua zia, senza ricordare come c'era finita. Allora immaginava di essere un'altra bambina e di aver sognato la vita precedente, per un tempo che le era parso lungo e invece era durato una notte soltanto. Restava sdraiata a raccontarsi quella storia, e man mano che andava avanti si rendeva conto che nulla poteva dimostrare il contrario, nulla poteva impedirle di credere quel che voleva. Poi arrivava sua zia, scostava la tenda e le diceva con una carezza che era ora di alzarsi.

Yama pensa che una carezza le servirebbe anche adesso, per trovare la forza di uscire dal letto. Qualcuno che le dica che è ora, che il treno non aspetterà. Qualcuno come suo fratello, che un tempo, prima di andare al lavoro, si sporgeva in camera per salutarla e lasciava la colazione pronta sul tavolo in cucina.

Yama si gira sulla schiena e piange, come quando era bambina e voleva farsi sentire dai grandi. Come se le lacrime potessero purgare gli occhi da quel che hanno visto, svuotare il corpo e farla sentire leggera.

La luce che filtra dagli scuri dice che la giornata è iniziata da un pezzo. Marta deve essere già uscita, avrà pensato che lasciarla dormire fosse la cosa migliore. Marta è una buona amica. Se non ci fosse stata lei, chissà come avrebbe passato la notte, chissà quanti fantasmi avrebbe visto.

Però adesso Yama deve mettersi in piedi. Affrontare da sola una casa sconosciuta.

Mentre cerca il coraggio per farlo, un rumore di stoviglie le dà speranza. Butta la coperta di lato e si dirige in cucina.

Marta è seduta al tavolo, ancora in camicia da notte, le mani strette su un foglio. Yama le toglie l'imbarazzo del primo saluto.

– Ciao, non sei a lavorare?

– Oggi no.

Marta si alza e le va incontro a piccoli passi, quasi dovesse avvicinare un daino senza spaventarlo. Allarga le braccia e la stringe forte, poi la fa sedere.

Yama sbircia il foglio appoggiato sul tavolo e lo gira verso di sé.

– L'avevi lasciato sulla credenza, – si scusa subito Marta. – L'avvocato mi ha chiesto di leggerglielo e non ti volevo svegliare.

– Quale avvocato?

– Un vecchio amico, uno che ti può aiutare. Gli ho telefonato ieri sera e stamattina mi ha richiamato perché sul
giornale c'era la notizia.

– Sul giornale? E cosa dice?

– È una cosa assurda, tutto diverso da quel che mi hai
raccontato. Dice che Momodou aveva un coltello e che…

– Io a carabinieri ho detto che niente coltello.

– Sei sicura?

– Sicura, sí.

– Te l'hanno letto bene, prima di fartelo firmare?

– Sí, penso che sí, ma io non capito bene. Volevo solo andare via.

– Ecco, vedi? Qui dice: «Non posso escludere che mio
fratello non nascondesse nei pressi del letto un'arma da taglio, dal momento che non ne ho mai verificata l'assenza e
diversi coltelli conservati in cucina erano a sua completa disposizione, nonostante egli avesse piú volte espresso propositi suicidi».

Yama guarda il foglio sbalordita, poi alza gli occhi su Marta. – Che cosa ho detto?

11.

7 febbraio 2008, ore 13:16

Sono in tre. Uno scrive, l'altro fa le domande, col tono di
voce scandito e troppo alto di chi deve spiegare le cose a uno
stupido. Il terzo ogni tanto entra nella stanza, ascolta un paio
di battute, parla all'orecchio del collega ed esce di nuovo. Yama si mangia le unghie e singhiozza.

– Allora, senti, ricominciamo da capo, occhei? Qui, a noi
risulta che tu hai fatto una chiamata al 112, intorno alle dieci di stamattina, giusto?

– Io… non mi ricordo che ora.

– Va bene. E il motivo di questa chiamata era che…

Yama apre appena la bocca, ma rimane zitta, lo sguardo smarrito.

– Il motivo, il motivo della chiamata –. L'uomo che fa le domande, spazientito, le punta un indice addosso. – Perché *tu*, – porta all'orecchio una cornetta telefonica fatta di dita, – hai *chiamato*, – si pugnala il petto con il pollice, – i *carabinieri*?

– Perché avevo paura, mio fratello si moriva.

– Ecco, bene –. Un respiro di sollievo, come davanti alla risposta giusta di un allievo ignorante. – Quindi è vero che si voleva ammazzare, è così?

– No ammazzare, lui stava male, molto male, non voleva mangiare.

– Ho capito. Però questa cosa che si voleva ammazzare da qualche parte sarà venuta fuori, o no?

– Io non so, non ricordo bene cosa detto.

– D'accordo. Se non ti ricordi, ci sono le registrazioni e le andiamo a sentire, però se ce lo dici tu adesso è meglio, capiamo prima quello che è successo.

Yama annuisce.

– Ecco, brava. Allora adesso mi devi spiegare una cosa. Se lui non si voleva ammazzare, cosa ci hai chiamati a fare, noi carabinieri? È chiaro che se ci hai chiamati vuol dire che c'era un pericolo, altrimenti ti arrangiavi da sola, no?

– Sí, sí, io avevo paura, lui dice che voleva morire.

– Bene –. Si rivolge al collega dietro lo schermo del computer. – Hai scritto, sí? «Mio fratello aveva manifestato piú volte propositi suicidi», eccetera. Possiamo andare avanti? Va bene, senti, lui diceva di voler morire, però cosí, per fare scena, giusto? Non c'era tutto questo pericolo. Uno non chiama i carabinieri solo perché un parente dice che si vuo-

le ammazzare, uno li chiama perché ha qualche sospetto.
Quindi tu lo sapevi di questo coltello sotto il cuscino, magari l'aveva pure detto: «Mi ammazzo, prendo un coltello e mi
ammazzo», una cosa del genere?

– No, io questo non sapevo, non c'è nessun coltello.

– Ah, davvero? In casa vostra non tenete coltelli?

– No, niente.

L'uomo si sporge sulla scrivania – Nemmeno in cucina?

– Sí, in cucina sí, però…

– Però cosa? T'ho chiesto se avete dei coltelli –. Si picchia la fronte con due dita. – Bisogna che ci pensi bene a quello che dici, capito? – Si lascia andare sulla sedia e sbuffa, come per buttar fuori il disappunto. – Ascoltami bene, adesso:
era chiusa a chiave, la cucina?

– No, io…

– Tu sapevi che tuo fratello si voleva ammazzare, però lasciavi i coltelli alla sua portata, cioè che lui li poteva prendere quando voleva?

– Lui non ha preso nessun coltello.

– Forse non lo hai visto, quando lo ha nascosto –. L'uomo che fa le domande si lascia sfuggire un ghigno di sarca-
smo. – Mica stavi tutto il giorno in camera con lui. Ogni tanto andavi fuori, no? Lui poteva andare in cucina come e quando voleva.

– Io non posso stare con lui tutto il giorno, io deve fare
spesa, pagare bollette.

– Quindi se tuo fratello voleva prendere un coltello, sapeva dove trovarlo, poteva nasconderlo.

– Sí, certo, ma io…

– Buona, aspetta. Hai scritto? «Ritengo ipotizzabile che
un'arma da taglio potesse essere a disposizione di mio fratello», eccetera. Bene. Stavi dicendo?

– Io non chiamato perché lui ha un coltello. Lui si moriva, non mangiava, cadeva per terra, ma quelli dell'ospedale, loro mi ha detto di chiamare voi, e io ho chiamato.

10.

7 febbraio 2008, ore 12.00

Eccola, la campana di mezzodí, pensa Tajani. Ha sentito il rintocco mentre entrava in caserma. Quella era la parola usata da suo nonno: «mezzodí» al posto di «mezzogiorno». Chissà perché gli è tornata in mente. Tra l'altro è sbagliata, pensa, e segue un altro ricordo, la maestra delle elementari che gli dice: «Il giorno dura ventiquattr'ore ed è diviso in due parti, il dí e la notte». Il dí comincia all'alba e finisce al tramonto. Quindi le ore dodici antimeridiane non segnano la metà del dí, ma la metà del giorno di ventiquattr'ore. Il giorno che comprende anche la notte. E allora come la mettiamo con «mezzanotte?» Le ore zero (o ventiquattro) non segnano la metà della notte, ma l'inizio del giorno di ventiquattr'ore.

Quand'era piccolo, Tajani si torturava pensando a puttanate del genere. Fatto sta che ha sentito il rintocco e ora pensa: siamo a metà del giorno piú importante della mia vita. Se gioco bene le mie carte, se il ragazzo non mi crolla, se la negra si limita a fare la negra, è il giorno piú importante della mia vita.

Buffo. A volte ti accorgi che pensavi una cosa solo dopo che l'hai detta. Il pensiero non trova filtri e diventa discorso, e all'inizio ti senti in imbarazzo ma dura poco, perché dopo ti senti libero. E a volte ti accorgi che volevi fare una cosa solo dopo che l'hai fatta. Il corpo ha deciso per te, ha raccolto un desiderio e lo ha realizzato. Tajani non aveva in mente un piano, non aveva deciso niente, non sapeva di vo-

ler agire finché non ha agito, e solo dopo si è reso conto. E
adesso siamo in ballo, pensa, e dobbiamo ballare.

La cosa piú importante è che il ragazzo non mi crolli. È
tanto pallido da confondersi col muro del corridoio. Tra un
po' dovrà testimoniare, raccontare tutto per la prima volta,
la prima di tante.

Una mano sulla spalla, Tajani si volta, è il maresciallo.

– Animo, brigadiere. Tutto andrà bene –. Parole dette a
labbra socchiuse. Escono da un angolo della bocca, macina-
te dai molari come grani di pepe. Tajani traduce: tutto *deve*
andare bene. Non è un incoraggiamento, ma un ordine. – Lo
dica anche al ragazzo, – prosegue il maresciallo. Traduzione:
è suo dovere tenere Ciaravolo sotto controllo. – Non pote-
vate fare altrimenti. E si ricordi: meglio un brutto processo
che un bel funerale.

Mentre l'ufficiale si allontana, Tajani pensa: non me lo
fanno nemmeno, il «brutto processo», se tutto va bene.

Se il ragazzo non mi crolla.

Se la negra si limita a fare la negra.

Bella frase, però, questa del funerale. Non nuova, ma piena di verità.

Tajani si siede sulla sedia accanto a quella di Ciaravolo.
Gli parla sottovoce: – Come va? Non ti fa male, vero?

Farfuglia a voce bassa, tartagliando, frasi quasi prive di
vocali: – No…

In realtà dice: *n-nh*.

– Mi hanno dato solo due punti.

Mndat… sl dup'nt. Con la «t» che è un piccolo scatto, uno
scatto d'interruttore.

– Lo vedi che avevo ragione? Roba da niente. E poi ri-
cordati: meglio una ferita che una condanna –. Poi si china
verso il ragazzo, fin quasi a toccargli l'orecchio con le labbra. – Mi raccomando, appuntato. Mi raccomando.

9.

Gianni è sempre stato una persona razionale e sicura di sé, mai avuto un attacco d'ansia in vita sua. È uno che vaglia e scarta le ipotesi a una a una, con metodo. L'ultima che rimane è la linea da seguire, e Gianni la segue, senza tentennamenti, senza arrovellarsi. Se farà un errore, ne valuterà il peso, passerà in rassegna i pro e i contro, e in base a quelli deciderà se proseguire o cambiare rotta.

Gianni guarda l'orologio. È passato un quarto d'ora da quando è uscito dalla tabaccheria per mettere il cartello «Torno subito» e chiudere a chiave. L'ufficio postale rimane aperto fino a mezzogiorno e lui deve spedire una raccomandata. È passato un quarto d'ora da quando ha visto Yama, la ragazza africana, chiusa nell'auto dei carabinieri. Da sola. È passato un quarto d'ora da quando il carabiniere gli ha urlato di smammare.

Gianni è tornato sulla soglia, ha messo il cartello, ha chiuso e si è allontanato, via, col pilota automatico, verso l'ufficio postale, a piedi anche se è distante. Prendere la macchina, non gli è nemmeno venuto in mente.

Mentre camminava, Gianni ha vagliato le ipotesi. È capitato qualcosa di grave. È una cosa normale chiudere qualcuno in una macchina di pattuglia, incustodito? Lo ha già visto succedere? No, non lo ha mai visto succedere. E Yama non è una delinquente. Cosa sta accadendo? La ragazza ha detto qualcosa, ma Gianni non è riuscito a capire. Cosa ci fanno i carabinieri in quell'appartamento? Riguarda il fratello di Yama? Di certo non può riguardare il marito, quello in casa non c'è mai, lavora fuori città. Gianni sa che il fratello di Yama è malato, ha sentito dire qualcosa, ma non ha mai

ficcato il naso. Gianni è il tabaccaio meno curioso d'Italia.
Se la gente vuole dirgli le cose, bene, lui sta ad ascoltare. Ma
se non vuole, Gianni non chiede mai niente.

Una cosa è certa: la raccomandata può aspettare. Gianni
rallenta fino a fermarsi. Si guarda intorno ed è di fronte al
giardino pubblico, distesa di cacche di cane e foglie secche
che nessuno porta via. Siediti, perché sennò ti gira la testa.
Siediti su una panchina e pensa.

Gianni si chiede: chi chiami in un caso come questo? I
carabinieri no, ovviamente. Poi si ricorda: Marta, quella del
volontariato. Quella dell'associazione che lavora con gli immigrati. Marta è amica di Yama. Sí, chiamare lei, farlo al piú
presto.

Ma per trovare il numero deve tornare in negozio.

Guarda l'orologio: da quando ha messo il cartello sono
passati venti minuti.

Quando arriva alla tabaccheria, la strada è piena di gente e veicoli. Nastro bianco e rosso, divise dappertutto, un'ambulanza e una troupe della Tv locale.

Ma l'auto con Yama dentro non c'è piú.

8.

7 febbraio 2008, ore 10.41

La portiera dell'auto si chiude, la serratura scatta, ma invece di salire alla guida, l'uomo che l'ha accompagnata attraversa il marciapiede e scompare di nuovo oltre il portone
del palazzo.

Yama pensa che abbia dimenticato qualcosa e, mentre
aspetta di vederlo tornare, si lascia andare sfinita sul sedile
posteriore. Prende un lungo respiro, il cuore rallenta i colpi,
ma le voci dentro la testa ballano su un altro tempo, al ritmo

di angoscia e sospetto, si intralciano l'una con l'altra e non c'è verso di metterle in riga.

Sí, chiamare aiuto è stata la scelta giusta, presto arriverà anche l'ambulanza e tutto sarà finito. Ma lo sparo? Quelli hanno sparato a suo fratello, altrimenti perché non farla entrare nella stanza? Ma lei ha visto lo stesso, prima che la spingessero fuori. Lo ha visto, il sangue sulle coperte. Però uno sparo, le sembra davvero impossibile, è talmente agitata che deve esserselo immaginato, una specie di allucinazione, per via di tutta l'ansia degli ultimi giorni. Che bisogno c'è di sparare? Momodou è a letto, non si muove di là, se lo tengono fermo in due possono caricarlo sull'ambulanza senza problemi, è cosí debole. Però va bene l'agitazione, va bene la stanchezza, ma uno sparo non te lo puoi sognare. Un comodino che cade fa un altro rumore. E poi lo ha visto il sangue, o no?

Forse gli hanno sparato per errore, l'hanno scambiato per un altro, magari un criminale, o un clandestino. È colpa sua, maledetta stupida, che non ha preparato subito i documenti, o forse lui li ha insultati, loro hanno reagito e adesso mentre lei aspetta come una scema dentro un'auto parcheggiata suo fratello sta morendo, o è già morto.

Sí, chiamare i carabinieri è stato uno sbaglio. Tutta colpa sua.

Invece no, meglio cosí, se Momodou vedeva subito quelli dell'ambulanza di sicuro si metteva a fare il matto, diceva che stava bene, che in ospedale non ci voleva andare. Con i carabinieri non si permette, quelli mettono paura, hanno la divisa, il mitra, la pistola.

Lui ha fatto il matto lo stesso e quelli gli hanno sparato.

Ma se lui è già morto, perchè l'hanno messa in macchina? Perché hanno parlato di andare a firmare le carte per il ricovero?

Sí, sí, lo sparo se l'è immaginato, adesso arriva l'ambulanza e porta in ospedale Momodou, mentre lei va in caserma a firmare quelle carte.

Però intanto il tempo passa, dell'ambulanza nemmeno l'ombra e il carabiniere che l'ha accompagnata non si fa piú vedere.

Lungo la via, venti metri piú avanti, Gianni il tabaccaio spunta dalla soglia del negozio. Ha in mano qualcosa, un foglio o un cartello. È forse l'unico italiano che tiene ancora bottega a Gambianise. È una persona gentile e nel quartiere si trova bene.

Yama tira a vuoto la maniglia dello sportello, batte una mano contro il finestrino, schiaccia piú volte il pulsante dell'alzacristalli, già sapendo che non funzionerà.

Picchia sul vetro con i pugni, sente scendere le lacrime, grida da spaccarsi la gola, finché il tabaccaio non si volta verso di lei, la riconosce e le lancia un'occhiata interrogativa, come per dire: che succede?

Yama gli fa segno di avvicinarsi, ma lui resta là, sembra non capire. O forse capisce fin troppo bene che una donna in lacrime dentro un'auto dei carabinieri può significare soltanto guai. Alla fine si muove, va verso di lei, e solo allora Yama si domanda perché lo ha chiamato, cosa pensava di chiedergli, che aiuto può mai darle.

Oltre il vetro, Gianni ripete la domanda che ha già fatto con gli occhi.

– Che succede?

Yama indica il portone del suo palazzo, la finestra di casa: – Vai su. Vai in casa mia, c'è Momodou che sta male.

L'altro si volta, alza lo sguardo.

Un carabiniere si affaccia al davanzale. Yama riconosce l'uomo che l'ha chiusa nell'auto.

L'uomo grida qualcosa, spazza l'aria con un braccio.

Yama picchia ancora sul vetro, un attimo prima che Gianni le volti le spalle.

7.

Il ragazzo cammina in tondo e impreca. Non ha ancora perso la testa, si sforza di non gridare, ma tra non molto scoppierà e lo sentiranno fino in strada.

– Me lo vuoi dire adesso che minchia facciamo, eh? Che ci facciamo con questo qui? Con tutto questo sangue?

– Ciaravolo, ti devi calmare.

L'appuntato Ciaravolo si preme le guance con entrambe le mani, pollici in giú, i mignoli toccano le orecchie. Gira intorno al suo superiore, barcolla.

– Che cazzo facciamo adesso? Come gliela raccontiamo a...

– Ti ho detto di stare calmo, hai sentito? CALMO e MUTO per un momento, altrimenti di qua non ne usciamo fuori.

Ma l'appuntato continua a berciare, e a voce sempre piú alta.

Lo schiocco dello schiaffo ferma tutto, la giostra ammutolisce, il mondo tira il fiato. Il brigadiere Tajani afferra il collega per le spalle, lo scuote, parla piano: – Ciaravolo, ascoltami. Ne usciamo. Ne usciamo bene. C'è solo da ragionare. Tutto si spiega. Tutto si spiega, se siamo bravi.

Il ragazzo annaspa, singhiozza, gocce sottili scendono dagli occhi chiusi. – Guardami, Ciaravolo.

Un secondo, due, tre. Il ragazzo alza lo sguardo. Si sta sforzando. – Perché, Tajani, perché hai sparato? Cosa t'è preso?

Un secondo, soltanto uno.

Durante quel secondo, Tajani cerca la risposta. La cerca sul pelo dell'acqua di un fiume in piena, in equilibrio su una zattera che fugge. La cerca con un rastrello, di quelli col pettine a triangolo che ci spazzi le foglie, ma tra i denti non rimane niente, tutto passa oltre, e la zattera fugge. Un secondo, soltanto uno.

– Dobbiamo guardare avanti, non indietro –. Il tono è fermo ma privo di spigoli, il fare è paterno. Con il dorso della mano, Tajani asciuga le lacrime dal viso del ragazzo.

Vicebrigadiere e appuntato hanno solo sei anni di differenza. Intorno, la stanza, le pareti giallastre, il letto senza testiera, la macchia scura. Il corpo è inarcato sul bordo, mezzo su e mezzo giú, talloni a sfiorare il pavimento. Lo stavano spostando quando Ciaravolo ha avuto la crisi.

– Ma come facciamo… a… c'è la donna…

– La donna non ha visto niente. E poi, Ciaravolo, quella è una negra, a stento parla l'italiano. E anche *lui*, – Ciaravolo indica il corpo, – è un negro. Ce la giriamo come pare a noi, questa storia. Vedrai, se fai come ti dico diventiamo pure…

– … eroi, sí, come no –. Il ragazzo chiude gli occhi, abbassa il capo. – Non voglio essere un eroe. Voglio solo non dovermi vergognare.

Tajani si liscia il pizzetto e pensa. Uso legittimo delle armi. C'è poco tempo. Oltre alla negra, nessun altro ha sentito lo sparo, altrimenti a quest'ora… Un momento, la negra. La negra in macchina, vediamo se va tutto bene.

La finestra dà in strada, Tajani si affaccia. Ehi, ma chi… Di fianco alla macchina c'è un uomo. La negra sta parlando. Tajani apre la finestra: – Ehi, tu, che vuoi? Quella donna è in stato di fermo, smammare! Via dall'auto, se non vuoi che ti arrestiamo pure a te!

L'uomo si allontana in fretta. Tajani non si ferma a guardare la negra, chiude la finestra. E adesso... Il ragazzo si è seduto sul bordo del letto, gomiti sulle cosce, faccia nascosta nelle mani. Singhiozza piano. – Ciaravolo, che cazzo fai? Via da quel letto!

Ciaravolo si alza. Il tempo è poco, qui bisogna darsi una mossa.

Il brigadiere mette in tasca la mano destra, estrae il portafoglio, cerca tra documenti e biglietti di banca, trova un foglietto colorato. Lo sventola in faccia al ragazzo. – Lo conosci questo?

Gli occhi sono rossi e velati, la voce è appena un soffio.

– Ti pare che non lo conosco?

– Se lo conosci di' il suo nome.

– Padre Pio.

– San Pio da Pietrelcina. Ti giuro su di lui che ne usciamo, tutti e due, e ne usciamo pure bene.

Tajani si liscia il pizzetto e pensa.

Uso legittimo delle armi.

Articolo 53 del codice penale.

> Non è punibile il pubblico ufficiale che, al fine di adempiere un dovere del proprio ufficio, fa uso ovvero ordina di far uso delle armi o di un altro mezzo di coazione fisica...

Il buco umido accanto al cuore.

> ... quando vi è costretto dalla necessità di respingere una violenza o di vincere una resistenza all'Autorità e comunque di impedire...

C'è pochissimo tempo.

Tajani apre la porta, due passi ed è in cucina. Il lavello. Il ripiano. Il cassetto delle posate.

Senza tornare nella stanza, senza girarsi, senza nemmeno alzare la voce: – Appuntato, tu hai una ferita al braccio.

La voce di Ciaravolo arriva un po' in ritardo, come succede in Tv, durante quei collegamenti via satellite: – Eh?

Tajani torna in camera. Ciaravolo ha borse rosse sotto gli occhi, la faccia lunga e la bocca aperta. È come se la mascella, cadendo, trascinasse tutto giú.

Ciaravolo vede che Tajani ha in mano qualcosa.

È un coltello lungo, dal manico grosso in legno scuro.

Il brigadiere fa un passo indietro e si figura la scena.

– Noi ci siamo avvicinati al letto, l'africano aveva un coltello sotto il cuscino.

Con un movimento rapido, afferra il braccio destro dell'appuntato. La lama lacera la manica e tocca la pelle. – Ahi! Che…

– Buono, appuntato, è roba da niente. Non potremmo venirne fuori meglio di cosí. Ma devi fare come dico io, capito?

Tajani si scosta e raggiunge il negro morto.

– Aveva un coltello sotto il cuscino, è scattato su, ha ferito l'appuntato Ciaravolo…

Tajani afferra la mano del cadavere, la stringe sul manico del coltello.

Alle sue spalle, il ragazzo barcolla, fissa il taglio sulla manica. Tajani torna da lui, gli prende il mento, gli solleva il capo. – Guardami. Tu devi fare come dico io.

Si riavvicina al letto, riapre la mano del negro e lascia cadere il coltello.

– Ha ferito l'appuntato Ciaravolo, io mi sono trovato l'arma in pugno e ho sparato *nella necessità di respingere una violenza.*

6.

Yama inciampa, lo spigolo del tavolo le pugnala un fianco, trattiene il dolore col braccio e si precipita in corridoio. Qualcuno ha sparato.

– Cosa succede?

Mette piede nella stanza e subito un carabiniere le viene incontro, braccia e spalle allargate, come per non farle vedere qualcosa. Yama fa un passo avanti, si alza sulle punte, sposta la testa di lato e vede Momodou, a letto, e una macchia scura sopra le coperte. Qualcuno ha sparato.

L'uomo la spinge fuori, con il petto e una mano, mentre con l'altra si tira la porta alle spalle. Yama prova a puntare i piedi, ma si accorge di avere le gambe molli, senza ossa dentro.

– Cosa gli avete fatto?

– Fuori di qui, – le grida in faccia, – vai fuori!

– Cos'era quello sparo?

Vede ancora la macchia scura sulle coperte. Qualcuno ha sparato, c'è odore di bruciato e di sangue. Poi la porta si chiude.

– Macché sparo, è il mio collega che ha rovesciato il comodino. Cercava di prendere tuo fratello, ma quello s'è agitato.

– Io ho visto sangue, voglio entrare.

L'uomo afferra la maniglia della porta prima che Yama riesca a raggiungerla.

– Ti dico che non è successo niente, lasciaci lavorare.

– Fatemelo vedere! – Yama grida per soffocare i singhiozzi. – Lo avete ammazzato!

– Ammazzato? Quello dorme. Smettila di urlare.

– Come dorme? Avete detto che lui agitato.

– Sí, esatto, ma se vede te, se sente che urli, si agita ancora peggio. Lasciaci fare il nostro lavoro, adesso. Li hai portati i documenti?

– No.

– Ma ce li hai, sí? Non è che siete clandestini?

– No, no, è che ho sentito lo sparo.

– E basta con 'sto sparo. Adesso tu vai di là, prendi i documenti che ti abbiamo chiesto e poi ti metti la giacca e vieni in caserma, ché dobbiamo firmare le carte per ricoverare tuo fratello.

Yama rimane immobile.

– Parlo con te, hai capito?

Qualcuno ha sparato.

5.

7 febbraio 2008, ore 10:21:46

Ci sono diverse parole, attimo, istante, momento, amen, è successo tutto «in un amen», e ci sono le immagini, un battito di ciglia, un baleno, addirittura un battibaleno, ma la volta che succede, la volta che *davvero* succede qualcosa «in un amen», be', a nessuno viene in mente la parola *amen*, nessuno ha il tempo di pensare a baleni e battibaleni, perché quel che succede in un amen succede «in men che non si dica», ovvero: le parole sono lente, le parole arrivano dopo.

E infatti. Nessuno dei due uomini ha in mente la parola. Non subito. Sarà un cliché, ma la stanza sembra ruotare intorno alla stronzata che hanno fatto. Che *uno* di loro ha fatto. Sarà un cliché, ma nell'aria c'è ancora l'eco. L'eco del-

lo sparo. Sarà un cliché, ma nessuno respira. I due carabinieri sono immemori dei propri polmoni. Il negro, lui, è morto. La stanza rallenta, ha compiuto cento giri in un secondo. In senso orario, perché il tempo non torna indietro. E
solo allora eccola, la parola, sulle labbra del più giovane dei
due: – Amen.

Come per dire: dàgli e ridàgli, alla fine è successo.

A furia di imprecare contro i negri, ne hai accoppato uno.

Dovevi proprio farla, Tajani, ci tenevi a farla, la cazzata
della tua vita.

Solo che è anche la *mia* vita.

Amen. Come per dire: è la fine.

La messa è finita, e *col cazzo* che ve ne andate in pace.

E nel momento in cui la stanza si ferma, per forza d'iner-
zia, Ciaravolo vacilla.

– Tajani... che cazzo hai fatto? Lo hai... ammazzato.

4.

La porta della stanza non è mai chiusa. Dall'interno sembra che lo sia e invece tra l'anta e lo stipite c'è sempre uno
spiraglio, sottile quanto una pupilla.

Giorni prima, con la scusa delle pulizie, Yama ha spostato il letto di suo fratello, lo ha spinto verso la parete, in modo che la fessura offra all'occhio un ritaglio sfocato di coperta e cuscino. Largo abbastanza per vedere Momodou e abbastanza stretto per non farsi vedere.

Dopo la telefonata, Yama non ha fatto altro che aggirar-
si per casa senza uno scopo e controllare il fratello, ogni volta che passava davanti alla sua porta. Forse teme che abbia

intuito qualcosa, che non si faccia trovare, che tenti una fuga impossibile dalla finestra del quinto piano, o magari un
possibile suicidio. Vorrebbe leggergli la faccia, capire cosa
c'è scritto, ma lo spiraglio è troppo stretto e la visuale poco
nitida.

Vorrebbe bussare, chiedere permesso, andare dentro con
una scusa, ma ha paura che la sua, di faccia, possa tradirla.

Non è nemmeno sicura di poter trattenere le lacrime, tanto è stanca e fragile e colma di tristezza.

Glielo hanno consigliato in tanti. Suo marito non fa altro che ripeterlo, ogni volta che si sentono al telefono e lei
gli dice che Momodou non mangia, non si alza, non parla
piú. Bisogna convincerlo a farsi ricoverare. E se non si può
convincerlo, bisogna ricoverarlo comunque. Di fronte ai suoi
dubbi, le hanno detto che portarlo in ospedale non è un tradimento, significa rispettare davvero la volontà di suo fratello. Lui non vuole morire. Se lo volesse, si sarebbe già ammazzato. Ci sono tanti modi per farlo. Momodou non vuole farsi curare perché non capisce, non può piú capire, che
non curarsi, ridotto com'è, significa morire.

Cosí Yama lo sbircia da uno spiraglio di porta, per paura
che faccia e lacrime tradiscano il suo tradimento.

Il suono del campanello la fa sobbalzare, per poco non si
sbilancia e cade nella stanza.

La voce nel citofono dice: – Carabinieri!

Le scale rimbombano di passi. Yama si domanda quanti
siano, sembrano un esercito intero.

Sono due. Uno le punta contro la mitraglietta, o forse la
tiene solo in mano, ma lei fa lo stesso due passi indietro.

L'altro dice: – Dov'è?

Yama sente cigolare il letto nella stanza di Momodou. Li
ha sentiti.

– È di là, – risponde. – Ma non vi preoccupa, lui è molto debole, sempre a letto. Lui vi vede e viene, quella non importa.

Indica la mitraglietta e il carabiniere che la imbraccia le
fa segno di avanzare agitando la canna.

Yama bussa due volte.

– Momodou, sono io, – dice nella sua lingua. – Ti ho portato dell'acqua.

Sopra la sua testa, una mano spinge la porta mentre un'altra le afferra un fianco e la sposta di lato.

L'uomo con la mitraglietta la punta contro suo fratello.

– Non muoverti. Tira fuori le mani e appoggiale sulla coperta.

Momodou fa come dicono, lo sguardo terrorizzato.

– Preparo i vestiti, – dice Yama sulla soglia, sforzandosi
di apparire calma. Entra nella stanza e apre l'armadio. Momodou le chiede cosa vogliono gli uomini in divisa.

– Lascia stare i vestiti, – dice il carabiniere. – Meglio che
vai a prendere i documenti di tutti e due, cosí intanto vediamo se siete in regola.

– Sí, certo, in regola, tutti e due.

– Tu intanto valli a prendere, occhei?

Yama annuisce e corre nell'altra stanza.

Trova subito le sue carte, ma quelle di Momodou dove le
ha messe? Strano che non siano lí, tutte insieme, con le sue
e quelle di suo marito. Estrae il cassetto per appoggiarlo sul
materasso e controllare meglio.

Qualcosa esplode, vicinissimo.

Il cassetto le cade dalle mani, Yama scivola sui fogli spar-
si sul pavimento.

Qualcuno ha sparato.

3.

– Sentito che roba? Riesumano la salma di padre Pio –.
Il barista mette il bricco sotto il tubo del vapore, in un istante il getto fa montare il latte.

– Ah, sí? E perché? – risponde il carabiniere in divisa,
appoggiato al bancone con entrambi i gomiti.

– Boh, dice che devono fare dei controlli… – Il barista
versa latte e crema nella tazza, muovendo il polso con lentezza, avanti e indietro. La schiuma pastosa incorona la bevanda, bianca al centro e intorno screziata da un anello marrone. Pasquale Tajani pensa al Grande raccordo anulare, come
faceva quella canzone di Venditti? «Vieni con me, amore |
sul Grande raccordo anulare | che circonda la capitale | e nel-
le soste faremo l'amore».

Ecco un cappuccino fatto ad arte. Come quello che beveva a Roma, prima che lo trasferissero in provincia, a Città
del Buco di Culo. Secondo cappuccino della mattinata, l'auto di pattuglia è davanti al bar, con una ruota sul marciapiede. Portiera e porta del bar sono aperte, è un inverno tiepido, l'aria non morde e il sole splende.

Un altro giorno di gloria, pensa Tajani.

Un altro giorno di merda. Come fai a distinguerti, in un
posto cosí? Quali imprese puoi sognare?

– Dei controlli? E che ci può mai essere da controllare?
– interviene il carabiniere piú giovane. Fernando Ciaravolo,
classe '86. Bravo, ma troppo buono. Troppo buono con tutti. Persino coi negri.

– C'è un professore che ha scritto un libro, – s'infila l'E-
sperto. Tutti i bar hanno un Esperto di cose del mondo. Lo

trovi lí a qualunque ora, non è ben chiaro come sbarchi il lunario e a nessuno frega di saperlo, vivi e lascia vivacchiare.

L'Esperto di questo bar si chiama Ciccio Mondoví, detto «Superquark». A Superquark domandagli qualunque cosa e lui ti risponde. Ha sempre letto il giornale giusto, visto la trasmissione giusta, parlato proprio con la persona giusta, e sempre «giusto ieri», «proprio stamattina», «pensa che coincidenza».

– 'Sto professore, un ebreo, dice che padre Pio si faceva le piaghe da solo, con l'acido. L'ho visto parlare in televisione, da Mentana.

In realtà non c'è nemmeno bisogno di fare la domanda: basta toccare un argomento, ed è come far cadere la moneta nel juke-box. Il juke-box? E che cos'è? Niente, roba di quand'ero bimbo. Mettevi i soldi e suonava una canzone. Ce n'era uno in ogni bar, ho fatto in tempo a vederne uno anch'io.

– E siccome il libro di 'sto professore, che mi pare pure che è comunista, ha alzato un polverone, adesso riesumano la salma per vedere questa storia delle piaghe.

– È una bestemmia! – dice Tajani. La notizia gli ha rovinato il rito del cappuccino. – Padre Pio è un santo, non si può profanare la sua tomba solo perché un comunista si è svegliato una mattina e si è inventato…

– La radio, – dice Ciaravolo. Non vuol dire che il comunista si è inventato la radio, ma che li stanno chiamando. L'appuntato indica fuori, l'auto in sosta con la ruota sul marciapiede.

– Vai a vedere che vogliono, – dice Tajani.

Ciaravolo esce, gli altri rimangono in silenzio, nessuno riprende l'argomento di prima, perché Tajani ha la faccia di chi potrebbe morderti il naso se solo lo guardi.

Ciaravolo torna. – Al Sanbenedetto. Ha chiamato una donna, in casa sua c'è un extracomunitario, malato di mente. Forse sta dando in escandescenze, la donna non parlava bene l'italiano.

– Con questi negri uno non sa piú cosa aspettarsi, – dice il barista.

Tajani fa il gesto di pagare il cappuccino (e l'Ace di Ciaravolo), ma l'uomo dietro il bancone gli fa un cenno, *lascia perdere e vai subito, hai cose piú importanti a cui pensare.*

E Tajani saluta e va, seguito dal ragazzo.

Sono ancora sulla soglia quando sentono la voce di Superquark: – Pensa che proprio ieri alla radio dicevano che…

2.

7 febbraio, ore 09.39

È il giorno delle decisioni senza appello.

Nell'ultima, lunghissima telefonata, Yama ha promesso a suo marito che sabato, tornando a casa, non troverà Momodou. Sta male da troppo tempo, non tocca cibo da troppi giorni, si alza dal letto solo per andare in bagno e inginocchiarsi sul pavimento rivolto alla Mecca. È sicura, lo convincerà a farsi curare, e se non ci riuscirà seguirà il consiglio di Marta: chiamare un'ambulanza che lo porti in ospedale, anche se non vuole.

Ha provato a parlargli per l'ennesima volta, ma le frasi gli cascavano addosso come frutta in un filare abbandonato.

– Se stasera non mangi chiamo l'ospedale.

Lui ha gettato in terra il piatto di riso e s'è girato dall'altra parte. Lei ha raccolto un coccio sporco di salsa e se l'è appoggiato sul polso, decisa a minacciarlo.

Ma poi s'è accorta di non avere piú parole nemmeno per
quello e ha gettato la scheggia insieme alle altre. È andata
nella sua stanza, è persino riuscita ad addormentarsi, dopo
un paio d'ore di lotta con le coperte.

Adesso è il giorno delle decisioni senza appello. Yama
accende il cellulare e compone il 118, cercando di non pensare.

Le chiedono nome, indirizzo, motivo della chiamata.

Dice che suo fratello sta male, sta morendo.

Le chiedono di essere piú precisa.

– Non mangia da tanti giorni, sta sempre nel letto.

Le chiedono se è privo di coscienza.

Yama non capisce.

– Se lo scuote risponde? Respira?

Yama risponde di sí.

Le chiedono se è in grado di muoversi in maniera autonoma.

– Solo va in bagno.

– Senta, – sbuffa l'operatore, – mi spiega cosa le fa pensare che sia necessaria un'ambulanza?

– Lui non vuole ospedale, non vuole medicine, non vuole mangiare. Lui muore.

Le chiedono se suo fratello ha un'infermità mentale cer-
tificata.

Yama non capisce.

– Voglio dire: ragiona, capisce quello che fa, quello che
gli succede?

– Io penso che no. Lui molto triste. Non capisce piú.

– Ascolti, lei allora deve chiamare il medico curante, ha
capito? Il dottore, e fargli visitare suo fratello. Se lui pensa
che è necessario, allora fa un foglio di trattamento sanitario
obbligatorio, dove dice che bisogna ricoverarlo, anche con-

tro la sua volontà. Senza quel foglio, noi non possiamo intervenire.

– Il dottore è già venuto, – dice Yama. – Ha scritto le medicine, ma lui non le prende. Lui muore.

– Senta, a me dispiace, questa per noi non è un'emergenza, capisce? Però se suo fratello è pericoloso, per sé o per gli altri, se minaccia di uccidersi, allora può chiamare i carabinieri. Loro sí che sono tenuti a intervenire.

Yama si fa dare il numero e lo compone sulla tastiera cercando di non pensare.

Le chiedono nome, indirizzo, motivo della chiamata.

Dice che suo fratello sta male, sta morendo.

– Ha sbagliato numero, – dice l'operatore. – Deve chiamare l'ambulanza, il 118.

– Lui sta molto male, vuole morire.

– Se sta male ci vuole l'ambulanza. Am-bu-lan-za. Numero: 118. Capito?

– Lui non vuole ambulanza. Lui vuole morire, dice che vuole morire.

– Mi scusi, ma allora non è che sta solo male, vuole ammazzarsi, è cosí?

Yama pensa a come rispondere, ma arrivano ancora altre domande.

– Lei ha provato a tranquillizzarlo? È sicura che c'è pericolo?

– Se voi non venite lui muore, – dice Yama con l'ultima voce.

– Ho capito, – sbuffa l'operatore, – le mando una pattuglia. Mi dica il suo numero di telefono e il nome sul campanello.

I.

Mezz'ora fa Yama ha chiuso la macchina da cucire, ha vestito e messo nello scatolone l'ultimo bambolotto, ha telefonato al laboratorio per dire che ha finito ed è finita anche la stoffa. Passeranno domattina e ne porteranno dell'altra.

Ora sta cucinando, riso e carne per due persone. Il *tchaclack* della chiave nella toppa perfora il ronzio basso della televisione. Yama sente i passi del fratello in corridoio, passi stanchi e goffi, e i soliti rumori: Momodou si toglie il giaccone e lo appende, si leva gli scarponi stando in piedi, appoggia le mani al calorifero tiepido ed espira dal naso, non dice una parola, non entra in cucina. Yama gli fa: – Ciao, – e ancora non lo vede ma sa, conosce quel piccolo rituale. In quel momento suo fratello ha gli occhi chiusi e la testa bassa, Yama capisce, la giornata è andata male. Momodou si vergogna e non trova le parole.

Quando Momodou era un uomo sereno, i suoi ritorni riempivano la casa. Nei primi tempi a Campanise, a volte passava da Gianni il tabaccaio, comprava bolle di sapone e rincasava soffiando, le bolle profumate entravano in cucina prima ancora che lui si togliesse il giaccone. Momodou rideva, scherzava, comprava piccoli doni per la sorella, sua sorella che lavorava in casa ed era sola tutto il giorno, perché suo marito Joseph lavorava a Surmano e tornava solo il sabato. Era l'estate che Momodou lavorava in campagna, a legare gli innesti con quegli elastici a forma di orologio, si infilavano dappertutto, Yama li trovava nei vestiti sporchi.

Poi Momodou è andato al Nord, a lavorare in una fabbrica di occhiali, e Yama è rimasta ancora piú sola. Le prime telefonate erano belle e piene di storie, la voce era stanca ma allegra. Il lavoro è ben pagato, diceva. La gente è un po' chiusa e diffidente, ma nessuno mi tratta male.

Poi la voce si è fatta più stanca e meno allegra, col tempo anche sforzata. Dopo il primo anno, a chiamare è sempre stata Yama. Gli chiedeva come stava, e lui rispondeva: «Come al solito», e poi si lamentava: il freddo, la nebbia, giornate sempre uguali. E la solitudine, soprattutto quella. Ho poche occasioni di parlare con qualcuno, diceva. La sera sono esausto. In città c'è un circolo islamico, ma sono pakistani, e poi la città è a venti chilometri da dove sto, di giorno c'è la corriera ma l'ultima torna poco dopo cena, poi basta, o hai la macchina o ti arrangi. Una volta ho fatto tardi e mi è toccato tornare a piedi, sono arrivato a notte fonda e alle sei ero già in fabbrica. Chiedere un passaggio, inutile provarci: se sei nero, l'unica auto che accosta ha il lampeggiante sul tettuccio. Qualche volta vado nei pub in paese, bevo un'aranciata o un succo di frutta seduto al bancone, ma nessuno mi rivolge la parola.

«E in fabbrica?» chiedeva Yama. I colleghi sono brava gente, rispondeva lui, almeno quasi tutti, ma quando escono di là si chiudono nelle loro casette, con moglie e figli. Piccoli mondi coi cancelli chiusi, e poi in fabbrica sei un collega, ma fuori sei solo un negro.

«Vengo a trovarti», diceva Yama. Ma lui ha sempre detto: «Questo è un posto che mette tristezza, e io sono già triste per tutti e due. Tanto tra poco vengo giù per le ferie».

E quando è venuto stava meglio, era contento di stare con lei e con Joseph, ma il giorno prima di ritornare gli cambiavano gli occhi, col passare delle ore si incurvava, e quando saliva sul treno era come portasse sulla schiena un baule. Un baule pieno di sassi.

Yama pensa che un po' è anche un problema suo, Momodou è sempre stato timido, ma poi prova a immaginarsi come sia vivere su al Nord. Lei non c'è mai stata, ma in Tv ha visto cortei contro gli stranieri, e quel signore grasso e brutto, con gli occhiali spessi e il cappottone sformato, che urla sempre cose terribili. Cose che la fanno rabbrividire.

La cena è pronta. Riso e carne per due persone, ma suo fratello si è chiuso in camera.

A marzo la fabbrica di occhiali ha chiuso e Momodou ha perso il posto. Non ha cercato lavoro al Nord, era stanco di stare da solo. Ha deciso di tornare a Campanise. Voleva lavorare qui, ma è stato male, ha avuto la depressione, è cosí che l'hanno chiamata i dottori. Gli hanno dato delle gocce, ma Yama pensa abbia smesso di prenderle. Parla sempre meno, mangia sempre meno, ma deve trovare un lavoro, altrimenti scade il permesso, e di tornare in Gambia non se ne parla nemmeno, laggiú non si vive. Ma dove le trovi le forze per cercare lavoro, se mangi come un uccellino? Con quale aspetto ti presenti al padrone, all'agenzia, all'uomo che arriva in piazza Crispi col furgone? Chi te lo dà un lavoro, se sembri un morto?

Yama sente Momodou uscire dalla stanza e andare in bagno. Povero fratello mio, cosa posso fare per farti stare meglio?

o.

14 agosto 1990, ore 9:00

Apre le orecchie in un letto che non è il suo. Dietro la porta, le voci soffuse di Momodou e della zia Baba. Lui è già in piedi da un pezzo, e come al solito vorrebbe svegliare anche Yama, perché da solo si annoia, i bambini del quartiere non gli stanno molto simpatici, ma la zia gli ripete che è venerdí, che la scuola è chiusa e se sua sorella ha ancora sonno, ha tutto il diritto di continuare a dormire.

Le voci si allontanano, Momodou fa finta di essersi convinto ed esce a giocare in strada. C'è ancora tempo per un paio di dettagli, la vera vita di quell'altra bambina che sogna di essere Yama e quando si sveglia le sembra di essere in un letto che non è il suo.

Poi Momodou, come ogni venerdí, si arrampica sul davanzale della finestra, allarga le tende e inizia a cantare.

Finita la strofa salta giú e va a sedersi sull'orlo del letto.

– Ho preso una rana gialla, la vuoi vedere?

– Dopo –. Yama si gira dall'altra parte, come se davvero volesse dormire ancora.

– Perché dopo? Ce l'ho qui in mano, magari dopo mi scappa.

– Se ti scappa nel mio letto chiamo la zia e le dico che mi hai svegliato.

– Eddài, Yama, è bellissima. Voglio dieci *bututs*, per farla vedere, ma per te è gratis.

– Dieci *bututs*? – Yama si volta di nuovo e tira su la testa. – Non è vero.

– La zia me ne voleva dare venti se la ributtavo nel fosso. Ma io le ho detto di no. Con una bestia cosí ne guadagno almeno il doppio.

Allunga la gabbia di mani sotto il mento della sorella e lascia che la rana infili il muso tra le dita. Sembra un anello d'oro con due pietre nere montate sopra.

– Bella, – dice Yama con meraviglia. – Ma chi è che te li dà, dieci *bututs*? Sulayman? Sua cugina Kati? Daud?

– No, a loro non la faccio vedere, – Momodou ritira le mani e le stringe contro il petto. – Mi chiamano sempre Pellicano, mi hanno stufato.

– E allora a chi? A George? A Mary?

– Anche loro mi chiamano cosí.

– E tu digli di piantarla, no?

– Gliel'ho detto: «Non mi chiamo Pellicano». Ma loro sentono solo l'ultima parola e mi fanno il verso: «Pellicano! Pellicano!», sbattono le braccia, gonfiano il collo, e si mettono a cantare quella storia del gabbiano stupido che diventò un pellicano.

Yama strisciò sulle coperte e andò a sedersi di fianco al fratello.

– Allora devi cambiare la canzone.

– E come la cambio? La storia è quella, la canzone fa cosí e basta.

– Davvero? – Yama prende tempo. – Sei proprio sicuro? – Poi salta giú dal letto e inizia a correre per la stanza sbattendo le braccia. – La conosci quella del gabbiano intelligente? Quello che si fece fare una sacca sotto il becco per portare piú pesci?

– Ecco, la senti? – dice il nonno. – È la campana di mezzodí. Andiamo, ché tra un po' la nonna apparecchia.

Non si sono accorti del passare del tempo, il nonno e Pasquale. Da quanto stavano in silenzio in cima alla collina? Mezz'ora, forse. Uno accanto all'altro, a guardare la distesa di alberi, il saliscendi del bosco, il verde che si allontana e man mano si fa piú chiaro, e l'azzurro intenso del cielo. A Pasquale piace, quel triangolo di Appennino, e gli piace passare l'agosto coi nonni, tutti gli anni, com'è sempre stato dall'inizio del suo mondo. Gli piace, e questa è un'estate speciale, perché a settembre cominciano le scuole medie.

Il nonno è tanto vecchio, ha quasi ottant'anni e si aiuta col bastone ma cammina veloce, anche in discesa, anche col

sole a picco un giorno prima di ferragosto, anche col cappello di paglia che è logoro e ha un foro sul cocuzzolo ma lui
non lo vuole cambiare perché ce l'ha da tanti anni. È veloce, nonno Amedeo, ma non come un ragazzino, e Pasquale
potrebbe superarlo ma gli sta dietro perché lo vuole guardare. Gli piace vederlo affrontare la collina col suo piglio mar-
ziale, come fosse ogni volta una spedizione, un raid, una missione di soccorso. Sí, Pasquale vede tutto in quel modo, ha
la testa piena di sogni e avventure, film di guerra e «giorna-
lini» (è la parola che usa il nonno), storie di detective e cri-
minali, e le immagini coloratissime dei *Conoscere* che nonno
comprò a papà quand'era piccolo.

E i ricordi di famiglia, soprattutto quelli. Il nonno ha fatto la guerra in Africa, anzi, ne ha fatte due, prima contro il
negus e poi contro gli inglesi. Durante l'estate, Pasquale passa interi pomeriggi ad ascoltare i racconti africani di Amedeo
Tajani, sottotenente degli alpini ed eroe del battaglione Uork
Amba. Nella testa di Pasquale, l'Appennino molisano si tra-
smuta, diventa Africa, monte Agher Bacac, la Cima Forcu-
ta, il Dologorodoc.

Il nonno compra tanti giornali. Alcune testate, l'edico-
lante del paese le ordina solo per lui.

Su quelle pagine, da qualche giorno Pasquale segue un caso di cronaca, una ragazza ammazzata a Roma, nella città
svuotata dalle vacanze. Si chiamava Simonetta, era bella, i
giornali pubblicano tutti la stessa foto, Simonetta in costu-
me da bagno sulla spiaggia. Pasquale a Roma non c'è ancora
stato, anche se è a un tiro di schioppo (un'altra parola del
nonno: «schioppo»), dall'altra parte delle montagne. Lo ap-
passionano le indagini sul delitto, vorrebbe andare a Roma
e investigare pure lui, scoprire chi ha ucciso Simonetta, ven-
dicarla. Vorrebbe diventare un eroe, bruciare le tappe che ha

davanti. Ma non è un ragazzo stupido, lo sa che è troppo presto e occorre dare tempo al tempo. L'importante, adesso, è cominciare le medie.

– Pasqualino, ma che fai lí fermo? – gli chiede il nonno, che nel frattempo è arrivato giú e si è accorto che il ragazzo non lo seguiva. – Ti sei imbambolato? Forza, si va a pranzare.

E Pasquale si scuote, dà un'ultima occhiata alle colline intorno, infine si rimette in marcia.

A Mohamed Cisse

Carlo Lucarelli

Niente di personale

È quello che dico tutte le volte che uccido qualcuno. O quello che penso, se non posso parlare, ma comunque lo faccio sempre.

Niente di personale.

Ed è vero, perché non ammazzo la gente per risentimento, gelosia, odio o passione, uccido persone che conosco appena e che il piú delle volte mi sono completamente indifferenti, e ogni tanto, guarda un po', anche simpatiche.

Altro? dice il fornaio, e io rispondo *Altro*.

Mi sono sempre chiesto chi l'abbia inventato questo stupido modo di dire. Altro? Altro. La prima è una domanda e ha senso, *Vuole altro?* La seconda invece è un'affermazione e vuol dire *No*. Ma è la stessa parola, cambia solo l'intonazione, che senso ha? Comunque, qua si usa cosí e io mi adatto. Sorrido al fornaio, che ricambia, e sorrido anche alla signora che mi passa davanti per pagare alla cassa, senza accorgersene perché non mi ha notato, e quando mi nota è cosí sconcertata che balbetta, intenerita e colpevole, ma io faccio *No, no* con la testa e torno indietro allo scaffale dei biscotti.

Succede sempre cosí, lo so.

Io lo chiamo «l'effetto peluche». Perché è quello che sembro, un morbido, paffuto, tenero peluche. E mica solo perché sono bassotto e grassottello, no, credo che sia per i miei occhi, per l'espressione dei miei occhi sgranati sul mondo come quelli di un orsacchiotto di pezza. Lo vedo nello sguardo delle signore quando finalmente mi notano – perché a prima vista di me non si accorge nessuno –, una dolcezza materna, la voglia fisica di stringermi e coccolarmi. E pure in quello degli uomini, una tenera, innocua simpatia e anche una franca riconoscenza per aver dato alla loro giornata una nota così... così buffa, sí.

È per questo che ho scelto il mestiere che faccio.

L'ho scelto razionalmente, e mi ricordo anche quando. Un giorno sono in vacanza e sto visitando una chiesa, e vedo che in giro ci sono un sacco di uomini in giacca e cravatta con l'auricolare all'orecchio. Deve essere arrivato qualcuno di importante, e infatti vedo Bill Clinton, che allora non era piú il presidente degli Stati Uniti ma girava con la security lo stesso. Probabilmente era in vacanza anche lui, a visitare la chiesa. Bene, Clinton si muove verso l'uscita e gli uomini con l'auricolare *puliscono* la navata, spingendo da parte i turisti per farlo passare. Ma si dimenticano di me. Non mi notano neanche e mi lasciano lí, sulla strada del presidente, per quanto ex. Poi uno di loro mi vede e mi prende per un braccio per tirarmi via, appena un po' bruscamente, ma appena appena. Clinton se ne accorge e lo ferma, mi chiede scusa, mi stringe la mano e allora io gli chiedo se posso fare una fotografia con lui e la macchina la dò a quello della security, e cosí ho una foto sottobraccio al presidente Clinton come se fossimo grandi amici scattata da quello che avrebbe dovuto tenermi lontano da lui.

Io sono cosí. Sono quello a cui chiedereste di guardarvi la valigia in aeroporto, quello a cui mettereste in braccio il figlio in modo da avere le mani libere per aprire la macchina. Posso starvi attaccato mentre digitate il codice segreto del bancomat, la password del computer, il Pin del cellulare. Sono rassicurante, piacevole, affidabile e apparentemente del tutto innocuo. Sono un peluche.

Certo, con le mie qualità potevo scegliere tanti altri mestieri. L'assicuratore, il promotore finanziario, il maestro d'asilo, il commerciante di qualunque cosa, anche il ladro.

Invece ho scelto di diventare un assassino professionista. E c'è un motivo. Un motivo preciso.

Sono cattivo.

Vado a prendere la macchina? dice il ragazzo alla cassa. Il fornaio mi guarda, il locale è vuoto, la signora se n'è andata, ci sono soltanto io con il pane e un pacco di biscotti in mano, *Sí*, dice, *vai, vai, che qua finisco io*.

Mi sorride, gli sorrido, e appena si volta per andare alla cassa tiro fuori la pistola da sotto il giubbotto e gli sparo in un orecchio. Poi mi aggrappo al bancone, per sporgermi oltre, e per sicurezza gli sparo un altro colpo in testa.

Niente di personale, mormoro, mentre premo il grilletto.

Il piede nudo scivola sulla pianta sudata. Mariangela apre le dita per schiacciarlo a terra e intanto si piega in avanti, le braccia tese, le mani che artigliano l'aria, ma lo sa che è sbilanciata, ha la gamba di dietro troppo in dentro e infatti ci sta ancora pensando che cade in avanti, il bavero stretto in una morsa che le tira anche i capelli, e poi sta pensando ai riccioli neri che le fanno male sulla nuca che già ruota sull'anca e vola, i talloni che descrivono un semicerchio perfetto, prima che la schiena si schianti sul pavimento con una botta che tronca il fiato.

Mariangela rotola su un fianco e cerca di alzarsi, ma è stata troppo lenta. Spalanca la bocca e afferra il braccio che le stringe la gola, si aggrappa alla manica, tirando sul gomito, ma una mano la spinge sulla testa, le schiaccia il mento sul bicipite che la strozza, e allora si fa prendere dal panico e annaspa, graffia tutto quello che le passa sotto le dita, gli occhi pieni di lacrime e un lungo ringhio soffocato in fondo alla gola.

L'istruttore batte il palmo della mano sul tatami, la biondina apre le braccia e Mariangela cade in avanti, sibilando, aspirando aria.

– Ma sei matta? – le ruggisce l'istruttore, all'orecchio. – Batti la mano a terra se vuoi arrenderti.

Mariangela annuisce, reprimendo l'ultimo singhiozzo. Si alza appoggiandosi al braccio dell'istruttore e si aggiusta il kimono tirando le falde sotto la cintura. L'altra ragazza è già davanti a lei, perfettamente in ordine, come se si fosse appena vestita. Si inchina nel saluto e quando le loro teste quasi si sfiorano le sorride, con un sorriso aperto di trionfo.

La incontra di nuovo fuori dalle docce, davanti agli armadietti. La biondina ha i capelli corti e ha fatto presto, invece lei è ancora lí a sfregarsi la testa col cappuccio dell'accappatoio, ha tutti quei riccioli neri che le si attorcigliano umidi sotto la stoffa, troppo lunghi per la doccia, per il judo e anche per il suo mestiere.

– Scusami se t'ho fatto male, – dice la biondina, ma da come sorride ancora si vede che non è sincera.

– Non è niente, è colpa mia. Sono negata.

– Perché ci vieni, allora? Mica è obbligatorio neanche da voi, no? – Le scivola la voce sulle finali, deve essere di qui, pensa Mariangela: Ancona, Pesaro, al massimo Fano.

– Non lo so. Abitudine. Sfida con me stessa.

– La prossima volta mi metti sotto tu.

La biondina si infila la maglietta e i capezzoli piccoli le tendono appena la stoffa bianca di bucato. Aveva un tono strano nella voce e adesso ce l'ha negli occhi, e poi sulle labbra, in un sorriso malizioso. Ma no, dài, pensa Mariangela, avrò capito male.

La biondina si chiude la lampo del giubbotto fino quasi al naso. Saluta con un cenno della mano e prende la borsa nera con la fiamma dei carabinieri. Mariangela finisce di asciugarsi, si veste, in fretta, attenta al livido che ha sul collo, perché non è vero che non le ha fatto niente, le ha fatto male e le ha lasciato una striscia bluastra come un succhiotto, che se Marco non fosse Marco e lei non fosse Mariangela, da spiegare sarebbe un guaio.

Poi infila l'accappatoio nella borsa, la sua è verde con il logo Esercito Italia, e se ne va anche lei.

Sul pianerottolo di casa deve riaprire la borsa per cercare le chiavi. Lo fa sempre, le butta dentro prima di cambiarsi per l'allenamento, poi si dimentica di tirarle fuori. È cosí che lo nota, inginocchiata sullo zerbino, il relè che fa spegnere la luce all'improvviso e lui che riaccende e resta fermo, a guardarla. Però non le dà fastidio. Ha un'aria cosí simpatica, quel tipo, cosí buffa, che sorride anche lei.

– Mi scusi, – dice, – non volevo fissarla… guardavo la borsa, – anche Mariangela guarda la borsa, – in effetti le donne nell'esercito ci sono da un po', ma chissà perché fanno ancora un certo effetto. Lei cos'è?

– Sottotenente. Comando militare dell'esercito. Ufficio documentazione matricolare.

– Io ragioniere. Ramo elettronica, ufficio vendite.

Mariangela sorride. Gli tende la mano, ancora da lí, in ginocchio sullo zerbino. Mariangela Riva. Angelo Ferri. Piacere.

– Mi scusi ancora. L'ho vista tante volte rientrare a casa e non avrei mai pensato che era un soldato. È un pensiero molto maschilista, lo so…

L'ha vista tante volte. – Perché, abita qui da molto?

– Un mese, piú o meno.

Stava per dire che non l'aveva mai notato ma si trattiene. Lui però lo ha capito, ma non sembra che gli dia fastidio, anzi, sorride.

In casa, appena ha chiuso la porta, già si è dimenticata di
quell'ometto buffo. Marco ha lasciato la cravatta su una sedia, nel corridoio, la giacca attaccata a una maniglia e la camicia sul pavimento del salotto, sopra le scarpe. Potrebbe essere la scena di un adulterio, ma lei sa che non è con una donna che lo troverà. Magari capitasse... almeno succederebbe
qualcosa.

Invece è sul divano, in canottiera, attaccato al cellulare,
e ci resta finché non è ora di cena.

Del suo livido sul collo, tondo e blu come un succhiotto,
non si accorge neppure.

Perché io so come si uccide una persona.

Non intendo tecnicamente, dove si colpisce e come, voglio dire strategicamente, nel senso di come la si avvicina, la
si studia, la si conosce. I terroristi di una volta la chiamavano «l'istruttoria», e anch'io la chiamo cosí, l'istruttoria. Ne
sto facendo una proprio in questo momento.

Lei è stesa sulla pancia, sopra un telo da spiaggia, le gambe piegate all'indietro e i piedi nudi che si sfregano insieme
per levare la sabbia. Legge un libro sollevata sui gomiti – che
libro? Da qua non lo vedo. Potrei lasciare la passerella, attraversare la spiaggia e girarle davanti, ma non voglio che mi
veda, perché lei mi conosce, mi ha già notato, e ora so che si
ricorderebbe di me. Sottotenente Mariangela Riva. Non credevo che si abbronzasse cosí facilmente. Sono i primi giorni
in cui si può venire in spiaggia, c'è ancora il sole pallido del-
l'ultima primavera ed è già dorata.

Lui invece è ancora quasi vestito. Bermuda sí, ma camicia chiusa sul petto, e sembra che si sia appena tolto la cra-

vatta. Bel ragazzo, abbronzato anche lui, piú tipo lampada, e fisico da squash, un po' appesantito. Parla al cellulare. Allunga distratto una mano e la appoggia sul sedere di lei, che si scuote. Poi lui si alza e viene verso di me.

Non mi conosce e non mi nota. Mi passa vicino e sento che ringhia *Cazzo, cazzo, cazzo!* come se volesse stritolarlo tra i denti, il Motorola.

Neanche gli altri due mi notano.

Io invece li ho visti subito, alti, occhiali da sole, capelli corti schiacciati dal gel, sudano ma non si tolgono il giubbotto, uno sulla passerella, poco distante da me, e l'altro seduto su un lettino, nella spiaggia quasi deserta. Deve essere lui il brigadiere, se sono carabinieri, o l'ispettore, se sono poliziotti, ma direi piú carabinieri. Mi passano accanto anche loro per seguirlo al bar sul lungomare, mentre cammina avanti e indietro tra i tavolini, disturbando la gente. Ci sono persone che non riescono a parlare al cellulare stando ferme in un posto, e lui è uno di quelle.

Ma è quando torno a guardare lei che me ne accorgo.

Deve essersi girata sulla schiena e poi di nuovo sulla pancia, perché ha due dita di sabbia sulla natica, dove lui aveva appoggiato la mano sudata. Resto a guardarla per un momento – ammetto che mi piace – poi il gelato mi cola sulle dita, piego la testa per leccarlo via e lo vedo.

Ha il cellulare puntato verso di me. Un ragazzotto riccio, con una polo gialla. Mi ha scattato una fotografia. E non verso di me, a me, proprio, perché appena capisce che lo sto guardando infila il Nokia nella tasca.

Se si accorge di me è perché mi ha notato.

Se mi ha notato è perché mi stava già guardando.

Se mi stava già guardando è perché lo interesso.

Cosí sparisco. Facile, perché nel tentativo di non farsi scoprire da me ha abbassato gli occhi e io sono sgusciato via tra

due cabine, lontano dalla spiaggia. Lo seguo mentre mi cerca – dilettante, e poi quella polo gialla, cosí visibile: dilettante e stupido – lo seguo mentre capisce che mi ha perso e lo
seguo sul lungomare, fino alla macchina che lo aspetta, e lí
mi fermo a finire il gelato.

Non ho bisogno di avere le mani libere per scrivermi il
numero della targa.

Perché quella macchina, io, la conosco.

Io lavoro per la 'ndrangheta.

Non è come nei film americani, con i killer professionisti
che praticamente mettono gli annunci sui giornali. Qui se
vuoi fare questo mestiere devi stare con una grossa organiz-
zazione, statale o privata.

Io sto con la 'ndrangheta.

Ma mica perché sono calabrese, no, io sono di Rimini,
Igea Marina, per la precisione. Con la 'ndrangheta ci sono
capitato per caso, facendo un favore a un amico, e adesso sono piú o meno in comproprietà con un paio di 'ndrine del
Nord che fanno affari assieme. Gli Stranome di San Luca e
gli Arangara di Platí, tutte e due con base nelle Marche. E
faccio un paio di lavori anche per i Casalesi, su nel parmen-
se, col permesso delle 'ndrine, naturalmente. È proprio perché non sono calabrese che posso farlo, sono piú libero, un
mercenario, appunto.

Il mio contatto con le 'ndrine è zu' Pasquale.

Zu' Pasquale sta proprio sotto il duomo, in una piazzetta
piena di gatti che miagolano in continuazione, sia di notte
che di giorno. Mi sono sempre chiesto come faccia a soppor-
tarlo, perché praticamente vive sulla terrazza, anche quando
piove. Da lí si vede tutta la rada di Ancona davanti, e dietro
la collina e la guglia del duomo, ma lui non ci sta per la vista,
perché è cieco. Dice che è per l'odore del porto, non quello

del mare, quello del pesce dei pescherecci, della nafta dei mer-
cantili, del petrolio delle petroliere. Dice che gli manca Gioia
Tauro. Gli manca dal 1972, quando l'hanno mandato qua in
soggiorno obbligatorio e non se n'è piú andato.

– Angelino beddu, sali di sopra, vieni!

Mi ha sentito prima ancora che lo chiamassi, solo perché
ho sibilato per scacciare un gatto. È bravo, zu' Pasquale, tutto naso e orecchie, sarà una bella partita. Perché appena mi
siedo sulla sdraio davanti a lui io vedo dalla sua faccia che
c'è qualcosa di strano e lui lo sente dalla mia voce. Sí, sarà
una bella partita.

– Prenditi la 'nduja di Concettina, me la manda tutti i
mesi ma io non la posso mangiare, con l'ulcera perforata che
ho mi fa peggio di una coltellata nella pancia. Però a lei non
glielo dico. La metto nei vasetti, quelli trasparenti per la pasta, sapessi quanti ce n'ho… prenditene uno, fammi il piacere.

Sono tutti allineati in cucina, li vedo da qui, una linea rosso fuoco sullo scaffale lungo la parete.

– Queste cose da calabresi, la 'nduja, il peperoncino, tutto cosí tipico… tua sorella sta ancora a Rimini?

– Sí.

– E che fa, ti manda la piadina romagnola?

– Sí.

– Davvero? Allora tutto il mondo è paese.

– Zu' Pasquale, mi vuole male qualcuno?

Lui è bravo a leggere la voce, io sono bravo a leggere le
facce. Contrae appena l'angolo di un labbro, quello destro,
e solleva di poco un sopracciglio, pochissimo. Allarga le narici, impercettibilmente.

Sí, qualcuno mi vuole male.

– Angelino beddu, ma che dici? A te ti vogliono bene tutti, sei prezioso.

– No, perché ho visto la macchina di Michele Arangara
che mi sembrava mi seguisse.

– Ti sarai sbagliato. Che macchina ha Michelino? Ce ne
saranno tante… e poi gli Arangara ti vogliono bene, sei anche loro, no? Che credi, che qualcuno vuole farti qualcosa?
A te? Al nostro Angelino beddu?

Sí, mi vogliono ammazzare.

– Ho pensato che magari c'entrava qualcosa il lavoro che
devo fare.

Labbro, sopracciglio e narici.

Sí, è quello il problema. Anche se non so perché.

– Angelino beddu, non te l'ha detto Peppino Stranome
di fare l'ammazzatina?

– Zu' Pasquale…

– Tranquillo, Angeli', con le antenne del porto i direzio-
nali non funzionano. E faccio la bonifica tutti i giorni, qui
cimici non ce ne sono.

– Posso parlare con Peppino? Cosí sono piú tranquillo.

Non muove un muscolo. Il sorriso simpatico di zu' Pasquale, i suoi occhi socchiusi, solo il bianco della cornea che
filtra tra le palpebre. Non muove un muscolo per un attimo
di piú di quello che sarebbe naturale.

Comincio a capire.

– Peppino è fuori città. Si è preso una vacanza, non so
neanch'io dove. Era cosí stressato, poverino, gliel'ho detto
anch'io, vai, vai, riposati.

Ecco, adesso ho capito.

– Angelino, lo stai facendo quel lavoro che ti abbiamo af-
fidato?

– Sí.

– Te l'hanno detto che deve fare un grande botto?

– Sí, me l'hanno detto.

– Allora sbrigati a farlo. Entro domani.

Bene. Cosí adesso so un po' di cose. So che ce l'hanno
con me e che mi vogliono ammazzare per il lavoro che sto
facendo. E so anche quanto tempo mi rimane. Fino a domani. Ho ancora ventiquattr'ore di vita.

Non devo sprecarle.

Tiro fuori la pistola. Zu' Pasquale la sente. L'odore del-
l'olio lubrificante, credo.

– Che c'è, Angelino, che vuoi fare?

Non dico niente, lascio parlare i gatti. Ora capisco come
fa zu' Pasquale a stare sul terrazzo con tutto quel baccano.
Quando hai altro da pensare ti ci abitui e non li senti. Io, infatti, me ne ero dimenticato.

– Angelino, che c'è? Dove vai?

Sono andato in cucina, a prendere un vasetto di 'nduja,
il piú rosso di tutti. Glielo metto davanti, a zu' Pasquale, e
lui lo sente anche se c'è il vetro, aspira quel fuoco con le narici aperte e sbatte le palpebre sugli occhi bianchi.

– Vorrei farti ancora qualche domanda, zu' Pasquale, –
gli dico. – Niente di personale.

Ogni tanto, però, è come se si accorgesse all'improvviso
della sua esistenza. Allora la guarda come se fosse la prima
volta e nei suoi occhi c'è quell'espressione sorpresa che l'a-
veva fatta sorridere quando lui si era girato, sul palco, alla
parata del 4 giugno, e i loro sguardi si erano incrociati.

Ora ha negli occhi la stessa luce morbida, sorpresa e ammirazione, sorpresa e desiderio, e lei di nuovo pensa che l'a-
ma, allora lo aveva capito e adesso se lo ricorda.

Marco.

Anche cosí, in canottiera sul divano, con i vestiti in giro
che lei dovrà raccogliere, il cellulare in mano che comunque
squillerà, la finestra aperta nonostante l'aria condizionata,
la busta del prosciutto sul tavolino, mezza finita, anche se

tra poco si mangia e lei è dovuta uscire in fretta dall'ufficio per passare dalla rosticceria.

Però lo ama, se lo ricorda, lo sa, e quando lui le dice *Dài, vieni qui* e batte la mano aperta sul cuscino del divano, lei appoggia sul tavolo il sacchetto della rosticceria, si toglie il baschetto e si avvicina. Docile come un cagnolino, pensa per un momento, poi lui allunga una mano, gioca con le dita tra i suoi capelli e lei se lo dimentica.

Raccontami cos'hai fatto in caserma.

Non è una caserma, è un comando. E cosa vuoi che abbia fatto? Fogli matricolari, trasferimenti, carte per le pensioni.

Interessante.

Stupido. Dimmi di te, invece. C'è qualche problema col lavoro? Ti ho visto nervoso in questi giorni.

Io sono sempre nervoso, lo sai.

E poi quel giornale stupido, che ti attacca sempre…

Tutta politica…

Ma quell'imprenditore che dicono… sarà vero che è un mafioso?

Le sue dita tra i capelli. Le sente dietro l'orecchio, sul collo, e i brividi le fanno piegare la testa, come quella volta, quel 4 giugno di tre anni prima, ma non alla parata, oddio, no, dopo, la sera, a cena.

Senti, sussurra lui, *sono l'assessore allo Sviluppo, e se un imprenditore vuole costruire una catena di alberghi a me fa solo piacere. Se mi porta il certificato antimafia e fa tutto con la dovuta trasparenza gliela lascio fare, se no ciccia. E se i giornali dell'opposizione rompono i coglioni io me ne sbatto il cazzo. Prima mi attaccano perché dò troppe licenze, poi ora che faccio il serio mi attaccano lo stesso, chissenefrega.*

Non le aveva parlato cosí, quella volta, ma il peso del suo fiato sull'orecchio è lo stesso, la mano che le si infila sotto la camicetta è la stessa, le dita che le stringono il seno, le labbra che le premono sulla bocca, la lingua, anche il calore che sente tra le gambe, schiacciato da quello di lui, rigido sotto la stoffa dei boxer, anche quello è lo stesso. E quando Marco la spinge giú sul divano, e lei si divincola per sgusciare fuori dai calzoni dell'uniforme e se lo sente addosso sulla pelle nuda, dimentica tutto di colpo e non le importa piú niente, niente di niente.

Dopo, però, è diverso. La teneva tra le braccia, come fa sempre quando è finito, ma il cellulare ha cominciato a vibrare sul pavimento. Lei ha pensato no, per favore, no, e lui non l'ha raccolto, e anche questo le ha ricordato quanto l'amava. Poi però non ha resistito, ha allungato un braccio, *Cazzo! Due chiamate non risposte!* e l'ha perso di nuovo.

Quando suona il campanello è già sveglia. Ormai ce l'ha dentro, come un impulso automatico, alle sei e mezzo apre gli occhi. Le è rimasto da quando faceva il corso per allievo ufficiale, a Roma, le note della tromba che uscivano dall'altoparlante tutti i giorni alle sei e mezzo precise, e poi in caserma, lí si svegliava un secondo prima, in tempo per sentire il fruscio del nastro registrato che si avviava.

Adesso potrebbe svegliarsi piú tardi, in ufficio non c'è l'alzabandiera, e Marco a quell'ora ancora dorme, ma non importa, occhi aperti alle sei e trenta e giú dalla branda. D'estate passa quello che manca alla sveglia di Marco davanti alla portafinestra del terrazzo, a prendersi la brezza marina che le sventola addosso la tenda. L'ha messo lí il tavolino per la colazione, cosí può guardare il mare mentre prende il caffè, e oggi c'è un sole che fa sbattere gli occhi.

Quando suonano è ancora in vestaglia, perché oggi va in ufficio ancora piú tardi. Sono sempre quei due, quello piú grosso e quello meno, quello con i capelli coperti di gel e quello meno, uno piú giovane e l'altro meno. La salutano con la mano tesa alla fronte, perché sono militari anche loro, un gesto rapido però, perché sono militari diversi.

– Mio marito è pronto, arriva subito. Volete un caffè?

– Grazie, già preso.

Dal bagno arriva il rumore dello sciacquone e un momento dopo ecco Marco, camicia, cravatta e cellulare in mano. Si infila la giacca e si avvicina per baciarla. Lei sorride. Negli ultimi giorni se ne dimenticava sempre ed era lei a dovergli correre dietro.

– Senti, – dice Marco, – ti dispiace se la prendo io la tua macchina e ti lascio il Suv?

– No, perché?

– Assessore… – inizia quello meno giovane, ma Marco lo blocca con un gesto.

– Non voglio che la gente pensi che ho paura. Già mi sembra una stronzata questa storia della scorta…

– Assessore…

– Se uso la tua Panda e loro mi vengono dietro è meglio, sembra davvero che me ne frego.

– Assessore, col Suv sarebbe piú…

– Andiamo, perché ho ricevuto un proiettile in una busta una settimana fa! Non sarò mica il primo, no? L'ha detto anche il prefetto che è solo una precauzione, cosí, per scrupolo. E poi lo so che la scorta fa status symbol, ma io non ho quell'immagine lí.

– Intanto si direbbe protezione e non scorta… – mormora quello piú giovane.

Marco prende le chiavi della Panda dal cestino vicino alla porta. Ci lascia cadere dentro quelle del Suv. Mariangela vorrebbe dire qualcosa, ma lui le ferma le labbra con un altro bacio.

– Stai tranquilla, – le dice, – e non mi rigare la macchina.

– Ma se guido meglio di te!

È vero, lei ha fatto un corso di guida veloce, ha fatto tutti i corsi che c'erano, anche paracadutismo, anche judo e tiro istintivo. L'unico che le sia riuscito bene è quello di guida, negli altri ha fatto schifo, si è slogata una caviglia col paracadute e ogni settimana si fa strangolare dalla biondina coi capelli corti. Deve esserci qualcosa di masoschista in lei, e lo pensa guardando Marco che sparisce dentro l'ascensore seguito dai due e la saluta con un gesto della mano, ma senza guardarla, gli occhi persi sul display del cellulare.

La differenza fra un'istruttoria fatta bene e una fatta male è che con quella fatta bene ci puoi mettere a posto l'orologio. E infatti alle otto, minuto piú minuto meno, la porta interna del garage sotterraneo si apre ed esce il primo carabiniere, quello piú giovane, con la mano sotto il giubbotto – ma è solo routine – poi l'assessore e dietro il brigadiere.

È sicuro? dice il brigadiere, ma l'assessore non gli risponde neanche, punta sulla Panda gialla parcheggiata accanto al Suv e ci monta dentro, digitando un numero sul cellulare.

Che stronzo, neanche la cintura… dice quello piú giovane, *arrestarlo, altro che proteggerlo*, e l'altro scuote la testa, perché se non fosse che gli hanno parcheggiato dietro la Punto di servizio lui partirebbe a razzo, lasciandoli lí.

Quando non sento piú le gomme stridere sull'asfalto unto del parcheggio esco dall'angolo in cui mi sono nascosto. Porto la bicicletta accanto al Suv, tiro fuori il coltellino e foro la gomma davanti, spingendo sul manubrio per sgonfiarla piú in fretta. Poi aspetto.

Se l'ho fatta veramente bene, l'istruttoria, tra mezz'ora al massimo dovrebbe arrivare anche lei.

E infatti eccola.

Ventisette minuti.

Porta la mimetica e mi viene da sorridere, perché cosí mi-

litare, cosí *soldato*, ancora non l'avevo vista. Sempre divisa
d'ordinanza, camicetta, calzoni con la piega e scarpe basse,
da impiegato, oppure in borghese, come una donna e basta,
e invece adesso, le chiazze scure sulla stoffa grigioverde, la
stringa con il nome sul petto, le stelline sulle spalle, gli anfi-
bi. In mano ha il basco arrotolato attorno ai guanti, e agganciato al mignolo il portachiavi del Suv, col telecomando della chiusura centralizzata. Non ci avevo pensato a quello, cosí, appena appoggia a terra la ventiquattrore esco allo scoperto
con la mia bicicletta. Volevo farmi trovare in fondo al garage, come per caso, ma è meglio non farglielo usare, quel telecomando.
    – Scusi!
Sobbalza, ho urlato troppo forte, per bloccarla. Mi guarda, non spaventata – io non faccio paura – ma perplessa, perché non mi ha riconosciuto.
    – Ferri, – dico, – il vicino di casa… ci siamo incontrati
sul pianerottolo.
    – Oh, sí, – ma non sono sicuro che si ricordi davvero.
Spingo in avanti la bicicletta per farle vedere la ruota.
    – Che sfortuna, eh? Qualche cretino me l'ha bucata…
Senta, mi chiedevo una cosa, adesso che l'ho vista… non è
che mi dà un passaggio? C'è l'autobus in fondo alla strada,
ma io ho questa borsa pesantissima, – gliela indico, attaccata al manubrio, e infatti ha l'aria pesante, tutta storta da una
parte, la cinghia della tracolla tesa come se dovesse spezzar-
si, – e con la mia schiena… mi farebbe un gran piacere, davvero…
    Mi guarda. È troppo gentile per dirmi di no, ma lo vedo
che la trova strana, quella richiesta da uno sconosciuto, dovevo prepararla, parlarle della bicicletta, farmi compatire e
portarla a offrirmelo lei, il passaggio, ma non c'è tempo. Non
mi piace quel telecomando. Ho già la mano in tasca.

– Va bene, – dice lei, – per cosí poco, non c'è problema.

Alza la mano per puntare il telecomando della chiusura centralizzata ma io gliela fermo.

– Per favore, – dico. – Io non lo farei.

Io so che quando uno vede una pistola in una situazione del genere all'inizio non ci crede. Non è perché la tengo io, è sempre cosí, chi se l'aspetta una pistola sotto il naso, nella sua vita, una mattina qualunque di un giorno qualunque. Ne approfitto per prenderle il telecomando dalle dita e per spingerle la pistola contro la pancia, perché cominci a crederci sul serio.

– Meglio non usarlo, questo, – apro la portiera del Suv con la chiave, stando attento a non premere i pulsanti. – Ci sono trenta chili di tritolo sotto la macchina. Hanno un innesco telecomandato, e non si sa mai, le interferenze…

La faccio salire davanti, al posto di guida, e io salto dietro, tirandomi dentro la borsa, che è davvero troppo pesante e quasi mi tira giú. Le passo le chiavi.

– Metta in moto e andiamo via.

Non si muove, come mi aspettavo. Ma non c'è problema, adesso abbiamo tutto il tempo.

– Mariangela, – le sussurro all'orecchio. – Sono armato. L'ha vista, la pistola. Voglio che faccia quello che le dico. Metta in moto, esca dal garage e guidi piano, cercando di evitare le buche grosse. L'innesco della bomba è telecomandato ma non si sa mai, con gli esplosivi.

Le tocco il collo con la canna della pistola e lei rabbrividisce come per un bacio. Mette in moto.

– Come fa a saperlo? – mi chiede. – La bomba… come fa a sapere che c'è?

Quando il cervello riparte e comincia a riprendere possesso della realtà c'è sempre il rimasuglio di una domanda assurda che frulla da qualche parte. Cosa gliene frega di come faccio a saperlo? È su un'auto imbottita di esplosivo, con uno sconosciuto che le punta una pistola alla testa... cosa gliene importa di come faccio a saperlo?

– Lo so, – le dico. – Ce l'ho messa io.

Per un po' non fa che tremare. Le mani strette sul volante, le nocche bianche, finché non si accorge che le dita le fanno male, i muscoli del collo in fiamme per lo sforzo di guardare avanti, come le ha detto lui, senza alzare gli occhi allo specchietto retrovisore. La schiena rigida, spinta da una parte per allontanarsi il piú possibile dalla bocca della pistola che le punta da dietro il sedile, stupidamente, perché lo sa che non serve spostarsi cosí, ma ancora non riesce a pensare. È come se non accadesse a lei, e c'è solo quel tremito continuo, intenso e sottile, che le ricorda cosa sta succedendo.

Piano, le ha detto lui, *non ci corre dietro nessuno, si fermi al semaforo, brava, attenta alla rotonda, come a scuola guida*. Le ha fatto prendere per la Flaminia, fino a Torrette, poi ancora avanti, sul lungomare, Falconara Marittima, ancora avanti, la ferrovia da una parte e la sabbia della spiaggia dall'altra, ancora avanti, piano, la pistola sulle ginocchia e la voce morbida, tranquilla, come quella di un navigatore.

Sono andati a prendere l'autostrada a Senigallia, lui le ha indicato la direzione da seguire e lei l'ha fatto, anche se non saprebbe dire quale, perché aveva ricominciato a pensare concretamente. Aveva tre domande in testa e cosí le aveva fatte tutte assieme, sputandole fuori come un colpo di tosse.

Chi sei tu? Perché io? Cosa vuoi da me?

– È ancora troppo complicato per lei. È molto scossa e non sarebbe in grado di capirlo.

– Mi ucciderà?

– No, se non mi costringe.

– Vuole…

– Abusare di lei? Violentarla? No. Voglio solo restare vivo.

– Ha messo una bomba su questa macchina. Perché?

– È il mio mestiere. Sono un assassino professionista. Lavoro per la 'ndrangheta.

Lei pensa: Marco. Allora le minacce sono vere. Allora davvero la mafia vuole ammazzare suo marito.

– È per quell'appalto… quello dei supermercati.

– Sí.

– La… la 'ndrangheta vuole uccidere… – non riesce a dirlo, per un momento le è venuta in mente la fiammata, il botto, Marco che brucia, però lo dice lo stesso, si forza, perché comincia a riprendere il controllo e deve fare cosí. – Vuole uccidere mio marito per l'appalto… Perché lui non glielo vuole piú dare.

– È un po' piú complicato ma non importa. Per adesso va bene. Usciamo alla prossima, riprendiamo l'autostrada e torniamo ad Ancona.

– Perché?

– Perché volevo vedere se ci seguiva qualcuno. La vede quella macchina là dietro?

È nello specchietto, la macchina della spiaggia, quella degli Arangara.

Mariangela si irrigidisce, non per l'auto che li segue, ma perché lui si è mosso, si è arrampicato tra i sedili e le è caduto a fianco, al posto del passeggero.

– So che ha fatto un corso di guida veloce. Appena entriamo in autostrada vorrei che seminasse i nostri amici là dietro. Pensa di riuscirci? Io sono sicuro di sí.

Tutte le volte che salgo in collina mi viene una gran voglia di fare merenda. Non è proprio fame, mi succede anche se ho già mangiato – a parte che io mangerei sempre – perché non è voglia di qualunque cosa, è voglia di un panino, di quelli con la crosta grossa, tutti mollica, o anche una rosetta, insomma, un panino da merenda. Se poi il paese è come Corciano, uno dei piú bei borghi d'Italia, dice wikipedia, allora quello di salire su fino al castello e mettersi sotto un albero con un panino al salame diventa proprio un desiderio fisico.

– Che bella che è l'Umbria, eh? – dico, ma lei non mi risponde, anzi, stringe un po' i denti. Comincia a diventare pericolosa. Sono due ore e mezzo che stiamo in macchina, ha afferrato la situazione e ci si sta adattando. Prima sobbalzava tutte le volte che le squillava il cellulare – *Che numero è questo? L'ufficio, mi stanno cercando. E questo? Marco, l'avranno chiamato* – poi la suoneria ha smesso di farsi sentire e lei si è calmata, ma è peggio. Sta ragionando, l'ho visto quando abbiamo incrociato quell'auto dei carabinieri, e lei non li ha neanche guardati. Sa che non è il momento, e aspetta quello giusto. Non importa, la tengo sotto tiro, e quello che farò tra poco rimetterà tutto nella giusta prospettiva.

Arriviamo a un bivio e le indico dove voltare, non giú verso il lago ma su per la collina. Tagliamo tra gli orti, lungo una stradina bianca. C'è una villetta con un dondolo nel cortile, ce n'è un'altra con un colore assurdo, no, piú avanti, piú avanti, mica me la ricordavo cosí in alto, però, ma era notte quando ci sono venuto.

Prima della curva c'è una casa che è piú un casolare che una villa. C'è un vecchio con un rastrello che spazza la ghiaia di un vialetto, piano, come se la pettinasse.

– Ferma qui, – dico, poi abbasso il finestrino. – Scusi, per cortesia, un'informazione…

Il vecchio mi guarda. Sembra indeciso se riprendere a spazzare o darmi retta, poi si mette il rastrello sottobraccio e si avvicina. Quando è a un metro e mezzo, piú o meno, tiro fuori il braccio dal finestrino, penso: niente di personale, e gli sparo in fronte.

Lei mi ha visto, ma il singhiozzo del silenziatore, cosí muto, cosí irreale, ritarda la sua percezione delle cose. Apro lo sportello, la prendo per i capelli e la tiro fuori. Lei urla e cade sulla ghiaia. Il vecchio è steso nel vialetto, a braccia aperte, gli afferro un polso e le ringhio di fare altrettanto, so che non ho una voce autorevole, ma glielo ripeto cosí tante volte che obbedisce, come sotto ipnosi. Dal vialetto al casolare ci saranno un centinaio di metri. Trasciniamo il vecchio oltre la porta e lo lasciamo sul pavimento. Non ci ha visto né sentito nessuno, ho fatto in fretta, e il Suv ci ha coperto dalla parte della strada. È ancora là, in moto.

– L'hai ucciso, – dice lei.

– Andiamo a prendere la macchina.

– L'hai ucciso! – lo grida.

Sta reagendo male. Speravo che vedermi uccidere le rinfrescasse la paura e invece la sta trasformando in odio. La vedo rannicchiarsi su se stessa in posizione di difesa, le mani aperte, pronta a scattare.

Se lo fa devo spararle.

Se mi attacca devo ucciderla, e non voglio.

– A terra, – le dico, – a terra! – Agito la pistola e questo la blocca abbastanza perché possa girarle alle spalle, prenderla per i capelli e tirarla giú, a sedere. Le schiaccio la canna della pistola su una guancia, restandole dietro. – Togliti una scarpa, – le sibilo all'orecchio.

– Cosa?

– Un anfibio, toglilo! – Le dò un calcio sul piede destro, piano, di taglio, solo per farle vedere quale. – Toglitelo! – le grido, e lei lo fa, slaccia le stringhe e lo sfila, ed è cosí smarrita che se lo fa levare di mano. Lo getto lontano, poi le afferro la punta del calzettone e glielo tiro via, girandole davanti. Lei resta col piede nudo, ancora piú smarrita, lo appoggia a terra e mi guarda, senza capire. Allora io scatto, faccio strisciare la suola della scarpa sul pavimento e la colpisco dritta sul mignolo, con un calcio di punta.

L'urlo che fa copre lo schiocco dell'osso che si rompe.

La lascio urlare, accartocciata sul pavimento con il piede tra le mani, ed esco fuori, a prendere la macchina.

Il dito le pulsa sotto la pelle che scotta di freddo, anestetizzata dal ghiaccio, e soltanto il ricordo di quello strappo secco le fa cosí male che le viene da vomitare. Adesso è seduta sul divano del soggiorno, con la gamba su, il ginocchio schiacciato contro il petto, a stringersi un malloppo gelido di stoffa sulla punta del piede. È stato lui a portarglielo, il ghiaccio, avvolto in un fazzoletto. Ha trovato anche un paio di ciabatte infradito da qualche parte, e gliele mostra, con un sorriso gentile.

– Perché mi ha fatto questo?

– E cosa dovevo fare? Spararle in una gamba? Succede solo nei film, nella realtà uno muore dissanguato.

– Ma io non facevo niente!

– Non è vero. Stava per saltarmi addosso e io non sono un granché nel corpo a corpo, anche se ho letto tutti i manuali. Era un koshi guruma, mi pare, o comunque una tecnica di anca, ma se mi permette, teneva la gamba dietro troppo dentro.

Se toglie il ghiaccio le gira la testa, se ce lo tiene le gira lo stesso. Allunga la gamba, lentamente, appoggiandosi con la schiena al bracciolo del divano, una mano sugli occhi, per cercare di dominare il dolore. Lui esce di nuovo e torna con un bicchiere d'acqua e un tubetto di pasticche. Gliene mette tre in mano e l'aiuta a bere, facendo *no, no* con la testa quando lei vuole tenere il bicchiere. Poi si siede in fondo al divano, le solleva la gamba prendendola per la caviglia – fa *ssshhh* perché lei cerca di alzarsi – se la appoggia su un ginocchio e le tiene il fazzoletto col ghiaccio sul piede, delicatamente, quasi lei non lo sente. Ha un'aria cosí dolce, cosí premurosa, cosí tenera con quegli occhi azzurri spalancati, che per un momento lei si dimentica chi è. Le viene in mente Marco, che non è mai cosí, non lo è piú stato, da tanto tempo. Ma è solo un momento.

– Ha ucciso quel vecchio.

– Non era un vecchio.

– Era un vecchio!

– Non era un vecchio. Era un armiere della 'ndrangheta. Dopo le faccio vedere cosa c'è sotto il pavimento.

L'analgesico comincia a fare effetto, ma piú che altro la stordisce. Lo sa di avere una soglia del dolore molto bassa.

– Perché l'ha ucciso?

– Zu' Tommaso lo lasciano qui a fare il guardiano della santabarbara. Secondo lei, se gli dicevo: «Zu' Masino, vorremmo stare qui per la notte e mi serve anche un po' della roba che ci hai di sotto», lui mi lasciava fare?

– Ma l'ha ucciso cosí!

– C'è un altro modo per farlo?

– Sí! Cioè, no… però non si ammazza la gente cosí!

La guarda. Ci sono momenti in cui i suoi occhi chiari da orsacchiotto di peluche non sembrano piú tanto teneri, e questo è uno di quei momenti. Non che diventino cattivi, no, quello mai, però piú freddi. Crudeli, sí, ecco, piú crudeli.

– Lei è un soldato, – dice.

– Sí. E allora? Cosa c'entra?

– I soldati ammazzano la gente.

– No.

– Lei non ammazza la gente?

– Ma no!

– Però lo farebbe. Se ci fosse la guerra, per esempio. I soldati la ammazzano la gente, quando sono in guerra.

– La guerra è un'altra cosa. Nessuno la vuole la guerra, neanche i soldati. Io non la voglio. Tu invece ammazzi la gente sempre, per scelta tua!

Vorrebbe tirare indietro la gamba, ma lui la trattiene e lei sa che se forzasse sentirebbe male.

– Mia madre, – dice Angelo, – fa la casalinga. Mia sorella, invece ha una merceria. Tutte e due possono prevedere con una certa sicurezza che nella normalità della loro vita non gli accadrà mai di dover ammazzare nessuno. Lei no. Lei ha scelto un mestiere che comporta la possibilità, per quanto esecrata, di uccidere.

– Sí, ma non è per questo…

– Ha ricevuto un addestramento alle armi, è un ufficiale, potrebbe andare in prima linea. È in grado di escludermi, categoricamente, che in caso di necessità, che so, non sparerebbe a un nemico?

– No, io… dipende. Ma non cosí, a sangue freddo.

– Se ci fosse la necessità di eliminare un ostacolo sopprimendolo, lei non lo farebbe?

– No. Non lo so… dipende. Detto cosí no.

Sorride. Lui, non lei. Lei lo guarda stringendo i denti, e non solo perché le fa male il piede. Lui però continua a sorridere.

– Il nostro mestiere è uccidere, chi in un modo, chi in un altro, chi quando capita e chi sempre. C'è solo una differenza tra noi due.

– E quale?

– Io sono cattivo.

La botola è sotto un tappeto, ma sopra il tappeto c'è un cassettone, cosí pesante che faccio una fatica boia a spostarlo. Da solo, naturalmente, perché lei riesce soltanto a saltellarmi dietro, su una gamba, appoggiandosi ai mobili. Si è tolta anche l'altro anfibio, e adesso cosí in ciabatte, con una gamba della mimetica arrotolata sulla caviglia perché la cerniera non le sbatta sul dito gonfio, in maglietta per la caldana dell'analgesico, non sembra piú neanche un soldato e un po' mi pento di averla tormentata, prima. Ma non importa, perché mi è piaciuto farlo. Sono cattivo.

Sotto la botola c'è una scala di legno, tipo quelle che vanno nelle cantine. E infatti la stanza è una cantina, zu' Tommaso ci tiene anche due salami e un prosciutto, appesi a stagionare a una trave.

Faccio scendere prima lei, ci mette un mucchio di tempo e geme tra i denti, perché le fa male. Quando arriva in fondo si siede su una grossa cassa di legno ma devo farla alzare. C'è una sedia impagliata, vicino a un frigorifero, e la faccio saltellare fino a lí, ma lei va a sedersi sui gradini della scala, credo perché cosí può tenere il piede piú in alto. Apro la cassa di legno.

– Cazzo, – dice lei, alle mie spalle. È la prima volta che la sento parlare cosí.

– Sí, – dico io.

– Ci sono piú armi che da noi in caserma.

– Le 'ndrine hanno un Pil che è quasi quello di uno Stato. Possono permettersi un sacco di spese militari. E non hanno i pacifisti a contestare.

Prima di scendere ho svuotato la borsa dai pesi che mi servivano per convincerla a darmi un passaggio. Ora la riempio con quello che mi occorre. Ci metto un'altra pistola, una mitraglietta Heckler & Koch che sapevo che c'era perché l'ho già usata, e prendo anche tre bombe a mano. Mi serve una carabina e la trovo in un'altra cassa. È un vecchio modello in fibra di nylon ma la prendo lo stesso, perché ha un buon cannocchiale montato sopra. Nella borsa però non ci sta. Non importa, ci sono dei giornali di sopra, e penso che potrò incartarle la canna con quelli.

– Che deve fare con tutta quella roba?

È arrivato il momento delle spiegazioni. Quelle piú necessarie, almeno. Ho imparato a conoscerla: quando è arrabbiata o spaventata, e comunque eccitata e fuori controllo, mi dà del tu, quando è calma mi dà del lei. Adesso è calma.

– Bisogna imparare a pensare fino al terzo livello, – dico.

– Al terzo livello?

– Sí. A forza di lavorare con la mafia credo di averlo capito. Ma sarebbe stato lo stesso se invece che nel settore privato avessi lavorato in quello pubblico –. La indico e lei mi guarda perplessa. Intendevo dire lo Stato, i servizi segreti, ma non importa, non complichiamo le cose. – Lasci stare. Mi segua, perché è importante –. Chiudo la cassa e mi ci siedo sopra. – Primo livello, – mi tocco la punta di un dito. – Il mese scorso sono andato a Bologna a fare un lavoro. C'era un tizio che ufficialmente sarebbe stato un fornaio e che invece spacciava all'ingrosso per conto proprio. Dava fastidio a una delle mie 'ndrine e cosí mi hanno mandato su.

– E lei lo ha ucciso.

Mi sto spingendo troppo oltre? Non voglio che si arrabbi. Voglio che capisca tutto quello che mi serve. Però ha usato il lei. È ancora calma. Forse si sta abituando a quello che sono. Meglio cosí, per ora.

– Primo livello, c'è un ostacolo, lo si elimina. Secondo livello, – tocco un'altra punta di un dito. – La 'ndrina degli Stranome ha bisogno di una licenza per un appalto, ma l'as-

sessore che sta a capo della commissione di controllo del comune ancora non gliela dà. E allora chiamano me... ·

– Per uccidere mio marito.

– No. Per uccidere lei.

Mi guarda sbigottita, seduta sulla scala, il tallone appoggiato al gradino piú in alto che può e il dito gonfio in mano.
Non capisce, non ha capito. Devo spiegarglielo.

– Secondo livello, – spingo sulla punta dell'indice. – L'o-
stacolo è suo marito, ma se lo ammazzo poi la licenza chi me
la dà? Allora colpisco la moglie, cosí lo spavento, gli faccio
vedere che posso arrivare fino a lui quando voglio e quello
si decide a darmi la licenza.

L'ho visto lo sguardo che ha lanciato alla pistola che tengo infilata nella cintura. Ci metto una mano sopra, ma aperta, come per coprirla e non per prenderla.

– Se avessi voluto ucciderla lo avrei già fatto, no? La facevo saltare con la macchina, le sparavo in testa, lasci stare.
Resti concentrata. C'è il terzo livello –. Me lo prendo proprio, il terzo dito, me lo giro come se lo volessi staccare per
darglielo.

Il terzo livello. Era un po' che ci pensavo, poi ne ho avuto la certezza. Per una cosa cosí, ammazzargli la moglie al-
l'assessore, colpire suocera perché nuora intenda, ci vuole
un tocco gentile. Niente chiasso, niente allarme. E infatti
all'inizio zu' Pasquale mi chiama e mi fa: «Angelino, deve
sembrare un incidente». Poi mi chiama di nuovo e mi dice
che hanno cambiato idea, che vogliono un gesto eclatante,
un gran botto. E io lí comincio a pensare male. Ma tutto
questo non glielo dico, perché non voglio confonderla con
i particolari. Mi serve che capisca bene quello che mi interessa.

– C'è la 'ndrina degli Arangara che non vuole che gli Stranome facciano l'affare. Stanno in equilibrio sul territorio, e

se una diventa troppo ricca poi scoppia la faida, cioè la guerra. Però non glielo possono dire cosí, perché ufficialmente sono amici. Allora che fanno? Mi fanno dire da zu' Tommaso, che è il mio, diciamo cosí, agente, ma che è sempre stato piú loro che degli altri, di fare un gran botto. Perché? Perché cosí, con tutto il chiasso sui giornali, l'attenzione al problema, oddio, c'è la mafia anche da noi e cosí via, la licenza se la sognano e l'affare salta. Gli Arangara possono dire: «Che sfiga, ci sarebbe piaciuto vedervi piú ricchi ma la colpa è vostra che avete dato il lavoro a quel cazzone di Angelino che deve aver capito male e guarda il casino che ha combinato».

Mollo il dito perché mi fa male. Stringevo troppo. Devo calmarmi anch'io.

– Ho capito, – dice lei. – Che schifo.

– Aspetti. Un altro piccolo sforzo. Perché i livelli non sono proprio tre. Qui sono tre e mezzo.

Mi sporgo in avanti perché voglio vederla bene in faccia. Non c'è molta luce quaggiú, la luce di una cantina, e io devo capire bene l'effetto che le faranno le mie parole.

– Io dovevo uccidere lei, giusto?

– Sí.

– Lei, e non l'assessore. Gliel'ho detto, primo e secondo livello…

– Sí, sí!

– E allora perché ho messo la bomba sotto l'auto che usa suo marito?

Non dice niente. Credo che stia cominciando a capire. Il suo cervello, almeno. La sua coscienza non ancora.

– Ho messo la bomba sotto il Suv. Come facevo a sapere che lo avrebbe preso lei? Come facevo a sapere che proprio questa mattina suo marito avrebbe cambiato idea e avrebbe preso la Panda per far vedere alla gente che…

Ecco, ha capito. Lo vedo da come i lineamenti le si induriscono. Per un momento sembra cosí brutta, e vecchia. Fa per alzarsi, butta giú il piede, poi si aggrappa alla scala per non cadere a terra. Il dolore le scioglie il volto e adesso non è piú cosí brutta.

– Non è vero, – dice. Vorrebbe ripeterlo, ma le tremano le labbra e non riesce a parlare.

– In tutto questo discorso di livelli l'assessore non è piú una vittima. Lo era all'inizio, poi si è messo d'accordo –. Lo dico piano, sussurrandolo, perché questo è il tono che ci vuole, ma lei sta piangendo con la faccia tra le mani e non so se mi sente. – Per l'affare dei supermercati però nicchiava, per convenienza politica. Ma la 'ndrina se ne frega della carriera politica di un assessore. Il botto dà l'occasione anche a lui di uscire da questo problema senza far arrabbiare nessuno.

– Non è vero.

– Guardi il suo cellulare. Gliel'ho lasciato apposta. Quante chiamate ci sono? L'ufficio, quando non l'hanno vista arrivare, e suo marito. E basta. Nessuno la cerca. Immagino che suo marito abbia tranquillizzato l'ufficio e poi, dopo averla cercata, abbia chiamato subito Michelino Arangara.

– Non è vero.

– Scommetto che se andiamo su e guardiamo la televisione non troviamo niente sulla sua scomparsa. Scommetto che…

– Non è vero!

È in piedi, nonostante il dito rotto. Stringe i pugni davanti alla mia faccia, ma io lo so che l'odio che mi spara addosso con gli occhi non è per me. Perché ha capito, anche se ancora non vuole crederci. Gira dietro la scala, come per allontanarsi, aggrappandosi ai gradini per non cadere.

– Posso darle la prova, – le dico. – Deve solo fare una telefonata.

Fa parte del piano che ho pensato per salvarmi la pelle. Vorrei spiegarglielo e riuscirei anche a farlo, a calmarla ancora, darle un appiglio cui aggrapparsi per illudersi di controllare la situazione, la speranza di rimettere a posto tutte le cose. Ci riuscirei, lo so, se non fosse che proprio in quel momento, accidenti a me, cazzone di un Angelino stupido, mi accorgo che ho fatto un errore.

Non li hanno sentiti arrivare. Erano cosí presi dalla conversazione che non hanno sentito gli sportelli della macchina che si chiudevano, la porta del casolare che si apriva, neanche i passi sulla loro testa. Angelo si è accorto di loro un attimo prima di vederli spuntare in cima alla scala, le pistole in mano, ma ormai era troppo tardi.
    – Chi sei? Che ci fai qua sotto?
    Angelo li guarda, uno lo riconosce, è Carmine Stranome, l'ha visto una volta sola, ma quei capelli lisci, stretti in una coda di cavallo alla Zanardi, se li ricorda. Pensa che è stato davvero stupido, con l'aria di faida che c'è in giro la santabarbara delle 'ndrine sarebbe stata frequentata parecchio, doveva immaginarlo, altro che nascondiglio sicuro.
    Carmine scende a metà scala, la Glock calibro 9 puntata su Angelo, piegata di lato, come si fa nei film. Dietro, due gradini piú sopra, c'è un altro degli Stranome, anche lui con la pistola in mano. Mariangela non l'hanno ancora vista, è dietro la scala, immobile. Stava per dire qualcosa, poi ha visto la pistola e si è bloccata. *Resta lí*, pensa Angelo, *resta lí*.
    – Sono Angelino. Angelino Ferri. Sono di Peppino Stranome anch'io.
    Carmine scende un altro gradino, la pistola sempre puntata su Angelo, che guarda Mariangela e pensa *Non adesso, non adesso, aspetta*, ma neppure lo sa se Mariangela è abbastanza lucida, abbastanza coraggiosa.

– È chiddu che ci fa le cose per noi e per gli Arangara, – dice quello dietro.

– Angelino, sí, – dice Carmine. – E perché stai qui? E dov'è zu' Tommaso? Angeli', non dovevi stare a fare quell'altra cosa, la moglie dell'assessore?

Mariangela si irrigidisce, e ad Angelo sfugge un sorriso, perché nominata cosí adesso c'è dentro anche lei, direttamente, e questo la forza a reagire. *Adesso!* pensa Angelo, glielo dice con gli occhi, e vorrebbe anche dirle *Quello di sopra! Quello di sopra!* ma è troppo complicato per uno sguardo, e allora spera che lei ci arrivi da sola e per fortuna sí, lei ci arriva a pensarlo.

Mariangela infila le mani tra i gradini e prende le caviglie di quello di sopra, che cade in avanti e trascina giú anche Carmine.

Angelo è già pronto. Salta di lato ed evita quello di sopra, che vola di faccia sul pavimento della cantina, e appena cerca di rialzarsi lui gli appoggia la pistola sulla testa e spara.

Carmine è caduto sulle ginocchia e ha perso la Glock. La vede, l'afferra per la canna e si alza in piedi con uno scatto di reni. Angelo si è voltato per sparargli ma non è stato abbastanza veloce, perché Carmine fa roteare il braccio e lo colpisce al volto con il calcio della pistola e lo manda a sbattere contro la cassa. Poi Carmine si volta e vede Mariangela.

Piegata in avanti, le braccia tese, le mani che artigliano l'aria, apre i piedi nudi sulla terra battuta della cantina, ma il dito rotto le fa male, e cosí è costretta a tenere la gamba in dentro, e quando scatta e afferra Carmine per il bavero del giubbotto per la prima volta in vita sua è pronta e bilanciata, e non si ferma a pensare a quello che sta facendo – il dolore glielo impedisce – ma semplicemente lo fa.

Carmine vola roteando sull'anca di Mariangela. Cade sul

sedere e il contraccolpo gli strappa un ringhio sordo. Lei scatta come la biondina sul tatami, passa un braccio sotto il mento di Carmine e lo stringe, infila l'altro dietro la sua nuca, sotto il codino, si afferra il bicipite e gli serra il collo. Carmine si attacca al suo braccio, cerca di alzarsi, ma Mariangela spinge sulle sue spalle e lo tiene giú, allora lui allunga una mano verso la Glock che sta sul pavimento, davanti agli occhi chiusi di Angelo, ma non ci arriva.

Mariangela non sa cosa fare, vuole solo tenerlo fermo, vuole che non prenda la pistola, e allora stringe piú forte, guarda Angelo che dorme come un bambino, la guancia schiacciata sul pavimento che gli piega le labbra quasi in un sorriso, sente Carmine che si divincola e allora stringe piú forte ancora e tira indietro, per allontanare la sua mano dalla pistola.

Carmine spinge sui talloni per alzarsi, inarca la schiena e cade indietro su Mariangela, che apre le gambe e gliele allaccia attorno alla vita. Lei ancora non lo sa cosa vuole fare, vorrebbe chiamare Angelo, ma Carmine ringhia su di lei, la schiaccia, le afferra un piede nudo e tira, e il dolore le tronca il fiato perché è proprio quello col dito rotto, e allora Mariangela grida e stringe ancora piú forte, perché vuole farlo smettere, e quando lui le lascia il piede continua a stringere, perché adesso sa cosa vuole fare, vuole ucciderlo, vuole spremere e spegnere quel ringhio strozzato che le vibra tra le braccia, perché non può fare altro, non può lasciarlo andare, a prendere la pistola, a farle male ancora, deve ucciderlo, eliminarlo.

Carmine annaspa, le mani aperte che afferrano l'aria come per strapparsi via da quella stretta, rantola, grida, ma lei non lo sente, chiude gli occhi e stringe, con le braccia, con le gambe, stringe piú che può e continua ancora quando Carmine si è fermato da un pezzo, rilassato contro di lei come se le dormisse in braccio, gli occhi chiusi come quelli di Angelo. Allora Mariangela lo lascia, scivola da sotto il suo corpo e si allontana scalciando con i piedi nudi, anche con quello dal dito rotto, si schiaccia contro il muro, si abbraccia le gambe e comincia a tremare.

Poi alza gli occhi e lo vede.

Angelo è seduto contro la cassa, la Glock di Carmine in mano, e la guarda con quel suo sorriso tenero da peluche. Mariangela smette di colpo di tremare.

– Non eri svenuto.

– No, – dico io.

– Non eri svenuto! Potevi prendere la pistola, potevi… potevi ucciderlo tu!

– Sí.

– E perché non l'hai fatto?

– Che differenza c'è? L'hai fatto tu.

– Ma io… io non volevo!

– Sí, l'ho visto, – sono ironico, naturalmente. – Una perfetta combinazione tra un hadaka jiime e uno sleeper hold, piú ju-jitsu che judo, ma efficace, complimenti.

Se potesse mi salterebbe al collo. Strangolerebbe anche me come ha fatto con Carmine, ma questa volta soltanto per odio. Capisce che gliel'ho letto negli occhi e li abbassa. Stringe le labbra come una bambina e si mette a piangere.

– L'hai fatto apposta, – mormora.

Io mi alzo, a fatica, perché anche se non ho perso i sensi la botta in testa l'ho presa. Raccolgo la mia pistola e mi carico in spalla la borsa con le armi. Le indico la scala con la canna dell'arma e non ho bisogno di insistere. Vuole andarsene in fretta da lí, raccoglie le infradito e zoppicando si arrampica sulle scale.

– Io non sono come te, – dice tra le lacrime.

Non insisto, ho vinto, le ho dimostrato che può uccidere, eccome se può uccidere, quindi sorrido in silenzio e non
dico niente.

E non mi rendo conto, allora, che ho commesso un altro
errore.

Un errore enorme.

Per tutto il viaggio non hanno praticamente detto una parola. Quando sono saliti in macchina e lei è partita saltando
su un dosso lui le ha detto *Occhio, che abbiamo sempre trenta chili di tritolo sotto il sedere*, poi, quando lei ha rallentato
di colpo, le ha detto *Non cosí piano, l'ho disinnescata, è solo
per prudenza*.

Da quel momento, per altre due ore e mezzo, nessuno dei
due ha piú detto niente. Lui guardava lei e lei guardava dritto, alla strada, socchiudendo gli occhi quando entrava e usciva dalle gallerie, serrando la mascella quando premere sul
pedale le faceva male al piede, le labbra strette in un taglio
netto, come un colpo di rasoio. Un paio di volte le si erano
inumidite le ciglia e aveva sbattuto le palpebre come se volesse impedirsi di piangere, ma le tremava il mento.

Si erano fermati in un'area di parcheggio quando già erano usciti sull'Aurelia. Lui le aveva fatto spegnere la macchina, si era preso le chiavi ed era sceso, e lei era rimasta a guardarlo passeggiare avanti e indietro, il telefonino sull'orecchio
e un sorriso leggero mentre sussurrava cose che lei non riusciva a sentire. Poi erano ripartiti.

Tutte le volte che vengo a Talamone, quando giro la curva e mi trovo in cima alla salita, con il mare che salta fuori
all'improvviso tra la *v* di due colline, io mi sento felice. Soprattutto se c'è il sole che luccica sull'azzurro dell'acqua, anche basso, come ora. Vedo il paesino arroccato tra le mura,

mi immagino l'odore del mare e proprio non vedo l'ora di essere laggiú. Il fatto che venga fuori cosí, quando non te l'aspetti, dopo un pezzo di terra di Maremma, alla fine di una strada che sembra l'alveo di un canale artificiale, colpisce sempre tutti, anche Mariangela, che per un momento distende i lineamenti e mi parla, anche.

– Perché siamo qui?

– Perché qui ho una casa, una casetta al mare. Non lo sa nessuno, soltanto io. E anche lei, adesso.

– E che ci facciamo?

– Incontriamo un po' di gente e risolviamo questa situazione.

Mi lancia un'occhiata rapida. Sta per tirare dritto al bivio e le indico il cartello per Talamone.

– Risolviamo tutto con reciproca soddisfazione. Ognuno per la sua strada, io e lei. Vivi –. Dovrei aggiungere *spero* ma non lo faccio, e va bene cosí, perché a lei sfugge l'ombra di un sorriso e quando parla ancora lo fa con la foga dell'attesa e del sollievo.

– E quando... quando finirà tutto questo? Quando potrò andarmene?

– Questa sera, – *spero*, – prima dobbiamo fare un paio di cose. La prima tocca a lei: è una telefonata.

– Una telefonata?

– Sí. A suo marito. Deve dire all'assessore di venire qui.

Ha rallentato, d'istinto, ma va bene perché cosí posso indicarle la salita che dal porto si stacca verso la rocca che racchiude il paese.

– Perché devo dirgli di venire qui?

– Stia attenta, deve voltare a sinistra e salire fino alla piazzetta.

Scala in seconda e il Suv ruggisce nella strettoia. C'è un fornaio dall'altra parte della strada. Come tutte le volte che passo di qui mi viene voglia di fermarmi, ma adesso non è il momento.

– Perché devo dirgli di venire?

– Perché fa parte del mio piano. Ho chiamato l'altra 'ndrina interessata a questa storia, gli Stranome, e mi sono messo d'accordo. Gli porterò l'assessore e gli dimostrerò che con tutto questo casino io non c'entro niente, anzi. Ho bisogno che lei chiami....

– Sei pazzo.

– Ho bisogno che lei telefoni...

– No, tu sei pazzo! Io non chiamo nessuno!

Ha accelerato e la macchina si strappa dalla salita piombando nella piazzetta. A momenti non ci schiantiamo contro il busto di Garibaldi che ci sta al centro. La faccio accostare, proprio sotto la targa attaccata a un muro su cui c'è scritto che in quella casa ha dormito l'Eroe dei due mondi.

– Lei la farà quella telefonata, e per due motivi. Il primo è che se non la fa la uccido. Qui e adesso –. Le lascio il tempo di assimilare l'informazione. – Il secondo è che è l'unico modo per capire se suo marito è un bastardo che la voleva morta oppure no. Spenga il motore, siamo arrivati.

Obbedisce, come Garibaldi.

– E come faccio a capirlo?

– Lo chiama e gli dice di essere stata rapita da me. Deve seminare la scorta e venire qui, perché voglio parlargli, a lui, lui soltanto. Se arriva da solo o con un battaglione di carabinieri, allora io sono un bugiardo e suo marito è un sant'uomo. Se invece arriva con Michele Arangara e il suo gruppo di fuoco, allora lui è un bastardo corrotto e io un onesto assassino.

Non guarda me, si guarda le mani, come se nelle dita bianche per la stretta sul volante ci fosse la risposta. Ci resta tanto, così, e per un momento penso che spaccherà lo sterzo, lo staccherà dal cruscotto e le resterà in mano. Poi, all'improvviso, lo lascia, l'impronta sudata che luccica sulla plastica.

– Va bene. Mi dia il telefono che lo chiamo.

– Prima entriamo in casa e ci facciamo un caffè. È da questa mattina che non mangiamo. Se mi promette di fare la brava vado al forno a prenderle la spianata. È buonissima.

Quando torno con il sacchetto di carta chiazzato d'olio la trovo dove l'ho lasciata, seduta sulla sedia al centro della stanza, un braccio alzato per le manette che la assicurano a una colonna del cassettone. Ne ha un altro paio strette attorno alle caviglie, molto strette, e appena entro allunga le gambe verso di me perché gliele tolga. Lo so che le fanno male, l'ho fatto apposta a chiuderle cosí, ma non è per questo che ha gli occhi umidi e tira su col naso. Solleva i talloni sul bordo della sedia, massaggiandosi le caviglie, e appoggia il mento sulle ginocchia.

– C'è una vista bellissima, – mormora.

È vero. L'appartamento è piccolino, un corridoio con un bagno e una camera da letto. E una stanza in fondo, soggiorno e angolo cucina, pareti azzurre come in Grecia e anche una rete da pesca sul muro, con le conchiglie attaccate. Tutto qui. Però in quella stanza in fondo ho due finestre che si aprono sulla baia di Talamone, il mare sotto e il cielo sopra, che sembrano entrarti in casa. Adesso, poi, con la luce radente del tramonto, c'è una pace struggente. Qui è ancora bassa stagione, e quando è bassa stagione significa che in paese ci saranno sí e no cinquanta persone. Le ragazze del forno mi hanno anche notato, cosa che non succede mai appena arrivano i turisti.

Mariangela tira ancora su col naso. Lo so perché lo fa. Ho aspettato che finisse la sua telefonata perché volevo che ripetesse esattamente le mie istruzioni per l'assessore, e poi non potevo rischiare di lasciarla sola con un cellulare. L'assessore ha detto tutto quello che doveva dire, ma io so che non l'ha convinta. Lo vedo da quello che c'è dietro le sue ciglia umide.

Paura.

Paura che abbia ragione io.

Le avvolgo un angolo della spianata con un pezzo di scottex e glielo dò. Ci vorrebbero dentro un paio di fette di prosciutto di montagna, ma non avevo il tempo di andare fino allo spaccio. Giusto quello per un pezzo di spianata, per quella sí, c'è sempre tempo.

Prendo il borsone, lo appoggio sul divano e tiro fuori le armi. Appoggio le bombe a mano su un cuscino, poi vado a prendere un bicchiere dalla cucina, finché ce l'ho in mente. Scarto la canna della carabina dal giornale con cui l'ho avvolta.

– C'è qualcosa che non va, – dice lei.

Ha parlato con la bocca piena e non ho capito bene.

– Il suo piano… non può funzionare. Mettiamo che abbia ragione…

Faccio scorrere l'otturatore della Nylon, punto fuori dalla finestra e tiro il grilletto, che scatta a vuoto. Non è per fare il fenomeno, è che la carabina è un pezzo vecchiotto e ancora non mi fido.

– Mettiamo che Marco… che Marco stia con quella gente. Mica arriverebbe da solo, no? Lo ha detto anche lei, verrebbe con quelli là… e allora come farebbe a prenderlo?

C'è una piccola Glock tra le pistole sul divano. La prendo e tolgo il caricatore. Sfilo le pallottole spingendole via con la punta del pollice, tutte tranne una.

– Stia tranquilla, ci ho già pensato. Se ha un momento di pazienza, ora glielo spiego.

La croce del mirino telescopico della carabina si posa sulla testa di Mariangela come una mosca invisibile. È soltanto un caso, ma lei si gratta proprio in quel punto, come se lo sentisse. Allarga le gambe e sfila i piedi dalle ciabatte infradito, appoggiando la schiena alla seggiolina pieghevole. Strappa un morso di spianata, asciugandosi l'olio che le cola sul labbro con il dorso di una mano.

A starsene cosí, seduta sulla porta di casa, le sembra davvero di stare in vacanza. Si ricorda di un giorno simile, giú nel Gargano, l'ultima vacanza vera con Marco, ma scuote la testa perché quei ricordi non li vuole, non adesso, non ancora. Solo se Marco arriverà da solo.

O con i carabinieri.

Lui fa scendere il mirino del telescopio sul dito gonfio e, guarda un po', lei si china per grattarsi proprio lí. Angelo sorride, staccandosi dal cannocchiale. In teoria non ci sarebbe bisogno di un mirino cosí, perché anche se ormai è notte c'è la luna quasi piena e ci si vede bene lo stesso. E poi lui non è cosí lontano, è solo appostato sul palazzo di fronte, tra le piante che nascondono un terrazzo. Usa il telescopio perché adesso le piace guardarla, cosí ingrandita, le briciole unte della spianata all'angolo di un labbro, le ciocche di capelli che le scendono sulla fronte, la pelle nuda del fianco che si sta grattando sotto la maglietta sollevata, anche quella macchia piú scura che ha sulla caviglia, sopra il malleolo, sotto il bordo rimboccato dei calzoni della mimetica.

Pensa che appena può vuole chiederle perché certi giorni ha la divisa di servizio e a volte quella da combattimento.

Pensa che gli sarebbe piaciuto conoscerla in un'altra occasione. Non per lavoro, insomma.

Però spera di non vederla mai piú.

Comunque vadano le cose.

Da laggiú, Mariangela, sente i rumori prima di lui, che si accorge della macchina solo perché la vede alzarsi in piedi, incurante del dito rotto, ferma sulla soglia anche se vorrebbe slanciarsi fuori di corsa, verso la Panda gialla che arriva nella piazzetta e si ferma dall'altra parte della statua di Garibaldi, secondo le istruzioni.

Mariangela pensa che le scoppierà il cuore. Non riesce neanche a respirare, strangolata dall'ansia, e urla quando Marco esce dalla macchina.

Da solo.

Marco, da solo.

Deve attaccarsi allo stipite della porta per costringersi a non corrergli incontro, perché lo sa che quello lassú le sparerebbe. Allora grida *Dài! Dài!* tirandosi addosso l'aria con le mani come servisse a farlo arrivare piú in fretta, e quando arriva lo abbraccia, lo stringe e lo trascina dentro, lungo il corridoio, non importa se il piede nudo le fa male, lo strattona per un braccio, non lo lascia neanche parlare, si infila nel bagno, perché quelli erano gli ordini, chiude la porta a chiave dietro le sue spalle, e sono ancora gli ordini, ma quando incolla la sua bocca a quella di Marco è perché lo vuole lei.

– Mariangela... – dice lui, ma lei non lo lascia parlare. Lo stringe, gli si arrampica addosso, le labbra schiacciate sulle sue.

Quando bacia, lei bacia sempre a occhi chiusi, era cosí fin da quando era piccola ed è cosí anche adesso, pure in quella situazione.

Ma appena sente l'esplosione li spalanca, anche se è ancora lí, attaccata alla bocca di Marco.

Io lo sapevo che arrivavano anche loro.

Lei le cose le spera, le pensa, le sente, io le so. Perché ci sono dentro. Cosí appena ho visto quei tre che arrivavano da tre lati diversi della piazza, il braccio lungo il fianco e la mano dietro la coscia come per nascondere la pistola, non mi sono stupito per niente, anzi. Semmai ero deluso perché non c'era anche Michelino Arangara, ma poi l'ho visto, basso, tarchiato, la mano sotto il giubbotto. Ha fatto cenno a uno dei due di avvicinarsi alla porta, mentre gli altri restavano schiacciati contro il muro.

Niente di personale, ho pensato mettendogli la croce del mirino su una tempia. Stava andando bene, anche meglio del previsto, perché me la sarei cavata all'incirca con un colpo a Michelino e almeno un altro paio in testa agli altri prima che l'ultimo capisse da dove gli stavo sparando.

Perché era quello il piano. Un piano semplice.

L'assessore arriva con i rinforzi?

E io li ammazzo tutti.

Poi però lo vedo.

E allora capisco che ho commesso un altro errore. Un altro ancora. Uno prima, a Corciano, ma quello lo avrei pagato più tardi. E un altro dopo, che invece però pago subito.

Dall'altro lato della piazza arrivano due macchine, a fari spenti. Si infilano nel parcheggio, dietro le auto ferme, una proprio dietro il Suv con cui siamo arrivati. Da una scendono quattro uomini, e uno lo riconosco. Ho ancora nelle orecchie il suono della sua voce, perché ci stavo proprio pensando poco prima a Peppino Stranome, e alla telefonata che gli avevo fatto.

E così adesso so che gli Stranome e gli Arangara si sono di nuovo messi d'accordo. Perché tenersi l'assessore è più conveniente che dare retta a quel cazzone di Angelino, che ha sbagliato tutto. Errore di valutazione. La convenienza è più forte di tutto, anche dell'offesa, anche della vendetta.

Così passo alla variante del piano, quella prevista se ci fosse stato un imponente spiegamento di forze.

Schiaccio il pulsante del telecomando e faccio saltare in aria il Suv.

Marco allarga d'istinto le braccia quando la casa si scuote come se ci fosse un terremoto. Mariangela si stacca da lui e va a schiacciarsi con le spalle contro il muro, tra la vasca e il lavandino. Lo guarda con gli occhi spalancati.

Angelo le aveva detto: «Appena lo vede, lo porti dentro casa e stia lontano dalle porte e dalle finestre. Vada in bagno, è la stanza piú sicura, si chiuda lí con lui e aspetti. Se non sente niente vuol dire che è arrivato da solo, ma non sarà cosí. Se sente sparare, allora con lui c'è qualcuno».

– Che cazzo succede? – grida Marco.

– Chi c'è là fuori?

Marco non le risponde, non la sente neppure. Si attacca alla maniglia del bagno e tira per aprirla, ma Mariangela lo colpisce con una manata in mezzo alla schiena, per farlo voltare.

– Chi c'è là fuori? – urla Mariangela, e adesso Marco la sente perché lei si è alzata la maglietta, ha estratto una pistola e gliela sta puntando contro.

– Ma sei impazzita? – dice lui.

– Chi c'è là fuori? Dimmi che ci sono i carabinieri.

– Sí. Sí, ci sono i carabinieri, sí.

Ma lo ha detto troppo in fretta, e lei non ci crede.

– Chiudi a chiave e stenditi per terra. Aspettiamo.

E poi lo fa anche lei, si stende a terra, perché è cosí che Angelo le ha ordinato di fare.

Ancora non sparo. Tre Stranome sono andati con l'esplosione del Suv e stanno bruciando nella loro auto. Peppino e gli altri quattro sono tra le macchine ma sono sicuro che sono vivi, feriti forse, ma vivi. Michele Arangara si è inginoc-

chiato per terra e ce l'ho sotto tiro, ma voglio aspettare che
si muovano i suoi. E infatti uno punta sulla finestra aperta,
la spalanca e ci salta dentro. Mi immagino la faccia che fa
quando vede il bicchiere con la bomba a mano dentro che
cade dal bordo della persiana su cui stava in equilibrio e si
spacca a terra, liberando la levetta dell'innesco.

La fiammata esce dalla finestra e investe un altro Arangara che stava per balzare in casa. Cade a terra nella piazzetta tenendosi le mani sulla faccia, e so che per adesso non è
un problema. Senza neanche guardarlo sparo a Michele, che
salta contro il muro, lasciando metà testa sull'intonaco. Poi
sposto il mirino su uno Stranome che si sta guardando attorno, solleva la testa verso di me, mi vede, urla, e io proprio lí
lo prendo, nella bocca spalancata.

Ci sono tre uomini, Stranome o Arangara non lo capisco
piú, che attraversano di corsa la piazzetta, passano accanto
al busto decapitato di Garibaldi e si infilano in casa. Un
quarto lo becco sulla soglia, in mezzo alla schiena, e lí si inchioda, inarcato come un crocifisso, poi mi devo tirare indietro perché quello mezzo bruciacchiato davanti alla finestra si è messo a sparare contro di me, tiene la pistola a due
mani e mi scarica contro tutto il caricatore, cosí lascio la carabina, mi sfilo la Heckler & Koch dalla tracolla e corro giú
dal terrazzo.

– Stai fermo, – ringhia Mariangela, e perché Marco non
si alzi dal pavimento gli mette una gamba di traverso sulle
sue, sdraiata accanto a lui, senza accorgersi che è proprio quello che fa sempre quando dormono assieme, stessa posizione,
fianco a fianco, ma senza la pistola. – C'è un colpo solo ma
è carica, non ti muovere e stai giú!

– Sei impazzita, Mariangela? Che cazzo ti è successo, sei
impazzita?

– Tu prega che quelli fuori siano carabinieri. Prega solo che siano carabinieri.

Quelli dentro la casa sono Peppino Stranome e due dei suoi. Corrono lungo il corridoio, uno spalanca la porta di una camera e ci guarda dentro, mentre Peppino e quell'altro arrivano fino alla stanza con le finestre sul mare. Quell'altro ha un fucile a pompa, si guarda attorno, poi vede la porta chiusa del bagno e ci tira un calcio con la suola, di piatto. La porta si scuote sui cardini ma resta chiusa.

– Assessore, sei lí? – grida Peppino.

Mariangela prende Marco per i capelli, gli appoggia la pistola su una guancia, ma non la canna, tutta la pistola, perché non è un killer da film pulp, Mariangela, è solo una donna arrabbiata e terrorizzata, e ci avrebbe messo la mano aperta sulla faccia di Marco, per farlo stare zitto, ma nella mano ha la pistola.

– Assessore, stai lontano dalla porta!

Quello col fucile spara una cannonata contro la serratura. Se avesse avuto una pistola non lo avrebbe fatto, perché lo sa che il proiettile deforma la serratura e la inchioda per sempre, se non ammazza qualcuno col rimbalzo. Ma ha un calibro 12 a pallettoni, doppio zero, e la serratura salta via con un pezzo della porta.

Mariangela urla, la tirano su per i capelli, Peppino le toglie di mano la pistola e se la infila nella cintura, la trascinano fuori dal bagno con l'assessore, corrono tutti verso la soglia dove c'è quello degli Arangara mezzo bruciacchiato che fa segno di fare in fretta, la pistola con l'otturatore aperto perché ha finito i colpi.

Ma si fermano tutti a metà corridoio perché quello degli Arangara urla, strappato via da una raffica.

Ho scelto Talamone per una serie di motivi che vanno oltre la spianata delle fornaie.

Intanto è un paesino piccolo piccolo, e non ha una stazione dei carabinieri. La piú vicina è a Grosseto e ci vuole un
po' prima che arrivino, nonostante gli spari. Poi lo conosco
bene, conosco le stradine e i vicoletti, e so come aggirare la
piazza senza attraversarla. Ma soprattutto, conosco la casa.

Adesso lo so che non si arrischiano a uscire e stanno tutti con le armi puntate sulla porta d'ingresso. Ce ne sarà uno,
al massimo due nel corridoio e gli altri saranno in fondo, nella stanza con le finestre. Immagino che Mariangela non sarà
davanti, cosí tolgo la sicura a un'altra bomba a mano, lascio
saltare via la levetta, conto tre secondi e la faccio cadere sul
pavimento, appena oltre la porta. Poi mi schiaccio contro il
muro, aspetto l'esplosione e mi affaccio sulla soglia.

C'è uno Stranome che barcolla rintronato, perdendo sangue dalla bocca. Gli tiro una raffica ma devo scappare subito, perché adesso sparano tutti contro la porta.

– E che cazzo, figghioli! È uno solo! È soltanto Angelino, minchia!

Escono fuori sparando, ma io non ci sono. Si fermano sulla piazza, puntando le armi, ma io non ci sono.

Dài, fuori! urla Peppino all'assessore e a Mariangela, che
lo guardano dal corridoio. Quello col fucile a pompa corre
verso la macchina degli Stranome che non è saltata in aria.
Ci monta dentro, il fucile sulle ginocchia, e mette in moto.
Poi si accorge della bomba a mano che entra dal finestrino e
urla, ma l'esplosione arriva prima e il suo grido non si sente.

Peppino torna in casa e chiude la porta.

– Io non c'entro un cazzo con queste cose... io sono un politico, un amministratore...

– No, tu sei un bastardo.

– Ma sta' zitta! – Marco alza una mano e Mariangela gira la testa come se l'avesse colpita davvero con uno schiaffo. – Io non c'entro niente con le vostre cazzate! Capito, Peppino? Io non c'entro niente!

Peppino Stranome sospira.

– Assessore, se ci davi subito la licenza, tutto questo casino non succedeva. Se non ti mettevi d'accordo con gli Arangara, tutto questo casino non succedeva. Tu c'entri eccome, assessore bello.

Peppino Stranome sospira ancora, poi alza la pistola e spara in faccia all'assessore.

Mariangela sobbalza, perché il sangue di Marco le schizza un po' su una guancia e lui le cade sulle ginocchia. Sobbalza solo per quello, e per l'orrore e la sorpresa, naturalmente, ma si scopre a guardarlo senza altre emozioni.

Marco.

Marco è morto.

Marco è.

Punto.

– Io qui non ci resto, – dice Peppino, ma sta parlando per sé. – Tra un po' arrivano i carabinieri, anzi, tra pochissimo, e io non voglio finire dentro. Angelino! – urla. – Angelino beddu! Io lo so che non è colpa tua! Chiudiamola qua e mettiamoci una pietra sopra! Sei bravo, c'è bisogno di gente come te, ti faccio entrare nella famiglia! Ti faccio bruciare la santina!

Mariangela spera che Angelo non sia cosí stupido. Guarda la porta chiusa in fondo al corridoio, vede Peppino in ginocchio con la pistola puntata, un gomito piantato nella pancia per sostenere meglio il polso con la mano, e spera che Angelo non si faccia convincere, che non appaia sulla porta col suo sorriso da peluche.

Mi basterebbe aspettare l'arrivo dei carabinieri. Me ne sto qui, nascosto dietro l'angolo a tenere sotto tiro la porta finché non sento le sirene, poi scappo e lascio che i carabinieri si portino via Peppino che, tra l'altro, è pure latitante.

Ma non è sufficiente.

Peppino dal carcere mi mette sulla testa un contratto e io devo nascondermi per tutta la vita. E non è per questo che ho fatto tutto. Io voglio andarmene in giro liberamente. Passare sotto il naso della gente senza farmi notare. Voglio continuare a lavorare perché mi piace, perché sono io. Perché sono cattivo. Se no ci andavo subito dai carabinieri, mi mettevo a collaborare e vivevo da pentito.

No, io Peppino Stranome lo devo ammazzare.

E subito dopo, ormai questo lo so, devo ammazzare anche lei.

Anche Mariangela.

È in quel momento che Peppino si ricorda di Mariangela. Stesa nel corridoio, dietro di lui, sotto il corpo dell'assessore, cosí si gira per sparare anche a lei, perché non gli serve piú, non gli è mai servita a niente, doveva morire fin dall'inizio, ma Mariangela non c'è.

– Cazzo, – mormora Peppino.

Si alza, e sempre tenendo d'occhio la porta in fondo al corridoio si avvicina al bagno e ci lancia un'occhiata dentro.

Vasca, lavandino, water, bidet.

Guarda di nuovo la porta d'ingresso, poi lancia un'altra occhiata nel bagno.

Vasca, lavandino, water, bidet, tenda della doccia tirata.

Cazzo, pensa Peppino.

Sguardo alla porta, sempre chiusa, la pistola puntata in quella direzione. Peppino prende fiato, una, due volte, poi rapido entra nel bagno e strappa via la tenda della doccia.

Niente.

Poi si gira e c'è Mariangela che lo colpisce in faccia con una padella, forte, come un colpo di mazza da baseball.

Sono entrato dalle finestre sul mare. Niente di acrobatico, c'è un giardino là sotto, con una scala, l'ho appoggiata al muro e sono entrato da lí.

Credevo di trovare Peppino nel corridoio a tenere sotto tiro l'ingresso, e invece c'è Mariangela sulla porta del bagno con una padella in mano.

– La metta giú, per favore.

Lo fa, la lascia cadere con un clangore metallico che mi rimbomba fastidiosamente nelle orecchie. Si sente il rumore di un elicottero dei carabinieri, vedo le sue lucine che passano nel buio oltre le finestre, sul mare. Tra poco ci saranno anche le sirene delle auto.

Devo fare in fretta. Mi affaccio alla porta del bagno e guardo Peppino che si tiene la testa tra le mani, seduto sul pavimento.

– Niente di personale, – gli dico, e gli sparo addosso due colpi di pistola, e anche un altro in testa, per essere sicuro.

Ecco la sirena dei carabinieri.

È ancora lontana ma devo fare in fretta.

Però c'è una cosa che noto, una cosa che non mi piace. Peppino non ha la pistola. Ne ha una, una piccola Glock, infilata nella cintura, ma è quella che avevo dato a Mariangela, quella con un colpo solo.

L'altra, quella di Peppino, ce l'ha Mariangela e me la sta

puntando addosso. Ed è allora che mi accorgo dell'errore che
ho fatto a Corciano.

Un errore enorme.

Il piú grosso della mia vita.

Mica per la pistola che Mariangela mi tiene sulla faccia
con tutte e due le mani, no.

Per la sua espressione.

Lei lo odia. Lo odia per tutto quello che le ha fatto, per
come glielo ha fatto, ma soprattutto perché l'ha costretta a
uccidere un uomo. Di piú, a ucciderlo con le sue mani, a stran-
golarlo, a spremergli via la vita in quel modo. Se lo ha già fatto, se ha già ucciso cosí, cosa le impedisce, adesso, di farlo
ancora?

Lui l'ha capito, perché sorride, ma in un modo diverso.
È un sorriso spaventato. Lascia cadere la pistola e solleva le
mani.

– Va bene, – dice. – Adesso me ne vado. Esco da quella
porta e non mi vedrà piú, mai piú.

– No, – dice Mariangela.

– Ma eravamo d'accordo.

– No.

– Non vorrà mica spararmi?

– Perché no? Credi che non lo farei?

– Sí, lo farebbe. Gliel'ho insegnato io ed è stato lo sbaglio piú grosso della mia vita. Allora diciamo che spero che
non vorrà spararmi.

Le sirene sono piú vicine. Al porto, piú o meno.

– Non ti muovere.

– Mi dispiace, ma non posso fare diversamente. Le dò
questo spunto di riflessione. Se mi spara sarà come me.

– Io non sono come te.

– Io sono un assassino.

– E io un soldato.

– Quindi non mi sparerà così a freddo. Addio.

Angelo sorride, e questa volta è di nuovo il suo sorriso da peluche. Esce dal bagno, piano, ma con decisione, verso la stanza con le finestre.

Mariangela lo segue.

Stringe le labbra.

Apre e chiude le dita attorno all'impugnatura dell'arma.

Poi la abbassa e spara ad Angelo a una gamba.

La frattura si è saldata in fretta, anche meno di un mese, ma in mezzo alla coscia mi è rimasta la cicatrice, e fortuna che ha mancato la femorale di un soffio, se no altro che la cintura che mi ha stretto attorno alla gamba, morivo dissanguato prima di arrivare a Fonteblanda.

Mi dispiace, mi ha detto, *ma non ho le scarpe, se no ti rompevo solo un dito*, e io ho sorriso e ho continuato a farlo anche quando sono arrivati i carabinieri con i giubbotti antiproiettile e i mitra puntati, e ci hanno trovato così, sotto le mie finestre sul mare, illuminate dalle stelle.

Ero contento, no: *sono* contento di non averla uccisa.

Però non è che sia cambiato.

Io resto sempre lo stesso, anche qui, anche in carcere, anche nel braccio di massima sicurezza, dove ci sono cosche, famiglie, bande e 'ndrine.

Sono quello che le guardie non perquisiscono dopo i colloqui, quello che sente i segreti di tutti perché nessuno ci fa caso se gli sta seduto vicino nell'ora d'aria. E se qualcuno mi nota, di rado, ma qualche volta succede, al massimo mi sorride. È l'effetto peluche.

Ma io sono sempre io. Sono bravo. Sono preciso.

Sono cattivo.

Per questo quando entro nelle docce Rachid mi lancia solo un'occhiata distratta e continua a insaponarsi. Mi ha già dimenticato, e poi mi volta le spalle e non lo può vedere lo spazzolino da denti che tengo dentro il palmo della mano aperta. Zu' Mimmo ci ha fuso lungo il bordo tre lamette Bic, e adesso è un rasoio affilatissimo.

Aspetto che apra la doccia per essere sicuro che lo scroscio copra ogni rumore e prima di muovermi lo dico.

Lo mormoro, tra le labbra, piano piano.

Niente di personale.

Indice

Stampato per conto della Casa editrice Einaudi
Presso Mondadori Printing S.p.a., Stabilimento N.S.M., Cles (Trento)
nel mese di giugno 2008

C.L. 19002

Edizione								Anno			
1	2	3	4	5	6			2008	2009	2010	2011